REMBRANDT VAN RIJN

DU MÊME AUTEUR

MONOGRAPHIES

Frans Hals, Jan Vermeer, Henri Rousseau (Skira).
Rembrandt et Saskia à Amsterdam (Payot).
Goya (Alfieri et Lacroix).
Fernand Léger, Vincent van Gogh, Hans Hartung (Cercle d'Art).
Pablo Picasso (avec Francis Ponge), *Georges Braque* (avec Francis Ponge et André Malraux) (Draeger).
Pol Bury, « Gravités Malignes » et « Les Fontaines » (Daily-Bul).
Étienne Hajdu, « Dessins » (Area).
Paul Rebeyrolle (Maeght).
Robert Muller, François Stahly (La Connaissance).
Julio Gonzalez, Joan Gonzalez (Musée de Poche).
Diverses études sur Yves Klein, Pierre Alechinsky, Niki de Saint Phalle, Alina Szapocznikow, Jean Dewasne, Paul Kallos, Cicero Dias, M. H. Vieira da Silva, les sculpteurs Shonas du Zimbabwe, œuvres bicéphales du mouvement Cobra, etc.
Louis Nallard (Ides et Calendes).
Robert Jacobsen (Museum Wurth, Jan Thorbecke Verlag, Sigmaringen).
Robert Jacobsen (Heede Moestrup, Copenhague).

ÉTUDES GÉNÉRALES

Traités de perspective, Traités et dessins d'anatomie (avec Jacques-Louis Binet) (Chêne).
Musée de l'Ermitage de Leningrad (Somogy).
Art Treasures of the Hermitage (Abrams).

PHOTOGRAPHIES

Yves Klein (expositions Galerie 1900-2000, Paris ; galerie Bonnier, Genève ; galerie Itsutsuji, Tokyo).
Jean Tinguely et Niki de Saint Phalle (exposition musée Tinguely, Bâle).
Vu, Vus, Vues, avec Catherine Valogne, 120 photos des années 60 (Cercle d'art).

PIERRE DESCARGUES

REMBRANDT VAN RIJN

l'Archipel

Ce livre constitue une édition complétée
et remise à jour du livre paru en 1990
aux éditions Lattès sous le titre *Rembrandt.*

Si vous désirez recevoir notre catalogue et
être tenu au courant de nos publications,
envoyer vos nom et adresse, en citant ce
livre, aux Éditions de l'Archipel,
4, rue Chapon, 75003 Paris.
Et, pour le Canada, à
Édipresse Inc., 945, avenue Beaumont,
Montréal, Québec H3N 1W3.

ISBN 2-84187-192-4

I

REMBRANDT VAN LEIDEN

1

LA VILLE D'ARMINIUS

Nuit sombre d'automne à Leyde. Il est dix heures. Depuis la fin du jour les portes de la ville sont closes. Aux remparts, le tambour résonne et de partout, à son appel, convergent des hommes portant chacun une lanterne. Du haut de la tour, le guetteur d'incendie les voit avancer le long des canaux, petites lumières solitaires qui passent devant les rares lampes à huile des ponts et de l'hôtel de ville. Ce sont les bourgeois qui s'avancent vers le poste de garde afin de prendre la relève pour la ronde de nuit. A l'entrée, ils se retrouvent, se saluent, échangent des nouvelles. Les officiers les répartissent en patrouilles et leur indiquent leur secteur de surveillance. Le porte-lanterne saisit la lanterne de ronde. Le porte-pique décroche sa pique au râtelier. Le porte-crécelle vérifie que sa crécelle fait bien ses craquements. Et en route dans les rues désertes ! C'est la première des rondes de nuit.

Sur les remparts, on respire l'odeur d'eau croupie des canaux. Les grandes ailes des moulins sont immobiles. Le jour, quand elles tournent, leurs pompes aspirantes et foulantes répandent cette puanteur très loin. Ainsi personne ne peut oublier que la Hollande vit au péril des eaux, au-dessous du niveau de la mer.

On ne marche pas en mesure. Chacun va son pas. Sans se presser. On va tourner dans la ville jusqu'à quatre heures du matin. Un chien accompagne la patrouille, va de l'avant, revient vers elle. La nuit sera-t-elle calme ? On ne sait, mais au moins le vent est-il tombé et il ne pleut pas.

Ils avancent. Pas une lueur aux fenêtres. Apparemment, tout le monde dort. Pourtant là-bas, une lumière vive, des bruits de voix, une fenêtre ouverte, dans la Weddesteeg. On dirait que c'est chez Harmen, le meunier. La patrouille s'approche. Le porte-lanterne éclaire la croisée ouverte d'où sort la fumée que refoule un foyer. Harmen apparaît. Derrière lui, on distingue toute une agitation d'enfants.

La famille rit, des larmes dans les yeux, la toux secoue les gorges. Harmen reste à la fenêtre pendant que la fumée âcre s'élève dans la nuit. Il voit la patrouille s'éloigner. Au tournant de la ruelle, le bruit de pas a cessé, en même temps que disparaissait soudain la lueur de la lanterne.

C'est un brave homme. Le quartier vient de l'élire comme son représentant. Le porte-crécelle le connaît, il a été à la Petite École avec Harmen. Les affaires du ménage vont bien, il faut dire qu'ils sont partis convenablement dans la vie. A leur mariage, ils ont eu des parts, plus de la moitié, dit-on, dans le moulin du rempart, près de la Witte Poort. Avec ça, il suffisait de travailler. Neeltje, sa femme, a eu sept enfants. Deux sont morts. On croit que Neeltje est à nouveau enceinte. Un moulin, surtout quand on est, comme Harmen, meunier depuis quatre générations, ça nourrit une famille. Il y a quelques années, il a pu racheter aux enfants de sa sœur Maritje la moitié du jardin que possédaient ses parents au-delà des remparts, et reconstituer le bien familial. Ça n'est pas la grande fortune, mais ils pourraient certainement dépenser plus qu'ils ne dépensent. D'autant qu'ils ont encore des espérances, de son côté à elle. Son père est boulanger, et un boulanger, ça possède plus qu'il ne dit ; quant à sa mère, elle compte des magistrats de la ville parmi ses ancêtres. Cette famille-là est bien installée dans la vie.

Ainsi la patrouille allait-elle dans la nuit. Quand ce n'était pas le porte-crécelle, c'était le porte-pique, ou le porte-lanterne, chacun dans la garde avait une histoire à raconter sur ceux et celles qui dormaient derrière les façades de brique et les petits carreaux des maisons de Leyde.

Sans doute le porte-crécelle, qui savait tant de choses sur tant de gens, évoquait-il aussi ce qui séparait ces familles : la religion. Car en 1574, à l'époque de la libération de Leyde, c'est-à-dire quinze ans avant le mariage d'Harmen et Neeltje, sur les seize mille habitants, on en dénombrait encore six mille qui pratiquaient le catholicisme romain dont les églises avaient été données au calvinisme, mais vidées de leurs œuvres d'art. Les couvents avaient été fermés. Le calvinisme hollandais était jeune, peu établi, mal outillé dans ses méthodes de catéchisme. On avait créé l'Université pour former des prédicants. C'est dire que les fidèles demeuraient, le plus souvent, seuls avec leur Bible.

En fait, il n'existait que deux églises officielles, celle des calvinistes hollandais et celle des calvinistes wallons. Mais de nombreuses sectes d'anabaptistes et de sociniens, de mennonites, fonctionnaient librement. La religion n'était pas unifiée. Elle proliférait dans des nuances. Les habitudes sont puissantes : on continuait à appeler Sint-Pieter (Saint-Pierre) l'église réformée du quartier.

Harmen avait été le premier de sa famille à quitter le catholicisme pour le calvinisme. Aussi, bien que les parents de sa femme fussent catholiques, le mariage s'était fait dans la religion réformée.

Les Français, qui n'ont pas oublié la Saint-Barthélemy, pourraient croire que les catholiques furent traités en Hollande comme les protestants en France. Il n'en fut rien. On vit de grands personnages, une gloire nationale comme le dramaturge Vondel, se convertir au catholicisme sans perdre l'estime de son public. Tolérance n'est pas indifférence. Les débats théologiques étaient violents. Au Weddesteeg, on vivait très religieusement : les prières collectives, la lecture de la Bible à haute voix, rassemblaient parents et enfants au réveil et avant le coucher, au début et à la fin de chaque repas. Pour l'essentiel, on en appelait toujours à l'aide de Dieu. Avec ferveur, même si chacun avait son dogme. L'important n'était-il pas d'avoir éliminé la guerre de religion ? de travailler en paix avec le Seigneur que chacun découvrait dans les Évangiles, à la source de sa parole ?

15 juillet 1606. Ce matin, les gens du quartier ont vu Gerrit, l'aîné de Harmen, clouer à la porte de la maison une plaquette de soie rouge bordée de dentelles. Neeltje a mis au monde leur sixième enfant. Un peu plus tard, sur le rempart, les ouvriers du meunier ont fixé les ailes du moulin dans la position de la croix verticale, puis y ont suspendu des guirlandes, une manière d'annoncer à tous le joyeux événement.

Dans la maison, la sage-femme, depuis la veille, avait pris le commandement. Elle avait chassé les hommes et les enfants de la chambre, donné des ordres à la servante. Quand l'enfant est né, elle a fait appeler Harmen et lui a présenté le garçon près du lit où Neeltje souriait. Harmen a cherché partout son bonnet de soie à plume, son bonnet de paternité. Enfin, il l'a placé sur sa tête, et les visiteurs ont pu entrer, toute cette parentèle que les enfants et les voisines étaient partis à travers la ville informer de la naissance. Harmen avait dit : n'oubliez pas les enfants de ma sœur Maritje!

Les visiteurs défilèrent toute la journée. La maison avait été nettoyée. Pas un grain de poussière sur la grande table recouverte d'un tapis, sur les sièges de bois sombre. Les fenêtres étaient demeurées ouvertes. Après avoir contemplé le nouveau-né, discuté des ressemblances qu'on discernait sur son visage, on parla du temps, de la grande chaleur, de l'orage qui viendrait peut-être. Cette première journée passa vite.

Le lendemain, on porta l'enfant en cortège à l'église Saint-Pierre, Sint-Pieterskerk, pour qu'il fût baptisé. Toute la famille dans ses habits du dimanche, Harmen d'abord, puis, dans l'ordre, Gerrit, Adriaen, Cornelis, Willem, les quatre garçons, Machteld, la fille, et le bébé vêtu d'une robe somptueuse. Il faisait beau. On saluait les connaissances au passage. Ceux de la famille demeurés catholiques n'étaient pas admis à la cérémonie. L'enfant fut déclaré devant Dieu et devant les hommes sous le nom de Rembrandt, un nom exceptionnel. Neeltje expliquait son origine : elle avait choisi ce prénom en souvenir d'une arrière-grand-mère de son côté qui avait été une grande figure de la famille et qui s'appelait Remegia (notre Remi au féminin).

On s'en revint à la maison et, une semaine plus tard, le 24 juillet, on y donna une fête. Harmen remit son bonnet à plume, on revêtit l'enfant de sa belle robe et la sage-femme réapparut. C'est elle qui présenta Rembrandt à la parenté, aux amis, aux voisins. Ce jour-là, on fit bombance. On servit le vin, la bière, l'alcool. Les tables étaient chargées d'aiguières d'étain, de bols, d'assiettes, de plats, de chopes, de verres. Il y avait des fruits, des confitures, des tartes au fromage, au poisson, à la viande, au massepain, des biscuits aux fruits confits, à l'anis, aux cerises et des pains d'épice. On avait sorti les pipes en terre blanche, ouvert les pots à tabac. Par les fenêtres ouvertes, la maison semblait fumer. Que de volutes! Du canal voisin, comme chaque été, montait une odeur de pourriture.

Le petit Rembrandt, comme tous les nourrissons, allait grandir bardé de cuir contre les chocs, serré dans un corset censé le faire pousser droit. Il allait se déplacer dans une sorte de chaise à roulettes, apprendre à marcher soutenu par une courroie, porter une robe jusqu'au jour de l'âge de raison où, soudain, on le vêtit en homme, exactement comme son père.

Qu'apprend-il d'abord sinon les rythmes du jour ou de la nuit? Au matin, il voit la famille debout autour de la table, les mains jointes. Le père prononce la prière à voix haute. Quand la prière est terminée, tout le monde dit « Amen » et Harmen remet son chapeau sur sa tête. On déjeune : du lait, du beurre, du fromage, du pain noir. A midi, c'est le « noenmaal », à nouveau la prière, puis le potage au lard et aux légumes cuits dans du lait, suivi de poisson et de fruits. Vers trois heures, l'après-midi, les enfants se pressent autour de la mère pour le goûter de pain et de fromage et, le soir, tard, le souper, c'est-à-dire une panade au lait, des tartines et les restes du poisson de midi avec, toujours, la prière au début et la prière à la fin. Les chandelles dans leurs chandeliers en étain scintillent sur la table en bois et les ombres des parents et des enfants se profilent sur les murs.

Dans Leyde, maintenant peuplée de quarante mille habitants dont deux mille ouvriers tisserands, tout le monde vit la même organisation du temps. Au fils du meunier s'impose la présence du moulin familial. Avec ce grand vaisseau gesticulant sur le rempart du Pélican, il est d'emblée au cœur de la mécanique nationale. A la cinquième génération, on a ça dans le sang : apprendre l'art de capter les vents, d'orienter les ailes, de sentir venir la tempête avant qu'il ne soit trop tard pour enlever les toiles; entendre le rythme sourd des engrenages qui résonne dans la caisse sonore du bâtiment en bois; savoir avec quels outils nettoyer la pierre de meule; se familiariser avec les vitres petites, le peu de jour, l'ombre partout, la poudre des farines sur toutes choses, les grandes balances pour peser; respirer l'odeur des sacs; s'obliger à la discipline de propreté qui accompagne toutes les opérations; connaître les moulins de l'intérieur.

Il était tout petit encore quand Neeltje fut à nouveau enceinte. Cette fois, ce fut une fille, qui reçut le prénom de Liesbeth. Il y eut une odeur de lait suri dans la chambre. Neeltje demandait à Rembrandt de ne pas faire trop de bruit : le bébé dormait. Il aimait alors venir près du berceau voir cette petite vie enfoncée dans le sommeil : juste la respiration régulière et quelques mouvements des doigts si petits.

Autour d'Harmen et de Neeltje, ils étaient désormais sept enfants, cinq garçons et deux filles. Le plus âgé, Gerrit, aidait déjà son père au moulin. On parlait d'apprentissage pour Adriaen. Les autres, Machteld, Cornelis et Willem, allaient en classe.

Quand il fait beau, on l'emmène sur les remparts. On lui montre sur les prés, au loin, les alignements des draps mis à blanchir au soleil, une géométrie de toile dans la géométrie des champs bordés de canaux.

Un soir, Gerrit revint de la chasse. La nuit tombait. Aux lumières des chandelles, le chasseur brandit un grand oiseau. C'était un butor. Il le tenait par les pattes, la tête en bas, au long bec fin, une aile dépliée, les plumes tachetées. Gerrit raconta au petit frère que cet oiseau-là meuglait aussi fort qu'un taureau. En Hollande, on chasse surtout le gibier d'eau. Neeltje dit que le butor, ça n'était pas très bon à manger.

Peu à peu l'enfant découvrait le rythme de l'année. Il y avait les fêtes des Rois mages, du Mardi gras, de la Saint-Martin, de la Saint-Nicolas. Le jour des Rois, on cherchait une fève cachée dans un pain, et dehors on regardait passer les cortèges des trois Rois, dont l'un s'était noirci le visage et que les enfants suivaient en portant au bout d'un bâton la grande étoile de papier, un lampion illuminé d'une chandelle. Pour Mardi gras, on mangeait des crêpes qu'on faisait sauter jusqu'en haut du toit de la maison. Les enfants couraient les rues en faisant ronfler leur *rommelspot*, un pot, une vessie de porc, un bout de bois, ça faisait vacarme. A la Saint-Martin, ils frappaient à la porte pour qu'on leur donne des bûches dont ils faisaient un feu de joie sur la place. Et la Saint-Nicolas était le jour où l'on recevait les cadeaux placés la veille dans les sabots et devant la cheminée.

Il y avait donc ces fêtes religieuses, dont la catholicité ne gênait pas grand monde chez les prédicants, mais aussi la fête du printemps, les arbres plantés sur les places pour le 1er mai et les rondes des citadins tout autour, et le 3 octobre on célébrait à Leyde la libération de 1574, en mangeant le plat national, le *hutspot* (notre hochepot, un ragoût) et les non moins nationaux harengs.

Rembrandt vit tout cela. Il s'en souviendra dans ses estampes : on y trouvera les jeunes porteurs de l'Étoile de la fête des Rois, les charlatans de la fête foraine, les comédiens de la kermesse, on y rencontrera les marchands ambulants qui frappent à la porte et proposent leur mort-aux-rats.

L'hiver, l'enfant contemple aussi les canaux gelés, les patineurs. Mais il ne sera pas le peintre de la vie populaire. Peut-être parce que tant d'artistes s'en sont occupé (Frans Hals) et s'en occuperont (Van Ostade). Peut-être aussi parce que son enfance l'en écarta. Ou sa nature.

Et la mer ? A deux lieues, elle bat les dunes. Comment l'a-t-il découverte ? Que s'est-il passé pour qu'elle n'apparaisse jamais dans son œuvre ? Et pour que les grands navires qui revenaient des terribles batailles, tout glorieux, rapportant au port les merveilles du bout du monde en soient, eux aussi, absents ?

Car, au-delà du petit cercle de famille et du quartier dans lequel il se découvre lui-même parmi les siens, il y a, très au loin, la guerre, la guerre contre les Espagnols. On l'a un peu oubliée parce qu'elle ne ravage plus la Hollande. C'est vrai que l'Espagne a d'autres soucis depuis qu'en 1588 son Invincible Armada a été détruite. Le conflit persiste ici et là, dans des accrochages avec les garnisons, entre les flottes, mais cette fois, c'est loin, de l'autre côté des océans, avec des mercenaires. Cependant cela coûte cher. Puisque la sécurité semble assurée, pourquoi ne pas en finir avec l'état de guerre ? Le prince Maurits et les armées s'y opposent.

Leur valeur militaire a été trop évidente pour qu'ils veuillent perdre l'occasion de la montrer. Mais les notables, et à leur tête le grand pensionnaire de Hollande Jan van Oldenbarnevelt, souhaitent réduire les dépenses improductives. Une trêve de douze ans est signée à Anvers le 9 avril 1609 : l'Espagne abandonne ses droits sur les Provinces-Unies, reconnaît leur indépendance, le prince Maurits ne dépendra donc plus du roi d'Espagne (c'était au nom du roi d'Espagne que l'université de Leyde avait été fondée en 1575, soit trente-quatre ans plus tôt). La situation est devenue claire. Du moins sur le papier et pour douze ans. Et les Sept Provinces n'ont rien accordé en contrepartie.

Le jeune Rembrandt n'a pas trois ans. A la rentrée, il ira à l'école, la Petite École, comme tout le monde, où filles et garçons étudient ensemble. L'école ouvre à six heures du matin l'été, à sept heures l'hiver. Sur la porte, le maître, plus souvent la maîtresse, doit placarder le certificat de l'Église officielle qui garantit aux parents qu'ils confient leurs enfants à un fidèle de la Réforme. Les enfants reviennent chez eux à l'heure du déjeuner, à l'heure du goûter, et quittent l'école à sept heures du soir.

La classe commence par la prière commune. Puis le maître lit à haute voix un passage de l'Écriture sainte et les écoliers chantent un psaume. Ensuite : lecture, écriture, calcul. Les parents paient l'enseignement. Ils fournissent, l'hiver, une brique de tourbe par jour et une chandelle par semaine. Mais la rétribution en argent est très modique et les enseignants, généralement pauvres, doivent s'astreindre à des travaux de complément.

L'éducation est principalement religieuse. Mais on apprend l'alphabet; on se dote d'un vocabulaire, en répétant à haute voix les lettres et les mots. Puis vient l'écriture; la plume d'oie ou d'autre oiseau, le roseau taillé, l'encre, le papier. Rembrandt fait des pâtés avec cette encre grasse. Les archives ont conservé quelques-unes de ses lettres, une devise sur un album. Son écriture sera élégante.

C'est grâce à ses écoles réparties dans les quartiers riches comme dans les quartiers pauvres que la Hollande constitua les générations de comptables et de calligraphes qui manquaient dans les pays voisins. De ces écoles parfois médiocres sortirent aussi les typographes des imprimeries où s'inventa le principe des éditions en plusieurs langues. Les Provinces-Unies devinrent l'imprimerie de l'Europe et pas seulement pour les ouvrages interdits. C'est à Leyde que René Descartes fit composer l'édition de son *Discours de la méthode* en 1 637 et peut-être que le prote de l'éditeur Jan Maire, qui réalisa en français ce livre, lettre après lettre, avait été avec Rembrandt à la Petite École ! L'enseignement pouvait manquer de panache, mais il fit que le pays tout entier sut lire, écrire et compter, faire des affaires et lut la Bible. Le livre se substitua à la sculpture sacrée des édifices. Au lieu d'avoir recours, pour la religion, à des images, on avait directement accès à l'Écriture sainte. Bien que les enfants de la noblesse et de la haute bourgeoisie ne fréquentassent pas ces écoles (Constantin Huygens, que nous retrouverons sur le chemin de Rembrandt, avait été instruit par un précepteur), ils allaient à la même université que les fils d'artisans. A partir de la Petite École, tout était possible. Sur la base de son enseignement, les élèves pouvaient accéder aux langues étrangères. Et on en apprenait beaucoup en Hollande : le français aux écoles de l'Église wallonne, mais aussi l'anglais, et surtout l'espagnol et le portugais, puisqu'il fallait introduire le négoce batave jusque sur les côtes de l'Amérique centrale, d'Amérique du Sud, de l'océan Indien et de la mer de Chine. Aucun pouvoir central n'imposait ce commerce. Il était le fait d'initiatives locales qui savaient servir l'intérêt général.

Au sortir de la classe, les écoliers galopent dans les rues. Les voyageurs les déclarent bruyants, provocants, moqueurs, capables de faire un cortège insultant à l'étranger, mais ils remarquent que dans ces chahuts on ne peut distinguer le fils du magistrat de celui du boulanger, le fils du pasteur de celui de l'artisan. Ils ajoutent que leur bon naturel les protège des vices. L'enfance a ses heures communes de liberté.

A sept ans, Rembrandt vient d'achever ses quatre années de Petite École. Il sait lire, écrire, compter. Il a une culture religieuse approfondie. Moïse et les Tables de la Loi ; le sacrifice d'Abraham, les exploits de Samson, l'adoration du Veau d'or, le Temple de

Jérusalem, la musique du roi David, l'ânesse de Balaam, tous ces thèmes qu'il peindra, gravera, dessinera plus tard, lui viennent de l'enfance. Tout ce qu'il vit, tout ce qu'il découvre en marchant dans la ville et dans la campagne, éveillera en lui une référence biblique.

A sept ans, donc, il entre à l'École latine, située dans l'actuelle Lockhorststraat, au centre de la ville, près du château, une institution qui existe à Leyde depuis treize ans; pour garçons seulement, organisée en six classes qu'on doit franchir en six années. D'ordinaire, on n'y pénètre que vers douze ans. Mais sans doute Rembrandt est-il précoce, ouvert, curieux; sans doute ses parents le sentent-ils capable de supporter, sur un peu plus d'une trentaine d'heures d'enseignement par semaine, une vingtaine d'heures de latin. On y livre une instruction religieuse développée, on y donne aussi des cours de calligraphie, des leçons de grec, de rhétorique, de logique. Les horaires y sont plus doux, huit heures le matin, en été, neuf heures en hiver. Mais on y travaille ferme. Il faut subir deux examens par an.

En 1617, un grand événement survient dans la vie de la famille. Le 16 juin, le frère Adriaen se marie. Les fiancés auraient aimé que la cérémonie eût lieu plus tôt, mais Neeltje a été d'accord avec la mère de la jeune fille : en mai, cela porte malheur. Rembrandt, onze ans, accompagne le cortège à Sint-Pieter jusqu'au retour à la maison où le couple va s'installer. Il voit la gravité des deux jeunes gens vêtus de noir, côte à côte chacun sur une chaise haute, un peu raides devant le tapis tendu sur le mur derrière eux. La jeune femme, Lisbeth van Leeuwen, porte sa couronne. On offre une pipe ornée à l'époux. Tous deux, tel un couple de seigneurs, voient venir à eux les parents, amis, et voisins avec les cadeaux qui les aideront à monter leur ménage. Adriaen a vingt ans. Il est cordonnier, c'est-à-dire fabricant de chaussures.

Le soir, a lieu un banquet, avec des musiciens, on danse, on chante. Et la jeune femme n'échappe pas au rite de la jarretière. Le lendemain, la noce continue à la Jan Steen, grave et bouffonne. Mais, dans la peinture de Rembrandt, on ne rencontrera pas de mariage de ce genre.

A quatorze ans, Rembrandt se présente à l'Université. Prodige? A l'époque, on ne parlait pas de surdoués. Le règlement de l'Université ne prévoyait pas d'âge minimal pour l'admission. Un âge plus normal pourtant, c'est celui de Constantin Huygens qui devait devenir un des premiers enthousiastes du jeune peintre Rembrandt et qui entra à la même université de Leyde à l'âge de vingt ans, en 1616. Mais Grotius, le juriste, y avait été inscrit en 1594 à l'âge de onze ans. Capable un an plus tard de rédiger un épithalame en latin et une ode en grec. Le règlement hollandais ne freinait pas les talents.

Donc Rembrandt, à quatorze ans, entre à l'Université. Il n'a choisi ni théologie, ni droit, ni sciences ni médecine, mais la section des lettres. Il se destine à devenir latiniste, helléniste, hébraïsant, philologue.

En Hollande on assiste à une véritable naissance culturelle. On ne compte plus les domaines où le pays se révèle novateur : hydrologie, construction navale, imprimerie, éditions en toutes langues, astronomie, optique, développement du télescope, du microscope, mesure du temps, mais aussi cartographie, littérature, musique. Quand Rembrandt entre à l'université de Leyde, celle-ci fonctionne depuis quarante-cinq ans, c'est-à-dire depuis les débuts de la République. Elle a été reconstruite depuis que le garçon l'a vue dans les flammes en 1616, quand l'ancien couvent des Sœurs Blanches a pris feu. Toute la ville a le souvenir de ces fumées et de ces lueurs énormes au bord de l'eau.

D'emblée, l'Université s'était voulue internationale. Tout le monde y parlait et y écrivait le latin. On signait même de noms latins. Janus Dousa, qui avait été le chef de la milice bourgeoise pendant le siège de Leyde et le président du comité fondateur de l'Université, s'appelait en réalité Jan van der Does. Carolus Clusius, c'était Charles de l'Escluse ; Carolus Drelincurtius, Charles Drelincourt ; Hugo Grotius, Ugo de Groot ; Andreas Rivetus, André Rivet ; Claudius Salmasius, Claude de Saumaise. Et, pour distinguer Leyde d'une autre Lugdunum (Lyon), on la nommait Lugdunum Batavorum, Leyde des Bataves. On y trouvait des philologues capables de publier des éditions de Tacite, d'Aristote, des recueils épigraphiques, les traductions latines de textes arabes. Salmasius (Saumaise) avait appris le persan, le chaldéen, l'hébreu, l'arabe et le copte. On publiait des dictionnaires arabe-latin. On imprimait les caractères orientaux. L'ambition était de rassembler toute la culture du monde.

On trouvait aussi à Leyde des théologiens, notamment deux maîtres aux doctrines divergentes : Jacob Arminius, fondateur d'une église « remontrante », et Franciscus Gomarus, partisan du maintien du principe calviniste initial selon lequel l'homme est prédestiné et son destin inéluctable. Leur débat avait fait éclater un conflit entre le grand pensionnaire Jan van Oldenbarnevelt et le prince Maurits de Nassau. Le synode de Dordrecht (1618-1619) avait donné raison aux gomaristes, opposés au fractionnement de la religion en tendances multiples, ce qui avait abouti à l'expulsion des remontrants de l'Université et à l'exécution du grand pensionnaire. Cent quarante ans plus tard, Voltaire parlait encore de cet « homme qui croyait qu'on pouvait se sauver par les bonnes œuvres aussi bien que par la foi ». Le vieux débat sur le déterminisme avait abouti à plusieurs mises à mort. Ces destins-là avaient-ils été écrits ?

A l'Université, il y avait aussi des juristes, et utiles, comme cet Hugo Grotius qui démontrait la liberté des mers et que les Hollandais étaient dans leur droit en allant commercer aux Indes ; des médecins qui, dès 1581, avaient créé dans l'ancienne église des Béguines Voilées un amphithéâtre anatomique où l'on pratiquait publiquement la dissection animale et humaine ; des mathématiciens, comme Simon Stevin qui était aussi ingénieur et avait inventé vers 1600 un char à voiles pour emmener son élève, le prince Maurits de Nassau, sur la plage de Scheveningen à la vitesse incroyable de 42,5 kilomètres par heure, Maurits auquel le dramaturge français Jean de Schélandre, familier de Leyde, dédia un de ses ouvrages ; et, autour de ces chercheurs et penseurs, des imprimeurs, des éditeurs, Plantin, puis les Elsevier qui, en 1587, avaient installé leur officine à l'intérieur même de l'Université. Peu à peu, une extraordinaire bibliothèque s'y était constituée. On venait de partout consulter les ouvrages qu'une chaîne retenait au meuble.

Leyde était donc, pour les humanistes qui couraient l'Europe, un pôle d'attraction. On y rencontrait des Allemands, des Danois, des Suédois, des Polonais, des Anglais, des Hongrois. Il y aura jusqu'à cinquante Français en 1621. Dont des étudiants de qualité. Guez de Balzac, Théophile de Viau étudièrent à Leyde. René Descartes s'y fit immatriculer le 27 juin 1630 comme mathématicien. Il assista à des dissections dans l'amphithéâtre. Il y revint en 1636 pour signer le contrat d'édition de son *Discours de la méthode* en français. « En français, écrivit-il, pour que tout le monde, même les femmes, pût le lire. » Ce en quoi il eut peut-être tort, puisque Spinoza ne découvrit ce texte que plus tard, quand il fut édité en latin.

Voilà quelques images de ce qui s'inventait en Hollande et singulièrement à Leyde où une révolution avait réussi un drainage des cerveaux européens. Voilà l'environnement dont, en 1620, à l'âge de quatorze ans, Rembrandt fut entouré, poussé par une famille qui ne hasarda aucun autre de ses enfants dans la même aventure.

Pourtant, au bout de quelques mois, il quittait l'Université. Que supposer ? Des difficultés financières subites dans la famille ? C'est peu probable, puisque le garçon ne laissa un enseignement que pour en prendre un autre. Un manquement à la discipline ? On a assez d'exemples de la mansuétude de l'Administration envers des étudiants parfois bruyants ou fauteurs de désordres en ville pour ne pas croire qu'une bêtise eût suscité plus qu'une réprimande. Alors une raison fondamentale, une raison de doctrine ? En fait, en 1618, l'Université avait reçu de plein fouet la condamnation d'Arminius, quand, le 22 octobre, honorant la ville de sa visite, Maurits de Nassau avait manifesté son opposition au théologien.

On était arminien à Leyde et soudain, après l'exécution d'Oldenbarnevelt en 1619, la répression s'étendit sur la ville. Les fonctionnaires arminiens furent renvoyés, plusieurs dizaines de prédicants forcés à l'exil. L'Université dut procéder à son épuration. Le jeune prodige Ugo de Groot fut condamné à la réclusion perpétuelle (il s'évadera). Les professeurs durent se démettre ou se soumettre.

Or, c'est bien dans cette université secouée par un rappel à l'ordre qu'était entré le jeune Rembrandt. La famille van Rijn avait-elle pris parti pour Arminius ? Que le père de Rembrandt ait été réélu en 1620 délégué de quartier ne nous apprend rien sur ses opinions religieuses, comme rien n'autorise à croire qu'une raison doctrinale ait été à l'époque la cause du départ du garçon. Seulement il faut savoir que, devenu peintre, Rembrandt fréquentera des arminiens, notamment le pasteur Johannès Uytenbogaert devenu leur chef après la mort d'Arminius, dont il fera par deux fois le portrait : une peinture en 1633 et une gravure en 1635. La tempête apaisée, Uytenbogaert était revenu exercer son ministère en Hollande et s'était acquis, par son éloquence et par les leçons de tolérance qu'il ne cessa de donner, une très haute renommée de prédicateur.

Rembrandt, à quatorze ans, choisit de devenir peintre.

2

LUCAS DE LEYDE ET LES « MODERNES »

La tradition veut que les vocations puissent naître sans exemple et que Giotto comme Goya aient été surpris à dessiner d'instinct sur des rochers et sur des murs. A Leyde, à la fin du siècle, comme dans toutes les Provinces-Unies, la Réforme avait ôté les sculptures et les tableaux des églises. Rembrandt n'aurait donc pas eu d'autre motivation pour s'engager dans l'art que la vue des œuvres des artistes qui vivaient alors à Leyde, des artistes qu'il rencontrait dans leurs demeures, artisans parmi les autres artisans, brodeurs, menuisiers, tailleurs, verriers, orfèvres. Il aurait donc ignoré le passé de l'art hollandais ? Peut-être. Regardons à quoi néanmoins pouvait avoir accès l'adolescent.

Aujourd'hui, jour de marché. Beaucoup de monde dans les rues. Des femmes s'arrêtent pour parler. Les flots de la foule les contournent. On entend les appels des marchands. Rembrandt accompagne sa mère dans la Grande Rue, la Breestraat, en dessous de l'hôtel de ville. A moins qu'il n'y ait réception des délégués de quartier à l'hôtel de ville où Harmen a été de nouveau élu et que la famille, dans ses beaux costumes, aille assister à la cérémonie. Les occasions n'ont sans doute pas manqué d'aller au Stadhuis. Un jour, en haut de l'escalier gardé par deux lions de pierre rouge, Rembrandt est nécessairement entré dans la salle du bourgmestre et y a vu le *Jugement dernier* de Lucas de Leyde. Un triptyque de plus de quatre mètres de long, peint près d'un siècle plus tôt.

Assis dans les nuages, le Christ a fait le geste, et la terre nue, sans végétation, désertique, s'est fendue, crevassée. On voit les corps nus ressusciter, grandement étonnés de sortir intacts de la tombe. Malgré le vacarme des trompettes où soufflent les anges, le silence est en eux, et nous assistons au partage. Les anges conduisent les élus vers le volet de gauche, ils les font accéder à un espace de transparence, d'où les justes commencent leur ascension vers les hautes sphères. Les démons s'emparent des damnés et les forcent à aller vers le volet de droite où l'enfer, gueule ouverte de la fournaise, palais en feu, va les consumer éternellement, comme ce beau corps de femme qui tente de s'échapper en rampant et que rattrape un diable. A gauche, la circulation dans les airs et la félicité. A droite, la pesanteur et la souffrance. Ce n'est pas un tableau qu'on regarde rapidement. Rembrandt a-t-il eu le temps de le voir ? Les artistes savent très vite saisir ce qui les concerne.

Ce *Jugement dernier* est le traitement du thème gothique par la Renaissance. Il utilise sa perspective, ses proportions. Rembrandt ne peindra jamais l'enfer, ni le paradis, mais à Amsterdam, pour illustrer un livre de son ami le rabbin Menasseh ben Israël, il gravera un jour l'image d'un souterrain s'ouvrant et libérant la cohorte des bêtes chimériques, bouche d'ombre exhalant le souffle putride de la déraison qui s'empare de nous quand le diable l'emporte. Si sa gravure est unique, on lit sur les registres des ventes publiques d'Amsterdam qu'il acheta des estampes de Lucas de Leyde chaque fois qu'il le put.

Qu'a-t-il encore connu de la peinture ancienne de Leyde ? Sans doute des œuvres du maître de Lucas, Cornelis Engelbrechtsz., elles aussi à l'hôtel de ville. C'est encore plus ancien : une *Crucifixion*, une *Descente de croix*. La *Crucifixion* est un triptyque surchargé de montagnes, d'arbres étranges, de personnages aux costumes orientaux. Sur la prédelle, les donateurs rassemblés autour du cadavre d'Adam. La *Descente de croix*, qui est aussi un triptyque, est ornée des dentelles de pierre des cathédrales peintes en trompe-l'œil et, sur les volets, les donateurs sont présentés par les saints. Franchement gothique ? C'est vrai que ce Cornelis est moins novateur que Rogier de la Pasture, né quelque soixante-dix ans avant lui, que Memling mort quand il eut une trentaine d'années, mais sa modernité le fait s'attarder aux détails de costumes, de coiffures, à la contorsion des postures. Elle le fait témoigner de la nervosité de son temps devant les thèmes fondamentaux de la religion. Il traite les sujets, mais il ne peut pas s'empêcher de les encombrer de références et de citations.

Le jeune garçon est-il plus près de cette peinture-là que de celle de Lucas ? Il est calviniste. Il sait que, depuis la Réforme, l'accès à Dieu est purement mental et verbal. Cependant ces deux œuvres anciennes ne peuvent pas ne pas parler à son cœur. A Amsterdam, il peindra des crucifixions. Il lui arrivera même de glisser son propre portrait parmi les personnages orientaux qui doucement décrochent le cadavre du Christ pour le poser à terre.

Cette peinture, qui précède à Leyde la Réforme, aura, selon la formule de Jean Leymarie, sauté subitement du maniérisme gothique au maniérisme michelangelesque sans connaître l'équilibre classique de la Renaissance. C'est une peinture catholique romaine : elle traite les mêmes thèmes que la peinture italienne, espagnole, française. Elle va sur la même voie que la peinture d'Anvers, mais les deux villes, à l'époque toutes deux catholiques, produisent des œuvres différentes. A Anvers, les maniéristes représentent les scènes sacrées en costumes élégants ornés de bijoux, dans des décors de palais fastueux. A Leyde, Cornelis Engelbrechtsz., on l'a vu, aime des postures compliquées, des coiffures extravagantes. Si ses couleurs sont voisines de celles des Anversois, sa peinture est grave. L'expression des visages est celle d'êtres descendus en eux-mêmes, en quête de réponses aux questions de leurs prières. Entre l'art de Leyde et l'art d'Anvers, il y a une différence de nature. Dans le même style, chez les Flamands, la joie de l'abondance et, chez les Hollandais, le plaisir de la juste économie. D'un côté, le plus possible d'offrandes à la gloire de Dieu. De l'autre, la célébration des vraies richesses qui sont celles de l'esprit. A regarder les différences entre ces peintures, on pourrait définir Anvers comme une terre pour toujours papiste et Leyde une terre pour la Réforme.

Lucas de Leyde, le prodige, aura été le seul peintre de la Renaissance aux Pays-Bas. On a vu, dans son *Jugement dernier*, combien cela lui est difficile de réussir à peindre des corps nus dans la perspective spatiale. Mais sa lumière est sublime et ses grandes figures de saints sur les volets du retable sont porteuses d'une spiritualité ardente. Lucas de Leyde, dans ses scènes de joueurs de cartes aussi, a creusé l'écart avec son contemporain flamand Quentin Metsys.

Metsys aime déborder dans la satire des débauches joyeuses. Lucas est sensible à l'impassibilité qu'affichent les joueurs, il montre les personnalités cachées derrière ces masques. Il ne caricature pas, mais fait voir, avec une force aussi désespérée que le désespoir secret de ses modèles. Si Rembrandt n'avait pas connu ces tableaux, alors on pourrait s'interroger sur les voies secrètes qui à Leyde ont creusé, depuis le XVe siècle jusqu'à lui, l'originalité hollandaise, et amorcé, après la différence Metsys-Lucas, la différence Rubens-Rembrandt. Mais il les a vus, ces tableaux, au Stadhuis, où ils ressortirent les uns après les autres, après avoir attendu que s'apaisent les vacarmes dangereux de la crise iconoclaste de 1566, la « Beeldenstorm ».

Quant à la peinture contemporaine, qu'en a connu le jeune garçon ? Près de sa maison et de la Witte Poort, la porte Blanche, il y avait une grande place plantée de tilleuls. Là se trouvaient les deux bâtiments des Doelens, les stands de tir. Il y en avait dans toutes les villes. Là venaient s'entraîner les sociétés d'archers et d'arquebusiers qui constituaient les structures visibles des milices bourgeoises. Le tir était un divertissement qui donnait lieu à des fêtes publiques et ces Doelens servaient également de salles de réunion ou de banquet, de lieu civique par excellence. C'est là que s'instaura la tradition des portraits de groupes. L'origine en était certes plus ancienne. Déjà, aux temps papistes, les citoyens aimaient à se faire représenter en alignements pour commémorer un pèlerinage commun vers les Lieux saints. Ils aimaient que les assemblées de leurs milices civiles fussent conservées dans des tableaux. La Hollande s'était faite sur la solidarité contre les éléments naturels et contre ses ennemis. Et les associations avaient développé ce goût de faire peindre ensemble les citoyens que réunissait la volonté de servir dans une organisation quasi militaire, avec capitaine, lieutenant, tambour et porte-drapeau. Ces tableaux figuraient la démocratie nationale. Du côté des hommes. Les femmes, occupées elles aussi de leurs organisations charitables, ne tardèrent pas à se faire représenter également en groupes. Pour la réalisation du tableau, chacun payait sa part. On veillait à ce que les noms des modèles fussent correctement mentionnés sur la toile. Et les tableaux s'alignaient dans les salles.

On peut être sûr que Rembrandt est allé voir ce qui se passait aux Doelens, qu'il a assisté à l'installation cérémonieuse des grands panneaux, tous de même taille, près de 2 mètres de long, qu'il a regardé les pourpoints noirs aux reflets bleus, les écharpes orange, les collerettes blanches tuyautées, les vestes à crevés laissant surgir des blancs, des bleus, les manchettes blanches, les plumes bleues, rouges, blanches sur les grands feutres noirs, et tous ces visages jeunes et vieux contre les éclats métalliques des hallebardes, des épées et les plis des drapeaux.

Il est très fort, le peintre qui a peint ces spectacles, ce Joris van Schooten, de près de vingt ans son aîné. Il ne manque pas une ressemblance : le nez aquilin du barbu qui tient à être montré de profil, le visage serein du capitaine un peu corpulent, chacun en a pour son argent. Joris van Schooten est sans doute aussi un homme tolérant : dans la compagnie du capitaine van Brosterhuyzen, l'un des officiers, David Bailly, étant peintre, il a l'élégance de le laisser faire son autoportrait dans l'alignement des miliciens.

En cela, Leyde fonctionne comme les autres villes, comme Haarlem par exemple. Mais Haarlem a choisi Frans Hals, et Leyde a eu Joris van Schooten. La différence est là. Les modèles de Leyde ont peut-être été plus satisfaits que ceux de Haarlem, mais ils ne sont pas entrés dans l'histoire de la peinture.

Cette différence, l'adolescent, l'apprenti, l'a-t-il perçue ? Pour Leyde qui engrangeait à l'hôtel de ville les peintures sacrées d'autrefois, la modernité a dû être de promouvoir une peinture laïque et républicaine. C'est un beau thème que celui de la « Tabula Cebetis » qu'elle va proposer pour l'édification des élèves de l'École latine. On y voit (dans une peinture de 2 mètres que les collèges ont su conserver avant de l'offrir en 1937 au musée) une charmante personne, symbolisant la ville, devant les allégories du Bien et du

Mal, du Génie à la barbe rousse et de la Chance en dame nue sur sa sphère. L'image est inspirée d'un texte du philosophe de l'Antiquité Cébès, et ne pouvait trouver meilleure place que dans cette école de la Lockhorststraat où Rembrandt avait fait ses études et qu'il visita à nouveau pour l'inauguration du tableau en 1624. Il y retrouva aussi la signature de Joris van Schooten.

Mieux encore, avançant plus hardiment dans son programme de promotion d'une peinture laïque, Leyde voulut célébrer son artisanat majeur : le textile qui, avec deux mille ouvriers, était devenu la première industrie des Provinces. Importations. Exportations. Les produits de Leyde circulaient dans tous les pays connus.

Chaque sorte de tissu avait évidemment sa corporation – la laine épaisse (la bure), la futaine, le drap, la laine serrée (la serge) – au siège de laquelle régnaient les contrôleurs de la qualité. Aucune pièce ne sortait de la ville sans avoir été vérifiée par la corporation. Les fabricants de serge furent les plus hardis : ils firent appel à la peinture pour célébrer leur métier. La Saaihal, leur maison, que Rembrandt visita sans doute, était assez éloignée de sa demeure. Il fallait remonter vers le Rapenburg, puis poursuivre jusqu'au Steenschuur. Pour cette vaste demeure, le gouverneur de la corporation se lança dans un long programme de cinq peintures sur les thèmes du commerce et de la technique du textile en laine. La série commençait par une personnification de Leyde entre l'ancien Négoce avec son rouet brisé et le nouveau Négoce avec la corne d'abondance. Un peu plus loin, dans une autre toile, on voyait exalter la nécessité du contrôle, honneur de la corporation. Tout cela était très à l'antique avec femmes nues, angelots, bustes d'Hermès. On savait sa mythologie. C'était aussi dans le décor même du quartier, avec les façades du Steenschuur sur le canal, avec les marchés, les places, avec les travailleurs du textile dans toutes leurs fonctions, le lavage des toisons, le peignage, le filage, la teinture. Rien ne manquait. Il en reste un superbe document sur l'outillage de l'époque, sur les gestes, le travail des hommes, le travail des femmes. Hommage aussi aux ouvriers, aux ouvrières.

Ce fut l'œuvre marquante d'Izaac van Swanenburgh de 1594 à 1612. Mais cet Izaac n'était pas Pieter Bruegel et, de même que les officiers des Doelens de Leyde ne sont pas entrés dans l'histoire de l'art, de même les tisserands de la Saaihal sont demeurés des témoignages précieux pour l'histoire du tissu. Rien de plus. Leyde avait donc choisi l'art du civisme et du travail. Elle le fit avec une constance dont on n'a nulle part ailleurs d'aussi claire démonstration.

Cela était bien de cette ville qui fut la première ville libre des Provinces, cela était bien des premiers temps de la démocratie hollandaise. A Amsterdam, nous verrons Rembrandt peindre une compagnie de miliciens, traiter le même sujet que Joris van Schooten, bien que, chez lui, ce soit le désordre d'une troupe hétéroclite s'égaillant sur une place. Comme Izaac l'avait fait à Leyde, il peindra les hommes du textile d'Amsterdam. Mais ce sera, dans le calme feutré d'un bureau, des bourgeois occupés à consulter des registres, à prendre des décisions autour d'une table recouverte d'un tapis. Les temps auront changé. Rembrandt marche dans la ville. Il remonte vers la maison en longeant les canaux, en traversant les ponts. Une légende assure qu'il y en a cent quarante-cinq pour relier entre elles les cinquante îles du marécage ancien. Ce soir, il n'est pas pressé et prend la voie des remparts, passe derrière le Jardin botanique de l'Université. Dans sa tête se croisent, se recouvrent et se révèlent tour à tour les images de la grandeur du XVIe siècle et de l'application des maîtres d'alors. Que pense-t-il ? Le peintre de la Saaihal lui semble-t-il un peintre moderne ?

Van Swanenburgh et Van Schooten sont les deux gloires officielles de Leyde. Mais d'autres artistes travaillent dans la ville. Ils ont fait des voyages et sont revenus : le paysagiste Jan van Goyen qui, à dix-neuf ans, est parti pour la France, est allé à Haarlem puis est retourné dans sa ville natale. A vingt-quatre ans, il la quittera de nouveau pour Haarlem. Est-il difficile d'être peintre à Leyde ? Les autorités seraient-elles trop autoritaires ? Et les amateurs rares ? Jacques de Gheyn, le graveur, ami de Grotius, est resté quelques années, puis est parti pour La Haye, dans la ville du prince et de la cour.

En revanche, David Bailly, élève de Jacques de Gheyn à Leyde, qui a traversé l'Allemagne, la Vénétie et a séjourné à Rome, est revenu à Leyde. Bailly peint des portraits, des natures mortes avec des crânes rappelant la vanité de ce bas monde. C'est un artiste habile, cultivé, qui aime multiplier dans ses natures mortes les citations d'objets symboliques, voire des tableaux de ses contemporains, Hals par exemple.

Une remarque : les peintres hollandais sont mobiles. Ils voyagent en quête d'information, de formation ou de clientèle. Ils connaissent l'Italie tout autant que les Français et les Espagnols. Ils passent souvent en Angleterre. C'est une idée fausse que de les croire enfermés dans leur pays. Et si la République au XVIIe siècle va de secousse économique en secousse politique, cela n'empêche pas les voyages. La Hollande n'a jamais été repliée intellectuellement sur elle-même. Bien au contraire. Elle importe et exporte hommes et idées comme elle le fait avec les marchandises. La peinture hollandaise du siècle d'or fut beaucoup plus internationale qu'on ne l'a cru. Mais plus ou moins, selon le domaine et selon la ville. Curieusement, à Leyde, si l'Université est devenue une place internationale de la pensée, l'art se tient en retrait. Rembrandt et Lievens, les deux jeunes étoiles montantes, que les amateurs découvriront vers 1630, ne resteront pas dans leur ville. Ils iront travailler ailleurs. C'est la génération de Jan Steen (1626), Gabriel Metsu (1629), Frans Mieris (1635), qui assurera le maintien de l'école locale, une école d'images parfaites de l'intimité des demeures bourgeoises et des réunions de sociétés dans les auberges, dont Gérard Dou, plus âgé, avait été l'initiateur. Cette école-là rencontrera un succès universel. Elle montrait une Hollande ultra-hollandaise avec une technique qui effaçait les traces de ses pinceaux dans un émail parfait : le médecin hollandais regardant en transparence dans une carafe l'urine d'une malade hollandaise, devant une table recouverte d'un tapis, est devenu un archétype.

A quatorze ans, il est probable que Rembrandt aimait les tableaux d'ouvriers d'Izaac van Swanenburgh, qui exaltaient les beaux métiers du textile. Le maître était mort depuis 1614. Mais son prestige devait être encore grand pour que le meunier préférât s'adresser, plutôt qu'à tout autre, au fils du maître, Jacob Izaacz., afin de lui demander de prendre Rembrandt comme élève. En réalité, le fils n'avait pas grand-chose de commun avec le père et il est probable que Harmen l'avait choisi pour la continuité qu'il eût dû assurer. Mais on n'est pas peintre, comme on est meunier, de père en fils.

On sait de ce Jacob qu'il a peint des portraits, des vues de cités et des scènes fantastiques. Il avait vécu longtemps en Italie, en Vénétie d'abord, puis à Naples où il travailla de 1600 à 1617 et où il eut à s'expliquer devant le tribunal de l'Inquisition pour une très suspecte ronde de sorcières au sabbat. Les rares peintures qu'on puisse actuellement voir de lui dans les musées de Dantzig, Leyde, Copenhague, Augsbourg présentent l'artiste du fantastique : c'est un héritier de Jérôme Bosch. Dans la Renaissance italienne, il a aimé le mystère tel qu'il fut peint à Venise par Giovanni Bellini, à Florence par Botticelli, et qui s'étendit dans les estampes de Marc-Antoine Raimondi et Philippe Galle.

Voici Harmen et Rembrandt côte à côte dans la Grande Rue, la Breestraat. Le père va présenter son fils au maître qui a accepté de lui enseigner la peinture. Neeltje, avant son départ, lui a demandé de se donner un coup de peigne, car il se promène toujours hirsute. Visage carré, nez écrasé, yeux bruns, avec parfois des lueurs bleues sous un front bas, il a l'air d'un gamin buté, les mains trop grandes, les pieds trop longs pour les membres encore maigres de l'enfance. C'est un silencieux qui explose quelquefois, et hier encore dans les bagarres de l'École latine. Il marche en faisant trop de gestes. Au-delà de son apparence fruste, paysanne, il est intelligent et a toujours appris très vite. Les parents ont-ils été déçus qu'il renonce à devenir un universitaire ? C'était la voie ouverte à toutes les carrières, au pouvoir politique. Allons, il sera peintre, comme les autres sont fabricants de chaussures ou boulangers.

Entre Harmen et le maître, tout a été convenu d'avance, mais il faut que le premier contact soit bon. L'épouse du maître ouvre la porte. Une Italienne, Mevrouw Margarita. Elle parle le hollandais avec un curieux accent. Mijnheer Jacob Izaacszoon les attend dans la chambre où il travaille. Harmen lui présente Rembrandt. Le peintre parle de l'Italie où vivent les plus grands artistes. Rembrandt regarde un tableau sur le chevalet. Gueule ouverte de l'enfer, animaux chimériques, palais en flammes. Il a déjà vu cela chez Lucas de Leyde. Jacob est en train d'ajouter un navire volant entre les arches d'une métropole infernale. Le bateau emporte des milliers de damnés. Rembrandt tressaille. Tout là-haut, dans le ciel du tableau, ce n'est ni le Christ ni, plus haut encore, Dieu, non, c'est Jupiter et Junon, demi-nus. Cet homme ne peint pas l'enfer de la chrétienté. Il montre l'enfer de l'Antiquité.

C'est à ce diabolique-là qu'est confié l'adolescent. Son avenir nous fait supposer qu'il eut quelques réticences devant l'art de son patron. Mais la peinture, diabolique ou divine, c'est toujours de la peinture.

16 mars 1621. Harmen a soixante-cinq ans. Il s'interroge sur le temps qui lui reste à vivre. Ses affaires sont en ordre. Il a fait son testament il y a plus de vingt ans déjà : Neeltje est légataire universelle. A moins de se remarier, elle aura tous les droits sur les biens de la famille. Mais un accident survient. Gerrit l'aîné, celui qui travaille au moulin avec le père, perd l'usage de la main droite. Alors Harmen fait revenir le notaire et ajoute à son testament qu'il sera donné, après sa mort, sur l'héritage, une pension annuelle de 150 florins pour Gerrit. Ce jour-là, le notaire consigne que Neeltje est malade et au lit, mais saine de corps et d'esprit. Et les époux profitent de sa venue pour faire porter mention qu'ils souhaitent être enterrés tous deux dans le caveau de famille à la Sint-Pieterskerk.

Il y a désormais un invalide à la maison. Avec les parents habitent ce pauvre Gerrit et puis Machteld, Cornelis, Willem, Rembrandt et Liesbeth.

1621. La trêve de douze ans avec l'Espagne a pris fin. On n'avait pas compté les années. Voici les Espagnols, ponctuels, qui mettent le siège devant Bergen op Zoom, une des places qui commandent à la fois Anvers et l'embouchure de la Waal, qui multiplient les attaques contre les navires marchands. Batailles navales au large de Gibraltar, de Calais. Les Pays-Bas ne sont plus régulièrement victorieux. Leurs grandes compagnies, qui viennent de fonder Batavia, se mettent à armer des corsaires pour défendre leurs convois et attaquer ceux des ennemis. La République est-elle menacée ?

Rembrandt va passer trois ans d'apprentissage chez Jacob van Swanenburgh : nettoyer l'atelier, chasser la poussière, en protéger les tableaux, assembler les châssis, tendre la toile, broyer les pigments colorés, veiller à la pureté de l'huile, organiser la palette selon l'ordre habituel du maître, répartir sur la toile la préparation, tout un ensemble de pratiques grâce auxquelles on apprend les différentes durées de l'art. Peindre peut aller très vite, à condition que ce ne soit ni trop tôt, ni trop tard. Il faut savoir distinguer le moment où l'on peut commencer, celui où l'on ne doit plus intervenir. On vit entre le frais et le sec, attentif aux temps de séchage. L'adolescent découvre tout ce qu'il y a avant, pendant et après la peinture. Opérations nombreuses, minutieuses, longues.

A-t-il le droit de peindre ? Jacob l'encourage-t-il à dessiner ? Le laissera-t-il commencer un ciel, un arbre, un rocher, une figure ? Pas encore, dit-il, pas encore. Le maître le tient en bride longtemps, comme il se doit, puis, peu à peu, le laisse aller. Dans le premier tableau qu'on connaisse de lui aujourd'hui, une œuvre de 1625, on voit que Rembrandt, dix-neuf ans, n'est pas virtuose. Le sera-t-il jamais ?

A Leyde, il y avait dans un autre atelier, à la même époque, un apprenti de sa génération : fils d'un brodeur passementier, ce Jan Lievens était son cadet d'un an. Le front haut, le visage fin, les yeux bleus, le nez d'un gourmand, les lèvres sensuelles, plus mûr, bien que plus jeune. Sa famille ne lui avait pas fait suivre les cours de l'École latine. A peine sorti de la Petite École, elle l'avait placé en apprentissage de peinture, il avait huit ans, dans l'atelier de Joris van Schooten. Vers sa douzième année et jusqu'à quatorze ans, on l'avait envoyé à Amsterdam chez le très glorieux peintre Pieter Lastman qui, lui, savait les nouvelles manières de peindre : il était allé à Rome. C'était, paraît-il, mieux que Naples.

Il est probable que les deux garçons se rencontrèrent à l'époque où Rembrandt débutait chez Jacob Izaacsz., et où Lievens revenait d'Amsterdam. Lievens, avec six années d'apprentissage à son actif, avait une avance énorme, une aisance certaine. Mais, en art, la précocité n'est qu'un signe parmi d'autres. Lievens vécut plus longtemps que Rembrandt. Il eut une carrière internationale et fit à Londres le portrait de la famille royale. Aujourd'hui, nous nous attachons surtout à ses dessins, aux arbres mystérieux de ses paysages. Dans ses compositions, il maintient d'une certaine manière l'esprit de Rubens et de Van Dyck, mais d'avoir approché Rembrandt a manqué le faire disparaître de l'histoire, son ami étant devenu, avec les siècles, une puissance énorme, dévorante, annexant tout ce qui pouvait lui ressembler. Ce fut néanmoins, bien probablement, le cadet, mais l'aîné en peinture, qui sut persuader le jeune Rembrandt et sa famille qu'on ne devait pas se priver de l'expérience de l'atelier de Pieter Lastman à Amsterdam.

3

PASSAGE D'UN FANTÔME

Quand Rembrandt, à dix-huit ans, partit pour Amsterdam, que cherchait-il ? Ce que lui avait promis Lievens : une peinture plus ambitieuse. Pas seulement les portraits des officiers, des échevins et des marchands. Pas seulement des natures mortes, ni des paysages descriptifs des villes. Il voulait accéder à un art qui toucherait au cœur des choses, qui porterait un sens spirituel, une dimension morale. Si, dans les églises désormais blanchies à la chaux on ne pouvait plus représenter Dieu, ni le Christ, il restait dans la Bible des sujets abordables, de grands thèmes, riches de costumes, de paysages et de composition, auxquels Pieter Lastman pouvait lui donner accès. Il était avec les peintres d'Utrecht, Honthorst, Baburen, Ter Brugghen, de ceux qui maintenaient la peinture au plus haut niveau. Rembrandt avait son nom, son adresse à Amsterdam. Il y alla.

Si Rembrandt veut faire de la peinture à dix-huit ans, c'est pour montrer que le monde change. Et Lastman est l'homme qui peut l'aider, puisqu'il est allé à Rome et qu'à Rome on ne peint pas les bourgeois et les bourgeoises avec leur petit chien, ni les compagnies d'arbalétriers abrutis par leur banquet, ni les contrôleurs des tissus, mais la légende, le mythe, la fragilité de l'homme devant Dieu, son dialogue avec Dieu. La peinture à Rome a droit à cela. Pourquoi pas en Hollande ?

Dans l'atelier de Pieter Lastman, Rembrandt regarde quelques tableaux du maître sur les murs. Une arrivée d'Ulysse sur la plage de Nausicaa qui lève les bras au ciel en voyant débarquer un nageur nu. Près d'elle, le char de ses suivantes s'est arrêté. Le tableau est plein de bêtes et de femmes avec des parasols. Il n'est pas composé à l'alignement comme les compagnies d'officiers de Van Schooten. L'espace se creuse, le vent souffle dans les arbres. L'être humain qui surgit de cette Antiquité est plus vrai, plus vivant que le milicien des Doelens. C'est étrange, mais c'est ainsi : l'invention est plus forte que la réalité.

Maintenant Rembrandt regarde un autre tableau. Rapidement, il en prend un croquis. C'est Joseph distribuant le blé. Superbe ! Vêtu d'une grande robe orientale brodée, il est monté sur une estrade. A ses pieds, toutes les richesses du pays, les vaches, les chevaux, les volailles, les chèvres, les hommes, les femmes, les enfants. Derrière lui, le comptable hollandais, costumé à l'orientale, inscrit sur son registre la répartition des grains que manipulent, en haut des degrés du palais, des portefaix herculéens jusqu'à un homme presque nu qui emporte un sac de blé sur son épaule. Voilà de la peinture ! Elle nous sort des petites places de Hollande où les gens vont faire peser leurs fromages et ont pour honneur de vendre et d'acheter.

Encore un tableau de Lastman : le roi David, portant le manteau d'hermine qui ruisselle autour de lui, joue de la harpe dans un espace gigantesque. Autour du roi, tout un orchestre, les chanteurs, les cordes, les cuivres, l'orgue, et même un tambourin. Voilà qui est plus exaltant à peindre que les défilés des gardes avec leur tambour ! Au jeune homme, il faut de grands spectacles. Il se sent de taille pour des scènes géantes dans des paysages où la colossale Antiquité sera présente avec ses palais, ses statues et ses arcs de triomphe.

En plus, Amsterdam, c'est autre chose que Leyde, une grande ville, d'abord. Plus de 100 000 habitants. Elle n'a plus de remparts. On découvre les tours anciennes qui en subsistent au milieu des quartiers neufs. Et surtout le port. Avec tous ces gens d'ailleurs qui descendent des navires. Les voici, les Orientaux, avec leurs turbans, leurs robes de couleur, leurs sabres recourbés. Il paraît que les Pays-Bas viennent de s'allier avec les Algériens contre les Espagnols. Ici on communique avec le monde entier : le Japon, la Chine, l'Inde, Java, les côtes de l'Afrique, les Antilles, l'Amérique. Comme le monde est grand ! Il en débarque des produits inconnus, des parfums, des tissus, des cuivres, des porcelaines comme on n'en fait pas ici. Et aussi le sucre qui vient du Brésil et le bois qui vient de Norvège et, bien sûr, les épices qui procurent d'incroyables bénéfices. C'est un spectacle qui fascine. Très tôt, par-delà le chatoiement, l'abondance des quais, Rembrandt comprend que tout se décide loin de ces réalités, dans l'abstraction de la bourse. Elle existe depuis plus de vingt ans déjà. C'est un endroit animé deux heures par jour. On peut y vendre, y acheter toutes les monnaies. L'admirable est d'assister aux transactions. Un navire arrive par le canal jusqu'au cœur du bâtiment. Sa cargaison est vendue très vite. On ne voit même pas circuler une pièce d'argent. Il y a signature, échange de contrats, et les sommes à la banque passent d'un compte à l'autre.

A Amsterdam, l'univers entier est présent, et l'argent tout-puissant. Rembrandt ne l'oubliera pas. A Leyde, qui se rendait compte que les Provinces-Unies étaient devenues le centre commercial de la planète ?

Pourtant, le plus important de son séjour fut la rencontre, aussi inexplicable qu'évidente, avec le fantôme d'Elsheimer, un peintre mort dont il ne connaîtra presque rien, mais dont il devinera l'essence et auquel, par une communication mystérieuse, il donnera un écho inespéré. Comment comprendre en effet qu'un artiste, dont Rembrandt ne vit peut-être jamais d'œuvre, ait été si proche de la peinture qu'il fera quinze ou vingt ans plus tard ?

Né à Francfort en 1578, mort jeune en 1610, à Rome où il était arrivé à vingt-deux ans, Adam Elsheimer est généralement considéré comme un ténébriste. Mais, à l'ombre de la théâtralité dramatique de Caravage, ses très petits tableaux, souvent peints sur des plaques de cuivre, dans une perfection qui efface les marques du pinceau, donnent à l'obscurité un autre sens. Elsheimer fait la nuit douce. Dans ses grandes forêts, les lumières sont parfois celles de quelques torches lointaines. Plus souvent elles émanent des personnages eux-mêmes. Marie, Joseph, l'Enfant en fuite, sont des lueurs fragiles qui entrent dans la clairière. Tobie accompagné de l'Ange avance dans les champs comme l'aurore dans la nuit. Elsheimer fait la nuit pour qu'on y perçoive l'autre clarté, la clarté de la spiritualité pure, il propose des plages de méditation.

Aujourd'hui, ses tableaux réapparaissent difficilement entre les vastes peintures, les fresques, les grandes sculptures de l'art italien, mais il est sauvé par l'influence qu'il exerça, par le rayonnement qu'eut en son temps son œuvre minuscule et silencieux.

Les traces d'Elsheimer, on les trouve en Italie chez Lanfranco, chez Gentileschi, chez Saraceni, chez Claude Lorrain, puis chez Rubens qui dessina d'après ses peintures et chez beaucoup de Hollandais, Paul Bril, Cornelis van Poelenburgh, Bartholomeus Breenbergh, Hercules Seghers : comme ce petit cortège du Père et de l'âne portant la Mère et l'Enfant, que Rembrandt ajoutera trente ans plus tard à une gravure de Seghers, à la place du Tobie et l'Ange que Seghers avait figurés d'après l'Allemand de Rome ; comme ce fond de vallon où un Ange visite la femme de Manoah, chez Carlo Saraceni, comme ce fleuve entre des collines surmontées de tours et de châteaux, chez Paul Bril, ou chez Rembrandt encore pour *le Bon Samaritain* et pour les *Fuites en Égypte*.

Nous ne parlons pas ici des thèmes, ils sont à tout le monde, mais d'un certain esprit de la peinture qui accède au degré de simplicité émerveillée qu'avaient connu les peintres du Rhin quand, au Moyen Age, ils représentaient la Vierge dans son jardin clos. Alors on atteint au niveau de la clarté mystérieuse. Et cette simplicité émerveillée resurgit ici et là, de siècle en siècle.

Il aura fallu que l'art du jeune Allemand ait parlé très fort pour que Rembrandt l'ait entendu clairement au point de lui donner une postérité. Même si la couleur chez lui n'est plus une teinte comme chez Elsheimer, mais devient une matière, Rembrandt sera le vrai mainteneur du chant secret du jeune Allemand de Rome. Ainsi est-ce de l'indicible qui s'est transmis. Mais comment? Sans doute à Amsterdam, chez Lastman qui fut à Rome et le connut, Lastman qui aurait montré à Rembrandt des Elsheimer?

Car, vraisemblablement, c'est dans cet atelier que se trouve l'origine de la rencontre. Encore ne faut-il pas oublier que la communication entre les deux hommes n'aura pas d'effet perceptible avant des années. Rembrandt repart d'Amsterdam portant en lui un germe, une présence qui n'éclora qu'ensuite. Et même s'il n'est pas conscient du secret qui demeure en lui, il n'aura pas manqué de s'informer auprès de l'autre disciple hollandais d'Elsheimer, Jacob Pynas.

Venu prendre une leçon de peinture à grands sujets, à sujets nobles auprès d'un Lastman qui lui passa une vision théâtrale, rugueuse et gesticulante, encombrée, il repartit avec cette autre vision.

Harmen s'en fut quérir son fils pour le ramener à Leyde. Ils prirent ensemble le bateau halé par un cheval. Dans sa poche, le meunier avait serré le reçu que lui avait remis Pieter Lastman :

> *Quittance à Harmen, fils de Gerrit, de Leyde, de la somme de deux florins cinquante, pour avoir enseigné l'art de peindre pendant une demi-année à Rembrandt, fils d'Harmen.*

La nuit tombait. On n'entendait que le pas du cheval sur la berge et l'écoulement de l'eau grise le long du bateau. Le meunier et ce fils qui était devenu peintre pensaient, chacun pour soi, à ce que pouvait bien être la peinture.

Dans un ballot de toile le jeune homme emportait ce qu'il avait pu acheter dans la grande ville, sur le port ouvert à toutes les parties du monde. Il montra à son père un cimeterre turc et des tissus d'Orient. Harmen le trouva changé. Il était maintenant costaud, râblé. Il avait de l'assurance. Il semblait plus calme. Il s'était laissé pousser la moustache. Quand il revint à la maison, sa mère, ses frères et ses sœurs l'accueillirent avec curiosité. Il avait un petit cadeau pour chacun.

Il ouvrit un carton contenant les dessins qu'il avait faits chez Lastman et montra un panneau en bois qu'il avait peint, plein de boucliers, d'armes, d'armures à terre. Un roi couronné présentait son sceptre à des soldats agenouillés. Toute une armée contemplait la scène. Des gens avaient grimpé sur le socle d'une colonne pour voir ce qui se passait. Le scribe, à sa table recouverte d'un tapis, avait cessé d'écrire pour regarder le souverain. C'était un moment de l'histoire moderne, dans un décor de tour fortifiée, d'église et de clocher, un épisode de la guerre récente, peut-être.

La famille fit silence. Le tableau était grand, plus d'un mètre. C'était donc le fils qui avait peint cela, tous ces personnages si divers, chacun dans un costume différent, et le bouclier au premier plan, comme il brillait! On aurait pu le toucher. Chacun l'interrogeait sur les personnages : celui-ci, qui est-ce? Et celui-là?

Liesbeth pointa soudain son index vers la tête d'un jeune homme qui surgissait entre le roi et un imposant vieillard à longue barbe blanche, vêtu de fourrure.

Liesbeth l'a reconnu, les cheveux bouclés, le petit col blanc sur la veste bleue, c'est bien lui. Depuis la toile, il les regarde. Elle comprenait cela très bien. Harmen et Neeltje s'interrogeaient. Pourquoi leur fils s'était-il représenté dans une cérémonie à laquelle il n'avait pas participé? Est-ce qu'un peintre avait le droit de le faire? Il dut aussi raconter la grande ville, le port à l'infini, les bateaux partout, les magasins en construction sur les eaux, les tours, restes des anciennes fortifications, qui se dressaient à présent au milieu des rues neuves et qui dominaient le découpage concentrique des nouveaux canaux. Quand en ferait-on autant à Leyde? Les logements surpeuplés des ouvriers devenaient insalubres. Mais construire au-delà des remparts, serait-ce bien prudent? La guerre avait repris. Les troupes espagnoles d'Olivares n'étaient qu'à une vingtaine de lieues.

Rembrandt chercha du travail. On dit qu'il en trouva chez Joris van Schooten, comme assistant du patron. Le plus difficile se trouvait devant lui : l'indépendance.

II

DIALOGUE DE DEUX JEUNES PEINTRES

1

LE PREMIER ATELIER

Il installa son atelier dans la maison familiale de la Weddesteeg. Un rayon de lumière intrigue dans un tableau qu'il peindra peu après. La lumière tombe du haut de la pièce pour éclairer la toile posée sur le chevalet devant le peintre. Ce n'est pas que Rembrandt ait inventé, avant tout le monde, le principe de l'atelier sous verrière zénithale. Simplement on en déduit que sa famille avait dû lui donner une pièce où le jour entrait par le haut et que ça ne pouvait être qu'au grenier, le dernier étage de la maison, auquel on accédait par une échelle en bois. Par la large et haute fenêtre, grâce à un bras et une poulie, on hissait les provisions, les meubles cassés, les sacs de farine en réserve, et par là venait la lumière. Ce qui encombrait avait été poussé dans les coins et Rembrandt eut son premier atelier.

Cet hiver n'en finit pas. Les pièces d'habitation sont froides et ce grenier juste sous les tuiles, avec les vents qui soufflent de partout, est glacé. Rembrandt a mis plusieurs vêtements l'un sur l'autre et une sorte de manteau de son père tout déchiré. « Tu pourras le finir et le salir tant que tu voudras », a dit Neeltje. Il arrive à la lourde porte en bois, entre, s'avance sur les planches grossières et regarde le tableau auquel il travaille depuis des mois. C'est la première fois qu'il est seul avec la peinture. Totalement seul. Personne pour le regarder faire. Personne pour intervenir dans son effort. Cela l'avait énervé que Lastman, à Amsterdam, eût composé, dans le tableau qu'il a montré le soir de son retour à sa famille, les personnages du fond. Dépit ? Envie ? Il a regardé Lastman entrer dans son œuvre avec une aisance, une rapidité qu'il n'avait pas. Cette indépendance, il y accédait enfin.

Sous la table, il avait rangé des cartons contenant les dessins qu'il avait faits d'après les tableaux de Lastman, une petite collection d'estampes de Goltzius, un ensemble de gravures des proportions du corps humain. Il possédait aussi les croquis qu'il avait pris dans le livre de perspective de Vredeman de Vries (publié à Leyde), un livre qu'il avait vu chez Jacob Izaacsz., à ses débuts. Pieter Lastman en utilisait une édition plus récente. Et, pour l'anatomie, voilà plus de trente ans qu'on pratiquait à Leyde la dissection dans un amphithéâtre public. Non, il n'était pas démuni.

Cette *Lapidation de saint Étienne*, ce premier tableau dans son premier atelier, est une œuvre très pleine, peut-être trop pleine. Dans les débuts, on introduit toujours la somme de ce que l'on sait. Et Rembrandt s'est bien préparé à ce sujet-là. Il sait qu'Étienne, le premier martyr de la chrétienté, a été condamné par le sanhédrin à la lapidation pour avoir professé que Dieu ne pouvait pas être enfermé dans le Temple. Il a donc conçu sa composition pour que les vingt et un personnages de l'action soient répartis autour d'Étienne. Les responsables, ceux qui ont prononcé la sentence, il les a placés dans le fond du tableau, montés comme au théâtre sur des praticables (c'est un système cher à Lastman). Ils parlent entre eux et regardent. Étienne, en robe rouge damassée, tombe à genoux, fixant le ciel, une main levée, pendant que des hommes du peuple, travailleurs demi-nus, justiciers, sont sur lui armés de pierres qui vont lui fracasser les membres et le crâne. Parmi eux, à droite, de dos, un gaillard dont les muscles sont presque dignes de ceux des Hercules de Goltzius.

Cela donne au milieu du tableau une bande horizontale remplie de visages apparaissant derrière les protagonistes de l'exécution, une bande tourmentée qui révèle du désordre plutôt qu'elle n'exprime la dynamique d'une violence. Elle est surmontée de deux groupes de vieillards à chapeaux à plume ou en bonnet, debout ou assis devant le paysage urbain d'une tour, envahie par la végétation, et d'églises dont les clochers pointent vers le ciel. Tout cela ne fonctionne pas encore très bien. Rembrandt a accumulé des détails. Certes, il a réussi ses postures, donné aux visages des bourreaux des expressions diverses, cherché la colère, l'effort du lancer, la stupeur devant la mise à mort, mais l'ensemble reste hétéroclite. Le meilleur est le partage du tableau entre ombre et lumière. Le cheval, les trois personnages à contre-jour à gauche, les militaires du spectacle, sont d'une puissance maîtrisée.

Reste un mystère. Du moins pour nous. Ce tableau est relié à une autre *Lapidation de saint Étienne*, peinte par Adam Elsheimer quelque vingt ans plus tôt, un petit tableau sur cuivre, trois fois moins vaste que celui de Rembrandt et que Rembrandt n'a pas pu voir – au mieux en a-t-il connu la gravure qui en fut tirée –, et dont il n'a retenu que le seul partage entre l'ombre et la clarté. On dirait que quelqu'un lui a raconté le tableau. Quelqu'un qui lui aurait dit qu'Étienne est en train de tomber à genoux, qu'un homme demi-nu lève la pierre qui va lui briser la tête, que les militaires, quelque sultan et sa suite, arrivent à cheval et enfin et surtout qu'un long triangle de lumière, comme le cône d'un projecteur descend du haut du tableau où, dans l'angle, on voit Dieu envoyer un ange vers Étienne.

Ce serait donc à partir de cette description orale du tableau qu'il aurait tendu le rayon de lumière vers le martyr : d'où la zone d'ombre. En fait, quand on regarde l'estampe d'après Elsheimer, on voit qu'il a fait pivoter de 45 degrés le récit qui lui en aurait été fait.

Cette première œuvre que nous connaissions de lui, il a donc voulu l'inscrire sous le signe du jeune Allemand de Rome. C'est à ce triangle de clarté spirituelle qu'il doit son premier dialogue de la lumière et de l'ombre. Par la suite, tout en se défaisant de l'attirail orientaliste de Pieter Lastman, il apprendra à clarifier sa recherche, à toucher d'emblée à l'essentiel. Pour l'heure, il est encore encombré de mille références, se sent tenu à mille devoirs : le traitement correct du thème, des caractères, des accessoires, des costumes, l'exactitude anatomique, l'organisation de la perspective, toutes ces nécessités qu'on lui a enseignées, qui font que la peinture des grands sujets est la plus complexe qui soit, celle qui exige le plus d'études, broyant aussi tant d'artistes sous les charges érudites. Mais en pensant à ce triangle de clarté, dont quelqu'un (Lastman peut-être ou Pynas) lui avait parlé, il a trouvé sa voie. L'idée d'un peintre transmise par un peintre a éveillé un autre peintre.

Il fait trop froid dans l'atelier. Rembrandt va redescendre chercher un peu de chaleur à la cheminée d'en bas. Avant d'ouvrir la porte, il se retourne et regarde encore sa *Lapidation*. C'est embrouillé sans doute, mais ça a de la vigueur. C'est rugueux, même effrayant. On voit un meurtre se préparer. La tête va éclater. On perçoit bien l'horreur des organisations de supplice : les juges, les spectateurs calmes qui partiront dès que justice aura été faite, et ces pauvres justiciers aux pieds nus qui sont en train, pour obéir à leur loi, de se promettre eux-mêmes à l'enfer. Trompés par les puissants, ils deviennent criminels, et le pire, c'est qu'ils croient être justes, exécuter la volonté divine.

Pourquoi peindre cela ici, dans ce pays iconoclaste qui a chassé les saints de ses prières ? Dans la grande salle, en bas, il trouve Neeltje, entourée des enfants. Elle revient du marché où elle a appris la nouvelle : le prince Maurits est mort hier, le 23 avril. On dit : Il était jeune encore, cinquante-huit ans. Machteld pleure. On s'inquiète : les Espagnols avancent. Ils assiègent Breda. Maurits mort, est-ce que Breda tiendra longtemps encore ?

Le lendemain, à l'hôtel de ville, on proclama le nouveau souverain Frédérik Hendrik, prince d'Orange, stathouder de Hollande, Zélande, Utrecht, Gueldre et Overijssel.

Quand Rembrandt pensait à sa *Lapidation de saint Étienne*, il se demandait pour qui il peignait un tel tableau. Cette *Lapidation* fut l'œuvre d'un solitaire. Pendant les mois qu'il lui consacra, Rembrandt a vécu en reclus, plongé qu'il était dans les images de sa mémoire. Sur ce panneau de bois, il a placé tout le savoir qui lui était précieux, toutes les références qu'il jugeait nécessaires et dont il devra plus tard se défaire. En même temps, il y a introduit le principe fondateur du partage entre le clair et l'obscur qui deviendra l'un de ses caractères majeurs. Dans la *Lapidation* on trouve tout ensemble ce qui disparaîtra et ce qui s'imposera.

Par rapport aux autres artistes, il est dans l'air du temps : les enturbannés aux belles robes, les forêts de piques, les entrées de temples à colonnes, tout cela appartient au répertoire de l'époque. On s'en sert aussi bien pour les thèmes mythologiques et historiques de l'Antiquité que pour les thèmes bibliques. Les mêmes acteurs dans les mêmes costumes pour des théâtres différents, que ce soit chez Rubens, Claude Vignon, Pieter Lastman, David Teniers. Rembrandt construit ses décors comme tout le monde le fait en Europe.

L'a-t-il choisie, cette voie ? Ou n'en connaissait-il pas d'autre ? Il est difficile de croire qu'il ne savait rien de ce qui se passait en peinture à Utrecht. Entre les deux villes, il n'y a que quelques heures de voyage. Mais, entre deux arts, les distances peuvent être infinies. A Utrecht, le ténébrisme italien suscitait chez des peintres comme Baburen, Honthorst, Ter Brugghen un art de contrastes lumineux, aux nudités sensuelles. Pas avec l'éclat chaleureux, la franchise du désir de Jordaens. Avec une vitalité qui s'interroge sur la vie, la mort, le sommeil et le plaisir, dans des compositions souriantes, traitant des loisirs de l'existence, où les filles à table ont des décolletés plongeants, où les musiciens improvisent des chansons.

De même, à Haarlem, il y avait Frans Hals. Rien d'historique, de noble, de sacré dans son œuvre, mais de joyeuses compagnies d'auberge, ivrognes, putes, soldats, la racaille, la même qu'on croisait le soir dans les rues de Leyde. Mais quelle belle peinture !

Bien sûr, Rembrandt ne s'oriente pas vers une peinture des plaisirs. Il peint la violence, les vies risquées, la mort, la fermeté en la croyance.

Son atelier est vaste. Son grenier a la taille d'une grange. Jan Lievens cherche où travailler. Rembrandt l'invite. Dès lors, l'atelier qui avait été le lieu de sa solitude va devenir le creuset d'une nouvelle peinture. Les deux jeunes gens, Rembrandt dix-neuf ans, et Jan, dix-huit ans, vont vivre ensemble un grand moment de création. Ils n'ont pas toujours signé leurs tableaux. Quelquefois, l'un est intervenu dans l'œuvre de l'autre et l'a même écrit sur la toile, mais l'inscription étant devenue peu lisible, on ne parvient pas aisément à les séparer l'un de l'autre. Et si, deux siècles plus tard, on attribue à Rembrandt tout ce qui peut l'être, les deux amis ne se sont pas occupés de ce partage.

Depuis que les documents se multiplient, l'histoire de l'art prend en compte de tels rapprochements, ces associations de jeunesse, ces groupes éphémères qui iront parfois jusqu'à la vie en phalanstère des Nazaréens, jusqu'au mouvement des surréalistes. Reste qu'on n'a guère d'exemples anciens.

Au début, ce n'est pas Rembrandt qui domine. S'ils ont suivi tous les deux l'enseignement du même maître, la marque de Lastman sur Lievens est plus ancienne. Certes, on ne connaît pas ses toutes premières œuvres, mais on sait qu'en 1624, à dix-sept ans, il a peint des tableaux qui traitent le thème des Quatre Éléments par des figures à mi-corps où le Feu est un garçon qui souffle sur une braise pour allumer sa chandelle, la Terre un paysan au torse nu, la bêche sur l'épaule, portant sa récolte de raves et de navets dans un panier. La même année, il composait un ensemble d'effigies de Mathieu, avec un ange, de Marc taillant sa plume d'oie, de Luc lisant ses livres et de Jean en méditation, veillé par un aigle, des tableaux peints largement, où l'air circule, où l'aisance du jeune homme est évidente.

A l'atelier, Lievens apporte un mélange de la virtuosité de Haarlem et de celle d'Anvers. Plus exactement, il peint dans le genre de ces villes, mais avec gravité, avec une certaine pesanteur inquiète. A regarder ses tableaux, on se dit qu'il sait les faire et ne s'en satisfait pas. Rembrandt, lui, en est aux compositions minutieuses qu'on connaît, où il maintient peut-être quelque chose de la méticulosité des primitifs. Si bien qu'en les rapprochant l'un de l'autre, on perçoit mieux leurs différences. Jan est libéré, communicatif, prêt à l'aventure. Rembrandt est renfermé. Il craint de perdre l'idéal de grandeur qu'il a cultivé dans sa solitude. Il pense que la peinture est un art grave, qui engage l'être. Profondément religieux, il veut que sa peinture mette en cause l'univers et les hommes. S'il intervient dans les débats, c'est avec violence pour rappeler aux gens ce qu'ils ne cessent d'oublier : l'exigence de Dieu.

Jan bouscule l'art avec ses gros plans, mais il fait avec ce qu'il a et non, comme Rembrandt, en perdant son temps à affronter ce qui lui échappe, la perspective, les arrière-plans, les compositions complexes. Jan est plus libre. Plus jeune que Rembrandt, il se comporte en prodige qui veut se monter au niveau de ses aînés alors que Rembrandt entre dans la peinture pour découvrir sa personnalité. Voilà ce qui les sépare et les rend curieux l'un de l'autre.

L'année 1625 s'achevait. A Delft, le 16 septembre, les funérailles du prince Maurits avaient été suivies par un cortège immense, un public innombrable. Dans la foule certains disaient que l'on n'aurait pas donné les clés de Breda au général espagnol Spinola, si Maurits avait été encore vivant. D'autres répondaient que Maurits, malade, n'était plus le même depuis longtemps. Les Portugais avaient repris Bahia. A la maison de Harmen, on cherchait sur la carte où ça se trouvait exactement. On avait besoin de victoires.

Pendant les premiers mois de partage de l'atelier, les tableaux de l'un recouvrent les tableaux de l'autre. Turbans, tapis sur la table, plumes, tentures, personnages à contre-jour, profils, mains se détachant sur des rideaux de soie. Des hommes et des femmes, des personnages bibliques vus à mi-corps, une organisation claire, calme. Est-ce de Rembrandt ? Est-ce de Lievens ? Cette peinture-là ne dit plus rien du désespoir du monde. Elle ne secoue plus le spectateur comme la *Lapidation.* Rembrandt semble s'apercevoir de cet affaiblissement et il peint *Jésus chassant les marchands du Temple,* un tableau beaucoup moins vaste, 33 centimètres de long. Sur une colonne il grave son monogramme, et place, tout en haut, le visage courroucé de Jésus, le geste menaçant, les lanières levées, avec devant lui une bousculade aux rythmes contrastés de corps pressés, de mains agitées (main abritant le panier qui renferme une poule, mains du soldat criant qui se protège le visage de la lumière, main d'un vieillard enturbanné qui veut se frayer un passage, mains qui tentent de sauver les ducats sur la table, main serrée sur une bourse) et de visages craintifs ou affolés, obsédés par la volonté de ne rien perdre dans la tourmente qui s'abat. Rembrandt a bandé les ressorts de son tableau et, n'y laissant aucun espace vide, a rassemblé l'action dans un nœud central, le cœur de la panique. Une œuvre plus forte que *la Lapidation de saint Étienne* où la mise en scène, malgré l'abondance des personnages, souffre de la faiblesse de certains intervalles.

Ce cadrage nouveau amorce son détachement de Lastman. Amorce seulement car, en cette année 1626, il va tour à tour tirer sur la corde qui l'attache au maître, s'en éloigner, puis revenir près de lui. Sa métamorphose est discontinue. Elle transparaît pourtant aussi dans l'intérêt nouveau qu'il prend pour la matière de la peinture. Déjà, dans le vêtement de saint Étienne, il y avait des broderies infinies, mais cette fois, dans *Jésus chassant les marchands du Temple*, il en hausse encore la charge.

Chez Pieter Lastman, deux idées de l'art se rencontraient, l'une qui maintenait quelque chose de la peinture lisse des retables médiévaux, et l'autre qui appartenait à la Renaissance, à ses lois de la perspective, des proportions anatomiques, formant un impossible mélange, comme si le gel nordique d'une invention italienne manifestait le refus inconscient d'entrer tout à fait dans une formule nouvelle. C'est sur ce terrain-là, ambigu, d'une double nature, que Rembrandt avait planté ses germes. Mais son avenir, et il venait de le comprendre en peignant ce gros plan arraché au cœur d'une action, se ferait en choisissant des sujets mouvementés, violents.

Le supplice de saint Étienne avait été, déjà, le révélateur de la nécessité de passer par la violence pour échapper à la domination esthétique. D'un même élan, Rembrandt avait renoncé aux plages de couleur pure qui subsistaient ici et là chez son maître. Il avait osé donner la liberté au pinceau de sinuer pour tracer les boucles des cheveux, de se hérisser pour évoquer la barbe du soldat, de pousser des pointes pour la fourrure, de creuser sur les fronts des vieillards apeurés les sillons des rides. Le col de chemise du comptable hollandais avec sa petite calotte noire sur la tête était un col, mais aussi un coup de pinceau entourant le visage au sourire édenté. Ainsi dans ce tableau la matière picturale s'était-elle mise à vivre par elle-même. Le pinceau n'effaçait plus ses traces. Il était devenu l'éveilleur du vivant dans des vibrations de tous ordres.

Rembrandt a vingt ans et il vient de comprendre que son bonheur sera de faire du tableau une trame aussi frémissante que la vie même, celle que le microscope de Leeuwenhoek à Leyde ne fera apparaître que plus tard, quand l'œil verra le grouillement des spermatozoïdes, le flux des globules rouges, les mouvements infinis des protozoaires, quand il saisira quelque chose de la vitesse et du foisonnement de la vie. L'homme pourra alors témoigner que la réalité profonde n'est pas lisse, que le monde ne s'organise pas totalement en géométrie symétrique qui se peut calculer, qu'il existe une réalité au-delà des apparences, cette réalité qu'il appartiendra aux savants de révéler et que Rembrandt, quêteur de signes de la vérité divine, chercheur des moments de révélation du vrai, ne cessera plus de montrer. Telle est la situation du peintre : se placer en parallèle du biologiste, l'un et l'autre conduits par le désir de voir au-delà du mur qui les entoure.

Certes, ce Rembrandt de vingt ans n'est pas, selon l'expression un peu méprisante de Marcel Duchamp, un peintre « rétinien ». Il n'a pas besoin que des personnages s'enfuient devant lui pour connaître l'effet de la peur panique dans un groupe, pas plus qu'il n'a besoin de torches ni de chandelles pour concevoir le clair-obscur. Cette faculté d'invention, ou de connaissance, il la doit aux siècles de peinture qui l'ont précédé : l'art est pensée, il conçoit les couleurs et les formes. Si dans la rue, dans la campagne, devant le modèle à l'atelier, Rembrandt peut aimer prendre des notes, il ne se laissera jamais totalement fasciner par la réalité. A la lumière qui frémit dans les feuillages et sur les eaux, il préférera toujours la lumière de son invention.

Pour l'heure, néanmoins, il demeure encore attaché à Pieter Lastman au point de juger nécessaire de lui porter la contradiction dans un des thèmes qu'il l'a vu traiter à Amsterdam : une *Anesse de Balaam.* Il en reprend les gestes : Balaam levant le bâton, l'ange brandissant son épée. Mais il le peint avec plus de violence. L'ange vole. L'ânesse est plus affolée.

Autre effort de détachement de son maître : il osera placer le mythe dans un décor ordinaire, faire entrer le récit légendaire dans sa vie de tous les jours, dans la maison de Harmen, avec les petites vitres des fenêtres, la coupe d'osier accrochée au mur, la botte d'oignons qui sèche, la cage de bois tressé où chante l'oiseau, le chien, la chaise en paille, tous les ustensiles de la cuisine sur les étagères, les jattes d'étain, les pichets de grès, les cuivres, vieux accessoires des paysans de Bruegel, des marchands d'Aertsen. Et, pour que cet ordinaire-là prenne du sens, il installe devant la cheminée de la maison deux vieillards en haillons. Tobie l'aveugle et Anna portant un agneau dans ses bras. Les vêtements déchirés laissant voir les doublures de couleur sous le molleton. La fourrure de l'agneau, le crépi manquant aux vieux murs de brique, tout est bon pour donner des matières au tableau.

Cette fois, c'est dans un rythme paisible, sans pour autant que ce soit cet art plaisant et complaisant qui s'étend de Haarlem à Utrecht, d'Amsterdam à Leyde, et que Lievens a apporté chez lui. En quelques mois, Rembrandt se laisse porter aux quatre vents de la peinture pour trouver celui qui attisera le plus l'incendie. Car il veut que la peinture flambe, qu'elle sorte du confort, du convenu où elle tiédit pour sa clientèle de tièdes. A quoi bon peindre si ce n'est pour se purifier soi-même et offrir à tous des raisons de penser?

Le pays a été bouleversé par sa conquête de l'indépendance. Puis tout l'élan est retombé. Rembrandt appartient à une génération d'après la guerre. Ceux qui ont chassé l'ennemi, renversé un pouvoir pour en instaurer un autre, estiment qu'ils ont donné sa chance à leur génération. Leurs fils pensent qu'il y a d'autres révolutions à faire. En art, pour Rembrandt, tout est à recommencer. La peinture ne saurait se réduire à l'éloge des comités et des milices populaires. Puisque la représentation du Christ n'est plus possible, puisque l'Enfer est devenu une imagerie qui ne fait plus peur à personne, l'art doit-il se résigner à faire l'éloge d'une société qui, sans anxiété métaphysique, tend vers la médiocrité? Il faut réintroduire l'esprit dans un monde matérialiste. Il faut ouvrir des abîmes sous les pas trop assurés de ce peuple qui croit avoir résolu tous les problèmes. Est-il vrai que dans le ciel il n'y ait plus d'anges, mais seulement les nuages et le vent? La peinture est-elle condamnée à ne représenter que des allégories charmantes, des réunions d'associations civiques, des scènes galantes dans les cabarets et des natures mortes sans trop d'abondance pour éviter l'accusation d'exalter le péché de gourmandise?

Car l'allégorie et le hareng sur l'assiette s'inscrivent dans la prudence générale et font partie du rappel au silence que demande ce pays soucieux que l'art ne le dérange plus. Les compagnies d'officiers sont une foire aux vanités. La vanité est un péché, mais en groupe elle se voit moins. Quant aux scènes galantes, l'amour y paraît comme un jeu où la passion est tenue en laisse par le code de décence.

A vingt ans, on veut arracher tous ces masques, tous ces déguisements, avant qu'ils ne s'imposent définitivement comme la vérité et finissent par dissimuler totalement la vraie vie. Ouvrez les yeux. Montrez l'amour dans un lit. Faites voir que les officiers ne sont pas toujours à l'alignement. Et peignez Dieu. Le temps de la « Beeldenstorm » est fini. Les iconoclastes sont rentrés chez eux. C'est à cause d'eux qu'on ne représente plus que les échevins vêtus de noir et les arquebusiers sous leur chapeau à plume. On s'est éloigné du regard qui sonde les âmes. On a préféré l'œil qui évalue les biens. Ouvrez les yeux. Autrement, que deviendra la peinture en Hollande ? Rien d'autre qu'un art tiède pour les tièdes.

Rembrandt est là avec sa fureur. Il voudrait la communiquer à Jan Lievens. Ensemble, ils vont entrer dans une aventure vertigineuse dont Rembrandt semble avoir été l'initiateur puisqu'il demeurera par la suite fidèle à ce qu'ils inventeront ensemble, alors que Lievens s'en éloignera.

Cela commence par un tableau de quelque 25 centimètres, un petit panneau de bois, une *Fuite en Égypte* que Rembrandt signe de ses initiales et date de 1627. La même année, Jan Lievens peint une nature morte, précisément une *Vanitas* : un violon, des livres, un sablier, une tête de mort, une chandelle éteinte, un thème déjà largement traité.

1627 est donc l'année où Rembrandt avance et où Lievens hésite. Rembrandt a-t-il fait appel une nouvelle fois au souvenir de la description d'un tableau d'Elsheimer ? Le rapprochement sera plus évident vingt ans plus tard, mais déjà on peut percevoir un nouvel écho de l'Allemand de Rome. Cette fois, c'est un écho de ses nocturnes, de ses chants de nuit, avec cette différence que chez Elsheimer il y a du bonheur dans le petit groupe de l'âne portant la Vierge et l'Enfant, à peine éclairé par la lampe de Joseph. Alors que, chez Rembrandt, la famille en marche avance en pleine nuit, prise dans une lumière latérale vive, menacée sur sa gauche par un chardon ondulant comme un dragon et projetant à droite sur le sol une grande ombre mouvante qui l'accompagne.

Tableau sans nul doute décisif, car c'est sur ce petit panneau de bois qu'il éteint pour la première fois les vivacités de sa palette. Plus une seule plage lisse de couleur pure : rien que la gamme du noir au blanc, des gris avec des accents plus chauds ou plus froids, mais la couleur a disparu en tant que telle et le pinceau n'est plus à son service mais à celui des vibrations, des mouvements en surface. Il a osé supprimer les beaux rouges, le bleu profond, les bruns qui chantent, pour imposer dans une clarté lunaire, blafarde, le mouvement de la vie, en l'occurrence le passage du couple, de l'Enfant et de l'âne. La réussite est encore frêle et anguleuse, mais le pinceau y a une vivacité pleine d'allégresse. Et désormais c'en sera fini de la séparation de la couleur et du dessin. Tout sera peinture. Tout viendra d'un seul geste qui est trait de lumière créant le volume dans l'obscurité. Étape majeure que celle de la conquête de cette unité.

Les progrès sont également manifestes en gravure. Depuis un an il s'essaie à l'eau-forte. L'estampe est un apport de Lievens à l'atelier. Lievens, qui a déjà traité en gravure le thème de ses Évangélistes, se montre très à l'aise sur le cuivre, sait faire saillir les volumes, transformer le blanc du papier en lumière, aligner régulièrement les tailles dans la plaque pour obtenir des noirs continus.

Dans ses premières planches, Rembrandt, faute d'avoir creusé régulièrement le cuivre, a obtenu des trous plutôt que des lumières. On n'y reconnaît que sa violence, gâchée par sa maladresse. Or, voici que pour *la Fuite en Égypte*, qu'il tente en gravure, quelque chose en lui se débloque. Il ne se sent plus obligé de pratiquer selon les règles. Son Joseph, vu de dos, marche en s'appuyant sur sa canne. Il tire l'âne (qui a une allure de cheval, tant pis). La Vierge, assise en amazone sur la bête, se retourne vers l'artiste. Elle tient l'Enfant contre elle, petit visage endormi, ombré de quelques traits obliques. L'estampe semble inachevée. Rembrandt l'a laissée ainsi, comme le commencement de quelque chose qui va dépasser l'expérience de cette plaque de cuivre. On devine le plaisir immense qu'il a pris à multiplier les tailles dans le noir qui dégage la silhouette claire de Joseph, mais cette fois librement, comme cela vient sous les gestes, comme cela glisse sous la pointe. Il semble avoir découvert sa liberté de graveur.

D'autres tableaux sont venus aussi en 1627 : un *Changeur*, un homme de registres et d'argent, l'espèce qu'il déteste. Pour ses registres empilés, il s'est servi de vieux in-quarto reliés en cuir, qui étaient arrivés un jour dans l'atelier et que Lievens a choisis lui aussi pour une *Vanitas*. Comme lui-même les retiendra aussi une nouvelle fois pour accompagner un *Saint Paul en prière*. C'est une peinture difficile dans la mesure où elle n'implique aucune action, aucun mouvement. Le vieillard à la longue barbe blanche est assis sur son lit, enveloppé dans les plis de sa cape de bure. Il a une plume à la main. Autour de lui, les livres ne sont pas des livres de comptes, mais les réceptacles de sa pensée. Le poing devant la bouche est fermé. Les yeux sont fixes. Rembrandt a peint un homme en train de penser.

Aucun ange pour souffler à l'oreille du saint. Aucune allégorie pour représenter le sujet de sa méditation. Saint Paul est seul dans sa cellule. Ou, au contraire, il ne l'est pas, Rembrandt ayant découvert ici l'autre sens du mot lumière. Entre les barreaux de la fenêtre, le jour, derrière saint Paul, caresse le mur, réchauffe la pierre froide. On voit l'ombre d'un des barreaux. Cette lumière est la présence même de la pensée. En un sens, il réinvente la clarté des auréoles anciennes, il la montre sur une colonne dans ses variations d'intensité. Cette lueur frémissante nous fait comprendre le regard fixe de saint Paul, stupéfait de ce qu'il découvre. Devant lui ? Non. En lui-même. La peinture ne représente pas seulement les images. Elle peut faire percevoir la pensée.

Et en même temps, pour bien montrer qu'il n'est pas tout à fait parti dans l'invisible, Rembrandt déchausse le saint et peint son pied nu au premier plan en y mettant une précision à laquelle Lievens n'atteint pas.

2

LE FLAIR DE CONSTANTIN HUYGENS

En 1627, Jan Lievens résistait encore. En 1628, il se rapproche de Rembrandt. Il éteint ses couleurs, lui aussi, et, côte à côte, les deux artistes vont peindre le même sujet, Samson et Dalila. Samson, assommé par ce qu'on lui a fait boire, s'est écroulé contre les genoux de sa maîtresse assise. Un soldat armé se présente, portant les ciseaux avec lesquels elle lui coupera les cheveux, privant ainsi le héros de sa force.

Chez Lievens, le soldat, annonciateur de la fin de Samson, porte un carquois de flèches, un poignard. Il s'avance avec précaution et brandit les ciseaux, les yeux exorbités par l'émotion. Le peintre lui a donné ces accessoires et l'a obligé à ces mimiques pour que le spectateur ne puisse pas croire à l'entrée d'un coiffeur facétieux. Dalila mime aussi sa complicité. On ne pourra pas se tromper : elle met son index devant sa bouche pour recommander le silence et soulève les boucles de son amant. Le soudard qui entre ne peut faire erreur. Les tentures en soie du lit, l'aiguière et le plateau en métal ciselé, les dalles en pierre précisent la noblesse du lieu.

Rembrandt, lui, a situé la scène sur les grosses planches de son atelier devant le mur décrépi du grenier. Et il a tendu un rideau. Rien d'autre. Les accessoires ciselés, il les a dissimulés dans l'ombre. Son tableau est le plus simple possible, il ne s'est pas encombré de détails. Mais le rideau est gonflé d'une présence inexplicable, inquiétante. Du ciseau que l'homme tient à la main, on ne voit que la lueur d'acier.

Rembrandt n'a pas rejoint Lievens dans son idée de la porte ouverte au fond de la pièce, qui laisse deviner des hommes en armes. Mais il a fait que du rideau même surgissent deux menaces : une tête casquée et la pointe d'un sabre. C'est plus efficace. Enfin il semble en savoir plus que Lievens sur le pouvoir des femmes : Samson s'est endormi entre les cuisses de Dalila qui se retourne, attentive à l'arrivée des soldats.

Donc, chez Lievens, une gestuelle de cinéma muet parmi les accessoires du genre supposé biblique et, chez Rembrandt, une force dramatique qui naît de l'économie des gestes comme de la maîtrise de la lumière et de l'ombre : le bras armé, le sabre qui pointe, le décolleté de la femme et le grand corps de Samson, forme d'or, endormi dans son giron. Il n'a pas voulu en dire plus. Et pourtant, dans son tableau on a tout : le sommeil, la traîtrise et l'approche de la mort.

Jan Lievens ne se tient pas pour battu. Il se ressaisira et entreprendra un autre *Samson*, cette fois dans un grand format et dans un ton à la Rubens qui lui convient puisqu'il s'y référera souvent par la suite.

Débats dans l'atelier? Discussions entre les deux amis? Ou bien n'a-t-on fait que rapprocher les tableaux en silence? Le second *Samson* de Lievens aura été un sursaut vers son indépendance, mais il n'échappe pas encore à la fascination que Rembrandt exerce sur lui.

Comment cela se savait-il que, dans le grenier de la maison d'un meunier, dans une ruelle près de la porte Blanche, travaillaient deux jeunes artistes intéressants? Sans doute l'information circulait-elle entre les artisans. Ce qui permettait aux voyageurs étrangers d'obtenir noms et adresses. Le menuisier en train de fumer sa pipe sur le seuil de son échoppe pouvait indiquer où trouver des peintres. Sans compter le réseau de relations et d'amitiés que Rembrandt avait gardé de ses années d'études à l'École latine, un réseau grâce auquel il entra en rapport, en 1628, avec un juriste d'Utrecht qui lui fut envoyé par le nouveau directeur de son ancienne école, Petrus Schrevelius, arrivé de Haarlem où il avait fait peindre son portrait par Frans Hals. Il avait apporté avec lui des tableaux, des gravures. Le juriste et amateur d'art était Arnout van Buchell, venu à Leyde pour voir la collection de Schrevelius, qui lui conseilla de rencontrer Rembrandt. C'est ainsi que, dans son journal de voyage, découvert et publié en 1928, on peut lire, en latin, la première mention de Rembrandt peintre, faite par cet Arnoldus Buchelius qui écrivit : « *Molitaris etiam Leidensis filius, magni fit, sed ande tempus.* » Autrement dit : le fils de meunier, intéressant, mais c'est prématuré.

Autrement dit l'homme d'Utrecht n'a pas été conquis. Sans doute avait-il fait venir Rembrandt chez Schrevelius. Car s'il avait gravi l'échelle du grenier, il aurait parlé de l'autre peintre, Lievens. Mais on doit lui être reconnaissant de nous faire deviner comment alors, dans une ville de Hollande, on découvrait un jeune peintre de vingt-deux ans. La réputation doit être bonne puisque, en cette même année 1628, l'atelier reçoit un élève, Gerrit (Gérard) Dou, quinze ans, dont le père compose des vitraux. Lui-même a été mis en apprentissage avant de collaborer à l'entreprise paternelle. Mais, par-delà le vitrail, c'est peindre qu'il souhaite et il s'adresse à l'« habile et réputé Rembrandt » comme au maître auprès duquel il souhaite se former. Ils seront désormais trois dans l'atelier.

Cette année-là, Rembrandt peint un artiste devant un chevalet. Est-ce Gerrit Dou ? Est-ce Jan Lievens ? Est-ce Rembrandt lui-même ? On voudrait le savoir, bien que ce soit de peu d'importance par rapport à ce que ce petit panneau de bois nous dit des conditions de la création dans le grenier de Harmen. Le peintre emmitouflé dans un manteau, son chapeau sur la tête, est debout au fond de la pièce. Il porte ses attributs, la palette, les pinceaux, l'appuie-main. Il se tient dans l'ombre. Le tableau en cours reçoit toute la lumière, grand tableau incliné sur le vaste chevalet dont la tranche du panneau trace dans l'espace une mince oblique lumineuse. Autour du peintre, rien, rien que les parois fissurées, écaillées, du grenier, la charpente qui tient la porte. C'est la même idée que pour le *Saint Paul* : la lumière sur le gros plancher, sur l'enduit des parois crevassées au point de laisser paraître les mauvaises briques. Et rien d'autre. Pas d'accessoire, pas d'allégorie. Tout était dans les yeux fixes du saint. Tout est dans les yeux sombres du peintre dont le visage sort à peine de l'enfance.

Le même sujet est traité par Gerrit Dou, dans un tableau qu'on dit retouché par Rembrandt et qui s'insère dans cet ensemble d'œuvres réalisées à l'époque, dans lesquelles circulent les idées des uns et des autres. Gerrit représente donc le même petit gosse frileux devant le même immense chevalet, mais il l'entoure de références : les dessins cloués aux murs – et qui le sont depuis longtemps si l'on en croit la façon qu'ils ont de se gondoler et de se refermer sur eux-mêmes – et, devant lui, tout l'attirail de casques, de cuirasses, de lustres, de livres, d'instruments de musique et de tissus précieux qui occupe l'atelier. Le peintre est parmi ses modèles alors que, chez Rembrandt, il travaille sans référence visible, dans l'espace de son esprit. Oui, la peinture est de la pensée.

Avec Jan, avec Gerrit, bientôt avec de nouveaux disciples, Izaac de Jouderville et Jacques des Rousseaux, la maison est de plus en plus animée. Qu'un élève, puis deux, puis trois soient venus dans l'atelier prouve que Leyde le connaît. Au-dehors de la ville sa renommée va croissant aussi. Des amateurs frappent à la porte de la ruelle. Arrive, un jour, le secrétaire du nouveau stathouder Frédérik Hendrik, Constantin Huygens, de dix ans plus âgé que Rembrandt. Il connaissait Leyde pour en avoir fréquenté l'université et y avoir soutenu sa thèse de droit le 15 juin 1617, avant de voyager en Angleterre, en compagnie du peintre Jacob III de Gheyn, et de visiter Venise. Devenu conseiller politique et secrétaire du prince en 1625, Constantin Huygens était un lettré. Il fréquentait le Cercle des femmes savantes de Muiden, écrivait des vers en latin, en français, en italien et en hollandais, composait des chansons, des pièces de théâtre, s'intéressait aux découvertes de la science, correspondait avec René Descartes, aimait la peinture. On sait qu'à Londres il avait vu avec Jacob III de Gheyn la prestigieuse collection Arundel.

Ayant eu vent de la précocité de Lievens, il lui demanda de peindre son portrait. Car il aimait qu'on fît son portrait. L'an précédent, à Amsterdam, il avait passé commande à Thomas de Keyzer, le plus réputé des capteurs de ressemblance, et Keyzer l'avait représenté en ministre en exercice, avec son secrétaire particulier, son écritoire et ses globes terrestres ; en 1632, il posera encore pour Van Dyck. Sans doute cela l'amusait-il de voir ce qu'un jeune allait faire de son visage, et, de fait, Jan Lievens peignit un admirable tableau. Constantin Huygens est assis, les mains croisées sur les genoux, dégantées, jaillissant des manchettes ; costume noir, grande collerette blanche, chapeau noir, il ne regarde pas le peintre. Lievens a bien vu les yeux un peu globuleux, la moustache fine, la mouche sous les lèvres, le personnage puissant qui assume ses responsabilités. Il appartient au monde du pouvoir, mais il garde le temps de fréquenter les écrivains et les artistes. Pour son divertissement, et pour s'informer de la mutation des idées.

Donc, grâce à Lievens, Huygens fait la connaissance de Rembrandt. Peut-on l'imaginer gravissant l'échelle du grenier ? Sans doute, car il était homme à aimer ce genre de visites. En tout cas, il vint accompagné de son frère Maurits qui lui aussi avait fréquenté l'université de Leyde, et ils virent Rembrandt, dont le nom, dès ce jour, fut connu dans les sphères du pouvoir des Provinces-Unies.

Constantin Huygens, pour sa part, écrivit sur les deux peintres, ces deux jeunes peintres qui, contrairement aux artistes d'Utrecht (Baburen, Honthorst, Ter Brugghen), avaient renoncé à faire le voyage d'Italie tant ils ressentaient d'urgence à employer, dans l'exercice de leur art, les meilleures années de leur vie. Il devait se rendre compte que, si les générations de 1580 (Hals) et 1590 (Honthorst) produisaient des œuvres brillantes, on avait du mal à distinguer qui prendrait la relève dans les premières années du siècle. Il faut savoir qu'il ne plaçait aucun artiste au-dessus de Rubens et soutenait, pour sa part, que la peinture n'avait d'autre devoir que la représentation exacte du réel, bien qu'il y voulût de la pensée.

Les portraits que nous a laissés Huygens des deux jeunes artistes, une fois dépassées les comparaisons traditionnelles avec Apelle et Protogène, les peintres de l'Antiquité qui sont des références obligées à l'époque, sont passionnants. A propos de Lievens, il note : « Lievens, dans sa juvénilité, est occupé seulement de ce qui est grandiose. Il ne se conforme pas à la mesure des formes données. Il les dépasse. » Et sur Rembrandt : « Il s'absorbe entièrement dans son travail. Dans un petit tableau, il atteint à un effet saisissant qu'on ne trouve pas dans les grandes compositions des autres artistes. »

Visiblement ému par un autre tableau, de plus d'un mètre celui-là, *Judas rendant les trente deniers*, il insiste : « Rien dans l'art italien ne peut éclipser cette œuvre, ni les fragments les plus admirables que nous avons conservés des meilleurs artistes de l'Antiquité. L'attitude de Judas hurlant, demandant grâce (alors qu'il n'espère plus, qu'il fait semblant d'espérer), son visage effrayant aux cheveux en désordre, ses vêtements déchirés, la cruauté avec laquelle il tord ses bras, presse ses mains l'une contre l'autre à les briser, avance son genou sans le savoir, son corps convulsé, tout cela, je le mets en balance avec les œuvres des siècles passés, dont je vois surtout, en comparaison, l'élégance. »

3

LES AUTOPORTRAITS COMME JOURNAL INTIME

C'est donc la violence de Rembrandt qui attira Constantin Huygens, le premier à faire son éloge. Ce fut en latin et dans son autobiographie qu'il n'acheva jamais. On peut imaginer que très vite il fit part au stathouder de sa découverte d'un *« adolescens, Batavus, imberbis, molitor »*, en insistant sur les merveilleuses ressources de ce peuple dont un fils de brodeur et un fils de meunier, qui n'avaient pas eu les maîtres qu'ils méritaient, deviendraient ceux qui donneraient au pays une peinture nouvelle, grave, sacrée, dramatique, noble pour tout dire, et non pas bourgeoise. Si Frédérik Hendrik avait d'autres soucis – il guerroyait contre les Espagnols auxquels il était en passe de reprendre Hertogenbosch, Bois-le-Duc, la ville natale de Jérôme Bosch –, sir Robert Kerr, l'ambassadeur d'Angleterre à La Haye auprès du prince, fit en 1629 le voyage de Leyde et acheta pour son souverain des œuvres à Rembrandt et Lievens.

1629, c'est le moment où, dans les tableaux de Lievens, de Dou et de Rembrandt, se multiplient les vieillards. Harmen malade, nu sur son drap, devient Job sur son lit de souffrance : immense corps amaigri, aux bras sans force, la tête penchée de lassitude en avant, la barbe blanche en désordre, les dernières mèches de cheveux hérissées sur le crâne. C'est une gravure : ou encore, crayon noir, sanguine, lavis, Harmen est devant la cheminée, complètement enveloppé jusqu'au cou d'un chaud tissu, son bonnet sur la tête. Il a fermé les yeux et somnole entre les crises qui creusent ses traits. Rembrandt l'a saisi vivant. En grosses lettres majuscules, il a écrit son nom HARMEN GUERRITS, puis il a signé juste en dessous, sa signature serrée contre le nom du père.

Neeltje avec un voile brodé sur la tête, tantôt de face, tantôt de profil, sert de modèle pour la figure d'Anne, la prophétesse qui ne sortirait jamais du Temple où elle servait Dieu dans le jeûne et la prière. Ils la peignent aussi lisant la Bible, penchée, ou sans ses besicles. Ils scrutent la faiblesse de son regard bleu. Ils sont autour d'elle et la dessinent. Rembrandt la grave. Lievens l'a vue plus vieille que Rembrandt. Que cherchent-ils tous trois dans ces fronts dégarnis, ces visages ridés, ces mains tavelées ? Pourquoi ne cessent-ils pas de représenter prophètes, apôtres, ermites, philosophes ? C'est sans doute qu'à l'étage et au rez-de-chaussée de la maison le spectacle du progrès de la maladie chez Harmen creuse en eux du désespoir et en même temps leur fait comprendre les conditions de douleur et de courage qui sont celles du grand âge, quand les rares forces qui demeurent doivent se rassembler pour le moindre effort et qu'on voit ce qui hier semblait nécessaire devenir superflu, quand, au-delà de la difficulté d'être, on pèse les vraies valeurs et que le chrétien découvre qu'il est seul, détaché de tout, devant un événement énorme et minuscule, sa fin. La mort est là.

En cet hiver 1629, personne ne semble sortir de la maison. Tout se fait à l'intérieur des murs, comme si la demeure se refermait sur ses habitants rassemblés autour de la préparation d'un vieil homme à son trépas.

Rembrandt peint des tableaux qui donnent du sens à la vie. Une petite lueur au fond de la pièce éclaire la silhouette d'une femme penchée sur la préparation de quelque repas. Une table, des restes, des écuelles, du pain. Un homme assis s'adosse au mur de planches, la tête en arrière, cheveux longs, jeune barbe. A contre-jour, simple profil dans un coin tranquille d'auberge, il croise les mains, la chandelle posée sur la table éclaire le mur. Un voyageur a suspendu son sac à un clou. Un silence plus violent que le tonnerre et, soudain, le bruit d'une chaise renversée : un convive s'est jeté aux pieds de l'homme adossé, immobile en pleine lumière, il le regarde, stupéfait. Le grenier est devenu l'auberge d'Emmaüs.

Elsheimer avait peint cette même rencontre sous une tonnelle romaine. Rembrandt l'enferme entre les planches de son atelier. Comme pour le *Saint Paul*, aucune allégorie, aucun symbole n'est figuré. C'est la lumière qui parle dans le calme total, dans l'immobilité de la révélation foudroyante : un gros visage en pleine lumière bouleversé par un homme impassible, à contre-jour : le profil de l'incroyable résurrection.

Le pasteur, ce 27 avril 1630, est venu lire à haute voix la prière des agonisants. Neeltje, les enfants et les peintres sont rassemblés autour du lit d'Harmen qui a cessé de respirer. Alors on fait ce qu'il y a à faire. On retourne contre les murs tout ce qui pourrait détourner l'attention, les miroirs et les tableaux. On enlève tous les meubles pour qu'il n'y ait plus dans la chambre que le cercueil ouvert, posé sur deux tréteaux.

Harmen était un homme important dans son quartier et dans la ville. Il vient beaucoup de monde à ses obsèques, et les autorités de Leyde y sont représentées. Porté par six hommes de sa corporation, couvert d'un drap noir, le cercueil traverse lentement les rues dans un silence complet jusqu'à la Sint-Pieterskerk. A l'église, le service funèbre est entièrement chanté sans accompagnement d'orgue par le pasteur, la famille, les amis, les voisins, toute l'assistance. Puis le cercueil est descendu sous la dalle que les maçons avaient descellée.

Tout le temps de la maladie, de l'agonie et de la mort de son père, Rembrandt a peint la vie du Christ. De *la Présentation au Temple* aux *Pèlerins d'Emmaüs* en passant par les *Trente deniers de Judas*, délibérément il a composé une suite d'œuvres qui ne peuvent être destinées aux églises. Qu'il s'engage dans une suite de tableaux qui sont des images des Évangiles, cela a certainement été perçu, à l'époque, avec la valeur de manifeste que l'artiste lui donnait, un manifeste pour une peinture qui ne veut pas être privée de sa puissance d'élévation spirituelle, qui refuse de laisser aux seuls écrivains le domaine religieux.

En même temps que cette *Vie du Christ*, il peint le prophète Jérémie, saint Paul à nouveau, sainte Anne, des figures sacrées qui s'inscrivent dans la voie nouvelle où il veut placer l'art hollandais. Lievens, parallèlement, compose un saint Jérôme dans son extrême détresse, serrant sur son corps nu une tête de mort, brandissant un bout de branche qui est à peine une croix, et aussi un Job dans un état de vrai délabrement physique, deux tableaux où résonne l'émotion ressentie devant l'affaiblissement progressif du père de son ami.

Tous deux vont d'ailleurs s'arrêter ensemble devant le thème de la Résurrection de Lazare, chacun avec un tableau, Rembrandt ensuite avec une estampe. Deux témoignages qui sont liés à leurs sentiments devant la mise en bière et la mise au tombeau qu'ils viennent de vivre. Les deux tableaux sont d'assez vaste format : 93,5 centimètres pour Rembrandt, 103 pour Lievens. L'idée est la même : un groupe de personnages émerveillés, le Christ au centre, la tombe ouverte d'où le mort se relève. Celui de Rembrandt est le plus structuré. Son tableau décale vers la gauche un triangle dont le sommet est la main levée grande ouverte du Christ, main de lumière dont les rayons touchent le cadavre blême dans son linceul blanc, cependant que, dans le groupe des spectateurs, une femme, les bras écartés, donne une assise à l'immense geste qui ressuscite. Celui de Lievens est moins sonore, plus sobre. Le Christ immobile est debout, les mains serrées. Il lève le visage vers le ciel. Un immense linceul blanc ruisselle jusqu'au cercueil de pierre d'où émergent deux mains décharnées, soudain vivantes.

Que penser, sinon que Lievens, discret sur le miracle, osant tout juste l'évoquer, est quelqu'un qui en doute, alors que Rembrandt, le montrant clairement, est quelqu'un qui y croit ?

Une fois encore, dans l'atelier du grenier, les deux tableaux ont dû être placés côte à côte. Sûrement dans le silence. Il n'y a pas de discussion esthétique à engager. Les deux œuvres sont le témoignage d'une réflexion commune et, à travers un épisode religieux, l'inscription d'une épreuve vécue dans la maison.

La communauté spirituelle et picturale à laquelle les deux amis sont parvenus est alors telle qu'ils veulent en laisser une nouvelle preuve. Se faisant, bien que calvinistes, les peintres de la Passion, alors que, depuis Lucas Cranach, la figure du Christ chez les protestants est de plus en plus souvent présentée de profil, dernière étape avant de disparaître de l'art d'église, ils vont peindre ensemble deux *Christ en croix*, de face, ce que les réformés ne tiennent précisément plus à voir pour éviter le trouble dangereux qu'engendrent les images morbides. Mais ni Rembrandt ni Lievens ne peuvent accepter d'abandonner ce thème-là à Rubens, Velázquez et Zurbarán. Les deux tableaux, datés de la même année 1631, sont également cintrés, celui de Lievens mesure 129 centimètres, celui de Rembrandt 100. Le Christ de Lievens, amaigri, saigne dans un grand ruissellement de sang de la plaie au flanc jusqu'à la cuisse. Est-il mort ? Son visage, mangé par la barbe, lève un œil douloureux vers le ciel. Celui de Rembrandt n'a pas encore reçu le coup de lance. Le sang sèche aux mains et aux pieds. La bouche ouverte, il crie. Les yeux souffrent sous les sourcils plissés. Il n'est pas mort. Quelqu'un va-t-il enfin se décider à faire quelque chose ? C'est intolérable de regarder deux hommes pendant l'horreur de leur supplice.

C'est alors – après ces deux Crucifixions, ce chant sacré à deux voix qu'on n'avait pas entendu en Hollande depuis longtemps dans un pays protestant – que Rembrandt et Lievens se séparent.

Jan part pour l'Angleterre. Rembrandt pour Amsterdam.

Pourquoi cette séparation ? On en trouvera cent raisons. La seule profonde sans doute est née du rapprochement des deux Crucifixions. Pour Lievens, *la Résurrection de Lazare* et *la Crucifixion* ont été ce qu'il pouvait faire de mieux pour s'approcher de Rembrandt, pour mettre sa sensibilité au plus près de la sienne.

Peut-être s'est-il aperçu, en comparant les deux Christs, qu'il avait tué le sien, alors que Rembrandt avait voulu regarder le supplicié dans sa souffrance qui ne finit pas, avec ce cri qui ne cesse jamais de résonner du désespoir de l'homme abandonné, ce cri qui demande à chacun : que fais-tu ?

Peut-être s'est-il dit que, dans cette maison, il finirait par se perdre lui-même, brûlé par le feu de Rembrandt ? En tout cas, sir Robert Kerr, l'ambassadeur d'Angleterre auprès des Provinces-Unies, lui fit savoir qu'il serait volontiers accueilli à la cour de Londres pour peindre les portraits de la famille royale. Lievens partit comme on se sauve.

Rembrandt, resté seul dans l'atelier, crut qu'il allait pouvoir continuer. Réflexion faite, ce Lievens était un tiède. Il s'en était douté. Un homme qui n'allait pas jusqu'au bout de ses idées. Dans sa *Résurrection de Lazare*, cela se voyait qu'il manquait de foi. Et, dans son Christ, cela était devenu plus évident encore. Tant pis. Il irait désormais sans lui. Le grand théâtre du grenier où ils avaient ensemble projeté leurs essais, leurs rêves, confronté leurs pensées, il aurait la force de le remplir. Quant à Gerrit Dou, qui ne demandait rien d'autre que des procédés, des recettes, il continuerait dans son coin.

Hier matin, dans la rue, Rembrandt était sorti avant l'aube. Il a vu, dans la nuit finissante, un misérable, grand, fort, en guenilles, très laid. Il criait et insultait le monde. Il était gênant, ce pauvre, pour l'ordre de la ville où tous les problèmes sociaux sont réglés, dit-on. Alors pourquoi était-il là, ce gueux, et qu'est-ce qu'il disait, que personne ne pouvait saisir ? Propos d'ivrogne, dès le petit matin. Pourtant que disait-il vraiment ? On entendait mal. Il y avait trop de bruit. Et puis il était vraiment trop sale. Rembrandt avait tendu l'oreille, pour tenter de savoir ce que disait l'horrible bonhomme. Il le grava sur le cuivre. Puis, en faisant courir sa pointe, il s'aperçut que ce gueux lui ressemblait. Ou il fit en sorte qu'il lui ressemble. Rencontrer au coin de la ruelle son double. Ou le faire apparaître sous la main. L'un vaut l'autre.

Que signifient ces ressemblances qui vont et viennent, s'effacent, réapparaissent ? Que Rembrandt pourrait être le misérable qui crie au carrefour ? Que hurlait-il, au fait ? Que tous ceux qui passaient près de lui en détournant la tête étaient des salauds ? Il faudrait qu'il se rappelle cette accusation-là. Mais le plus simple, tout à coup, n'était-ce pas de faire apparaître son propre visage sur le cuivre ? Et criant aussi ? Comme le crucifié ?

Dans l'atelier, on avait toujours fait le portrait de l'autre. Par entraînement. Par jeu aussi. Avec tous les accessoires dont on disposait, on se déguisait. Un jour, Lievens l'avait peint avec ses cheveux frisés mal rentrés sous le béret noir, un foulard autour du cou et l'acier du hausse-col d'une cuirasse luisant sous son manteau. Portraitiste précis, Lievens n'avait pas envie de le flatter et il l'avait peint un peu bouffi, pâle, les lèvres épaisses, une verrue entre le nez un peu gros et la bouche. Mais il avait bien saisi le regard sombre qui perce les gens et les juge d'un coup, un homme qui remet tout en cause. Fanatique, parfois. En revanche, quand Gerrit Dou le représente en peintre dans son atelier, il se refuse à donner son avis sur l'homme.

Depuis longtemps, Rembrandt se regarde dans les miroirs. Il s'y trouve moins assuré que ne le croit Lievens. Il se dessine, se grave, se peint. Au début, c'est par sa tignasse qu'il s'attrape et son gros nez. Il le montre même plus gros que Lievens n'a osé. Au point de faire presque des caricatures de ce garçon qui ne veut pas qu'on lui coupe les cheveux. Neeltje dit que ça ne fait pas soigné. Mais il ne déteste pas faire hausser les épaules aux bourgeois à la chevelure bien rangée sous le chapeau. Il a abandonné l'Université. Son avenir ne passera pas par leur uniforme. Il est peintre. Il n'y a pas de tenue de peintre.

Il est surtout débraillé en gravure et là, peu tendre avec lui-même, inquisiteur, cherchant s'il est bien ce gros garçon aux yeux de bon chien un peu inquiet ou s'il est ce portefaix dont le béret fait ombre sur le regard et qui a une allure de vaurien. Que peut-on faire d'un type avec un nez pareil et des cheveux fous ? Plus tard il essaiera les grimaces, le rire, le sourire, la colère aux sourcils froncés, la stupéfaction aux yeux hagards, le cri du gueux. En peinture, il corrige un peu plus son apparence, met un col blanc, se peigne, coiffe un béret, une toque de fourrure ou un chapeau à plume.

Pour répondre à Lievens, il se représente avec le col d'acier de l'armure et se montre moins tranchant que son ami l'a jugé. Il y a de la générosité dans ses yeux et il semblerait qu'il commence à se supporter. En fait, il se cherche un visage. C'est pourquoi il se laisse pousser la barbe, puis la rase ; la moustache, puis la coupe. Décidément, il est difficile de s'habituer à son image ! Il tente aussi de se vieillir, pour voir, de se faire plus gros, plus maigre. Mais l'accoutumance toujours revient. Et c'est le goût du jeu qui finit par l'emporter, le défi de voir son double, de l'inventer différent. Cela fait partie du théâtre de l'atelier où la peinture, le dessin, la gravure, ne produisent pas forcément des œuvres définitives. S'il compose des œuvres élevées, ou du moins le croit-il, quand il peint *la Lapidation de saint Étienne, les Pèlerins d'Emmaüs* ou *la Crucifixion*, s'il répond aux commandes des chirurgiens, des drapiers, de l'hôtel de ville, il s'est adonné, dès qu'il a commencé à devenir lui-même, à ce qui deviendra une part abondante de son œuvre et qui est une création intime, un quotidien où il rassemble les siens, les passants de la rue, les femmes, les enfants, les estropiés, les charlatans de la foire ou lui-même en dessin, en tableau, en gravure. Et pourquoi si souvent lui-même ? Parce que c'est sur son visage qu'il interroge le mieux la peinture ?

Rien de tout cela n'est différent des autobiographies, comme celle qu'écrivit Constantin Huygens, des études comme le *Res Pictoriae* d'Arnoldus Bachelius, des journaux intimes comme celui de Samuel Pepys ou du journal de voyage du Lyonnais Balthazar de Monconys qui se rendit à Delphis (Delft) pour rencontrer un peintre nommé Vermeer. Les gens de plume racontent leurs aventures. Le peintre se raconte, mais puisque son œuvre est à la fois son journal et son miroir, il dit plus de lui-même que les écrivains de son temps, et plus qu'un Montaigne ne l'osa. En cela, Rembrandt marque que l'image exprime plus que le texte. Par cette introspection, par ce livre de vie dessiné, gravé, peint, il sera unique en son temps. Par l'abondance de l'œuvre intime, il dépassera les autres grands spectateurs de leur miroir : Albert Dürer, P. P. Rubens, Francisco Goya. Il annonce Vincent van Gogh, dont la vie et l'œuvre se correspondent totalement.

Pourquoi Rembrandt part-il pour Amsterdam ? Peut-être parce que la tension dans l'atelier avec Lievens a été trop forte, parce que *la Vie du Christ* l'avait épuisé, peut-être aussi pour avoir pris conscience de l'intérêt que ses œuvres ont éveillé hors de la ville depuis le passage de Constantin Huygens. Or Leyde, petite cité manufacturière des Provinces-Unies, ne semblait pas attentive aux arts. L'Université n'était à Rembrandt d'aucun appui et on peut même supposer, dans Leyde, une certaine hostilité à son égard puisqu'il n'en recevra jamais aucune commande. Pourtant, deux notaires ayant été requis d'enregistrer une liste de cent personnes certifiées vivantes dans la ville au 8 mars 1631, son nom figure à la seconde ligne.

Il partit donc d'abord pour La Haye, où un amateur, racontera Arnold Houbraken, l'avait convoqué afin qu'il lui vendît un tableau, payé aussitôt 100 florins, une somme assez considérable : le peintre, arrivé à pied, revint en voiture. Ensuite, ce sera Amsterdam.

III

REMBRANDT VAN AMSTERDAM

1

ANDROMÈDE ET PROSERPINE

Amsterdam, le 15 avril 1631. René Descartes écrit à son ami Guez de Balzac :

En cette grande ville où je suis, n'y ayant aucun homme excepté moi qui n'exerce la marchandise, chacun y est tellement attentif à son profit que j'y pourrais demeurer toute ma vie sans être jamais vu de personne. Je me vais promener tous les jours parmi la confusion d'un grand peuple, avec autant de liberté et de repos que vous sauriez faire dans vos allées et je n'y considère pas autrement les hommes que j'y vois que je ferais les arbres qui se rencontrent dans vos forêts, ou les animaux qui y paissent. Le bruit même de leurs tracas n'interrompt pas plus mes rêveries que ferait celui de quelque ruisseau. Que si je fais quelquefois réflexion de leurs actions, j'en reçois le même plaisir que vous feriez de voir les paysans qui cultivent vos campagnes ; car je vois que tout leur travail sert à embellir le lieu de ma demeure et que je n'y ai manqué d'aucune chose. Que s'il y a du plaisir à voir croître les fruits en vos vergers et à y être dans l'abondance jusques aux yeux, pensez-vous qu'il n'y en ait pas bien autant à voir venir ici des vaisseaux qui nous apportent abondamment tout ce que produisent les Indes et tout ce qu'il y a de rare en Europe ? Quel autre lieu pourrait-on choisir au reste du monde où toutes les commodités de la vie et toutes les curiosités qui peuvent être souhaitées soient si faciles à trouver qu'en celui-ci ? Quel autre pays où l'on puisse jouir d'une liberté si entière, où l'on puisse dormir avec moins d'inquiétude, où il y ait toujours des armées sur pied exprès pour nous garder, où les emprisonnements, les trahisons, les calomnies soient moins connus et où il soit demeuré plus de reste de l'innocence de nos aïeux ?

En ce printemps 1631, Rembrandt va et vient entre Leyde et Amsterdam. Il espère bien, lui, ne pas demeurer « jamais vu de personne ». Mais il sait qu'Amsterdam, grande ville toujours en train de grandir, construisant les plus grands entrepôts du monde dans les marais qui l'entourent, est le lieu où le commerce décide tout. Le circuit des « curiosités » chères à Descartes est organisé. Il existe un marché de l'art et des marchands de tableaux, qu'on ne trouve pas à Leyde. Dans quelques semaines, il va signer un contrat, le premier de sa vie, avec l'un d'entre eux qui habite un quartier proche de l'ancien atelier de Lastman. Au pied de la tour de la Monnaie, deux figures se croisent à leur insu, Descartes et Rembrandt. Qu'est-ce qu'un peintre pour Descartes ? Qu'est-ce que Descartes pour Rembrandt ? Dans nos rêves, Spinoza et Vermeer sont amis. Descartes et Rembrandt, aussi. Mais le tournant de la rue les éloigne à jamais. C'est Jan Lievens qui fera le portrait de Descartes.

Amsterdam, 20 juin 1631. Le notaire G. J. Selder enregistre le contrat qui lie Rembrandt, peintre, au *cunsthandelaer* (marchand d'art) Hendrik Uylenburch pour une somme de 1 000 florins que Rembrandt lui remet. Le peintre paie ainsi son droit d'entrée dans le système. Il a vingt-cinq ans, Uylenburch, quarante-quatre.

Uylenburch vient de Dantzig où son père était menuisier du roi de Pologne au château Wawel de Cracovie. Arrivé voici quatre ans à Amsterdam, son magasin est un lieu d'information artistique. On y vend des tableaux et beaucoup de gravures. Il est bien situé, dans une maison de construction relativement récente (1606), aux limites anciennes de la ville qui a détruit ses remparts pour s'accroître, à égale distance de la tour de la Monnaie et de la grand-place du Marché, au bout de la Sint-Anthoniesbreestraat (grande rue Saint-Antoine) et pas loin de la rivière d'Amsterdam, l'Amstel.

Uylenburch sera l'éditeur des estampes de Rembrandt, faisant figurer au bas de la feuille son nom, celui de la ville, prenant un privilège contre les tirages non autorisés et les contrefaçons. Les « Rembrandt » figureront désormais dans ses cartons où les amateurs trouvent tout l'art de leur époque. A côté de la boutique, il y a l'atelier où les jeunes peintres peignent leurs propres œuvres et travaillent à des copies de tableaux italiens. Enfin, la maison Uylenburch est l'une de celles où les clients viennent commander leur portrait, le marchand aidant à choisir le peintre, à faire connaître l'artiste qui conviendra le mieux. Marchand d'art, c'est un nouveau métier dont le marché s'organise et qu'Uylenburch n'est pas seul à exercer. Désormais on voit passer en ventes publiques des œuvres majeures qui attirent l'attention des collectionneurs de toute l'Europe. Les marchands stockent. La notion d'expertise apparaît. Des jurys d'artistes se constituent, décident de la qualité des œuvres acquises par les acheteurs. Objet de commerce, la peinture circule, avec une cote, comme les épices et le vin.

Les ateliers produisent beaucoup. Nulle part, et jamais auparavant, on n'a dénombré autant de peintres en activité. La notion d'œuvre originale n'est pas encore très claire : le peintre peut vendre comme son œuvre une copie faite chez lui par un élève et qu'il a retouchée. Cela ne veut pas dire que les ateliers fonctionnent seulement comme des fabriques d'images. Que le patron et ses élèves soient des fournisseurs de paysages, de scènes, de portraits, ne les empêche pas de poursuivre leurs recherches personnelles.

Ainsi, Rembrandt va-t-il pouvoir affiner sa connaissance de la peinture de son temps. Mieux qu'à Leyde, il pourra étudier les œuvres des artistes des provinces espagnoles et catholiques : Rubens, Jordaens, Van Dyck, tous ces peintres qui vont et viennent à travers ce qui n'est pas vraiment une frontière. Le marché d'Amsterdam est alors le seul qui convienne à ses forces.

Le contrat signé, Rembrandt s'installe dans la maison d'Uylenburch où d'autres peintres, plus jeunes, viennent bientôt le rejoindre. Il lui appartiendra de s'imposer à eux. Mais tout jusqu'alors l'a préparé à prendre la direction d'un atelier.

Leyde, 23 septembre 1631. Son frère aîné Gerrit, celui qui avait perdu l'usage de la main droite, l'invalide de la maison, est mort. Derrière son cercueil, Rembrandt reprend le trajet de la maison familiale de la Weddesteeg au caveau de la Sint-Pieterskerk. Il retrouve Neeltje, ses frères, ses sœurs, les amis, les voisins. On veut savoir comment est sa vie à Amsterdam. Il n'a que de bonnes nouvelles : l'atelier, les estampes bientôt avec privilège, des gens importants qui demandent leur portrait, des négociants rencontrés, et même, Maurits, le frère de Constantin Huygens, qui a succédé à son père au poste de secrétaire d'État du Conseil des Provinces-Unies.

Neeltje, qui avait été déçue qu'il eût abandonné l'Université, constate avec plaisir que sa peinture lui a permis d'entrer dans la sphère des gens puissants. Elle pense : il a réussi ! Est-ce qu'il va se marier ?

Il lui est agréable de le voir bien habillé, sobrement, d'un beau col de dentelle blanche, d'un costume bien coupé, ses cheveux ordonnés enfin. Il a ri et il est reparti pour Amsterdam.

A Amsterdam, Rembrandt a des responsabilités, il est très occupé. Jusqu'à présent il a plutôt évité les filles. A Leyde, il avait une allure d'extravagant plus que de séducteur. Elles auraient ri entre elles de ses cheveux hirsutes et de son gros nez. Bien sûr, grâce aux estampes, il savait dessiner un corps de femme : belles filles, formes élégantes, douceur de la peau, grâce des gestes, longueur du cou. Merveilleuses Marie Madeleine avec lesquelles les femmes nues découvertes dans les chambres du quartier des cabarets, au visage stupide, aux chairs flasques et plissées, au ventre énorme tombant entre les cuisses, avaient peu à voir. Quand il prenait la pointe pour graver un nu, toujours avec un prétexte mythologique, il riait qu'une divinité antique surgît ainsi de la figure de la plus ivrogne des poufiasses des mauvais quartiers de Leyde. Il en avait gravé une, accroupie au pied d'un arbre, la cotte troussée, pissant et déféquant, la tête inquiète sous la coiffe. Assez fier de cette « chose vue », il l'avait signée de ses initiales et datée : 1631.

Mais il n'avait jamais encore gravé ou peint le portrait d'une jolie jeune fille, comme s'il en avait de la méfiance. Au fond il n'avait vécu encore que dans un univers glacé, sans désir, de vieillards s'interrogeant sur leur fin.

Pourtant, il avait aimé peindre Samson endormi dans le giron de Dalila, glissé entre ses cuisses, mais c'était une image de la force confiante perdue par la traîtrise. Et puis aussi, dans le lit profond, protégé, aux matelas et oreillers moelleux, au secret des draps, une jeune femme endormie, souriante dans son sommeil, belle celle-là, tandis que, dans sa couche, surgissant de l'ombre, entrait un grand homme barbu, vigoureux, œuvre intime, de chaude lumière, qu'il avait rangée dans ses cartons.

Mais voici qu'en 1631, à Amsterdam, il peint deux tableaux avec femmes, une *Andromède* et une *Proserpine.*

La mer est grise, le ciel plombé. Dans la falaise abrupte, sur le rebord d'un éboulis d'arbres creux et de plantes sauvages, Andromède est nue jusqu'au sexe, les deux mains tenues très haut par des menottes scellées dans le rocher. Debout, elle déploie son corps comme un spectacle. Sans le Dragon. Sans Persée. En réalité, Rembrandt a peint une captive, proie enchaînée, livrée au bon plaisir de tous, un tableau de l'angoisse silencieuse.

Proserpine, au contraire, déchaîne une tempête, un vacarme de cris, une galopade dans un paysage de forêt humide et sauvage. En vain, elle se débat. Pluton la tient par la cuisse et l'épaule, il l'a couchée sur son char en or qu'orne une tête de lion rugissant. De la même main qui emporte Proserpine, il a saisi les chaînes du grand cheval noir qui les conduit dans son empire. Proserpine, jeune fille des belles récoltes, deviendra la reine du monde souterrain.

Entre la cruauté du fauve aux crocs menaçants, la violence du cheval, la force de Pluton et la faiblesse de Proserpine, le peintre a composé un opéra à grand spectacle où, plus que du très vieux mythe, il parle des femmes, de l'amour et de lui-même. *Andromède* comme *Proserpine* sont deux images brutales, révélatrices des obscurités du désir. Après tout, Rembrandt n'a fait que se placer lui-même devant ce que le peintre Jacques Monory nommera des « images inguérissables ». On ne peut pas, en effet, se remettre du spectacle de ce moment où le Christ attend le coup de lance sur la croix, pas plus qu'on ne peut oublier que l'amour peut inventer des femmes liées, forcées. Cela n'est pas conforme à la douceur des figurations que les peintres proposent, des textes où les poètes affadissent tout, mais bien à l'Évangile et aux *Métamorphoses* d'Ovide, là où sont les vrais abîmes.

Car le Christ a douté sur la croix. Car l'amour s'enracine autant dans la tendresse du paradis que dans la cruauté de l'enfer. Et cela ne vaut la peine de peindre que si c'est pour ouvrir des brèches dans notre refus de savoir, pour éveiller les endormis, pour sortir les tièdes de leur confort. Pourtant qui voudrait faire entrer de telles pièces dans le calme de sa maison ? D'autant que le bonheur de la peinture est le même, que les images soient inguérissables ou tolérables. Quand Rubens peint un *Enlèvement de Proserpine*, il y montre un combat où, contrairement à Rembrandt, le soleil n'est pas vaincu par les puissances souterraines.

Rembrandt, à l'époque, réalise encore deux tableaux sur des thèmes de femmes : une *Diane et Actéon* et un *Enlèvement d'Europe*. Mais cette fois tout y est agréable. La déesse est dans le bain des femmes, une vingtaine à jouer dans l'eau. Des rivières de velours bleu, de velours rouge cascadent sur les rochers qui descendent au fleuve. Totalement nues, elles se précipitent pour couvrir de ses vêtements le corps de Diane, cependant qu'à l'autre bord Actéon, le chasseur, auquel de jeunes cornes de daim poussent sur la tête, s'arrête au milieu d'une bataille de chiens. Des grappes de jeunes femmes font et défont des gestes qui expriment le désordre de leur groupe. Leur affolement projette en haut vers la droite une fille nue qui s'esclaffe.

Quant à Europe, son enlèvement est un jeu avec tous les accessoires du rêve antique, le char aux roues d'or, les grandes ombrelles, les robes fastueuses, comme un souvenir de Lastman qui revient. Ce n'est jamais qu'une surprise au bord de la mer. Pas de vagues, l'animal tranquille des pâturages, déguisement aimable de Zeus, emporte une jeune fille. Ce n'est pas une descente aux enfers. En dépit de quelques détails acides, Rembrandt montre bien que, sur ce thème, il peut devenir comme les autres, accéder à la surface galante du mythe, en sauvant le plaisir de peindre.

Pour le moment, à Amsterdam, il est surtout portraitiste. Des portraits, il en peindra par dizaines. Des grands, des petits, des rectangulaires, des ovales, des portraits de couples ensemble, ou encore le père avec le fils d'un côté, la mère avec la fille, de l'autre, des portraits de jeunes, de vieux, les uns négociants, les autres administrateurs des compagnies de commerce aux Indes ou banquiers, celui-ci ingénieur naval, celui-là tenancier d'auberge, tout le monde ! Rembrandt passe de l'un à l'autre. Il signe, date, remplit une fonction. Les peintres sont là pour ça. On s'adresse à lui parce que son nom devient à la mode. L'un de ses prédécesseurs, Mierevelt, n'a-t-il pas estimé à dix mille le nombre de portraits qu'il avait peints ? Serait-ce son destin à lui aussi ? Pour le moment, il n'en ressent aucune lassitude. Il va sur ses vingt-six ans. Et si c'est par le portrait qu'on accède à la renommée, il ne refusera pas ce passage. En même temps, dans ses compositions il semble s'adoucir comme si c'était l'effet de son premier contact avec le public. Il se débarrasse de ses rugosités. Il acquiert les mœurs policées de la bonne société.

Certaines commandes, flatteuses, le rapprochent du pouvoir. Ainsi Maurits Huygens a-t-il voulu qu'il fasse le portrait de son ami Jacob de Gheyn, sur un panneau de même taille que le sien, en pendant. Ce de Gheyn, troisième du nom, né à Leyde, familier de son amphithéâtre d'anatomie, était le fils d'un de Gheyn n° II, grand artiste, portraitiste de tous les savants fondateurs de l'Université et du génial Hugo Grotius. A travers lui, Rembrandt voit revivre l'époque héroïque de sa ville. Cependant, la plus flatteuse commande a été celle du portrait de l'épouse du stathouder, Amalia van Solms, accroché dans la résidence du couple en pendant de celui du prince Frédérik Hendrik par le très glorieux Honthorst. Cela haussait la réputation du jeune peintre au niveau d'un grand aîné. Pourtant Rembrandt a représenté la princesse comme n'importe lequel de ses modèles. Il n'a rien fait pour la flatter. Le peintre à la mode qu'il est en train de devenir n'a pas effacé en lui tous les refus de sa jeunesse.

2

LA PREMIÈRE LEÇON D'ANATOMIE

Amsterdam, le 31 janvier 1632. Pendaison par décision de justice de l'accusé reconnu coupable Adriaen Adriaensz. dit Aris Kindt, Aris le gosse.

Cela s'est passé aux portes de la ville. La mort constatée, le bourreau et ses aides ont porté le corps dans la salle du Theatrum Anatomicum, à la Guilde des chirurgiens.

C'est la première fois que Rembrandt assiste à une dissection, ou du moins la regarde en peintre, avec la charge d'en tirer un tableau. La commande vient du célèbre docteur Nicolaes Tulp, propriétaire d'une belle demeure dans le quartier neuf, à l'enseigne de son nom, La Tulipe, sur le Keizersgracht. Elle n'a rien d'exceptionnel : Mierevelt, Thomas de Keyzer ont peint des *Leçons*. Le genre est reconnu. Le docteur Tulp a pu montrer à Rembrandt l'estampe, d'après Jacob II de Gheyn, qui représente la leçon de son regretté patron à Leyde, le docteur Paauw. Au milieu d'un public varié et de chiens, Paauw y désigne un point important de la cage thoracique ouverte devant lui. Mais ce disséqué venait des traités d'anatomie. Que ce soit l'Adriaen van der Spiegel de 1627, ou le plus récent Jacob van der Gracht, dont les estampes d'écorchés prenaient elles-mêmes leur origine dans un ouvrage déjà ancien, de près de quatre-vingt-dix ans, d'Andreas Vesalius, le médecin personnel de Charles Quint et de Philippe II d'Espagne, le plus grand anatomiste de la Renaissance. Partout on suivait le dépouillement, le dépeçage, la façon qu'avait le scalpel de faire apparaître les muscles, les os, les organes, pour finir sur les seules structures du squelette que le graveur maintenait dans les gestes de la vie. Parmi les peintres, il y en avait eu un qui en avait su plus que tous les médecins sur les muscles, et c'était Léonard de Vinci. Mais on possédait aussi une anatomie du Titien et si Albert Dürer n'était pas allé jusqu'à la dissection (il s'en était tenu en marge avec son *Traité des proportions*), Rubens avait fait graver à Anvers, par Paulus Pontius, ses dessins de membres écorchés.

Pour Rembrandt, Amsterdam signifie le contact avec les connaissances scientifiques, avec ce qui est en train de changer dans le savoir, qui n'est pas nécessairement en conflit avec la religion. L'affaire Galilée, qui finira mal l'année suivante, n'est qu'une preuve supplémentaire de l'aveuglement des papistes. Dans les pays réformés, on sait à quoi s'en tenir sur la situation du soleil. Johannes Kepler, l'astronome, montre Dieu et les harmonies célestes comme un exemple pour les Églises et les États. Dans le microcosme du corps humain, on cherche à l'œil nu et on découvre, ébloui, que la machine humaine est une construction admirable, divine. Il y a de la beauté dans les poumons, le foie, le cœur, et quel merveilleux réseau que celui des vaisseaux, des nerfs, quelle organisation que celle de la colonne vertébrale ! Néanmoins, il reste toujours une sorte de crainte devant la table de dissection. Lorsque le mort est étalé de tout son long, que les personnages noirs qui l'entourent parlent entre eux et font soudain silence quand le couteau pénètre la peau, c'est autre chose qu'un cadavre sur un lit, dont la tradition veut qu'on s'occupe de la toilette, qu'on le prépare à l'enveloppement du linceul, à l'entrée dans le cercueil jusqu'à la mise en terre où on le dispose pour l'éternité et la résurrection, un cadavre qui appartient à l'au-delà, à la mort dont on accompagne l'âme avec des prières.

Ici on ouvre, on dégage, on rabat la peau. Quoi qu'on dise, cela tient encore du supplice qui fut infligé à saint Barthélemy, que Michel-Ange représenta au plafond de la Sixtine à Rome pour son *Jugement dernier*. Il fallait donc venir à Amsterdam pour se faire à l'idée que ce n'était pas un martyre, mais une étape dans une étude de la plus haute importance et que la religion acceptait, pour comprendre que les artistes devaient prendre part à ce mouvement de pensée vers le progrès, la connaissance approfondie du microcosme, ce que Vésale avait souligné dans le frontispice de son livre où il avait fait graver, parmi les spectateurs de sa dissection, la noble figure du peintre Titien.

Reste que la leçon d'anatomie dont il est question ici n'est pas comme les autres. Nicolaes Tulp a trente-neuf ans. Depuis quatre ans, il est le *praelector anatomiae* de la Guilde des chirurgiens. Il fera une double carrière politique et scientifique. Homme politique, il sera huit fois le trésorier de la ville et quatre fois son bourgmestre. Homme de science, il publiera des ouvrages chez les Elsevier et se fera une réputation par ses travaux sur les monstres, en étudiant, notamment, l'extraordinaire orang-outang dont le roi d'Angleterre fera cadeau au stathouder. On le connaît surtout pour avoir donné son nom à la valvule iléo-cæcale, à laquelle les anatomistes français attachent plus souvent la renommée du Suisse Gaspard Bauhin.

Pour cette leçon, Tulp a rassemblé autour de lui un public de sept personnes, dont les noms seront écrits sur le tableau : Jacob Blok, Mathys Kalkoen, Hartman Hartmansz., Adriaen Slabran, Jacob de Witte, Jacob Koolvelt, Frans van Leonen. Deux d'entre eux seulement sont connus comme médecins. Et le tableau ayant été très tôt retouché, il n'est pas impossible que le personnage de gauche et celui qui se dresse en haut aient été rajoutés au moment où l'on inscrivit les noms sur la feuille proche du visage de Tulp.

Tout laisse penser que Tulp a été très précis pour sa commande, qu'il a expliqué à Rembrandt le sens du tableau : qu'on le voie dégager avec ses pinces ce qu'il entend montrer : la musculation des doigts et leur irrigation. Sans oublier de représenter dans le tableau un livre ouvert, un traité d'anatomie. C'est en effet la tradition que les assistants, qui interrogent plus souvent des gravures en noir et blanc que la réalité dans ses couleurs et dans ses matières, puissent avoir sous les yeux la planche sur laquelle ils ajouteront, ensuite, leur expérience nouvelle.

Rembrandt dessine donc le cadavre, le bras ouvert, la main de l'anatomiste tenant la pince, puis les portraits des personnages. Du décor, il ne conserve que l'indication des voûtes de pierre, un règlement affiché au mur, et la table en bois sur laquelle est placé Aris.

Il sait qu'il joue une partie importante. Nouveau portraitiste d'Amsterdam, il faut qu'il démontre qu'il peut, dans cette représentation subtile d'un groupe, apporter une dynamique différente. C'en est fini des alignements de personnages posant autour du cadavre. L'événement qui rassemble ces hommes auprès du mort n'est plus la dissection qui se pratique couramment, mais une dissection qui doit permettre de comprendre l'information inédite qu'apporte Nicolaes Tulp, l'homme le plus jeune de l'assemblée. De la main droite, il montre, et de la main gauche, levée, il souligne d'un geste ce qu'il explique. Voilà bien la première fois que Rembrandt peint un tableau dont l'essentiel lui échappe. Il travaille donc sur l'effet produit par l'information. Les assistants, du moins les cinq premiers prévus, s'inscrivent dans un losange très rythmé par les orientations des regards, des visages, par la disposition des fraises et des grands cols plissés. Ce groupe est un navire qui tangue sous l'effet de la nouvelle que Tulp révèle à un ensemble d'êtres fascinés, dubitatifs encore, mais surtout totalement attentifs à ce qu'enregistrent leur intelligence. On ne voit guère leurs mains. Les seules mains évidentes du tableau sont celles du cadavre et celles de Tulp. Rembrandt a bien saisi le sens de la dissection : le fin travail des doigts qui taillent dans la chair pour faire apparaître ce qu'ils veulent dévoiler, le plus beau du tableau résidant dans la force de la masse sombre des vivants encadrant le mort, un organisme multiple, poussant des pointes, creusant des ombres, sustenté par les dentelles blanches des cols qui deviennent des ailes, le groupe d'hommes le plus puissant et le plus mystérieux qu'il ait encore peint et sur lequel il s'interroge, et nous avec : que sont-ils en train de comprendre du système musculaire? Au passage, il a appris les nuances de l'ivoire et du bleu qui apparaissent dans les cadavres.

Quand le tableau fut achevé, on le porta au Poids public, près de la Sint-Anthoniespoort (la porte Saint-Antoine), à proximité des quais bordés de navires. Dans cette vaste bâtisse siégeaient la Guilde des chirurgiens, celle des maçons et des forgerons et celle des peintres. La *Leçon d'anatomie* demeurera dans les locaux de la Guilde jusqu'en 1828, date à laquelle elle sera acquise par le Mauritshuis de La Haye.

Après la cérémonie, Rembrandt s'en revient à pied avec Uylenburch qui lui a procuré cette commande et lui répète les compliments qu'il a entendus : que les portraits sont ressemblants, qu'on voit bien l'autorité du docteur Tulp. Il ajoute qu'il a perçu lui-même la force de la composition, les contrastes entre les soies noires et la pâleur du corps. Sûrement que d'autres guildes de chirurgiens, à Delft, à Leyde, vont le solliciter, car le tableau sera vu de tous dans le pays, même des savants étrangers. Mais sans doute Rembrandt se demande-t-il de quoi exactement il a été complice. Il semble que le cadavre, cet Aris Kindt natif de Leyde, l'ait fait penser au gueux qui criait, à Leyde, assis parmi les passants indifférents. Que disait-il déjà, ce pauvre ? Que disait-il que n'entendent jamais les secrétaires de princes, les secrétaires d'État, les négociants, les administrateurs, les chirurgiens, tous ces braves gens, occupés de choses importantes, et complètement sourds à certains cris ?

Rembrandt ne peindra une nouvelle *Leçon d'Anatomie* que trente-quatre ans plus tard. Son monde à lui n'est pas de ce côté-là. Est-ce que Descartes aurait pu lui faire percevoir les beautés de sa *Méthode*?

Amsterdam, le 26 juillet 1632. Maître Jacob van Swieten, notaire, à la demande de Pieter Huygens de Boys, de Leyde, se transporte dans la maison d'Hendrik Uylenburch, sur la Breestraat, près de l'écluse Sint-Anthonie.

Une jeune servante lui ouvre la porte.

– Est-ce que Mijnheer Rembrandt Harmensz. van Rijn habite cette maison ?

– Jae.

Il la prie alors de le faire venir. Rembrandt apparaît et il lui demande :

– Êtes-vous le voorman (l'honorable) Mijnheer Rembrandt Harmensz. van Rijn.

– Jae.

– Je suis mandaté pour certifier que vous êtes bien vivant.

– C'est vrai. Je suis, Dieu merci, en bonne disposition et en pleine santé.

Rembrandt éclate de rire. Le notaire lui explique que sa démarche est la conséquence d'un pari entre ces deux quidams de Leyde qui, l'an passé, avaient établi une liste de cent citoyens et joué le chiffre de ceux d'entre eux qui, un an plus tard, seraient encore en vie. Se souvient-il d'avoir répondu à l'enquête ?

Oui. Déjà un an et tant d'événements, presque une métamorphose. Car il s'est plongé dans le monde moderne. Il commence à regarder les femmes, se met à fréquenter les puissants du pays, découvre quelques secrets du corps humain, approche ces sciences qui vont tout clarifier. On le salue dans les rues d'Amsterdam. Il gagne de l'argent, soigne ses vêtements, il s'est acheté une chaîne en or qu'il dispose sur ses épaules et qui brille sur sa poitrine. Une mort l'a probablement aidé à prendre conscience du changement qui s'est opéré en lui, celle de Pieter Lastman, au printemps précédent, alors qu'il était occupé à peindre la *Leçon d'anatomie*. Lastman avait tout juste cinquante ans. A l'occasion des condoléances, Rembrandt a dû revoir l'atelier où, pendant six mois, il avait tant appris. Les tableaux de Lastman n'ont pu lui apparaître soudain que lointains, pas autant que les Lucas de Leyde de son enfance, mais presque. Il y a vu une création laborieuse, appliquée. Certes solide, irréprochable, mais loin de ce dialogue de la lumière et de l'ombre qu'il aime, de ce tissu vivant fait de pigments et d'huile, marqué d'éclats de rouge, d'accents de blanc, de soupçons de jaune, de présences de bleu dont il revêt les toiles.

Un matin, Hendrik Uylenburch est entré dans l'atelier avec deux de ses nièces, l'une assez âgée, Aeltje, l'autre toute jeune, Saske. Elles ont regardé les tableaux, complimenté les artistes. « Elles sont de ma famille de Leeuwarden de Friesland », a expliqué le marchand.

La Frise, Rembrandt n'y est jamais allé. Une des Sept Provinces, plus dans la mer encore, si c'est possible. Là-haut, les gens ne parlent pas le hollandais, mais le frison. On les dit rudes, peu civilisés. Claudius Civilis, le chef borgne des temps anciens, grâce à qui les légions romaines se sont perdues dans leurs marais, est leur figure légendaire. Ce ne sont pas des gens tout à fait comme les Hollandais par leur origine, mais, comme eux, éleveurs de bestiaux et bons hydrauliciens, occupés à gagner des terres sur les eaux, pour créer des polders.

Leeuwarden est une petite ville de province, encore enfermée dans ses remparts, fière de son champ de foire, de son Poids public, de son hôtel de ville, de sa chancellerie où réside le stathouder quand il vient, un vrai palais, plein de merveilleuses orfèvreries. La famille d'Uylenburch habite une maison qui domine les eaux tranquilles de la Weaze. Hendrik lui-même était venu de Pologne où son père, autrefois, avait émigré, mais le reste de la famille, deux frères et une sœur, était resté aux Pays-Bas, le frère, Rombout, demeurant à Leeuwarden. Propriétaire de plusieurs domaines, plusieurs fois bourgmestre, il avait été un homme puissant, en contact fréquent avec Willem Ier (Guillaume le Taciturne) – dont il s'était même trouvé l'invité au Prinsenhof à Delft le 10 juillet 1584, quand Balthazar de Gerardsz avait assassiné le prince. On racontait donc qu'il avait entendu le grand homme dire avant de mourir : « Mon Dieu, aie pitié de mon âme et de ce pauvre peuple », une dernière parole qu'on se transmettait dans la famille. Ce Rombout de Leeuwarden avait eu neuf enfants, trois garçons et six filles. L'aîné était mort, laissant Ulricus, l'avocat, son cadet, devenir le chef de la famille. Aeltje, l'une des sœurs, vivait à Amsterdam depuis plus de dix ans. Elle avait épousé en Frise le pasteur Sylvius qu'elle avait suivi de ville en ville jusqu'à ce qu'il fût nommé à Amsterdam au temple de l'hôpital. Ils étaient les tuteurs de Saske, la benjamine. Depuis la mort de son frère aîné, cette dernière allait chez chacune de ses sœurs, tantôt chez l'une, tantôt chez l'autre, heureuse, cette fois à Amsterdam, de découvrir la ville.

Rembrandt, pour ce séjour, se charge de l'accompagner. Il s'agit d'abord d'aller voir le port. Apparemment, si l'on en croit sa peinture, il ne s'y est pas souvent attardé. Cela n'entre pas dans son registre. A peine si, dans des mises en scène, on peut voir parfois un bord de mer avec quelques tours au lointain, rien de plus.

Et pourtant le port d'Amsterdam, c'est d'abord la Bourse où tout se décide. Pas un navire n'entre au port qui n'y soit répertorié. C'est un spectacle animé. Au rez-de-chaussée, sous les arcades, on rencontre les commis, auprès des grands chiffres affichés qui indiquent les affaires qu'ils traitent : le tabac, la soierie, l'immobilier, les parts dans les sociétés, l'épicerie, les lettres de change, la fourrure, le trafic avec les Canaries, les Indes occidentales ou orientales. On y trouve aussi les représentants des marchands étrangers, polonais, français, moscovites, allemands, danois, anglais, portugais, espagnols.

Voir le port? Il est plus difficile d'accès. Au bout de la seule rue serpentine de la cité, la Zeedijk, il faut passer sur les quais, puis quitter la ville. Après les petits navires de pêche et de cabotage, après les jardins et les premiers prés à vaches, on trouve les grands voiliers. Là, tout est gris, la mer, le ciel. Pas de vagues, toujours le calme plat, quelques pêcheurs à la ligne. On découvre la flotte à l'extrémité de très longues estacades qui s'avancent dans l'eau, portant les cabanes des contrôleurs, voire des bâtiments plus vastes, des auberges pour les équipages qui accostent après la fermeture des portes de la ville, toute une vie de silhouettes noires et grises dans cette horizontalité totale jusqu'à l'horizon où les cathédrales dressées sont les mâts, les vergues, les cordages et le grand mouvement des grues en bois qui gesticulent régulièrement avec des grincements entre les vaisseaux et les jetées. Clapotis, clignotement des reflets, odeurs pourries que le vent souffle par bouffées, l'eau s'étend partout sous les carcasses brunes plantées en elle. Il y a un va-et-vient de traîneaux et de chevaux qui se croisent sur les jetées, emportant les chargements déposés par les grues. Les attelages partent vers la ville. Les promeneurs les suivent jusqu'au Poids public. Les portefaix, dans leur uniforme rouge et vert, devant leurs grandes balances romaines, opèrent à toute vitesse et les comptables inscrivent sur leurs registres les poids et les taxes acquittées.

Les navires arrivent de Chine et du Japon, de Guyane et de Pernambouc, du cap de Bonne-Espérance, d'Arkhangelsk et de Dantzig, d'Alger et de Bergen, de Porto et de Santander, de Lorient et de Bordeaux. A la Bourse, des départs sont annoncés pour Batavia, Nieuw Amsterdam, Formose, Trincomalee, Bahia. Les docks se trouvent quant à eux sur les îles des environs, hautes façades de briques sombres, avec des portes au lieu de fenêtres. Là, on enfourne sous haute surveillance des quintaux et des quintaux de tout : bois, sucre, tabac, cuivre, étain, sel, laine, porcelaine d'Orient, épices, vins du Rhin et d'Anjou, poissons séchés. On ne craint plus les famines. Amsterdam a construit les plus vastes entrepôts de blé du monde. Certains appartiennent aux compagnies qui en construisent sans cesse de nouveaux. D'autres à l'amirauté où se fournit la flotte de guerre. D'autres à la ville qui conserve du blé et de la tourbe pour les distribuer gratuitement aux pauvres. Jamais on n'a vu organisation aussi parfaite. Les Pays-Bas sont une république.

Rembrandt comprend qu'on vienne voir le spectacle de cette puissance, mais ce spectacle lui demeure étranger. Il le distrait, mais il n'en retire rien qui lui soit nécessaire. Du bois, du sucre, du blé, de l'étain, du plomb, des épices, mais en quantités telles qu'on n'en peut rien voir, qu'on n'en peut connaître que des chiffres : des quintaux, des centaines et des centaines de quintaux, si bien que plus rien n'existe vraiment. Alors il entraîne la jeune fille vers le Dam, vers les quartiers nobles, plantés d'arbres, vers les boutiques de porcelaines de Chine, de tapis de Perse, de parfums d'Arabie, de bijoux, tout un quartier où se sont regroupés les diamantaires et les joailliers juifs enfuis d'Anvers. Devant ces éventaires-là, il se montre aussi attentif qu'elle : les tissus brodés d'Asie, les longs colliers jalonnés de pierres précieuses, les perles pour les cheveux, les vraies perles du fond des mers et celles-ci plus grosses, qu'on nomme les perles hollandaises, d'un orient admirable, merveilles que les femmes portent aux oreilles. Au fond de la boutique où le jour parvient à peine, mais allume encore quelques feux dans les rubis de Ceylan, le marchand tient dans sa paume ouverte une de ces perles géantes. A moins qu'ils ne se soient transportés de l'autre côté de la ville, où de curieuses boutiques proposent des objets incroyables, des arcs et des flèches ornés d'ivoire, des émaux de Chine, des armes turques damasquinées, des capes des Andes en poil de lama, des ceintures indiennes tissées de signes étranges de couleurs vives.

C'est ainsi, grâce à sa rencontre avec Saskia, que Rembrandt fit la connaissance du pasteur Jan Cornelisz. Sylvius et fit son portrait. Il l'a trouvé dans son logement à l'hôpital, assis dans une grande pénombre, les mains croisées sur sa Bible. Il avait une telle immobilité quand il pénétra dans sa chambre qu'il le crut plongé au plus profond d'une méditation. En fait, le pasteur l'avait entendu arriver, mais il était presque totalement aveugle et la fixité de ses yeux ajoutait à sa gravité naturelle. Le spectacle de cet homme de près de soixante-dix ans, vêtu de noir, coiffé d'une petite calotte noire sur de rares cheveux, une barbe maigre reposant sur son col blanc, les yeux baissés, les mains touchant le Livre, faisait penser à ce que pouvait être la figure idéale de la paix intérieure. L'homme remplissait d'ailleurs sa fonction, conduisant les cultes, assistant les agonisants, avec quelque chose de la clarté totale. Peut-être avait-il fallu qu'il devînt aveugle pour y atteindre. Sur son visage, Rembrandt perçut même l'amorce du sourire avec lequel le pasteur abordait les cas de conscience les plus difficiles, le sourire de la confiance absolue. Cet homme-là n'avait pas besoin de regarder pour comprendre, et Rembrandt, manifestement, se sentait bien auprès de lui. Quoique le pasteur Sylvius fût trop modeste pour accepter qu'on peignît un tableau d'après lui, il laissa le peintre le dessiner. Du dessin Rembrandt tira une gravure. Ainsi Sylvius fut-il, après le gueux de Leyde, le premier personnage étranger à pénétrer dans l'œuvre intime de l'estampe.

Cette Saske, Rembrandt se promena plusieurs fois avec elle et sa cousine. Avec elles, il voyait tant de choses, de maisons, de navires, de personnages. Trop sans doute. Il revenait à l'atelier, pressé de renouer avec la peinture qui, il le sentait bien, n'avait rien à faire avec ces divertissements-là. Cependant, il s'aperçut qu'au moment où il allait flâner avec Saske de par la ville, à la recherche de spectacles qui pourraient l'amuser, des jeunes femmes étaient apparues dans sa peinture. Différentes. Des jeunes femmes comme il n'en avait encore jamais peint. Pas de celles qui posaient pour lui dans leurs grands atours avec la coiffe de dentelle, la fraise fraîchement empesée, mais des présences nouvelles. Des demoiselles surgissaient dans des costumes de rêve : elles portaient des robes sans grand-chose dessous, aux velours chauds et doux, largement ouvertes pour laisser voir le cou, des robes luxueuses, brodées d'or, des tenues de fête avec colliers d'or, perles aux oreilles, accessoires insolites comme un éventail. L'une s'amuse à prendre le béret du peintre et à le poser sur sa tête, en le gonflant, en le penchant sur l'oreille.

Les tableaux ne sont pas tous très bons, au point que certains érudits doutent qu'ils soient de Rembrandt. Et puis les demoiselles manquent de présence, de personnalité. On les sent désaccordées, hétérogènes. Comme si elles venaient de loin, de ces figures de vierges, de saintes femmes, qui sont chez Hans Memling, chez Quentin Metsys, ou d'un portrait d'Italienne d'Albert Dürer. Et ce tissu de soie très fine, brodée de signes d'or au bas du cou d'une jeune fille dont les cheveux apparaissent sous la transparence du voile, pourrait être un souvenir vague venu d'un Lucas de Leyde. Plus sûrement, cela avait un parfum d'Italie, un pays où les femmes ne cachent pas leur chevelure sous des coiffes, mais les organisent en volutes, les ornent de rangs de perles et de pierres précieuses.

Voici que sa mémoire semble lui donner une image plus proche : une somptueuse Marie Madeleine de Jan van Scorel, aux cheveux dénoués, souriant dans une robe entièrement brodée de perles. A moins que ce ne soit plus près de lui encore, à Anvers chez Rubens, comme le parfum d'un charme très ancien qui lui monte à la tête. Sans le vouloir, parce qu'à l'époque il ne faisait plus guère que des portraits, Rembrandt peint ces demoiselles hors de toute excuse mythologique, loin de toute référence aux Dalila, comme si elles étaient entrées dans l'atelier, avaient quitté leur coiffe et leur costume noir, mis robes, colliers et bijoux, et s'étaient assises devant lui pour poser.

Ainsi, avant même qu'il commençât ses promenades dans la ville avec Saske et sa tante, la peinture avait-elle préparé la venue d'une jeune fille de vingt et un ans dans son art et dans sa vie.

Rembrandt fit un voyage à Leyde. Son frère Adriaen lui avait écrit que leur mère était très fatiguée. Sur un petit carré de cuivre, de 4 centimètres de côté, il grava son portrait, tête massive, pesante. Ce n'est même plus une coiffe qu'elle porte sur la tête, ni un beau voile d'or comme elle aimait, mais un tissu quelconque pour protéger son crâne du froid. Les lèvres ne sont plus qu'un trait devant une bouche édentée.

Dans sa gravure, cette fois, la dernière qu'il fera d'elle, il dit de sa mère, avec compassion, tristesse : « Elle ne me voit plus. » Il la représente détournant les yeux et regardant vers le sol, comme si elle entendait l'appel de la terre.

A-t-il vraiment vu cela ? Ou a-t-il voulu le voir ? Il a signé et daté (1633). Pour l'œuvre intime.

Et il est reparti pour Amsterdam.

3

ENTRÉE DE SASKIA

Dit es naer myn huysvrou geconterfeyt do sy 21 jaer oud was, dem derden dach als wy getrout waeren. Den 8 junyus 1633.

« Ceci a été dessiné d'après ma femme, quand elle avait vingt et un ans, le troisième jour après que nous avons été fiancés. Le 8 juin 1633. »

Huysvrou, c'est-à-dire la femme qui est à la maison, celle que Paul Claudel appellera la Gardienne. L'inscription, de la main du promis, est solennelle, mais ni le nom de Saske qui deviendra Saskia ni celui de Rembrandt n'apparaissent, ce qui permet de croire que le dessin leur fut uniquement destiné. Saskia sourit. Le portrait est fait comme ceux des maîtres d'autrefois, à la pointe d'argent sur une feuille de parchemin, une feuille grande comme la main, découpée en arrondi dans le haut, selon la forme des tableaux d'autel. Rembrandt, qui dessine couramment à l'encre, à la sépia, à la pierre noire, à la sanguine, a choisi pour cette gravure-là la pointe d'argent, une vieille technique abandonnée depuis longtemps. Il n'y avait que le vieux Goltzius qui l'utilisait encore. Peut-être Uylenburch avait-il ça, parmi des vieilleries, dans une boîte. C'était un parfum d'autrefois, mais on n'avait jamais vu la pointe d'argent de Dürer courir avec une telle aisance, avec cette désinvolture.

Saskia pose donc devant lui. Elle regarde les doigts du dessinateur trembler pour les hachures, divaguer dans des lignes serpentines, tracer vite des horizontales, appuyer fortement, puis effleurer à peine, s'approcher et piquer un point, revenir violemment pour les accents. C'est un curieux détour pour la faire pénétrer dans son art d'avoir choisi cette technique qu'il découvre sur ce parchemin. Dans cette façon-là, il a vu de très anciens dessins avec des noirs très puissants. Il sait qu'ils ne changent pas, qu'ils ne s'effacent jamais avec le temps. Cela a aussi une valeur d'engagement pour la vie. Son regard va d'elle au parchemin, du parchemin vers elle. En cette approche de l'été, il fait chaud au soleil. Ils ont marché dans la campagne.

Paysanne de Leeuwarden, elle a garni son grand chapeau de paille d'une guirlande de feuilles. Accoudée à la table, en face de lui, elle se tient la tête d'une main. Dans l'autre, la droite, elle garde la fleur qu'elle vient de cueillir. Il y a de l'amusement dans ses yeux noisette, presque un sourire sur ses lèvres pleines. Elle est jeune, confiante, avec l'air gourmand d'une fille prête à vivre. Voilà trois jours, elle a dit oui. Ce dessin sera le témoignage de leur entente. Poser devant lui est aussi important pour elle que pour lui la dessiner. Dans ce dessin, leur promesse se scelle au fur et à mesure que la pointe d'argent court sur le parchemin.

Rembrandt va vite : indications rapides pour les épaules, le vêtement, précision sur la main petite, fine, longue qui appuie trois doigts sur la tempe, sur le collier de perles qu'on perçoit un peu sous la camisole, toute l'attention étant fixée sur le visage un peu gras, et sur le grand chapeau qui a des mouvements tournoyants sur sa tête.

Le dessin fini, il a écrit à la pointe d'argent : « Ceci a été dessiné d'après ma femme... » Ils se sont engagés au mariage trois jours auparavant mais, pour le peintre, il fallait sans doute que la foi donnée apparût dans un dessin, que son art fût impliqué dans leur promesse.

Le soir, Saskia regagna la demeure de ses tuteurs à l'hôpital, et Rembrandt sa chambre de la maison Uylenburch. Désormais, dans sa peinture, il n'y aurait plus de demoiselle imaginaire.

Si on se fiance librement, se marier est une affaire sociale. Pour Saskia, l'avenir est sans nuage. Depuis la mort de ses parents et de son frère aîné, elle est allée d'une sœur à l'autre, toujours dans de très petites localités frisonnes. A Amsterdam, chez ses tuteurs, elle a aimé se trouver au « centre du monde ». Et Rembrandt, rencontré dans la maison de son oncle, est un homme fort, dynamique, promis, tout le monde le dit, à un grand destin. On vante sa *Leçon d'anatomie* dans la Guilde des chirurgiens, son portrait de la princesse Amalia. On parle de commandes qui lui viendraient du stathouder lui-même.

Avec cet homme, c'en sera fini de la petite vie de province. Mais d'abord, elle l'aime.

Pour Rembrandt, Saskia est la première jeune fille qui entre dans son œuvre. Qu'elle soit issue d'une grande famille n'ajoute rien à cette valeur primordiale, sinon qu'elle a une élégance naturelle, qu'elle sait porter la toilette, ses bijoux, son collier de perles, parler, se comporter avec les gens, qualités de sa classe sociale, distinctions sans lesquelles elle n'aurait pas eu accès à sa peinture. Il n'y a donc que cette raison-là, qui en recoupe une autre : il l'aime.

Les tuteurs de Saskia, le pasteur et Aeltje, satisfaits de la voir s'installer à Amsterdam, ont accepté la demande de Rembrandt. A Leyde au contraire, Neeltje, comme dans la petite estampe carrée, s'enferme en elle-même, détourne la tête. Elle ne voit plus son fils. Rembrandt lui a demandé de faire enregistrer par un notaire son consentement à son mariage, mais elle ne répond pas.

Cela dura longtemps, trop longtemps. On décida de passer outre. La présence du pasteur faciliterait les choses. Et c'est ainsi qu'un peu plus d'un an après les fiançailles les deux jeunes gens se rendirent à l'hôtel de ville, place du Dam, jour de ciel bleu et de nuages gris, de vent vif, d'une alternance de fraîcheur de l'air et de chaleur du soleil sur les joues et les mains. Ils passent sous les trois arcades où se tiennent toujours les commères et les compères qui regardent vivre les autres et commentent les événements, gravissent le petit escalier en retrait et vont au bureau des mariages sur le registre duquel le greffier écrit :

> *Le 10 juin 1634 comparaissent devant le commissaire Outgert Pietersz., Spiegel et Lucas Jacobsz. Rotgans, Rembrandt Harmensz., van Rijn, de Leyde, âgé de vingt-six ans, demeurant à la Breestraat, et déclarant que sa mère consent à ce mariage, et Saskia van Uylenburch, de Leeuwarden, âgée de vingt et un ans, demeurant dans le Bildt, à Sint-Anna Parochie. Avec elle et pour elle, se présente le pasteur J. C. Sylvius, cousin de la fiancée. Il promet de produire l'inscription légale avant la publication du troisième ban.*

Les futurs époux signent le registre. Rembrandt ne s'aperçoit pas que le greffier l'a rajeuni de deux ans. Le pasteur s'engage à apporter l'autorisation de la mère de Rembrandt. Il a raison d'être confiant puisque, quatre jours plus tard – qu'est-ce qui l'avait donc tant retardée ? –, Neeltje se rend chez le notaire de famille.

> *Le 14 juin 1634 à 4 heures et demie, est comparue devant moi Adriaen Paets, notaire à Leyde, Neeltje, fille de Willem van Zuitbrouk, veuve de Harmen Gerritsz. van Rhijn, bourgeoise de Leyde. Elle déclare qu'elle donne son accord de plein gré au mariage de son fils Mijnheer Rembrandt Harmensz. van Rhijn, peintre, avec l'honorable Saskia van Uylenburch, demoiselle de Leeuwarden. Les bans peuvent être publiés et il peut être procédé au mariage solennel.*

Pour que toute ambiguïté soit levée, Me Paets lui suggère d'ajouter qu'elle accepte « que son fils se soit inscrit à son insu au bureau des mariages et ait fait publier les bans. Elle remercie les commissaires du bureau des mariages d'avoir donné les autorisations à ce propos et les prie d'accorder à son consentement écrit la même valeur que si elle l'avait fait de vive voix devant eux ».

N'y voyant plus assez clair pour signer elle trace une croix à l'endroit qu'on lui désigne, puis profite de sa venue chez Me Paets pour faire enregistrer un don de 1 600 florins en faveur de son fils Adriaen. A charge pour lui de rembourser la somme, quand elle sera décédée, à ses frères et sœurs au moment du partage de l'héritage. Sur l'acte, le notaire l'a décrite « en bonne santé, debout, capable de marcher, possédant une bonne mémoire et dominant parfaitement ses sens et son intelligence ». Neeltje a encore six ans à vivre.

Voilà pour l'état civil. Le mariage religieux aura lieu en Frise, chez la sœur de Saskia, devenue par son mariage Mevrouw van Loo et qui habite le Bildt. Le Bildt, une campagne du bout du monde, derrière une digue. Voilà plusieurs siècles, des éleveurs s'y sont installés dans un quadrillage immense de prés et de canaux. Des familles regroupées dans de grandes fermes aux toits de chaume, enfoncées dans la terre, s'y protégeant des vents de mer par des rideaux d'arbres. Des gens peu loquaces, dit-on, attachés aux privilèges de pionniers qui leur ont été accordés depuis le Moyen Age. Des églises construites aux carrefours des canaux parallèles et perpendiculaires à la mer, qui ont gardé leur appellation primitive : paroisse Notre-Dame (Onze Lieven Parochie), paroisse Saint-Jacques (Sint-Jacobus Parochie), paroisse Sainte-Anne (Sint-Anna Parochie), quelquefois un moulin, quelques maisons. Ces Frisons se sont donné un commissaire, Gerrit van Loo. Avec Hiskje, il habite Sint-Anna Parochie, une paroisse de l'Église réformée, sur le livre de laquelle le pasteur écrit avec une plume qui crache un peu et en s'y reprenant à plusieurs fois :

> *Le 22 juin 1634, ont été unis par le mariage Rembrandt, fils d'Harmen van Rijn, demeurant à Amsterdam, et Saskia van Uylenburch, en résidence à Franeker.*

Le 22 juin est le premier jour de l'été. Née en août, Saskia devait se fiancer en juin, se marier en juin et mourir en juin.

L'église avait été ornée de fleurs. Les fauteuils des mariés avaient été couverts de guirlandes. Rembrandt passa l'anneau à la main droite de Saskia et ils sortirent sous les acclamations de la famille et des fermiers voisins qui leur jetaient des fleurs. Devant eux, ils ne voyaient jusqu'à l'horizon rien que les troupeaux épars des vaches dans les prés, de chaque côté des canaux rectilignes, et très loin quelques petits bois où disparaissaient les fermes. Jamais le ciel où le vent chassait au soleil de petits nuages blancs n'avait paru si vaste.

A la maison, le mariage dut être célébré dans les règles. La grande pièce du bas, fenêtres ouvertes sur la route, fenêtres ouvertes sur la cour, était pleine de lumière : le plus grand tapis de la demeure était fixé au mur derrière les sièges voisins des époux. Saskia portait sur la tête le diadème des femmes de la famille. Sa robe, aux plis lourds balayant le sol, était brodée d'or, le décolleté laissait voir la blancheur du linon plissé, un grand collier était fixé aux épaules courant sur le dos et la poitrine, des pierreries scintillaient aux nœuds du corselet, un voile était agrafé sur les cheveux par un bijou, des perles pendaient aux oreilles. Rembrandt était coiffé du grand béret emplumé. Aux bords de fourrure de sa veste émergeaient les poignets blancs de la chemise. Une écharpe brodée brillait à sa ceinture, et des franges dansaient au bas de ses chausses plissées.

On peut penser que durant le banquet les Frisons chantèrent des chansons auxquelles il ne comprit rien, qu'ils récitèrent des compliments en vers tout aussi obscurs pour lui, et que Saskia les lui traduisit à l'oreille. Il est certain qu'on y mangea des volailles, du gigot, des légumes, du poisson, des pâtés, des fromages et des fruits, qu'on porta des « santés » au vin de Moselle, à n'en plus finir.

Du côté de Saskia, la famille était d'avocats, d'administrateurs, de gens de bureau, d'écriture. Et la fortune personnelle de la jeune femme était évaluée à quelque 40 000 florins. De son côté à lui : des artisans, meunier, boulanger, bottier. Si dans la famille de l'épouse la conversation pouvait revenir sur le père, bourgmestre de Leeuwarden, qui avait assisté aux derniers moments de Guillaume le Taciturne, Rembrandt n'avait rien d'autre à rappeler que le nom de ces ancêtres de sa mère qui avaient été des magistrats importants de la ville de Leyde. Famille contre famille, il restait, avec sa jeune célébrité, le seul qui pouvait hausser le nom de Van Rijn au niveau des Van Uylenburch.

Surtout Saskia représentait beaucoup plus que des florins. Elle allait devenir l'être grâce auquel sa peinture saurait enfin passer du registre intime au registre mythique.

A Amsterdam, Rembrandt retrouve ses commandes de portraits de plus en plus nombreuses. Celui-ci a un grand chapeau, celui-là une petite fraise, celle-ci une grande fraise. Celle-ci veut qu'on indique son âge dans un angle du tableau (quatre-vingt-trois ans), cette autre a demandé à ce qu'on distingue sa chaîne d'or. Il y a celui aux moustaches en crocs, celui avec moustache et bouc. La mode change : les femmes ne portent plus de coiffe ; elles lissent d'immenses cols de dentelle sur leurs épaules. Cet élégant porte des cornets de dentelle au jarret et des soleils de dentelle sur ses chaussures. Ce prédicateur anglais et son épouse ont voulu leur effigie en pendant, presque grandeur nature. Rembrandt a été heureux de peindre le prédicateur Jan Uytenbogaert, vieil homme, héros des conflits religieux, qui avait pris la tête des arminiens à la mort d'Arminius, avait dû s'enfuir voilà près de quinze ans et qui est revenu au pays avec tout le sens de la tolérance religieuse qu'apporte sa présence. Rembrandt l'a montré près d'un énorme livre manuscrit ouvert.

Mais les autres... Il commence à se lasser de faire le portraitiste, d'être le peintre que le bon ton voulait qu'on priât de faire son image. Cela pourrait ne jamais cesser. Il deviendrait un autre Mierevelt, un autre Thomas de Keyzer, attaché à la vanité des êtres, témoin d'une société qui montrait à l'univers son efficacité et qui s'estimait juste et généreuse. Commerce, République, Réforme, les Provinces-Unies avaient réussi sur ces trois points. Personne ne pouvait le nier. Mais les prédicateurs commandaient leur portrait plutôt qu'une crucifixion. Certains pasteurs étaient aussi des entrepreneurs et ceux-là comment fallait-il les peindre, avec leur livre de comptes ou avec la Bible ?

Dans la clientèle qui venait le solliciter chez Uylenburch, Rembrandt décelait une puissance terrible. Elle rendait hommage à son talent avec une chaleur qui lui était agréable. Avec leur argent, ces braves gens faisaient construire leur maison en ville, leur maison à la campagne. Ils se faisaient tailler des habits élégants. Ils s'offraient des chaînes en or, des services en porcelaine de Chine. Ils demandaient aux peintres-verriers de composer le vitrail qu'ils placeraient à leur fenêtre avec leurs armoiries. Ils surveillaient leurs jardins où ils cultivaient avec passion les plus rares espèces de tulipes. Dans toute cette vie conforme aux bons usages, dans leur décor de distinction, il leur fallait aussi leur portrait. Et comme leur richesse ne devait en rien heurter la modestie des croyants les plus rigoureux, ils ne se faisaient pas représenter dans leurs fastes, seulement dans leur meilleur costume.

Ces braves gens ne demandaient à l'art que de leur assurer quelque pérennité personnelle, une exigence dangereuse, dès lors qu'elle dépossédait la peinture de toute prétention au sublime. Elle lui interdisait ce qui avait justifié jusqu'alors les grands artistes : donner une image à la spiritualité, proposer l'invisible.

A Leyde, Rembrandt s'était engagé sur cette voie, qui seule donnait du sens à son ambition : recréer l'art sacré qui avait disparu. A Amsterdam, il n'en avait guère le temps. L'idée de ce devoir lui venait à l'esprit parfois. A vingt-huit ans, aurait-il déjà trahi sa jeunesse ? Une montée de visages autour de lui, voilà ce qu'il avait trouvé à Amsterdam. A la cour du prince, à La Haye, tout se passait comme il l'avait prévu. Leurs Altesses collectionnaient des œuvres de Honthorst, Bloemaert, Ter Brugghen, Baburen, Moreelse. Grands peintres, tous ! Et sujets frivoles, thèmes de délassement. Si Rubens n'avait pas été diplomate du côté des papistes et des Espagnols, Elles se seraient adressées exclusivement à lui. Elles n'auraient pas eu tort, d'ailleurs. Rubens, le plus grand. Mais tout cela, à Amsterdam comme à La Haye, éloignait la peinture de sa raison profonde.

Rembrandt, pour sa part, ne proposait rien qui fût agréable. Il demandait qu'on retournât aux images fondamentales de la *Vie du Christ,* dont il ne comprenait pas pourquoi elles étaient interdites aux peintres. Cette peinture-là qu'il était pratiquement le seul à vouloir peindre, il ne pouvait pas croire qu'elle n'atteindrait pas un vaste public. Avait-on perdu la Foi dans ce pays ? Non, on avait seulement refusé à l'art tout sujet qui ne serait pas de divertissement ou d'usage social. Conséquence de la laïcité des Pays-Bas.

Désormais, comptant un peu sur la réputation qu'il s'était faite, il allait mener simultanément deux combats : réintroduire l'angoisse du Nouveau Testament dans l'art hollandais et, avec Saskia, créer un art moderne de la figure où il montrerait qu'avec une femme de son temps il serait capable de faire apparaître Danaé, Flore, Marie Madeleine, les Sibylles. Dans une femme d'aujourd'hui, avec des gestes d'aujourd'hui, il allait trouver toutes les grandes figures des mythes fondateurs, montrer que le temps n'avait rien usé en elles, et que ces figures pouvaient retrouver le présent.

Lui aussi, il se représentera, auditeur aux pieds de saint Jean Baptiste, assistant, prenant même part à la crucifixion. Car les grands récits qui l'ont formé, des Évangiles à Ovide, ne sont pas des textes morts. Sa peinture en rallumera le feu. Avec en plus, désormais, un visage de femme qu'il voudra introduire dans ses thèmes légendaires, celui de Saskia.

IV

LA FEMME ET LES RÊVES

1

LA VIE DU CHRIST

Constantin Huygens, qui avait vu à Leyde *Judas rendant les trente deniers* et le *Christ en croix*, obtint de son prince, Frédérik-Hendrik, qu'il commandât au peintre une *Vie du Christ* dont Rembrandt accepta très vite l'idée des sept premiers tableaux : une *Adoration des bergers*, une *Circoncision*, une *Érection de la croix*, une *Descente de croix*, une *Mise au tombeau*, une *Résurrection* et une *Ascension*, des thèmes qu'il n'avait encore jamais traités. Par la suite, peut-être peindrait-il de nouveau les étapes qu'il avait déjà abordées : comme *les Pèlerins d'Emmaüs* ou *la Crucifixion* elle-même. Tous les tableaux devaient être sensiblement de la même taille, moins d'un mètre de haut et tous cintrés au sommet. Finalement, sur cet ensemble, il passera au moins treize ans jusqu'à la mort du prince en 1647. Ensuite, en peinture, il se tiendra généralement à l'écart des thèmes de la Passion qui, dans sa gravure, demeureront constants.

Le ciel est noir. De vagues nuées très basses, mêlées d'étranges lueurs verdâtres, circulent sur la campagne. Éclair blafard sur le casque et la cuirasse d'un soldat. Une bêche plantée dans la terre ouverte. Trois hommes, poussant et tirant, sont en train de dresser la croix. Trois clous fixent aux bois le crucifié. Ses poignets et ses pieds sont marqués de filets de sang. Sa tête saigne sous la couronne d'épines. La bouche est ouverte, les yeux sont levés vers le ciel. Autour de lui, l'enturbanné officiel à cheval et, dans la pénombre générale, à gauche, de graves figures d'homme dont l'un écarte les bras, mains ouvertes en signe d'impuissance, tandis qu'à droite, confuse, la foule pousse devant elle deux hommes dévêtus.

Alors que les peintres représentent souvent le dernier acte du supplice et l'immobilité définitive du crucifié, Rembrandt choisit le moment de la plantation des bois de justice dans le sol, lorsque le corps du condamné s'élève en équilibre instable, et que les hommes font un effort, accélèrent l'action, de crainte que la croix ne tombe. Il veut qu'on s'arrête chaque fois avec une horreur et une pitié nouvelles. D'où ce moment d'envol de la croix et du crucifié avant qu'ils ne soient dressés à la verticale. D'où aussi, pour l'autre tableau, *la Descente de croix*, peinte sur un bois de chêne millénaire, venu de Palestine et trouvé dans un magasin du port, sa façon d'insister sur les vieux madriers mal dégrossis qui portent la marque des trois coulures de sang séché. D'où sa décision de montrer le Christ, qu'on dépose dans un linceul blanc, non pas comme le Christ athlète de Rubens qui a conservé dans la mort sa musculature puissante, mais comme un être qui a perdu toute proportion humaine : il a été brisé, voyez-le, sa tête pend presque jusqu'à sa taille, ses cuisses n'ont plus de muscles, le poids du corps a disjoint les articulations. C'est un homme complètement disloqué qui descend lentement le long du bois levé. Sur le visage mort sont marqués les sillons que la souffrance a creusés.

Alors que *l'Érection de la croix* était construite sur un triangle dirigé vers le bas, avec *la Descente de croix* la pointe du triangle tend vers le haut, sa base se défait dans les deux pieds sanglants qui se balancent au-dessus du sol. Autour de l'homme qu'on descend dans la nuit, d'autres corps s'effondrent, se penchent, comme une noyade d'où émerge encore une main tendue, cependant que l'enturbanné officiel, toujours lui, gros homme, une canne à la main, regarde. Rembrandt insiste : il fait voir que la Passion fut horrible, il veut en renouveler l'effroi. Car les autres peintres ont tenu à faire ressentir la honte en multipliant les plaies, en montrant les larmes, en faisant grincer les dents, rouler les yeux des bourreaux à l'allure bestiale. Ils ont rivalisé d'excès. Les fidèles, rassurés de ne pas se reconnaître dans ces brutes, ont pu se croire innocents.

Chez lui, au contraire, les costauds qui aident à lever la croix ne sont pas différents des solides portefaix, si serviables, qu'on croise sur le port, et l'officiel qui assiste à la mise à mort ne l'est pas d'un contrôleur appointé, comme celui qui, à Amsterdam, constate le décès par pendaison des criminels. Rembrandt lui-même s'y représente, comme il l'avait fait dans un de ses premiers tableaux où sa jeune tête surgissait à l'entrée d'un palais. Cette fois dans *l'Erection*, tenant fortement la croix entre ses deux bras, il s'est placé au centre géométrique du tableau, en pleine lumière, avec son béret bleu qu'on commence à connaître dans la Breestraat. Il aide à dresser la croix, il aidera à descendre le Christ dont il tient le bras disloqué, à moins qu'il ne soit aussi celui, en bas, qui reçoit tout le poids du corps dans ses bras. Il est partout. Comme il l'avait déjà été dans un tableau de ses vingt ans.

Dans l'atelier, ses collaborateurs croient à une provocation. Si les artistes se sont représentés dans un coin d'une Nativité, près d'un Martyre, jamais ils ne se sont placés au centre même du tableau, participant au supplice du Christ. Ils ne voient pas que, si Rembrandt figure dans *l'Érection de la croix*, ce n'est pas pour montrer qu'il l'a peinte, mais parce que peindre, c'est vivre ce qu'on peint. Il s'agit de montrer ici qu'il est complice du meurtre du Fils de Dieu, que nous sommes tous de ceux qui tuent avec des cris de colère et qui enterrent ensuite en pleurant. Rembrandt ne se voit plus comme le justicier qu'il avait pensé être.

Le prince Frédérik Hendrik a-t-il reconnu le peintre sur le tableau de la *Vie du Christ*? Constantin Huygens a dû attirer son attention sur cette singularité et à la cour on est allé voir ces œuvres où un artiste se manifeste avec une telle violence. L'extravagance, car c'en était devenu une pour les courtisans, s'inscrivait assez bien dans un goût général pour les compositions tendues, gesticulantes. Et pourtant les deux tableaux ne pouvaient être reçus que comme des rappels à l'ordre, des manifestations d'une angoisse qu'on avait perdue.

Frédérik Hendrik aime d'abord Rubens. Rembrandt lui semble plein d'excès. Pourtant, sur l'insistance de Constantin Huygens, le prince demande lui-même à Rembrandt de donner une suite aux deux stations de la Passion qu'il possède. Ce dernier prend du retard. Il écrit en février 1636 à Huygens :

Monseigneur,
Mon gracieux Seigneur Huygens,
J'espère que Votre Seigneurie voudra bien informer Son Excellence qu'avec beaucoup de diligence je suis en train d'achever aussi vite que possible les trois peintures de la Passion que Son Excellence elle-même m'a commandé de faire : une « Mise au tombeau », une « Résurrection » et une « Ascension du Christ ». Des trois peintures mentionnées ci-dessus, une est achevée, celle avec le Christ montant au ciel et les deux autres sont plus qu'à moitié exécutées. Je Vous prie, Monseigneur, de me faire savoir si Son Excellence préfère recevoir ce tableau achevé tout de suite ou les trois ensemble, de manière que je puisse combler les vœux de Son Excellence le Prince, au mieux de mes capacités.
Outre mes vœux à Votre Seigneurie, je prie Dieu de Vous garder en bonne santé. L'humble et dévoué serviteur de Votre Seigneurie.
Rembrandt.

Huygens a fait livrer *l'Ascension* chez lui, puis l'a transportée chez le prince qui l'a acceptée et a chargé son secrétaire de payer le peintre.

Quelques jours plus tard, Rembrandt écrit de nouveau à Constantin Huygens :

Monseigneur,
Après vous avoir présenté mes respects, je Vous confirme que je suis d'accord pour bientôt venir voir si la peinture va bien avec les autres. Et, en ce qui concerne le prix, j'ai certainement mérité 1 200 florins, mais je me contenterai de ce que Son Excellence me paiera. Monseigneur, que Votre Seigneurie ne prenne pas mal cette liberté, je ne négligerai rien pour m'en acquitter.
L'humble et dévoué serviteur de Votre Seigneurie.
Rembrandt.
Il paraîtra à son meilleur jour dans la galerie de Son Excellence, depuis qu'il y a une lumière puissante.

La vérité que ni le prince, ni Huygens ne doivent connaître est que les deux tableaux, *la Mise au tombeau* et *la Résurrection*, ne sont pas à moitié achevés et que Rembrandt n'apporte pas toute la diligence dont il parle à les terminer.

Quelque chose le freine. Il travaille à de vastes peintures sur le thème de Samson et à un *Sacrifice d'Abraham*, de grands tableaux qui ne sont pas des commandes et qu'il peint pour lui seul, par envie de concevoir de vastes formats dans un style nouveau. Et visiblement il ne se sent plus à l'aise dans cette suite destinée au prince. Il n'a plus la véhémence qui le guidait dans les deux premiers tableaux. Une *Ascension* – du moins est-ce l'idée qu'il s'en fait –, c'est un être de lumière qui s'élève sur un nuage poussé par des angelots, cependant qu'à terre les hommes émerveillés ouvrent les bras et prient.

Le tableau achevé, Rembrandt se surprend lui-même. Il ne se connaissait pas tant de douceur, ce côté angélique, céleste, qui apparaît dans les rayons dorés de l'Esprit saint éclairant le Christ aux bras ouverts, enfin accueilli par Dieu. Il avait commencé par peindre un Dieu le Père en haut du tableau. Puis il a été pris d'un doute. Ce genre d'accueil divin n'est-il pas réservé à la Vierge? Mais, tout bien pesé, qui, en Hollande, aurait le pouvoir de l'orienter dans ses œuvres sacrées? Depuis que, grâce à l'Église réformée, aucune autorité ne se place entre la Bible et lui, il peint sa lecture personnelle du Livre. Sans être guidé, comme Rubens, par un programme établi par des théologiens. D'emblée, il peut s'orienter vers les étapes de la Passion qui le motivent, et, en premier lieu, vers la souffrance du Christ qui ne cesse de le scandaliser. Son Christ – il est bien celui de l'Église réformée – est d'abord un homme. La part surhumaine de Jésus, la transcendance, la notion de joie totale, les Béatitudes, ne sont pas de son domaine. Ce qui fait que son *Ascension*, image de joie, n'est qu'un bon tableau. Il le sait et, le regardant dans la bonne lumière de la galerie de Son Excellence, il pensera que ce passage de la *Vie du Christ* n'était pas pour lui. En tout cas la question demeure : la *Vie du Christ* a-t-elle bien sa place dans une exposition de tableaux? Si elle n'y avait pas figuré, est-ce que l'interrogation de Dieu par l'homme néerlandais du XVIIe siècle n'aurait pas terriblement manqué à la peinture?

L'aventure n'est pas finie. Constantin Huygens ne lâche pas son projet. Il le rappelle souvent à Rembrandt, et le peintre, à la fin de l'année 1638, termine *la Mise au tombeau* et *la Résurrection*.

Aussi, le 12 janvier 1639, écrit-il au secrétaire de Son Excellence :

> *Monseigneur,*
> *Grâce au grand zèle et à la dévotion que j'ai déployés en travaillant aux deux peintures que Son Altesse m'a commandé de faire, l'une avec le corps du Christ mis au Tombeau et l'autre avec le Christ ressuscité à la grande consternation de ses gardes, ces deux peintures sont maintenant achevées avec beaucoup d'application, de sorte que je suis en mesure de les livrer pour le plaisir de Son Altesse, car dans ces deux peintures le sentiment le plus intense et le plus naturel a été exprimé, ce qui est également la vraie raison pour quoi ils ont été si longs à peindre.*
> *En vous souhaitant tout le bonheur et les bénédictions du Ciel, Amen, l'humble et dévoué serviteur de Votre Seigneurie.*
> *Rembrandt.*

Dans *La Mise au tombeau*, on voit trois lumières : celle du jour qui s'achève très loin sur la colline, là où les silhouettes des arbres et la croix entourée de très petits personnages se perdent dans les nuages ; devant nous, sous le rocher en surplomb, celle d'une lampe renversée éclairant à peine le groupe des douloureuses femmes ; enfin celle de deux chandelles qui font apparaître le corps du Christ dans un linceul au moment où il va être posé dans le tombeau de pierre. Il faut que le soleil disparaisse dans une trouée lointaine du paysage pour qu'une seule horizontale s'impose, qui en termine avec la verticale de la vie debout : le bord du cercueil.

Alors, tout autour de ces deux signes, vont s'organiser en volutes, qui s'élèvent près du tombeau, les torsions des vivants, mains jointes, main levée comme un encouragement à exister, tête renversée vers les mains d'un homme qui se penche en tenant les pieds du Christ. Dans un autre mouvement, on voit les gestes convergents de deux autres hommes, l'un qui tient Jésus sous les bras, l'autre qui le soutient par deux pans du linceul.

L'instant choisi est précis, il précède immédiatement la descente dans la tombe. Et sur ce dernier moment, avant la disparition, les chandelles posent leur or, un or qui chante avec tant de douceur chaude que le tableau ne dit rien d'autre que quelques paroles chuchotées, un froissement de tissu, le souffle court des porteurs. C'est un tableau à voix basse où l'on perçoit les respirations des vivants assemblés autour du mort.

Dans les figures éclairées comme dans celles de la pénombre, Rembrandt est parvenu à une organisation du tableau aussi naturelle que ces chants qui utilisent jusqu'au bout le souffle du chanteur et reprennent ensuite, se donnant pour rythme celui de la respiration, la régularité du souffle croissant et décroissant. Son tableau atteint au même naturel, tant son obscurité, en dépit d'une gamme unique, est aussi vivante que sa luminosité : obliques montantes, obliques descendantes ouvrant des triangles d'ombre. Pas de déchirement : une trame où le calme et la douceur émanent d'une construction puissante. A partir du cadavre du Christ, rien n'est précisé : les Saintes Femmes et les Saints Hommes sont à peine identifiables mais il n'était pas nécessaire qu'on les reconnût plus sûrement, l'essentiel, pour ce tableau, étant de mettre la lumière et l'ombre au seuil de la mort, et la peinture en deuil. Pas de pompe funèbre comme pour les grands de ce monde, mais, beaucoup plus douloureux, l'irrémédiable enterrement du soleil.

Dans le second tableau, *la Résurrection*, un autre soleil apparaît. Ce n'est pas celui de *la Mise au tombeau* qui a éteint l'horizon quand la dalle fut placée sur le corps du Christ, mais une lumière furieuse, déchirant la nuit, projetant des braises ardentes, qui roule en tonnerre sur l'horizontale d'une tombe et, prenant la forme d'un ange, ailes déployées, soulève la pierre où s'éveille une timide lueur enterrée, le Christ, pâle figure qui, dans l'extrême faiblesse de son retour, vient d'écarter le suaire de son visage et se redresse, en s'aidant d'une main, sur le bord du sarcophage.

Quant à la « grande consternation » des gardes dont le peintre parle dans sa lettre à Huygens, le mot recouvre une avalanche de militaires cul par-dessus tête, stupéfaits, perdant leurs armes, un tourbillon de casques, d'armures, d'épées et d'hommes qui ne savent pas ce qui leur arrive, cependant qu'en bas, tout en bas (on ne les verrait pas si un sabre perdu, volant, n'indiquait leur direction), surgit l'arche de deux mains jointes : deux femmes perdues dans la nuit qui voient le miracle et prient.

Deux violences coexistent ici : celle de la lumière, du feu ouvrant le ciel, du vol immense des ailes de l'ange qui en est l'émanation et manifeste la force spirituelle, et celle de la peur qui précipite la garde dans un grand bruit de ferraille, un mélange inextricable de corps pesants, la force armée.

Telle est *la Résurrection* de Rembrandt. Elle ne pouvait pas être la surprise d'une tombe vide qu'on découvre à l'aube quand les soldats sortent de leur sommeil. Chez lui, l'armée n'a pas l'excuse d'un charme qui lui aurait été jeté, ni d'une simple négligence dans l'organisation des veilles. Pour Rembrandt, Dieu ne se manifeste pas à l'insu de tous. Il montre ses miracles. Et celui-là fut un beau vacarme.

Rembrandt tient à voir le Christ émergeant de la tombe. Ce que le Christ a fait pour Lazare (qu'il a peint et gravé jadis) n'est pas différent de ce que Dieu a fait pour le Christ. On ne doit pas se priver de voir comment un cadavre reprend vie. Car tel est le projet religieux de Rembrandt : sortir l'image du Christ de toutes les irréalités dont elle est entourée. La Joie, de toute façon inimaginable, dont parlent les papistes, est en l'homme ou n'est pas, mais on ne doit pas négliger de regarder par quels détours de cruauté et de souffrance a dû passer celui qui l'a apportée, quel trajet d'épreuves il faut refaire avec lui. Le peintre doit montrer comment, dans un mort, la vie recommence.

Il se veut le révélateur de ce qui, par crainte de choquer, n'a cessé d'être caché à travers les siècles. Car la foi est choquante, qui renvoie sans cesse le fidèle de l'incroyable à l'impossible. A déguiser tout en symboles et en allégories, les peintres ont laissé leur art reculer devant l'écriture. Rembrandt, lui, veut redonner au tableau sa charge explosive d'incroyable et d'impossible. Car si le Christ revient à la vie, c'est bien dans ce sarcophage dévorateur de chairs mortes où, après avoir été brisé par la mort, il faut qu'il rassemble ses os et ses muscles. Rembrandt souhaite laisser au miracle le temps de sa beauté.

Ainsi donne-t-il à la Réforme les images qu'elle n'a pas voulu recevoir. Il a écrit à Huygens qu'il avait passé beaucoup de temps sur ces peintures parce qu'il voulait y mettre le sentiment le plus intense et le plus naturel. C'est bien cela : faire apparaître l'impossible de la foi dans la nature humaine.

Rembrandt, qui vient d'acheter une grande maison et qui cherche de l'argent partout, écrit à Huygens :

> *Monseigneur*
> *C'est avec votre permission que j'envoie à Votre Seigneurie ces deux tableaux qui, je pense, seront jugés de telle qualité que Son Altesse ne me paiera pas moins de 1 000 florins chaque. Mais si Son Altesse considère qu'ils ne valent pas autant, Elle me paiera moins, selon Son bon plaisir. Me remettant à la science et à la discrétion de Son Altesse, je serai tout à fait satisfait de ce qu'Elle me paiera. Et, avec mes égards, je reste Son humble et dévoué serviteur.*
> *Rembrandt.*
> *Ce que j'ai avancé pour les cadres et l'emballage se monte à 44 florins en tout.*

Les pauvres peintres ne pensent qu'à l'argent. Ils en réclament sans cesse. Le 27 janvier, à peine deux semaines après qu'il a annoncé à Constantin Huygens que les deux tableaux étaient terminés, Rembrandt lui écrit à nouveau :

> *Monseigneur,*
> *Le collecteur d'impôts Uytenbogaert me fit une visite alors que j'étais en train d'emballer ces deux tableaux. Il voulut les regarder d'abord, puis il dit que, s'il plaisait à Son Altesse, il était prêt à me faire les paiements à son bureau ici à Amsterdam. Par conséquent, je vous demande, Monseigneur, que tout ce que Son Altesse m'accordera pour ces deux tableaux, je puisse le recevoir ici aussitôt que possible, ce qui serait en ce moment particulièrement commode pour moi. S'il vous plaît, Monseigneur, j'attends une réponse à ce sujet et je souhaite à Votre Seigneurie et à Votre famille tout le bonheur et les bénédictions, en sus de mes égards.*
> *L'humble et dévoué serviteur de Votre Seigneurie.*
> *Rembrandt.*

Deux semaines passent. Rembrandt n'est toujours pas payé. Constantin Huygens lui fait savoir qu'on n'irait pas jusqu'à 1 000 florins. Il précise qu'il n'est pour rien dans cette estimation. Rembrandt lui écrit le 13 février :

Honoré Seigneur,

J'ai confiance dans la bonne foi de Votre Seigneurie en tout et en particulier en ce qui concerne le paiement de ces deux derniers tableaux, et je crois, Votre Seigneurie, que si les choses sont en accord avec le plaisir de Votre Seigneurie et avec ce qui est juste, il n'y aura pas à revenir sur le prix convenu. En ce qui concerne les tableaux livrés précédemment, pas moins de 600 florins ont été payés pour chacun. Et si Son Altesse ne peut en toute honnêteté être amenée à payer un plus haut prix, je serais satisfait avec 600 florins chaque, pourvu que je sois aussi crédité de mes dépenses pour deux cadres d'ébène et l'emballage qui représentent 44 florins en tout. Aussi, je vous prie, Monseigneur, de faire en sorte que je puisse recevoir mes paiements ici à Amsterdam aussi vite que possible, confiant que, par la faveur qui m'est faite, je posséderai bientôt mon argent, tandis que je reste reconnaissant pour une telle amitié. Avec mes égards pour Monseigneur, et pour les meilleurs amis de Votre Seigneurie, tous étant recommandés à Dieu pour une longue et bonne santé.

L'humble et affectionné serviteur de Votre Seigneurie.

Rembrandt.

Jan Uytenbogaert, trésorier, receveur, payeur, amateur d'art, collectionneur d'estampes de Lucas de Leyde, croit à la célérité de l'Administration (il confond peut-être la perception des impôts et le règlement des fournisseurs). Rembrandt, chez qui il se rend souvent, le considère comme son conseil dans l'obscurité des bureaux et, reconnaissant, gravera son portrait. Uytenbogaert lui suggère donc de relancer Huygens en lui signalant ce qu'il pense n'être qu'un simple blocage de la machine. Rembrandt écrit, un peu sous sa dictée pour certaines phrases :

Monseigneur,

Notre noble Seigneur, j'ai hésité à Vous écrire, mais je le fais sur le conseil du collecteur Uytenbogaert à qui je me suis plaint du retard apporté dans mon paiement : le trésorier Volbergen nie que les dûs aient été réclamés annuellement. Mais le collecteur Uytenbogaert m'a assuré mercredi dernier que Volbergen a touché les mêmes dûs chaque semestre et ce jusqu'à présent, de sorte que 4 000 florins sont de nouveau payables au même bureau. Les choses étant ainsi, je Vous prie, mon bon Seigneur, de faire préparer mon ordonnance de paiement dès à présent, pour que je puisse enfin toucher les 1 244 florins que j'ai bien mérités. Je tâcherai toujours d'en remercier Votre Seigneurie par mes services et le témoignage de mon amitié. Sur quoi, je prends congé de Monseigneur et exprime l'espoir que Dieu conserve longtemps Votre Seigneurie en bonne santé et Vous bénisse.

L'humble et affectionné serviteur de Votre Seigneurie.

Rembrandt.

Le receveur Uytenbogaert, tel que le voit Rembrandt dans cet hiver froid, est un homme blond, pâle et triste, avec moustache en pointe et mouche, chaudement vêtu de fourrure et coiffé d'un béret, à la porte duquel les contribuables patientent, portant des sacs de pièces de monnaie qu'ils viennent faire enregistrer. Uytenbogaert est assis à la table rituellement recouverte d'un tapis, devant son registre et sa balance. La pièce est encombrée de petits tonneaux où l'on range les sacs. Un coffre bardé de ferrures semble receler des monceaux d'or.

Uytenbogaert ne rêve pas sur l'or. Il n'y trouve que le sens des chiffres qu'il aligne dans les colonnes de son registre. Il pèse les sacs de florins, les transmet à son serviteur qui s'est agenouillé pour pouvoir commodément les placer dans les tonneaux. Le contrôleur est un homme de pesées justes, de comptes exacts. Entre ses mains passe la fortune de la République, puisqu'il est receveur général des États de Hollande. Derrière lui, sur le mur, un tableau de sa collection, dont le thème est le Serpent d'airain qui monte autour de la croix et que tout un peuple adore. Tableau significatif dans l'office d'un trésorier public : il rappelle que l'homme ne doit pas se prosterner devant de fausses idoles, c'est-à-dire de fausses valeurs. Uytenbogaert a suggéré à l'artiste de le représenter dans un costume semblable à ceux que portent les personnages de Lucas de Leyde. Rembrandt ne souhaitait qu'être agréable. Il n'y manqua pas.

Cette *Vie du Christ* pour le prince, Rembrandt va l'abandonner pendant de longues années. Puis, le 29 novembre 1646, dans le livre de comptes de la Maison d'Orange, voilà qu'il apparaît à nouveau : « Payé à Rembrandt, peintre à Amsterdam, la somme de 2 000 florins pour deux tableaux, *l'Adoration des bergers* et *la Circoncision* », ce qui porte, pour la galerie du stathouder, l'ensemble à sept peintures.

La Circoncision l'a entraîné dans son rêve déjà ancien de ces temples géants où la voix, loin de résonner, disparaît, tant les voûtes sont hautes, les nefs infinies, les colonnes larges. Dans cette immensité de pierre, des vieillards aux longs vêtements brodés vont et viennent à pas lents. Rembrandt aime cette disproportion entre l'édifice, les hommes et l'extrême petitesse de l'enfant, moins grand que la longue barbe blanche du patriarche à la crosse géante sous le dais aux glands d'or qui désigne l'autel de sa puissance. Que signifie cet apparat au pied duquel les jeunes filles apportent des offrandes, vers lequel les fidèles agenouillés se tournent pour prier, sinon la solennité du signe d'appartenance qu'on impose au corps de l'enfant? C'est aussi se référer au mystère du Temple de Salomon et souligner que le destin du Christ a commencé dans ce rite de sagesse et s'enracine dans la foi des juifs comme l'archéologie expose les fondations du présent. L'enfant est là, dans les fastes de la religion de son père et de sa mère, minuscule présence dont la force fera éclater l'édifice.

Pour *la Nativité*, Rembrandt retrouve le grand flux musical de *la Mise au tombeau*. Dans l'étable aux énormes poutres, dans la paille des bœufs, sous les volailles perchées, un cercle lumineux, cinq personnes assises autour du nouveau-né. Debout, arrivant de la nuit, un groupe de figures mystérieuses, aux larges chapeaux plats, un voile sur le bas du visage, une lanterne à la main, un enfant au bras, s'approche silencieusement de la famille assemblée. Au fond, à travers les planches disjointes de l'étable, deux yeux regardent. Ils s'ouvrent au centre exact du tableau.

L'enfant est né, mais aucun visage ne sourit. Cette naissance est grave. Les parents et les bergers savent que la délivrance de Marie n'est pas ordinaire, qu'elle n'ajoute pas seulement un homme parmi les vivants mais qu'ici commence un destin qui changera le monde, et que l'horloge, réglée sur une durée de trente-trois ans, compte désormais le temps.

Comme *la Mise au tombeau, l'Adoration des bergers* est un tableau à voix basse. Le silence s'est fait autour du sommeil de l'enfant. Sommeil et paille. La lumière circule en poignées d'épis coupés, succession d'éclats d'or, essaim de rayons qui émanent du petit visage et des petits bras. La lumière devient trame dans la manche bleue de la Vierge, dans la veste brune de Joseph, elle disparaît dans l'ombre, puis réapparaît quand elle atteint la barbe et le visage d'un homme, les mains jointes d'un autre. Elle s'élève, touche les étranges bergers qui arrivent au bout de leur longue marche, d'abord trois visages, puis d'autres. Ainsi commence la contagion de cette luminescence tremblante.

Dans *la Mise au tombeau*, il avait enterré le soleil. Cette fois, pour le commencement timide d'une lumière nouvelle, Rembrandt insiste sur la faiblesse des premières lueurs dont le doux éclat n'est perceptible qu'au regard de la nuit totale.

Sur la traditionnelle image de *l'Adoration des bergers*, Rembrandt a peint la nativité de la lumière. La peinture, au lieu de s'attarder sur les détails, devient elle-même la première lueur dans la paille de l'étable. Elle est le développement musical d'une gamme unique qui se déplace dans tous les registres, des sons graves de la nuit aux sons aigus du soleil. L'ombre au creux des poutres, des échelles, des bêtes, des bottes de foin, est aussi vivante que le jour. On voit vaciller la flamme d'une mèche et ses ondes lumineuses oscillent sur les visages. Le tableau tout entier frémit du tremblement de la flamme, diffusant de la lumière sur les plumes d'une poule perchée, la barbe d'un vieil homme, une poignée de foin tombée sur les marches de l'escalier. Tout tremble de la fragilité de cette petite flamme naissante.

Ainsi Rembrandt a-t-il achevé sa *Vie du Christ*. Sept tableaux en plus de treize ans. Sept tableaux pour exposer au prince sa lecture de l'Évangile, commencée avec la mort et terminée sur la naissance. Rembrandt y a dit sa foi totale dans le Christ, mais l'au-delà n'est pas son domaine. Il regarde le spirituel dans son incarnation. Il ne peut pas le trouver ailleurs, parce qu'il est peintre et que pour lui l'esprit est de la lumière dans un corps. Le reste lui semble spéculation pour littéraires.

Cette longue aventure l'aura occupé de l'âge de vingt-sept ans à celui de quarante, une aventure dans laquelle il est entré pour secouer les tièdes et où, progressivement, sa volonté d'éveiller les cœurs s'est transformée en désir de faire de la peinture un moyen de mutation des corps matériels en corps spirituels. Son art est devenu une sorte de chant continu où toutes les voix de la basse au ténor s'accordent pour faire avancer vers nous le tissu d'ombre et de lumière, modulé sans cesse et rythmé par les durées des souffles.

Au centre de *l'Adoration des bergers*, les deux yeux du passant qui n'a pas osé entrer et qui regarde à travers une fente de la cloison sont les siens. Ils rappellent que peindre, c'est vivre ce que l'on peint.

2

LA VIE DE SASKIA

Sa *Vie du Christ* et sa *Vie de Saskia* sont les deux voies où Rembrandt s'engage vers sa vingt-septième année. Vie de Saskia et vie avec Saskia. La jeune fille devenue sa femme va et vient dans la maison, en même temps qu'elle va et vient dans la peinture, la gravure, le dessin, deux trajets qui parfois se recoupent.

Avec elle Rembrandt veut construire une œuvre nouvelle, dont il cherche les bases dans leur amour, en se référant aux figures légendaires de la poésie et de l'art. Si bien qu'elle sera présente dans son travail, parfois en tant que Saskia, parfois au-delà d'elle-même, dans une expression du visage, un geste, une façon de se tenir, donnant à son insu, et sans qu'il l'ait cherché, peu ou beaucoup aux figures de jeunes femmes qui vont se lever dans la vision nouvelle. L'image de la femme aimée dépasse ce qu'elle croit être les limites de son empire. Des fragments de Saskia se poseront partout. Ses traces surgiront dans l'œuvre encore après sa mort.

Saskia eut des enfants qu'elle regarda intensément et pour lesquels elle imagina des destins. Rembrandt eut des œuvres où Saskia fut une et multiple. Les deux voies sont parallèles.

Entre les portraits de dames en noir avec coiffe, fraise, sans coiffe, avec col de dentelle, et les portraits de messieurs en noir avec fraise et chapeau, sans chapeau, avec dentelle et sans dentelle, Saskia arrive et s'assied devant lui comme elle avait fait pour le dessin à la pointe d'argent sur parchemin. Car voici maintenant la première peinture. Saskia se trouve à nouveau dans la situation de la jeune fille qui subit l'examen de l'homme qu'elle a choisi pour fiancé, avec l'incertitude et la curiosité du résultat, de l'image qu'elle fera naître chez lui. Pour ce portrait, elle s'est vêtue d'une robe au décolleté bordé d'un galon doré avec une guimpe de linon blanc qui monte au ras du cou, juste là où elle porte son collier de perles. Elle a fait friser et coiffer ses cheveux pour une parure dont la chaîne dorée s'achève sur le front par un bijou et dans laquelle elle a glissé une plume qui tremble au-dessus de sa tête ; un voile passe sur ses oreilles ornées d'une perle et descend jusqu'aux épaules. La voici au mieux qu'elle a pu, dissimulant grâce au voile un peu de ses oreilles qu'elle juge trop chiffonnées. Mais lui, ne cache-t-il pas une verrue sous sa moustache ?

Rembrandt regarde : cheveux châtains, yeux noisette, le teint pâle, à peine du rose aux joues, le nez petit et rond, les lèvres bien rouges, le petit menton joliment fendu. Elle a la bouche un peu grande et le cou empâté. Il ne corrige rien. Il ne peint pas un portrait pour une cliente. Il apprend le visage de sa femme.

Belle ? Sans doute le lui a-t-il dit. C'est le mot qu'il faut. Quand on peint sa femme, qu'on la découvre dans sa bouche, sa chevelure, son cou, son regard, l'analyse est trop sérieuse pour qu'on truque le moindre détail. Et sa peinture dit bien le frémissement de la soie noire, les nuances du linon blanc, l'orient des perles. De la plume semble s'échapper un jeu de légers flocons bruns. Rien de trop. Pas un signe de virtuosité.

Peut-être, par la suite, Saskia lui a-t-elle dit que, sur ce portrait, elle avait l'air triste. Aussi, un jour qu'elle venait à sa rencontre avec une autre robe, verte cette fois, ornée de pampilles et entièrement brodée, lui a-t-il posé sur la tête son propre chapeau à plume qui était un large béret brun à crevés, à chaîne d'or. Elle s'est regardée dans le miroir, a ri et penché le chapeau sur l'oreille. Il a verdi la plume pour qu'elle s'accorde avec la robe. Et, pour ajouter à la drôlerie, il lui a passé son gant, le gant de sa grande main d'homme dans lequel nagent les petits doigts. Le rire lui a décroché une mèche de cheveux, lui a créé des rides autour des yeux, lui a creusé le gras du visage.

Belle ? Surtout, il n'avait encore jamais peint le rire de personne. Son premier rire sera de Saskia. Et dans le portrait de lui-même qu'il compose pour le placer sur le mur à côté du portrait de sa femme, il se représentera avec le regard confiant qu'il se trouve dans le miroir, sous le même chapeau, les yeux dans la même ombre. Pour être bien sûr qu'il ne se figure pas comme les clients habituels qui prennent rendez-vous chez Uylenburch, il s'affuble d'un hausse-col d'acier, ce morceau d'armure ancienne qu'il traîne dans ses malles depuis Leyde. Il ajoute une chaîne d'or qu'il épingle sur ses épaules avec un riche cabochon.

De quoi ont-ils l'air tous deux sous le même chapeau à plume, elle qui s'esclaffe et lui qui garde encore son sérieux ? De ce qu'ils veulent être. Ils sont sûrs, lui à vingt-sept ans, elle à vingt et un, qu'ils ne veulent pas être les négociants, les religieux, les administrateurs, les échevins, les chirurgiens qui constituent la clientèle du peintre. Ils veulent vivre hors de la routine.

Elle en rieuse, lui en militaire. Des masques ? Rembrandt lui en proposera bien d'autres. Il se servira des bérets surmontés d'une forêt de plumes qu'on voit chez Lucas de Leyde, d'un chapeau rouge de lansquenet, immense avec une grande plume blanche, de vieux corselets de velours assemblés par des chaînes d'or, d'ornements de cou en broderie d'or et d'argent qui descendent jusqu'aux épaules. Car sa femme, il la veut, comme les princesses de Lucas Cranach, comme ses Judith, Salomé, Vénus, Lucrèce, comme les Marie Madeleine de Jan van Scorel. Pour elle il retrouve toute cette beauté des tissus, des broderies, des bijoux, que son époque a perdue et à laquelle il souhaite qu'elle redonne vie.

Éblouie, Saskia entre dans le jeu. Pour Rembrandt, elle redevient l'une de ces merveilles parées que la Réforme a chassées du seuil des maisons, par crainte du luxe et de la futilité, alors que ces femmes n'étaient somptueuses que pour être dignes des mythes qu'elles apportaient aux hommes.

De faire le portrait de Mevrouw van Rijn dans ces étranges costumes, Rembrandt est à la fois satisfait et troublé. N'a-t-il pas atteint le but qu'il s'était fixé : conjuguer la réalité de sa femme et les mythes dont il s'est proposé de la revêtir ? Et puis, s'il bouscule les règles de l'allégorie, n'est-ce pas à l'avantage d'une pensée qui ne craint pas le mystère ?

Plus tard, comme Saskia espérait un enfant, il l'entraîna vers une figure de fécondité. Ses cheveux dénoués ruissellent jusqu'au milieu de son dos. Debout, ramenant devant sa robe un pli de sa cape, protégeant son ventre, elle tient à la main un bâton enguirlandé de feuillages et de fleurs. Sur sa tête, dans les aigrettes vert tendre de jeunes sapins, toute une organisation florale, rouge, blanche, rose et la très chère et très somptueuse tulipe qui s'ouvre au-dessus de l'oreille portant sa perle. Déesse du printemps et des fleurs ? Plutôt une Saskia fleurie dans un jardin sombre parmi les plantes et portant leur enfant. Non pas la divinité latine proposant à tous vents les organes sexuels des plantes, mais plutôt une figure secrète qui ne laisse voir d'elle que son visage et ses mains, dont la beauté du corps est cachée sous les longs plis verts de la cape et la charge pesante de la manche aux vagues orientales. Le visage impassible ne dit rien de la fécondité. Les gonflements de tissus sont là pour exprimer les promesses du printemps. Le sens est clair : les fleurs, le bâton qui reverdit, cette femme comme une statue de Flore dans un parc, tout apporte l'idée du printemps. Et pourtant Rembrandt ne la lâche pas triomphante dans les bois, il l'accompagne d'une menace. Entre le visage et le bâton fleurissant, dans l'ombre s'ouvre un gouffre, une caverne dangereuse, béante sur sa nuit. Sûrement la volonté de faire ressentir la fragilité, l'éphémère de l'être de légende. Rien de ce qui existe n'est à l'abri et les éternelles puissances de reproduction humaines ou végétales sont elles-mêmes menacées par les non moins éternelles forces de mort.

L'année suivante, alors qu'elle était à nouveau enceinte, elle voulut qu'il recommençât avec elle l'image de la jeune femme au bâton verdissant, mais cette fois, sur la chevelure, il n'a rien fait que poser un léger voile transparent, une tresse de petites fleurs en couronne et la tige, ondulant comme une plume, d'une fleur sauvage. Elle porte à la main un coussin de fleurs, avec la tulipe qui accompagne et protège la proéminence du ventre. Son corselet est plus décolleté, mais elle porte encore les grandes manches orientales. Toujours statue vivante, un peu plus souriante cette fois, plus lumineuse, elle est la figure triomphale de la fécondité.

Dans les années 1634-1635 Saskia règne dans la peinture de son mari, à la fois par les portraits qu'il fait d'elle et par les figures des êtres de légende qu'elle habite. Dans les portraits où on la trouve la tête couverte d'un voile transparent brodé, elle est la douceur de l'intimité luxueuse de la maison. Mais si Rembrandt l'affuble à nouveau du chapeau emplumé du militaire et du gant trop grand, elle est, dans sa cascade de bijoux, la belle dame sans merci qui règne sur le monde. Ses perles, ses colliers sont autant les insignes de sa puissance que les ornements de son charme. Présences alternées de Saskia soumise et de Saskia impérieuse, images des pouvoirs cycliques à l'intérieur du couple. La maison devient vaste comme l'univers : le peintre trouve dans la chambre et dans le lit l'étreinte du masculin et du féminin, leur unité en équilibre instable, à peine atteinte que déjà perdue, puis retrouvée, duo de voix où règnent tour à tour l'aigu et le grave.

Il s'interroge encore sur le portrait où Saskia riait. Elle continue d'aller et venir dans la maison avec des éclats de drôlerie, s'amuse des bijoux de théâtre qu'elle découvre dans le coffre, des vêtements qu'elle essaie, inimaginables dans cette société en uniforme. Mais lui, dans ses peintures, dans sa gravure, il ne représente plus son rire.

Le tableau est un filet. Il filtre la vie qui passe. Il travaille avec ce que les mailles retiennent. Mais l'homme, à certains moments, s'interroge sur les refus du peintre, par exemple sur la perte du rire. Il se demande si son intransigeance, ses violences, ses excès en art (en réalité la force qui l'oblige à mettre dans chaque œuvre une richesse de sens telle que l'image soit toujours ambiguë dans son union de la souffrance et du plaisir), il se demande si le tragique de son tempérament n'entraîne pas Saskia dans une vie périlleuse. Car elle a bien compris qu'en pénétrant dans la vie de Rembrandt elle est entrée dans son art, qu'elle n'échappe pas aux images qu'il peint, que sa propre vie est de plus en plus liée à la toile et aux plaques de cuivre des estampes.

On est fondé à penser qu'elle a accepté de devenir une et multiple dès qu'elle a revêtu les parures d'or et de perles, les chapeaux d'homme, les habits des êtres de légende, qu'elle a aimé cette création partagée. Rembrandt veut qu'elle habite sa peinture. Non pas pour des rôles de figuration, encore que, dans sa *Prédication de saint Jean Baptiste*, des ressemblances soient venues sous le pinceau, l'une avec sa mère sous sa capuche, l'autre avec Saskia dans un costume exotique. Il veut qu'elle soit présente dans la suite de figures majeures qu'il compose l'une après l'autre, constituant ainsi une galerie des grands mythes féminins. A l'époque, pour que leurs figures allégoriques soient identifiables, tous les peintres se servent de guides illustrés où sont indiqués la pose, le costume, les attributs de chaque personnage. Rembrandt ne se soustrait pas à l'obligation de ces références, mais il se refuse absolument à donner aux êtres de légende le visage idéal qu'on leur prête en général. Il tient à ce que ce visage soit celui de Saskia.

Si bien que cette reine avec ses perles au front, aux oreilles, au cou, aux bras, vêtue d'un costume oriental, assise près d'une table recouverte d'un tapis sur lequel un gros volume manuscrit est ouvert, est d'abord Saskia. Oui, c'est bien Saskia cette femme enceinte, désignant son ventre, devant laquelle est agenouillée une servante qui lui présente, dans la coquille d'un nautile monté en coupe par un orfèvre, un breuvage mystérieux, tandis que, dans l'ombre, une vieille femme surveille la scène : Saskia, mais aussi Sophonisbe qui, plutôt que d'assister au triomphe de Scipion, préfère boire le poison que lui envoie son mari.

Voilà donc la mort proposée à l'épouse enceinte. Bien sûr, Rembrandt a raconté à Saskia l'histoire de Sophonisbe. L'amour doit-il passer par tous ces jeux? Oui, puisqu'on revêt les êtres de légende et qu'on s'en dévêt aussi bien. Un déguisement. Rien qu'un déguisement. D'ailleurs, qu'elle aime ce jeu ou qu'elle le craigne, elle ne peut pas le refuser. Rembrandt possède si bien son visage qu'il peut le placer sur tous les corps, dans tous les costumes. Elle règne sur sa pensée. Totalement. Jusque dans les histoires les plus cruelles qu'il représente.

Dans la galerie des femmes de légende, voici qu'il fait d'elle maintenant une Minerve. Il lui a gardé ses perles d'oreilles, son collier, sa guimpe. Il a disposé sur sa robe de soie une lourde cape que retient un fermoir ouvragé d'orfèvre, et placé sur ses cheveux une couronne. Chez les Grecs, elle aurait été debout, casquée, armée d'une lance, accompagnée d'une chouette. Il la présente en figure du savoir actuel, parmi les livres, avec un globe terrestre, assise devant une table hollandaise, avec tapis comme il se doit, et, derrière elle, le casque, la lance et le bouclier à tête de Méduse. La peignant en Minerve, il voit en elle la majesté des doigts un peu gras posés sur la page du livre, la fermeté de la main appuyée sur le bras du fauteuil, surtout l'assurance du regard. N'est-elle pas de ces femmes qui changent le destin de l'humanité ?

Mais Saskia sera aussi Esther, celle qui a su détourner du peuple juif le massacre que préparaient les Perses, qui eut le courage de révéler à son roi qu'elle-même était juive, qu'il était trompé par un ministre traître. Cette Esther a été l'emblème des réformés quand ils subissaient les persécutions religieuses. Elle sera plus tard héroïne des jésuites et des papistes. Dans son estampe, Rembrandt ne la jette pas, suppliante, aux pieds d'Assuérus, il ne l'installe pas, comme il le fit au temps de Leyde et de Lievens, dans un festin royal où elle désigne le traître à son roi. Il l'invente, assise, ses cheveux déployés autour d'elle, son visage exprimant la résolution et la confiance. A la main il lui fait tenir un rouleau de papier, une supplique. Pourquoi faire plus ? Le sens des lignes, des ombres et des lumières suffit.

Saskia a-t-elle les cheveux si longs qu'elle puisse s'en recouvrir ? Rembrandt en est au point où il peut tout faire d'elle : de la mythologie grecque à l'histoire antique, de l'histoire juive au Nouveau Testament, elle sera, brune ou blonde, celle sur qui il veut porter les légendes fondatrices de sa culture. Jusqu'à un très étrange tableau qui se peint dans l'atelier au fur et à mesure que la naissance de leur enfant approche et où il met le second rire de sa peinture. Cette fois, ce sera le sien, dans le rôle du fils prodigue saisi par la débauche.

Un jour, il a donc fallu que Saskia soit aussi une prostituée, une femme de la fête, comme il y en a dans les tableaux des Italiens, dans ceux des peintres d'Utrecht, une catin royale, aussi richement vêtue que Flore, que les reines, les princesses et les Lucrèce de Lucas Cranach, que la Marie Madeleine de Scorel, que les grandes Vénus du Titien. Elle doit avoir l'air noble. Ses bijoux, ses habits doivent témoigner de sa haute position. Bien que son grand air ne doive pas cacher qu'elle est une putain et qu'il suffit d'avoir assez d'argent pour en faire ce qu'on veut.

Car parmi les puissances qui gouvernent l'humanité, Rembrandt n'oublie pas la grande prostituée de Babylone, c'est-à-dire, dans le quotidien de la Hollande et de tout le XVIIe siècle, la courtisane et sa duègne qui, au même moment, empêchent de dormir Georges de La Tour en Lorraine et Jan Cossiers à Anvers.

Il a donc assis la femme sur ses genoux. Vêtu en militaire, l'épée au côté, le chapeau à plume sur la tête, il la tient par la taille, lève en riant le grand verre de vin doré. En cabinet particulier. Les rideaux seront bientôt tirés. Le couteau est sur la table. Ils découperont le poulet plumé, la tourte surmontée de la tête orgueilleuse du paon, de ses ailes et de sa queue si grande qu'elle ondule jusqu'au mur de la chambre. D'autres verres sont préparés. La femme porte la soie de Flore, le velours de la dame au chapeau de lansquenet. Saskia est la prostituée comme Rembrandt le débauché. Dans un instant, tous les appétits vont être comblés, la soif, la faim, le désir. Plus précisément le péché de gourmandise et le péché de luxure vont être accomplis. Rembrandt, un peu saoul déjà, rigole. Saskia amorce à peine un sourire. Elle est là en professionnelle de la débauche qui commence sa soirée et veillera sans cesse à ce que sa coiffure ne soit pas dérangée, ni ses vêtements froissés.

Mais le rire de Rembrandt est ici la chose la plus triste. Il résonne mal dans le luxe qu'il a rassemblé. Le décor et les costumes sont soignés, mais le cœur n'y est pas. Il n'arrive pas à s'abandonner à l'insouciance des joyeuses parties dont les peintures d'Utrecht et de Haarlem sont si friandes. Lui, dans la situation où il les a mis tous les deux, il est sinistre. Et elle, pourquoi, sur ses genoux, demeure-t-elle raide, guindée ? Pourquoi ne rient-ils pas ensemble ? Qui des deux n'a pas voulu aller jusqu'au bout de l'expérience ? Sans doute est-ce lui qui au milieu du tableau a reculé.

Voulait-il montrer la tristesse du péché ? Saskia, impavide, est entrée dans le jeu. Lui, il a mimé le jouisseur. Dans cette rencontre en cabinet privé, l'amour vrai ne leur a pas arraché leur masque. Ils ont joué tous les deux une comédie satirique de mœurs. Triste. Moralisante.

Néanmoins, la peinture dit le contraire.

Elle est ici d'un grand bonheur : longue houle dans le bras de Rembrandt en soie rouge rehaussée d'or qui entoure les mille vagues des plis de la robe de Saskia, mousse de la plume blanche sur le béret noir qui frémit d'une infinité de poils contre les ocelles ondulantes de la queue du paon et, au centre du tableau, ce tournoiement en rafales de bonheur coloré. Si l'amour s'est enfui des personnages, il est dans la peinture qui l'accomplit en cercles, en ovales concentriques à partir des franges de la culotte de velours, passe par les plis rebondis de la jupe de soie et va jusqu'au rideau qui reçoit les ultimes souffles de cette passion uniquement plastique.

On peut croire qu'ils sont sortis tous deux troublés de cette rencontre de la tristesse vécue et du plaisir peint, puisque Rembrandt tient, dans une petite gravure presque carrée, 10 centimètres de large, à remettre les choses au point, en ôtant à Saskia ses costumes d'être de légende, en l'habillant de son vêtement quotidien, juste un voile sur les cheveux. Lui-même conserve seulement le chapeau à plume du tableau. Les voici, comédiens démaquillés, dépouillés de leur rôle. Se regardant dans le miroir, il voit l'artiste, la pointe à la main, en train de graver, il se trace dans le cuivre avec force, il creuse pour obtenir de grands noirs profonds. Dans l'ombre que porte le béret sur son visage, il insiste sur la précision du regard qui analyse l'homme. Il occupe le premier plan.

Derrière lui, de l'autre côté de la table, assise sur une chaise, Saskia le regarde, lui, et non pas le miroir. Il la voit le regarder et la présente en traits plus légers comme une figure d'accompagnement. Elle est bien celle qui le suit jusque dans les tableaux les plus dangereux, à la fois en retrait et présente, derrière et indispensable, avec ce jour-là, sur son visage, un peu de fatigue et d'inquiétude. Il semble penser : elle m'accompagnera toujours. Elle semble se demander : jusqu'où irai-je avec lui ?

Par cette gravure, Rembrandt rappelle néanmoins qu'il est l'entraîneur et qu'elle est l'entraînée, qu'ils pénètrent ensemble dans des théâtres où ils deviennent d'autres êtres et qu'ensuite ils retournent à la maison, lui redevenant un artiste d'Amsterdam occupé à peindre des portraits pour sa clientèle, elle, la femme de cet artiste qui attend leur premier enfant.

Depuis leur mariage, ils habitent chez l'oncle Hendrik Uylenburch. Rembrandt n'a rien changé de son train de vie. Cependant, pour accueillir l'enfant, il faut un logement plus vaste. En même temps, il convient d'installer l'atelier dans un local plus grand. Il a trouvé un entrepôt sur le Bloemgracht (le Quai aux fleurs). Ce n'est pas très loin, mais il faut traverser la ville, passer les nouveaux quartiers qui surgissent au long des trois nouveaux canaux parallèles. L'atelier sera au-delà du dernier canal. Pour la famille, ils louent un logement dans une maison de la Nieuwe Doelenstraat, près de l'hôpital où habitent les tuteurs de Saskia, le pasteur Sylvius et sa femme Aeltje. Là, dans cette rue calme, bien fréquentée puisqu'un des personnages importants de la République, le pensionnaire Boreel, y habite, voici leur premier né, un garçon que le 25 décembre 1635, en cortège, on conduit à l'Oudekerk (la Vieille Église). Sur le registre signent les parrains, le pasteur et sa femme, ceux qui ont autorisé Saskia à épouser Rembrandt et le beau-frère Frans Coopal, qui est venu avec sa femme Titia, la sœur de Saskia. Il a laissé quelques jours son poste de contrôleur des eaux à Vlissingen en Zélande pour participer à la fête. Le petit garçon s'appellera Rombartus, comme le père de Saskia.

Dans la nouvelle demeure à peine meublée encore, Rembrandt dessine l'événement. Saskia couchée se redresse entre ses draps et ses couvertures pour regarder l'enfant protégé contre les vents coulis de l'hiver dans un long vaisseau de cuir, d'osier et de tissu, posé sur le sol. Tout le dessin tient dans la direction de ce regard vers le nouveau-né qui est caché de tous sauf d'elle. Dessin insolite parce qu'il marque la séparation de deux êtres qui devraient être serrés l'un contre l'autre, la mère et l'enfant. Une fois encore, dans le spectacle multiple de la maternité, Rembrandt a choisi le moment de l'éloignement, quand le regard demeure la seule relation, entre la mère et l'enfant, contrairement à tous les peintres qui insistent sur les gestes de protection, sur le bras qui porte, les têtes penchées qui se rapprochent.

Le dessin rend compte de l'aménagement de la demeure : la chambre est occupée par un grand lit à colonnes, aux rideaux épais. Près du lit, sur une table basse, une jatte. Devant la fenêtre, sur le rebord, une cruche. Pas d'autres meubles, une planche court le long du mur. Pas de tableaux. On n'a pas encore eu le temps de vraiment s'installer.

Rombartus ne vivra que deux mois, deux mois de joies et d'inquiétudes, et, le 25 février 1636, un convoi partira pour l'enterrer non pas à l'Oudekerk, mais à la Zuiderkerk (l'Église du Sud) toute proche. Une petite pierre tombale sera gravée.

La mort du premier enfant. Tout d'un coup, c'est l'hiver sur Amsterdam, le froid en eux. Les médecins ont parlé d'une mauvaise fièvre.

Rembrandt écrit à Constantin Huygens que *l'Ascension du Christ* est prête pour le stathouder. Il ne dit rien dans sa lettre de la douleur de son foyer. Pour cette *Ascension* il a peint, dans les nuages, des angelots voletant. Où vont les âmes des enfants morts ?

Rembrandt ne cesse pas de peindre, ni Saskia d'aller et venir dans la maison, mais une période de leur vie s'est achevée. Peut-être leur double portrait en débauchés a-t-il été la limite de cette façon de vivre qui voulait maintenir en parallèle l'invention de la vie et l'invention de la peinture. Peut-être ne pouvait-on pas faire entrer Saskia enceinte dans tous les rôles sans qu'il y ait danger pour leur couple, comme si la vie ne supportait pas la tension de l'art.

Néanmoins, le peintre ne veut pas rester sur sa partie manquée, sur cette musique amoureuse chantée désespérément faux entre lui ivre et Saskia indifférente. Alors il commence le tableau le plus amoureux qui soit, une peinture de la beauté et de la volupté, aussi joyeuse dans ses couleurs que l'autre, mais dont la joie est pour une fête qui cette fois devrait avoir lieu.

3

DANAÉ

La femme est nue. Elle lève les yeux, sa bouche est entrouverte, son visage exprime de la curiosité. Rembrandt ne l'a parée que de bracelets de perles et de corail. Son corps, allongé sur les coussins, se dégage des draps. Ses mouvements sont lents. Tout le tableau est fait de remous paisibles, d'ondes sinueuses. Au bord de la piscine de marbre poli, il y a une alcôve en bois sculpté et doré dont les montants et les portants baroques rebondissent en volutes les uns contre les autres, où les têtes de lions et les gueules de dragons chinois se succèdent dans des montées qui se souviennent de ce qu'elles sont aussi des poussées de bourgeons. La femme est la découverte ultime au bout du labyrinthe, au fond de la caverne la plus secrète.

Tout est forme amoureuse, les oreillers fendus, les coussins gonflés, les draps repoussés qui la caressent encore et ces sandales qu'elle a laissées sur le haut tapis de laine au sortir du bain dans la piscine, béances couchées, comme est béance le rideau, dernier obstacle écarté avant la révélation de cette femme qui tend la main en signe d'accueil. La fête aura lieu, tout se rassemble pour l'annoncer. Autour d'elle, tout se gonfle et tout s'entrouvre pour l'accompagner.

Personne encore n'a peint cela. Même Titien, même Velázquez, même Rubens n'ont pas composé de peinture qui exalte la joie amoureuse avec un tel savoir érotique. Rembrandt le sait. Il sait aussi que le tableau n'est montrable en aucun pays. Sa violence l'interdit. Comme le crucifié de sa jeunesse était le cri intolérable du supplicié qui n'a pas encore reçu le coup de lance, cette femme dans l'attente du plaisir est insoutenable. Pourtant, il suffirait qu'on veuille bien lire dans la Bible les pages du *Cantique des Cantiques* pour trouver naturel de chanter « que mon bien-aimé entre dans son jardin et qu'il mange de ses fruits excellents, que sa main gauche soit sous ma tête et que sa droite m'embrasse ». Quelle façon de lire la Bible avons-nous, qui en efface aussi bien le malheur que le bonheur physique ?

Alors pourquoi faut-il que cette femme au corps superbe de douceur et de jeunesse soit surmontée, dans les dorures de son lit, par la sculpture d'un Cupidon aux poignets liés et dont le visage grimace de douleur ? Pourquoi faut-il que le personnage qui écarte le rideau ne puisse passer tout à fait pour l'entremetteuse, la servante, la duègne qu'on s'attend à trouver dans cette fonction ?

Le Seigneur qui va entrer, au moins Zeus, au moins le roi des dieux, lui jettera des pièces d'or pour qu'elle s'efface. Mais cette vieille femme a le menton hérissé de quelque barbe, un gros nez qui pointe. Elle tient à la main le trousseau de clés de son métier. Mais pourquoi, alors que ce genre de servantes porte d'ordinaire une coiffe ou un bonnet, Rembrandt lui a-t-il posé un béret de velours rouge sur le crâne ? Et ces longs bâtons étroits qu'elle empoigne, est-il possible qu'il s'agisse de pinceaux, plutôt que de clés ?

Alors que la lumière d'or se fait de plus en plus forte sur le montant du lit, annonçant l'approche du Seigneur, ce tableau donne au peintre le rôle de vieille servante maquerelle de la beauté. Cette idée terrible n'est peut-être pas venue tout de suite. Rembrandt travaillera à sa *Danaé* pendant une dizaine d'années. A l'inverse du tableau de la débauche triste, il n'a pas peint Saskia nue et ne s'est pas représenté. Pourtant cette œuvre amoureuse, qui s'inscrit parmi les grands blasons du corps féminin, est certainement nourrie de son expérience avec sa femme auprès de laquelle il ne parvient à s'imaginer qu'en client ivre. Beaucoup plus, elle témoigne de la difficulté croissante que la vie et l'œuvre rencontrent à évoluer ensemble.

Désormais, il n'entraînera plus personne dans les aventures de sa peinture. Il ne s'y risquera plus que seul. Certes, les vêtements et les bijoux des êtres de légende seront toujours disponibles dans le coffre. Mais on ne les revêtira que pour se divertir. La galerie des portraits des grands mythes féminins est terminée. Leur couple s'y est brûlé. Rembrandt réapprendra la Saskia du quotidien, celle qu'il avait placée près de lui dans la gravure paisible où il les montra ensemble, lui devant sa plaque de cuivre, elle un peu en retrait, lui l'entraîneur, elle l'entraînée, mais plus jamais hors d'elle-même. Il la verra jetant un regard par la fenêtre, réfléchissant, quelques doigts devant les lèvres, ou les yeux baissés sur un livre. Il l'a tellement dans sa main que des traits, des expressions d'elle viendront ici et là, toujours. La fin d'une époque ne signifie pas la fin d'un amour. Il peindra encore des portraits d'elle, il la dessinera, il la gravera souvent, mais plus jamais en reine avec le poison, ni en prostituée.

Peut-on comparer ? Il a osé se figurer parmi les exécuteurs du Christ et s'est à peine dérobé devant le rôle d'entremetteur de Danaé. Alors que la foi est partage, l'amour serait une expérience où l'être est vraiment seul, l'amour serait plus dangereux. A moins qu'il ne s'agisse dans ce nu au lit d'une réflexion sur le sens de la création artistique, tangible dans les tableaux, les poèmes, les musiques, mais irréelle cependant puisqu'elle ne peut être que le commentaire de la vie ? Saskia et lui n'ont fait jusqu'alors qu'un enfant mort. Ils n'ont pas franchi les frontières du vivant, ajoutant de la vie à la vie. Et dans son tableau Rembrandt a peint un corps amoureux, mais il n'a pas fait l'amour. Il se regarde dans le miroir et il s'étonne : Naïf! Qu'avait-il cru ? Pourtant il avait mené l'œuvre à son incandescence, s'y brûlant les yeux et l'âme, et de chaque création il sort épuisé. Mais il faut savoir ce qu'on fait, à quel niveau du réel on atteint et comprendre que ce sera plus ou moins, mais jamais vraiment, le réel. Il faut qu'il s'habitue à ce que sa création ne soit jamais triomphante, comme si elle ne pouvait avancer qu'avec l'élément qui la détruit en transportant son contraire. Comment font les Italiens, comment fait Rubens, pour ne pas porter en eux la négation de ce qu'ils font ? Et, quand ils peignent leurs propres portraits, pour se montrer toujours à leur avantage ? Il manque à leur art sa propre mise en question, mais n'est-ce pas Rembrandt à qui il manque des certitudes ? N'est-ce pas son défaut de vouloir, depuis toujours, se trouver ridicule dans son miroir ? Cessera-t-il jamais de déchirer les belles apparences pour faire ressortir ce sur quoi le joli vernis est posé ? Non, car il lui faut bien s'accepter avec la vision totale qui est de sa nature, qui ne sépare pas le négatif du positif, qui recherche la destruction près de la construction.

La vérité du monde est ce double chant simultané. Il le vérifie dans sa peinture, où, loin d'ajouter des harmonies colorées, il rend couleur et trait indissociables.

Une fois posées sur la toile les structures solides de la composition, une fois installés les grands creux d'ombre et les surgissements lumineux, il travaille la matière de la peinture, prenant tout à la fois, dans le même mouvement du pinceau, les gestes du personnage, la couleur de sa peau, la lumière de ses yeux, l'ombre dans le creux de sa main. Tout vient ensemble. Il pétrit cette matière, souffle sur elle et la fait passer de l'inerte au vivant. Dans ces jetés de force vive sur la toile, tout vient ensemble. La peinture est le tissu sans couture du vivant. L'air n'est pas le vide, tout y circule, tout ce que le vent, lui-même peinture, pousse au moment de l'acte de peindre, comme sont peinture la robe, le bois du meuble, le tissu du chapeau, le reflet sur le front, formant une surface continue grâce à laquelle l'univers retrouve son unité originelle. Son œuvre naît de la projection immédiate de sa force. Cela ne l'empêche pas de la reprendre maintes fois, mais toujours selon la même pratique, car ce qu'il fait sur la toile est inextricable. On n'en peut rien démêler. Et cette présence qu'il fixe sur le tableau a beau être ce qu'un homme peut apporter de plus proche du vivant, l'œuvre reste une image. A-t-il espéré plus ? Certainement. Puisque, tel un insecte qu'une vitre sépare toujours de la flamme, il ne cessera jamais d'aller au plus de vie qu'il pourra éveiller sur la toile.

Désormais, la vie de Rembrandt et de Saskia sera jalonnée des événements de la vie des époux ordinaires. Rembrandt achète des œuvres d'art dans les ventes aux enchères. Sur les registres, au début, comme il n'était pas connu des greffiers, il est mentionné qu'il achète pour Hendrik Uylenburch, par exemple, le 27 février 1635, un dessin d'Adriaen Brouwer pour 1 florin et 10 stuyvers. Il sera couramment celui qui acquiert des estampes, des dessins par lots, sans précision plus grande. Peu à peu, on voit les dépenses augmenter. Par exemple, le 14 mars 1637, il est revenu à la maison avec un paquet de gravures qu'il a payé 36 florins et 6 stuyvers et avec une estampe de Raphaël de 12 florins. Deux jours plus tard, il acquiert une rame de papier blanc pour 4 florins et 12 stuyvers, et le 19 mars, pour 655 florins et 10 stuyvers, il emporte différentes œuvres dont un Konstboek, un recueil d'estampes de Lucas de Leyde, qui atteint à lui seul l'enchère de 637 florins.

Saskia n'est pas en reste : le 8 octobre de la même année chez le marchand Trojanus de Majestris, c'est à elle et non pas à Rembrandt qu'est vendu un grand tableau de Rubens *Léandre et Héro* pour la somme de 424 florins, 10 stuyvers et 8 penningen, une vaste composition de plus de 2 mètres de long où l'on voit Léandre traverser la tempête à la nage pour rejoindre son amante. La mer d'orage est faite de vagues, de corps féminins et de serpents. Léandre va s'y noyer.

Dans le pays la situation s'améliore. On apprend que les troupes hollandaises ont réoccupé Bois-le-Duc, puis Breda. A peine le roi d'Espagne a-t-il accroché dans son palais le tableau commandé à Velázquez, *la Reddition de Breda*, que la place forte lui échappe. Art et actualité. Le pays a appris également l'installation d'un comptoir dans la ville japonaise de Nagasaki, ce qui est une grande victoire économique et politique, les Hollandais étant les seuls étrangers que les Japonais tolèrent. Bientôt, pour se maintenir là-bas, ils devront participer au massacre de quarante mille catholiques japonais convertis par les Portugais. Mais qui le saura et où est donc Nagasaki, même si les imprimeurs d'Amsterdam publient de nouvelles cartes de l'Asie.

Ainsi la vie va et vient. Rembrandt apprend la mort d'Adriaen Brouwer, qui avait à peine trente-deux ans. Saskia apprend la mort de sa sœur aînée Jeltje, en Frise. Elle est à nouveau enceinte.

3 janvier 1638. Rembrandt et Saskia vont au théâtre. L'architecte Jacob van Campen vient de le construire dans le quartier nouveau du Keizersgracht, au bord du canal. C'est un théâtre classique dont les loges vont jusqu'au bord de la scène, sur laquelle a été installée une construction permanente de temples, de passages à colonnes, de galeries à balustres surmontées de bustes antiques, s'ouvrant sur des portes et des perspectives révélant des jardins, des villes, s'arrêtant sur des grilles pour les scènes de prison ; cela permet de multiplier les lieux de l'action dramatique.

Ce soir, on joue la pièce de Joost van den Vondel, *Gysbraeght van Amstel.* C'est une tragédie où l'histoire hollandaise s'enracine dans l'*Énéide.* La nuit de Noël, le prince Gysbraeght est assiégé dans sa ville d'Amsterdam. Les ennemis laissent croire qu'ils ont levé le siège.

En réalité, reprenant la ruse des ennemis de Troie, ils introduisent dans la ville des fagots dissimulant des soldats, et Gysbraeght est obligé, malgré son courage et les efforts de ses troupes, de s'enfuir, s'en allant fonder non pas Rome, mais une nouvelle Hollande en Prusse. Ainsi naissait sur la scène l'épopée nationale, dans sa langue nationale.

La première représentation, prévue pour le 26 décembre 1637, fut repoussée au 3 janvier 1638, les autorités s'étant inquiétées d'une pièce où l'on voyait un évêque mourir héroïquement parmi de non moins courageuses moniales. Joost van den Vondel y annonçait ainsi, soupçonnaient les autorités, son virage vers le papisme. Malgré ces soupçons, *Gysbraeght* connut un triomphe. Rembrandt nous en a laissé des dessins de comédiens dans leurs costumes étonnants et leurs postures expressives.

Cette année 1638 a pourtant commencé en janvier par un procès à Leeuwarden, pour presser un peu les Frisons de payer à Saskia ce qu'ils avaient touché de la vente d'une terre de son héritage, suivi d'un autre en juillet contre des gens plus ou moins apparentés, qui l'accusaient de dilapider l'héritage de son beau-père. Il fallut mobiliser Ulricus, le frère avocat. Au moins saura-t-on, en Frise, que Rembrandt et sa femme n'étaient pas gens à se laisser faire et qu'il fallait éviter de se répandre en ragots sur leur compte.

22 juillet 1638. Sur le registre de baptême de l'Oudekerk à Amsterdam, baptême de Cornélia, fille de Rembrandt van Rijn, peintre, et de Saskia van Uylenburch. Les parrains sont le pasteur Sylvius et Titia van Uylenburch.

13 août 1638. Sur le registre des sépultures de la Zuiderkerk à Amsterdam, pour Rembrandt, peintre, une petite pierre tombale, 4 florins. Cornélia n'aura guère vécu. Sylvius et Aeltje sa femme, qui avaient fêté la naissance, sont de nouveau là pour le deuil. Le second enfant n'a pas eu trois semaines de vie.

Ils veulent quitter cette maison où ils l'ont vue vivante. Pas loin de la Zuiderkerk, à côté de la rivière Amstel, ils trouvent un logement sur la Zwanenburgerstraat, à côté d'une raffinerie de sucre, une confiserie à l'enseigne des Trois Pains de sucre qui laisse flotter sur tout le quartier une odeur de caramel.

La mort des enfants chasse les parents d'une maison à l'autre, sans cesse vers de nouvelles chambres, de nouvelles fenêtres, de nouveaux escaliers pour ne pas risquer de rencontrer une lumière sur un sourire disparu, ni d'entendre l'écho d'un balbutiement. Le pasteur Sylvius meurt à son tour le 19 novembre 1638. Et Rembrandt sait que sa mère est malade. Maintenant ce sont aussi les vieillards qui meurent. Il faut secouer cet univers qui s'effondre. Alors ils achètent une maison, une grande maison toute proche de la demeure d'Hendrick Uylenburch, dans la Sint-Anthoniesbreestraat.

4

LA GRANDE MAISON

3 janvier 1639. Devant le notaire van de Piet, contrat de vente d'une maison, Christofeel Thijsz. et Pieter Beltens, vendeurs, et Rembrandt van Rijn, acheteur.

La maison est chère : 13 000 florins et 20 stuyvers, mais les vendeurs lui font des conditions – Beltens est associé d'Uylenburch. Il faudra qu'il trouve 1 200 florins pour le 1er mai, date d'entrée en possession, 1 200 pour le 1er novembre et 850 pour le 1er mai 1640, cela constituant le quart du prix. Les trois quarts qui restent, soit 9750 florins, il les acquittera dans un délai de cinq ou six ans, avec un intérêt de 5 % allant décroissant au fur et à mesure qu'il remboursera sa dette.

13 000 florins, c'est une grosse somme, mais quoi de plus sérieux que d'investir dans une maison ? L'aventure serait de spéculer sur les tulipes dont le cours, le 27 avril précédent, a baissé de cent points, ce qui a ruiné bien des gens. Rembrandt, lui, achète une maison pour y vivre ou, dans le domaine de l'art qu'il connaît, des tableaux,

des dessins et des estampes. Autrement dit, il a avec l'argent un comportement sérieux. La maison est une vraie résidence. Aucun artiste dans Amsterdam n'en possède une semblable. Même le docteur Tulp n'habite pas sur la Keizersgracht une demeure plus grande : les caves s'ouvrent par trois portes sur la rue, quelques marches permettent d'accéder à la porte d'entrée qui donne sur deux niveaux nobles, avec quatre fenêtres pour chacun, des chambres au troisième étage et un grand grenier avec sa porte à poulie sur le vide pour faire entrer les provisions, soit huit pièces principales et un comble.

La maison est en brique, simple, avec un rythme d'arcs (de brique aussi) au-dessus des fenêtres dont les cadres sont peints en blanc, les vitres à petits carreaux et les volets en bois plein. À chaque extrémité de la façade s'élève une cheminée. Il suffit de songer à ce que Rubens s'est fait construire à Anvers pour comprendre que Rembrandt ne vivra ni dans le luxe, ni dans le faste dont les Frisons accusent Saskia. Mais il possédera une maison solide et claire capable d'accueillir des enfants, où installer la presse pour ses gravures et un atelier de peinture assez vaste pour y recevoir des élèves, l'estrade des modèles et les poêles qui les réchauffent, accrocher aux murs les tableaux qu'il achète, ranger les estampes et inviter les amateurs. Enfin la maison est sa contemporaine, construite il y a trente-trois ans, son âge. Elle a fait ses preuves. On n'a pas à prévoir de grandes réparations dans l'immédiat. Rien que de très raisonnable dans le contrat qu'il signe, sauf peut-être ces intérêts qu'il faudra payer, mais il n'a pas d'autre solution, puisqu'il ne veut pas toucher à l'héritage de Saskia.

Cette maison à côté de celle d'Uylenburch les replacera dans le quartier où ils se sont rencontrés. Peut-être n'auraient-ils pas dû s'en éloigner. Dans cette nouvelle demeure, tout pourra commencer à nouveau comme s'il ne s'était rien passé de ce qui les avait fait souffrir.

La ville vient de vivre des fêtes gigantesques qui ont duré six jours pour célébrer l'entrée de la reine mère de France, Marie de Médicis, dont la venue place la Hollande au centre de négociations diplomatiques d'une rare complexité. Si en effet le roi de France est furieux que le prince d'Orange accueille avec tant d'égards sa mère, pour les foules d'Amsterdam c'est, depuis le 31 août, un grand spectacle que celui de ces vaisseaux royaux et princiers qui se succèdent sur les canaux, entourés de barques portant des figures allégoriques, des divinités antiques. Les grands de ce monde défilent dans le cortège des dieux. En l'honneur de la reine mère, reçue à l'hôtel de ville, un banquet est organisé dans l'une des plus grandes auberges de la ville sur le Nieuwendijk. Toute la cité résonne de ces fêtes et les artistes en témoigneront, l'un d'entre eux en gravant une suite de planches sur une longueur de trois mètres, qui montreront le cortège, six autres en peignant, à la commande, les milices des bourgeois, de grandes compositions où les officiers et les sous-officiers seront représentés dans leurs plus belles tenues, en souvenir de leur présence au sein des fêtes. Ces tableaux doivent être exposés dans les salles de tir des Doelens, près de la grosse tour Zwijg-Utrecht. Ils ont été commandés à six peintres, dont Rembrandt et son voisin Nicolas Pickenoy.

A nouveau Saskia est enceinte. On a convié les parrains habituels Frans Coopal et Titia van Uylenburch, qu'un soir Rembrandt dessine d'un trait rapide, occupée à coudre, le visage penché, le nez chaussé de lunettes.

Le bébé, Cornélia van Rijn, est conduit à l'Oudekerk pour son baptême le 29 juillet 1640. A peine deux semaines plus tard, elle mourra.

Voilà donc la mort du troisième enfant, et aussi, le 14 septembre de cette même année, celle de Neeltje, à Leyde. On dit qu'il y a la peste à Leyde. En tout cas, en feuilletant le calendrier de l'époque, on n'y rencontre que des dates de mort. 15 juin 1641 : celle de Titia van Uylenburch ; 26 décembre 1641 : celle de Gerrit van Loo, le mari d'Hiskje, à Sint-Anna Parochie. La vie riposte. Saskia met au monde un garçon.

Le 22 septembre 1641, le cortège de la famille est reparti pour l'Oudekerk. Les parrains de ce petit Titus sont la veuve de Sylvius, Aeltje, et Frans Coopal, toujours disponibles pour les baptêmes, toujours optimistes, proclamant que tout ira bien, et qui accompagnent aux enterrements quelques semaines plus tard.

Saskia et Rembrandt comptent les jours, les semaines, les mois. Six mois plus tard, Titus vit encore, mais c'est Saskia qui est malade de quelque mal dans la poitrine. Pour freiner la mort dans son déferlement Rembrandt n'a d'autre possibilité que de peindre. Ce n'est pas du vivant, mais ça s'en approche. Dans l'éphéméride où se succèdent les dates de deuil, il faut dresser des tableaux pour que le temps ne soit pas seulement une durée funèbre, il faut peindre, vivre avec la peinture. Le 9 avril 1639, il est allé à la vente aux enchères des collections du marchand Lucas van Uffelen. Portant sur lui un peu d'encre, une plume, un carnet, il a dessiné le tableau qui passait devant les yeux des amateurs. C'était un portrait par Raphaël de Baldassare Castiglione, l'humaniste, le poète, l'auteur du *Courtisan*, l'ami de Raphaël. Il était mort voici cent dix ans et il regardait toujours qui regardait son portrait. Le tableau de 80 centimètres de haut était devenu un petit dessin hâtif, griffonné au creux de la main, entre des notes manuscrites, prises au vol (qui achète et à quel prix). A peine une référence, un souvenir. C'est Alfonso Lopez, un marchand espagnol d'Amsterdam (et collectionneur) qui l'avait emporté pour 3500 florins. Trop cher pour Rembrandt dont toutes les ressources étaient destinées au paiement de la maison. Aurait-il enchéri qu'il n'aurait pu rivaliser avec l'acheteur qui avait mandat de la cour de France. Mais il l'avait dessiné au passage, sans savoir que Rubens avait fait une copie de ce tableau.

Contre la mort, il a peint le portrait de sa mère, un panneau de bois ovale où il l'a revêtue du costume dans lequel il aimait la représenter à Leyde, autrefois : beaux vêtements aux longues manches, col de fourrure agrafé par un bijou, camisole plissée montant autour du cou, large tissu brodé d'or retombant de la tête dans un frémissement de pampilles sur les épaules. Elle s'appuie des deux mains sur sa canne. Son visage, encadré par un bandeau sur le front et une mentonnière, est plus parcheminé que jamais, ridé comme un vieux cuir, mais il lui a donné l'apaisement et le calme qui descendent à la fin sur les êtres. Il l'a peinte telle qu'elle sera à jamais en lui-même. Après l'avoir représentée en gravure dans la difficulté de vieillir, avec la vue qui s'éteint, les dents qui tombent, dans l'effort que l'âge impose pour s'intéresser à autre chose que l'éloignement de sa propre vie, il la fait revenir en vieille femme attentive, toujours un peu inquiète et toujours bienveillante. Il replace dans la vie ceux qui la quittent. Il date donc le tableau de 1639, du vivant de Neeltje, et le signe.

Il fera de même avec Saskia. Quand Saskia, déjà malade, attendait la naissance de Titus, leur quatrième enfant, il l'avait dessinée dans le grand lit à colonnes, une servante près d'elle, la tête renversée sur les oreillers, le visage gonflé, souffrante. Tandis que les médecins allaient et venaient, ses dessins rendaient compte de sa maladie. Maintenant Rembrandt veut que la peinture efface la douleur de ses traits. Peignant son portrait, il la convie dans son espace et dans son temps, où désormais elle ne risque plus rien – plus d'aventures, de poison tendu ni de mythe à incarner –, où elle ne doit être qu'elle-même.

C'est au moment où précisément cela devient pour elle si pénible, voire impossible, qu'il compose d'elle l'image la plus durable. Saskia avec une fleur rouge à la main, cette même fleur qu'elle avait quand elle avait posé sous son chapeau de paille la première fois et qu'il l'avait dessinée à la pointe d'argent sur une feuille de parchemin. Dans le dessin, elle tenait la fleur. Dans la peinture, elle la lui offre et de la main gauche ouverte sur sa poitrine elle signifie que la fleur est le don de son cœur. Entre le dessin et le tableau, huit années se sont écoulées. Saskia n'a pas changé. On voit seulement qu'elle est plus sûre d'elle. Tout est redevenu calme. Saskia, comme Neeltje, prend place dans cette durée de l'art où la mort les épargnera. Et Saskia y entre telle qu'il la voit, toujours exact devant son cou un peu empâté, mais aussi exact dans la douceur de sa main et la clarté de son regard. Elle le regarde avec l'assurance que rien ne pourra lui venir d'elle qui lui fasse du mal. Et il reçoit ce regard d'une Saskia totalement confiante qu'il a vêtue de sa robe jalonnée de chaînes d'or légères, avec ses perles aux oreilles et au cou, avec les colliers, les bracelets qu'elle aime porter, élégante, les cheveux frisés descendant sur ses épaules en ondulations claires, dans une tenue sans tapage. Le tableau ne dit rien de l'angoisse de la mère de trois enfants morts. Ni de la crainte du peintre devant sa maladie. Il place Saskia dans l'amour de Rembrandt telle qu'en définitive elle apparaît au peintre, immuable dans sa durée à lui.

Deux ans plus tard, en 1643, après sa mort, il voudra la peindre à nouveau comme pour le dixième anniversaire de leurs fiançailles. Il la montrera alors plus fastueusement vêtue, avec des perles dans les cheveux, sans oublier cette fois l'alliance qu'elle portait à la main, mais dans cette création posthume déjà la jeune morte s'est éloignée. La peinture ne parvient pas à être aussi vivace que dans le portrait de 1641. La force du peintre s'est amoindrie au fur et à mesure que la présence de Saskia s'estompait, son cou n'est plus tout à fait son cou. Ce n'est plus le regard de confiance qu'elle lui avait lancé. Imperceptiblement les signes de jeunesse et d'élégance des autres jeunes femmes se substituent aux siens. Son vêtement n'est plus de ceux qu'on cherchait dans le coffre aux costumes de rêves.

Qu'est-ce donc que la puissance de la peinture si elle n'arrive pas à redonner vie au souffle qu'on a cessé d'entendre, au geste qui ne se lève plus ? Et à quoi sert la mémoire si, un an après, elle ne fournit pas les moyens de refaire la vie ? A la place qu'elle emplissait de ses rires et de ses souffrances, Rembrandt ne verra bientôt que des mouvements d'ombres et de lumières, de plus en plus flous.

Dans la grande maison, les rideaux du lit à colonnes sont tirés. Pendant deux jours il a vu dans l'oreiller la marque en creux qu'y avait imprimée sa tête, puis elle s'est effacée et la servante a aéré la literie. Titus s'agite dans son berceau. A l'atelier, il travaille à sa « *Ronde* de la milice ». Le rythme de Saskia ne se mêle plus à son propre rythme, il n'en reste dans la maison que l'existence réglée par les heures des repas de l'enfant près duquel veille désormais une nourrice et vers qui souvent il vient se pencher. De Saskia, il ne reste que des dessins, faits pendant la maladie : Saskia, les mains amaigries glissées sous le visage, les yeux agrandis et plus clairs d'être à la fois fixés sur quelque chose et indifférents, fixés sur ce qu'elle ne peut voir, mais qu'elle connaît de mieux en mieux, le mal qui croît en elle, Saskia immobile dans des vagues de draps, de couvertures, de coussins, allongée, en attente, saisie dans la durée monotone du va-et-vient des médecins et des apothicaires, dépossédée d'elle-même puisque dépendante, et que les visiteurs ne questionnent plus que sur sa santé.

Pour l'œuvre intime, Rembrandt aura montré Saskia, du sourire de ses fiançailles à la maladie. Il ne s'interroge pas sur le sens de ce journal dessiné d'une vie qui lui était chère. Tous les jours de la vie de sa femme se retrouvent tracés dans ses papiers, de juin 1633 à juin 1642. Aucun peintre n'a encore suivi un être aussi longtemps dans ses gestes de tous les jours comme dans les incarnations qu'il lui prêta. Il fallait pour produire cet ensemble d'œuvres jusqu'alors unique, un échange exceptionnel. Saskia, morte, quitte son œuvre. D'autres femmes y entreront, mais aucune n'atteindra à une intensité égale dans le dialogue.

Par ces créations intimes, comme par la multiplication des autoportraits, Rembrandt affirme – idée peu répandue dans les autres ateliers – que l'art n'est pas tenu de traiter des thèmes communs à tous, et qu'un de ses buts est d'illustrer la vie du peintre, témoignant des mythes qui le font rêver comme de la foi qui l'anime. Rembrandt habite son art plus qu'aucun autre artiste. Jusqu'à l'excès.

Comme Saskia ne voyait pas venir la guérison, elle a su que le temps pressait et elle a fait appeler le notaire pour lui dicter son testament. Me Bachman vint donc à 9 heures du matin le 5 juin 1642. Sur son papier, il écrit :

> *Le 5 juin de la 1642[e] année depuis la naissance du Christ. Saskia van Uylenburch est malade et au lit, mais selon toute apparence en pleine possession de sa mémoire et de son esprit. Elle désigne son fils Titus et ses autres enfants éventuels ainsi que leurs enfants pour héritiers sous condition que son mari Rembrandt ait, jusqu'à un nouveau mariage ou, s'il ne se marie pas une seconde fois, jusqu'à sa mort, le plein usufruit de cet héritage.*

A charge pour lui de nourrir leur enfant et ceux à venir, de les vêtir et de les éduquer jusqu'à leur majorité ou jusqu'à leur mariage et alors de leur donner un trousseau, à sa discrétion. S'il se remarie ou s'il meurt, la moitié des biens sera partagée entre ses parents à lui et Hiskje, la sœur de Saskia. Rembrandt, selon le testament, n'est pas astreint à déclarer l'héritage à la Chambre des orphelins, ni à en donner à qui que ce soit un inventaire. Saskia, qui le nomme tuteur de son fils, lui fait confiance, il exécutera ses volontés scrupuleusement. Bien que l'héritage fût de 40 750 florins, elle avait choisi les formules notariales qui empêchaient à jamais les comptes. On était loin de la somme répartie par Neeltje entre ses enfants, Neeltje qui, craignant de commettre la moindre injustice, et pour que chacun perçût le quart de 9 960 florins, avait donné à Rembrandt la créance hypothécaire sur la moitié du moulin familial pour une somme de 2 464 florins, plus un intérêt sur le foncier de 30 florins, à charge pour lui de verser 4 florins à sa sœur. On était loin de l'idée de l'argent qu'on se faisait dans la maison de la Sint-Anthoniesbreestraat.

Deux voisins sont venus, Rochus Scharn et Johannes Reiniersz., témoins dignes de foi comme le mentionne le notaire. Ils signent le document, puis s'en vont. Saskia s'est allongée de nouveau dans son lit. Elle pense, ce 5 juin 1642, que le 5 juin 1633 Rembrandt et elle s'étaient fiancés. Voilà neuf ans. Il lui reste cinq jours à vivre. Elle mourra le 14 juin.

Revêtue de la chemise qu'elle portait la nuit de ses noces, elle fut exposée pendant cinq jours et, le 19 juin, après que le pasteur fut venu lire des versets de la Bible devant son cercueil, six porteurs l'emmenèrent d'un pas lent. Ils passèrent le pont de l'écluse, remontèrent la Sint-Anthoniesbreestraat jusqu'à la place du Nieuwmarkt, tournèrent à gauche, traversèrent l'Oudezijds Achterburgwal et arrivèrent à l'Oudekerk où le pasteur allait célébrer l'office funèbre. Sur le registre de l'église, ce dernier écrivit :

> *Obsèques de Saskia, Huysvrou van Rembrandt van Rijn, venant de la Breestraat : 8 florins.*

Le 9 juillet, Rembrandt revint à l'église régler l'achat de la sépulture de sa femme. Il regagna ensuite la maison pour voir Titus dans son berceau (Titus n'a pas dix mois) et pour travailler au grand tableau de la *Ronde* de la milice.

V

L'ATELIER REMBRANDT

1

LE TRAVAIL PARTAGÉ

Ce que Rembrandt vient de vivre jusqu'à la mort, l'entrée du couple dans l'œuvre jusqu'aux zones dangereuses, plus il y pense, plus il trouve cela si fort que toute son existence en sera remplie. Cependant, il est aussi le maître d'un atelier, voulu ou accepté. C'était dans les conventions verbales avec le marchand Hendrik Uylenburch. Très tôt, les peintres sont arrivés qui travaillent avec lui ou sans lui. Il vend leurs œuvres en même temps que les siennes. Dans ses papiers, vers 1635, il note : « J'ai vendu un *Porte-drapeau* pour 15 florins, une *Flore* par Lendert van Beyeren pour 5 florins, une autre *Flore* par Ferdinand Bol pour 4 florins et 4 stuyvers. » Ces tableaux, *Porte-drapeau* et *Flore,* ont été peints sur des thèmes qui sont les siens à l'époque.

Les peintres viennent chez lui pour plusieurs raisons, l'atelier et les modèles qui posent, mais aussi la communauté de l'effort, la possibilité de ventes que suscite la célébrité de Rembrandt, enfin et surtout, la curiosité d'approcher le jeune artiste le plus célèbre du pays, celui qui attire les bourgeois de la ville désireux d'avoir leur portrait et les collectionneurs en puissance. A l'ombre de Rembrandt, on peut se faire connaître. L'atelier est un lieu explosif, une chambre de combustion où la puissance du patron, de l'aîné, apporte le flux principal auquel les plus jeunes peuvent ajouter leur personnalité. Les œuvres seront communes ou individuelles. Il en va ainsi dans tous les pays où les lois de l'artisanat sont encore les lois des artistes.

Depuis les années passées avec Lievens dans le grenier de Leyde, quand le tableau rebondissait de ce que l'un y apportait à ce qu'il suscitait chez l'autre d'improvisation nouvelle, Rembrandt connaît le travail partagé. A l'époque, il écrivait parfois sur la toile : « terminé par Rembrandt ». Il s'agissait alors d'une musique à deux voix où la sienne dominait souvent. Dans cet atelier qu'il dirige aujourd'hui, l'affrontement est moins égal, mais le principe demeure que les pinceaux de tous peuvent intervenir. Pour que cette ouverture ne produise pas de désordre, il faut un accord général, l'acceptation non de règles, ni de principes stricts, mais un accord de gestes et un consentement préalable.

Rembrandt met en circulation son œuvre, ses idées, des thèmes; il propose comme points de départ des dessins italiens ou nordiques, des estampes qu'il achète aux ventes aux enchères. Il lui arrive même de s'asseoir dans l'atelier et de s'offrir comme modèle pour des portraits que les peintres doivent traiter sous la forme de figures de fantaisie. Ainsi est-il avec eux, corrigeant leurs dessins, reprenant certaines copies qu'ils font de ses œuvres jusqu'à les repeindre complètement.

Les peintres lui versent 100 florins par an et tout ce qu'ils peignent à l'atelier lui appartient. Est-ce cher? Certains le lui ont dit, mais depuis son arrivée à Amsterdam les élèves n'ont pas cessé d'affluer : Govaert Flinck, Carel Fabritius, Ferdinand Bol..., ils seront jusqu'à trente. Plus nombreux dans les années de ses débuts. Plus rares ensuite. Un seul dans les années 1660.

L'atelier a ses légendes. On s'en transmet les histoires comme celle de ce jour où les élèves, en son absence, auraient peint en trompe-l'œil sur le plancher des pièces de monnaie en argent, aussi brillantes que si elles venaient de tomber. A quoi Rembrandt, se laissant prendre, aurait voulu les ramasser, dans un éclat de rire général.

Au reste, ses étudiants constituaient un groupe hétéroclite. Les jeunes y étaient en majorité, mais on trouvait aussi parmi eux des curieux venus d'autres ateliers et des amateurs qui le resteraient toute leur vie.

La légende raconte encore comment une autre fois Rembrandt interrompit une conversation intime. Cette histoire nous renseigne sur la façon dont il avait organisé l'espace de l'atelier dont une des règles premières était que chacun fût seul devant le modèle. Principe difficile à appliquer, sauf en créant un ensemble d'alvéoles orientés vers l'estrade et délimités par des lais de tissu et de vieilles toiles. Ainsi, dans cette sorte de ruche, chacun se trouvait-il isolé, sans possibilité de se référer à un voisin, face au modèle nu qui ce jour-là était une femme.

Rembrandt, entendant donc un de ses peintres chuchoter au modèle : « Maintenant, nous sommes nus tous les deux comme au paradis terrestre », frappa sur le montant de la porte avec le manche de son pinceau, éveillant l'attention de tout le monde pour dire : « Vous connaissez l'Évangile : si vous vous savez nus soudain dans le paradis terrestre, c'est que vous allez en être expulsés sans tarder. »

En fait, si quelques centaines de florins étaient toujours bons à prendre chaque année, Rembrandt tenait à ce rôle de maître ; il aimait bien le groupe plutôt joyeux qu'il accueillait, d'abord sur le Bloemgracht, chez lui ensuite. Il y trouvait des échanges que les candidats aux portraits ne pouvaient pas lui fournir, heureux de lire dans les œuvres qui naissaient autour de lui les prolongements qu'il pouvait susciter, d'y déchiffrer les reflets déformés de ses qualités et de ses défauts : Govaert Flinck s'attachait surtout à sa violence ; Ferdinand Bol à sa chaleur douce ; Salomon Koninck à sa dramaturgie biblique et aux accessoires qui l'accompagnent ; Grebrand van den Eeckhout portait une attention particulière à chaque personnage des compositions et ne parvenait pas à sauver l'unité de l'œuvre.

Dans leurs tableaux, Rembrandt voyait passer à l'excès ce qui lui venait naturellement et qu'il maintenait à une juste mesure. En certains, il devinait des qualités exceptionnelles. Carel Fabritius avait travaillé chez lui à une *Résurrection de Lazare* qui devait beaucoup à un de ses tableaux de Leyde comme à une version de Jan Lievens. Mais plus tard à Delft, il peindrait d'étranges tableaux statiques, comme cette vision presque onirique d'un soldat rêvant près d'un canal. Et quand Samuel van Hoogstraten peignit cet autoportrait – où Rembrandt voyait la vraie image de la jeunesse découvrant dans le miroir sa force fragile, sa volonté sans limite – pouvait-il deviner que le jeune homme allait devenir un spécialiste des recherches optiques et découvrir, dans une boîte à œilleton, l'illusion surprenante de la troisième dimension ? Bien sûr, Hoogstraten, que sa nature portait à l'intimisme, n'allait pas pousser son enquête plus loin que sur l'intérieur d'une petite maison hollandaise, mais il devait apporter aux espaces clos chers à Vermeer une méthode chiffrée qui serait une réponse hollandaise aux travaux perspectifs des Florentins du XVIe siècle. Et encore ce Nicolaes Maes si proche de Rembrandt, comment savoir qu'il aboutirait à des sommeils de servantes, accoudées à des tables chargées de fruits, au creux d'une perspective multiple fuyant sur plusieurs niveaux d'une maison, dans un silence presque vermeerien ?

Ces trois peintres, qu'on dirait volontiers les meilleurs de l'équipe, et plus sûrement les plus curieux d'idées, sont en effet passés d'un pôle à l'autre, de la violence et de la douleur de Rembrandt à la sérénité des demeures hollandaises selon Vermeer. Là, pas d'excès : ni tragédie, ni comédie, ni larmes, ni rires, ni enfance, ni vieillesse, seulement des êtres jeunes. Des femmes belles, qu'elles soient servantes ou maîtresses, vont et viennent dans la demeure, calmement, prêtes à verser du lait dans une jatte ou à toucher leur clavecin. Rien de surnaturel qui surprenne. Tout est du domaine du quotidien : une lettre, la naissance d'un enfant. Les quais des canaux sont déserts. Dans la ruelle, une femme regarde à sa porte. C'est une Hollande engourdie dans sa quiétude. Le dedans, lieu clos sur lui-même, abrite une vie régulière occupée par les besognes des servantes, les ouvrages d'aiguille et les musiques des maîtresses du logis. Le silence où résonne une note de clavecin produit en peinture ces images des instants parfaits de la vie, images si justement posées dans tous leurs points qu'elles finissent par contenir un sens quasi religieux d'harmonie céleste. Le ciel est sur la terre hollandaise. Vermeer montre une femme près d'un pichet d'argent comme les primitifs représentaient la Vierge dans une église ornée. Vermeer peint une cruche en terre, comme Zurbarán trois fruits sur une table, avec l'idée de transférer les objets quotidiens dans le domaine de la prière, de charger ces signes apparemment simples de toutes les méditations, faisant de leurs tableaux des réceptacles, alors que ceux de Rembrandt, qui accueillent les expériences mystiques traditionnelles, persistent à se vouloir des représentations édifiantes. Le sacré, en quelques années, va se déplacer, Vermeer donnant au réalisme immédiat de la peinture hollandaise le sens supérieur qu'il n'avait pas encore atteint et vers lequel s'orienteront les trois meilleurs des disciples de Rembrandt. Parcours surprenant, retournement dont seule la jeunesse est capable. Ils seront allés vers le vent nouveau, laissant Rembrandt comme on quitte un foyer ancien. En art aussi, l'aventure est souvent plus tentante que la fidélité.

Parmi ses autres disciples, il faudrait nommer Adriaen van Ostade, le peintre des beuveries paysannes à la Brouwer, Govaert Flinck, chargé par une commande officielle de célébrer la Paix de Münster, puis de décorer le nouvel hôtel de ville d'Amsterdam, mais aussi tous ceux qui multiplieront les scènes bibliques, les portraits de vieillards engourdis, les rabbins méditatifs, autant de thèmes auxquels Rembrandt les avait initiés et qui perdureront, tous ces artistes n'en finissant pas de s'enliser eux-mêmes dans tout un attirail à la Rembrandt, plein d'orientalismes dont il n'avait fait que des accessoires passagers et qui deviendront l'essentiel de la continuation de son art.

Dans l'ensemble, chez lui, seront venus les artistes qui rempliront les voies diverses de l'art hollandais, ce qui permet de constater que la greffe Rembrandt sur l'art de son pays, si elle a fait naître peu d'espèces nouvelles (mais Carel Fabritius, Samuel van Hoogstraten, Nicolaes Maes, ce fut déjà beaucoup), aura du moins conservé longtemps une originalité à l'art hollandais, retardant l'affaiblissement où la peinture va se perdre à la fin du siècle. Alors que la critique internationale désigne du doigt la bizarrerie de cette école du Nord qui ne se soumet pas aux théories du Beau telles que Bologne et Rome les imposent, l'atelier Rembrandt maintient une sauvage différence, allume des contre-feux contre l'incendie des allégories galantes qui va déferler sur la totalité de l'Europe. Sans doute savait-il quel était l'enjeu de son atelier, quel sens de résistance il prenait. Au milieu de la confusion qui gagnait, il savait qu'il devait se maintenir aux sommets de la grande peinture. Sans doute, après lui, cette exigence dans les thèmes allait être balayée. Mais ce ne serait pas faute de courage et d'énergie. Rembrandt aurait mis à la disposition des peintres le meilleur de lui-même. Peu lui importait qu'il leur arrivât de s'étonner de ses violences. Tant pis si sa peinture leur révélait trop de lui-même, faisait passer dans le bien commun les secrets de sa création intime. Il préférait ne rien dissimuler, offrir tout de sa force créatrice et jusqu'aux passages où l'art brisait sa vie.

Sans aucune restriction, il aura été tout entier parmi ceux qui venaient se nourrir de lui. Non pas donné, livré, abandonné à qui voudrait, non pas passif, mais actif, voulant savoir ce que son apport devenait quand il passait chez les autres, surveillant les soumissions totales comme les révoltes, sans préférer les unes aux autres, un peu comme le jardinier qui regarde le destin de ses graines, des greffons qui avortent ou se développent, des semis qui lèvent. Rembrandt a quelquefois détruit des personnalités. D'autres ont pu s'éloigner et se reconstituer. Le champ de la création n'est comparable qu'à ceux des soleils dont la puissance fait dévier les astres de leur orbite. On ne confond pas un atelier d'artistes avec l'idéal philosophique de l'harmonie éternelle des sphères. L'art suscite sans cesse des explosions, des chutes, des disparitions, il se développe sur des morts, des blessures, sur des victoires et des défaites, des alliances et des trahisons, des assauts et des fuites. Ce que le maître cherche, c'est communiquer son exigence. Parfois, il n'éveille que des imitateurs qui lui renvoient des déformations de lui-même, et le gênent. Mais s'il réussit à faire partager son exigence, celle-ci conduit l'élève à devenir différent du maître, comme si le maître ne pouvait aboutir dans son projet qu'en faisant apparaître son contraire, qui n'a désormais plus rien à faire dans l'atelier commun.

Car l'enseignement fonctionne bien quand les forces d'attraction et de répulsion se conjuguent pour faire naître, loin du soleil, une étoile nouvelle. C'est ainsi que Rembrandt est né contre Rubens, que Vermeer est né contre Rembrandt. Mais peut-on alors parler d'enseignement ?

2

UNE PEINTURE SACRÉE POUR LES CALVINISTES

Rembrandt oriente son atelier d'une manière très particulière. S'il peint seul la *Vie du Christ,* si sa *Vie de Saskia* est une création intime, dans l'atelier il souhaite former des peintres capables de proposer aux palais, aux hôtels de ville, aux salles des associations, une peinture religieuse qui donnera formes et couleurs à la religion calviniste. Homme de foi, il persiste à penser que les thèmes sacrés ne peuvent pas être laissés à la poésie, au théâtre et à la musique, qu'ils doivent aussi habiter la peinture. Il imagine les grands tableaux qui en Hollande répondront aux grandes toiles catholiques des Flandres et d'Espagne.

Alors il peint *le Sacrifice d'Abraham,* en réplique à la vision géniale qu'en a proposée Caravage, il entreprend un ensemble de quatre tableaux autour de Samson, un thème déjà abordé à Leyde, qui cette fois l'occupera de 1635 à 1641 et il traite *l'Enlèvement de Ganymède.* Tout cela commence la même année, en 1635. Là encore, c'est lumière et ombre et leurs échanges, mais cette fois, il ne s'agit plus d'une lumière qui émane des corps comme force spirituelle, qui circule en dématérialisant, mais d'actes souvent violents, parfois insoutenables, dont il a trouvé la structure : battements d'ailes de l'aigle enlevant dans les airs un gamin lourd et pisseux, instantané du glaive lâché par Abraham juste avant le sacrifice, vacarme de Samson réveillant tout le quartier de ses plaintes. Rembrandt invente une gestuelle théâtrale qu'on n'a pas encore vue en peinture. Il entre dans ses sujets sans ménagements, ni respect pour la noblesse de ce qu'il peint. Personne n'a été aussi irrévérencieux pour Ganymède, aussi cruel pour Samson aveuglé. Rembrandt s'empare des figures de la Bible et de la mythologie et les ramène à un niveau où l'on ne cache pas les faiblesses physiques, la peur qui fait pisser, la sueur, les sanies, le sang qui gicle. Certes, de par toute l'Europe, le XVIIe siècle dresse des scènes de martyres sur les autels des églises, aligne dans les palais des successions de supplices et d'agonies, mais avec bienséance : saint Sébastien porte comme des ornements les flèches qui le transpercent; Lucrèce présente en mourant la plus belle poitrine du monde. En Italie, en Flandres ou en France, l'art nettoie par la beauté. Rien n'est montré qui puisse provoquer la répulsion. Au contraire, Rembrandt, refusant de se laisser toucher par les apaisantes règles de l'Académie, penche vers Shakespeare. L'un et l'autre abordent l'Histoire et la Légende avec leurs peurs, leurs colères, leurs espoirs. Ils évoluent dans les thèmes selon leur cœur, sans retenue, préoccupés d'ajouter leur sentiment personnel à toutes ces histoires terribles dont la terreur s'est affaiblie à force de métaphores.

Plus vastes que la suite de la *Vie du Christ,* ces tableaux permettent aussi au peintre de retrouver les matières des tissus, des rochers, des bois, des aciers, des corps, des orfèvreries, de tout ce réel dense qu'il aime introduire dans le tragique. D'où l'ampleur des gestes et des volumes. D'où les contrastes à grands pans de lumière et d'ombre. D'où les couleurs qui reviennent, dialogues de l'obscurité presque aveuglante avec la clarté presque transparente, musiques sur la totalité des gammes, du grave à l'aigu. Grand orchestrateur, il mêle le trivial au sublime et se fait baroque, mais pas dans le sens de la surcharge du décor, baroque dans la liberté qu'il donne aux cris de joie et aux hurlements de douleur, associés sur le tableau comme ils se succèdent dans la vie.

Samson est bien plus que le symbole de la force vaincue par la ruse féminine. Il est d'abord une incarnation de Dieu, comme le sera Jésus. Sa naissance aura été annoncée à sa mère par un ange. Samson est un héros sacré. Il figure sur les vitraux des cathédrales comme une figure préchristique.

Au début, Rembrandt s'est attaché aux hauts faits du héros. Il a commencé par le peindre au moment où il menace son beau-père, qui avait donné sa femme à un autre homme. La colère devient théâtrale grâce au décor que décrit le tableau : sur le seuil d'une vaste maison de pierre, un géant chevelu, moustachu, barbu, vêtu d'un costume d'or, armé d'un précieux cimeterre, brandit à grand bruit un poing énorme sous le nez d'un vieillard effaré qui a ouvert son volet de bois. Le héros est accompagné de sa suite, deux jeunes

Africains élégamment habillés : c'est un prince qui vient faire peur à un bourgeois. L'effet touche à la comédie. Rembrandt a donné quelque chose de ses traits au visage de Samson. Cela fait partie du jeu de déguisements, de la comédie d'emprunt de personnages. Rembrandt en Samson, c'est Rembrandt acteur de théâtre.

Le deuxième tableau, il en fera présent à Constantin Huygens pour le remercier de son appui auprès du stathouder. Dans une lettre du 2 janvier 1639 il explique :

> *Comme Monseigneur a eu pour la deuxième fois des ennuis à ce sujet (la livraison tardive des toiles pour le prince), un tableau de 10 pieds de long et de 8 pieds de haut sera aussi ajouté, témoignage d'estime qui sera digne de la maison de Monseigneur.*

Il précise le 27 janvier :

> *Accrochez ce tableau dans une forte lumière de telle sorte qu'on puisse se tenir à distance ; il se montrera alors sous son meilleur jour.*

Ce deuxième tableau (3,02 mètres de long) est très violent : il traite de l'aveuglement de Samson. Les soldats se sont emparés du héros affaibli et lui crèvent les yeux avec un poignard. On est au commencement du supplice : quand la pointe pénètre dans le premier œil et en fait jaillir le sang. La transparence des voiles de Dalila, qui s'élance vers l'ouverture de la caverne avec la chevelure coupée et les ciseaux, ne parvient pas à adoucir l'œuvre. C'est un tableau plein de bruit et de fureur, de poils hérissés, d'acier de cuirasses, de muscles tendus à se briser. La note insolite vient de ce que Rembrandt s'est peint lui-même sur la droite du tableau, accourant armé d'une épée, comme s'il voulait entrer à toute vitesse dans la scène biblique, pour venger Samson. Il porte un costume de militaire hollandais avec une grande plume sur le bonnet, se donnant le rôle un peu ridicule du sauveteur qui arrive trop tard et qui de toute façon n'a rien à faire dans cette histoire. Mais c'est sa manière d'actualiser l'épisode, de l'accompagner d'une dérision qui le rendra, peut-être, moins intolérable pour le spectateur dans la demeure de Huygens !

Dans le troisième tableau, Rembrandt écoute. Il est de ceux qui se penchent pour entendre le somptueux prince aux longs cheveux qui, au milieu du festin autour duquel les convives sont couchés sur des lits à l'antique, pose son énigme aux Philistins. L'enjeu est d'importance : trente vestes et trente chemises.

Il faut pouvoir deviner : « de celui qui mange est sorti ce qui se mange et du fort est sorti le doux ». Autour de la table des vagues de personnages enturbannés, emplumés et parés, des tissus drapés, des orfèvreries somptueuses. Repas de noces ? L'épouse est au centre, visage lourd un peu comme celui de Saskia, mains posées sur la poitrine en un geste de concentration intérieure, énigmatique, étrangère au vacarme. Rembrandt l'a isolée. Sous sa couronne, elle est la présence centrale, verticale, du tableau, celle qui, après sept jours et sept nuits de questions au mari, obtiendra la clef de l'énigme, qu'elle livrera à ceux de son peuple, déchaînant par sa trahison la colère de Samson. Mais le regard de Rembrandt sur la femme a changé, il insiste moins sur la traîtrise que sur le mystère.

Là encore, il s'est représenté, mais sa présence est plus complexe. Nous l'identifions plus ou moins. Il n'est plus portrait, mais entrée de l'auteur dans un rôle de spectacle, et le choix du personnage est révélateur d'une affinité. Les comédiens ont des emplois selon leur âge et leur apparence. Rembrandt, l'auteur, se place dans sa distribution selon sa fantaisie.

Son Samson est d'abord un héros dont il raconte les exploits. Il ressemble à Hercule, dont Zurbarán est occupé à la même époque à peindre les « Travaux » pour le roi d'Espagne, thème que Poussin reprendra bientôt, à Paris, pour le roi de France. Samson, comme Hercule, franchit les épreuves, accomplit des exploits. Leurs destins sont comparables, issus peut-être d'une origine commune, répondant en tout cas aux nécessités des épopées et des légendes.

Puis, avec le dernier tableau, *la Prière de Manoah,* il fait de son héros un personnage fondamental de la religion chrétienne. Un couple agenouillé, les yeux baissés, les mains jointes devant un feu allumé dans l'âtre. La femme a reçu la visite d'un ange qui lui a annoncé qu'elle allait porter un fils qui serait consacré à Dieu et qui délivrerait Israël de la main des Philistins. Ni son mari ni elle ne sont sûrs que le messager soit un envoyé de l'Éternel, jusqu'au moment (choisi par le peintre) où ils le verront monter dans les flammes du feu sacrificiel qu'ils ont allumé. Alors seulement ils sauront que Dieu s'est manifesté à eux.

En réalité nous voyons une annonciation. Mais elle n'est pas faite à la Vierge, ce qui n'aurait pu convenir à la croyance calviniste. Elle est faite à un couple. On quitte l'Histoire pour entrer dans la Foi. Plus rien de commun avec les travaux d'Hercule. Plus d'élément de comédie. Samson devient un des avant-coureurs du Christ, une incarnation de Dieu.

Tous ces tableaux de défense et illustration du calvinisme, Rembrandt les confie à ses élèves du Bloemgracht pour qu'ils en répandent les thèmes. Il ne leur a pas demandé de multiplier les stations de cette vie du Christ à laquelle il travaillait, mais leur confie l'idéal d'un grand art protestant.

Les dessins des élèves, parfois retouchés, corrigés par Rembrandt, témoignent de ce projet autour duquel plusieurs équipes ont été mobilisées, projet qui, une fois encore, n'existe que dans la tête du maître, par sa seule volonté. Jusqu'à présent on n'a pas trouvé de document qui permette de croire que la République ou l'Église des Provinces-Unies s'y soient intéressées, qu'il ait reçu quelque soutien. Les tableaux n'étaient diffusés que sur le marché privé où la possession de telles œuvres ne passait pas pour une protestation de foi. Ici et là, des inventaires après décès font apparaître dans les intérieurs « *Un prêtre*, par Rembrandt ». Cela entrait dans la tolérance générale.

Art protestant ne veut pas dire, répétons-le, art d'obédience calviniste. Rembrandt ne s'inspire pas de modèles éprouvés, puisqu'il n'en existe pas. Il ne fonctionne pas à l'intérieur de programmes codifiés et sans doute ses œuvres auraient-elles suscité des reproches du côté de théologiens détenteurs de vérités iconographiques, s'il en avait existé.

Et en dépit du manque d'intérêt de Rembrandt pour l'art italien qu'il trouvait trop aimable, trop métaphorique, on ne peut qu'être frappé par l'extraordinaire parenté de son œuvre avec celle de

Caravage. Non qu'ils aient peint des tableaux qu'on puisse superposer – tout les sépare, le pays, la langue, la situation politique de Rome et d'Amsterdam, la religion et le mode d'existence, la vie au galop de Caravage, pleine de coups d'épée et de prisons, l'existence calme de Rembrandt, jalonnée d'enfants morts et de décès d'épouses ; pour Caravage, le destin shakespearien d'un héros qui court en plein soleil d'été sur la plage et meurt en criant vers la mer ; pour Rembrandt, une fin de stoïcien qui supporte la pauvreté et les deuils – et pourtant, entre ces deux êtres, que d'affinités ! L'utilisation d'une lumière réinventée qui leur vaudra à l'un comme à l'autre la réputation de nocturnes ; une vision du monde qui n'est plus construit sur l'axe horizontal-vertical mais plein d'obliques, de perspectives multiples ; surtout la volonté qu'ils partagent de se représenter eux-mêmes dans les scènes les plus violentes de leur peinture. Quand Rembrandt se voit, avec son béret de peintre, jouant un rôle dans *l'Érection de la croix*, Caravage s'introduit dans le supplice de saint Matthieu, passant horrifié au cœur du spectacle. Il voudra même se montrer décapité : David tient la tête du peintre dégoulinante de sang par les cheveux, Caravage s'étant placé devant un miroir pour peindre Goliath. Pour les deux artistes donc, une égale envie de figurer dans leurs propres tableaux, avec tous les dangers que cela comporte. Enfin, à quarante années l'un de l'autre, deux tableaux sur le même thème : *le Sacrifice d'Abraham* où le Hollandais réplique à l'Italien. Caravage a montré Isaac hurlant de terreur sous la main de son père qui lui plaque la tête au sol, au moment de l'égorger de son couteau, tandis qu'un bélier, pour remplacer le fils unique, surgit à point nommé. Belle idée, chez Caravage, de donner au garçon et à l'animal, les victimes, les mêmes yeux immenses dilatés par la peur.

Rembrandt, qui ne craint pas à l'époque de représenter Samson avec un poignard entrant dans l'œil, ne voudra pas du cri d'Isaac. Il aura l'idée que la main du père prend le fils par la tête et le renverse sur le rocher pour dégager le cou. La victime est ainsi à la fois offerte à l'arme et effacée du monde par la main du sacrificateur qui nous dérobe sa figure, l'ôte du circuit des visages vivants. Solution plus noble, sans vacarme, qui ajoute à la soumission du père celle du fils.

Aussi, entrée plus efficace de l'ange de l'Éternel. Les ailes battantes, il saisit la main d'Abraham et lui fait lâcher le couteau, qui tombe vers le sol. Rembrandt a haussé le thème à un sommet. Il lui confère une signification plus simple, plus efficace, aussi terrible. Les deux tableaux se répondent. Quand Caravage sonne les trompettes des orgues des églises de la Contre-Réforme, Rembrandt va à l'essentiel, chœurs *a capella*, comme dans le culte réformé. A foi égale, en s'engageant l'un autant que l'autre dans des créations qui sont aussi leurs exercices de piété, ils montrent qu'au sud comme au nord l'art sacré est le lieu des tentatives les plus novatrices de la pensée. A Rome, à Amsterdam, les deux peintres, suivant le texte de l'Ancien Testament, installent la tragédie d'Abraham et d'Isaac au sommet d'une montagne, y déployant la majesté calme d'un paysage. Ce n'est pas un hasard si leurs deux natures se ressemblent, vallées, tours et châteaux posés sur les collines, grand rythme régulier de crêtes et de creux alternés : le paysage noble de l'époque.

Quand Rembrandt peint son *Sacrifice d'Abraham*, voilà vingt-cinq ans que Caravage est mort. Rembrandt connaît son nom. Il a lu en néerlandais l'ouvrage du peintre et poète Karel van Mander qui, revenant d'Italie, a décrit la vie des peintres italiens contemporains. Si Van Mander ne dit pas grand-chose de Caravage, ne donnant pas même la possibilité d'imaginer une de ses œuvres, il insiste sur la particularité qu'avait ce peintre de ne jamais travailler à un tableau d'après un dessin (car quelque chose de vivant se fige dans le passage graphique), et il souligne que l'Italien peignait devant le modèle directement et dans les couleurs de la vie. Il ne cache pas non plus l'existence bohème, pleine de duels du peintre, et Rembrandt aura été sensible à la personnalité publique, à l'originalité de l'artiste. Mais qu'aurait-il pu tirer de ce texte aussi enthousiaste qu'imprécis, si Pieter Lastman, son maître, qui lui avait révélé Adam Elsheimer, ne lui avait fait ressentir aussi la force de Caravage. Pourtant si le souvenir d'Elsheimer demeura une constante dans la vie de Rembrandt, son dialogue avec Caravage n'aura duré que quelques années, un dialogue qui aura fonctionné sur des caractères profonds, plus que sur des images ou des structures de tableaux, mais qui laisse percer entre les deux artistes une entente subtile.

Caravage, chez les papistes, Rembrandt chez les réformés : une même volonté de rappeler que la foi est brûlante. Après eux, rares seront les artistes qui oseront déranger le calme d'une croyance. L'atelier d'Amsterdam aura été un des derniers lieux où la foi était exigeante.

3

LA LUMIÈRE DE L'INVISIBLE

L'enseignement de Rembrandt différait tout à fait de celui de Rubens. Alors que le peintre d'Anvers engageait des disciples pour l'assister dans ses travaux et divisait l'ouvrage, certains peignant les fonds, d'autres travaillant sur les feuillages ou sur les vêtements, tout se faisant sous le contrôle du maître qui corrigeait l'ensemble et achevait certaines parties, chez Rembrandt, l'élève participe au débat pictural engagé par le patron, mais dans ses propres œuvres. Rembrandt propose les thèmes, certains qu'il a traités déjà, d'autres qu'il n'abordera jamais : *le Sacrifice d'Abraham, Judas rendant les deniers, le Repas d'Emmaüs*... Parfois on ne connaît des sujets aucune image de référence et l'élève sera obligé d'inventer. Comme ce *Sacrifice de Gédéon* pour lequel l'atelier doit consulter la Bible au chapitre des « Juges » pour savoir que l'ange du Seigneur apparaît à Gédéon, touche de sa baguette l'offrande qu'il vient de déposer sur la pierre et l'enflamme. Cela veut dire pour l'artiste : un rocher, un ange, un bâton, un homme agenouillé et des flammes. Non un « Buisson ardent », mais une offrande, et sur l'offrande un signe que l'Éternel adresse au plus petit de la maison de Joas, Gédéon, qu'il a choisi pour combattre l'ennemi.

Cette même année, tandis que Carel Fabritius s'adonne à ce projet, Flinck travaille sur un *Couronnement d'épines*, Ferdinand Bol sur un *Sacrifice d'Abraham*, Philips Koninck sur la femme sunamite qui demande à Élisée de rendre à la vie son enfant mort, Grebrand van den Eeckhout sur Joseph racontant ses songes à ses frères. L'atelier fonctionne à plein. De manière à ce qu'ils puissent y tenir leur rôle, Rembrandt n'accepte pas les débutants. Néanmoins, personne n'est dispensé des besognes préalables à la peinture : découper les toiles, les tendre sur les châssis, préparer les supports, broyer les couleurs, filtrer l'huile, et aussi balayer la poussière, aménager les fauteuils où poseront les bourgeois candidats au portrait. L'atelier est un lieu vivant. Sur des étagères sont disposés les bustes en plâtre des personnages célèbres de l'Antiquité. Aux murs sont accrochés des armes, des casques, des vêtements qui serviront de références pour les compositions historiques.

Les garçons qui travaillent ici sont parfois arrivés tard, à l'âge de vingt ans. La majorité est plus jeune : dix-huit, seize, ou même douze ans. Très jeunes ? Non, Adriaen Brouwer, à quinze ans, était déjà sorti de l'atelier de Frans Hals. Jan Lievens était entré à huit ans dans l'atelier de Joris van Schooten à Leyde. L'Europe à l'époque ne s'attardait pas dans l'enfance. Nicolaes Maes avait quatorze ans quand il se présenta chez Rembrandt et sur-le-champ le maître l'installa devant un miroir avec du papier, une plume, un pinceau et de l'encre brune, en lui disant de faire son portrait. C'était sa façon de faire prendre conscience d'eux-mêmes aux élèves. Aujourd'hui, on voit, grâce à cet autoportrait, Nicolaes se scruter dans le miroir. Penché, un peu gosse avec ses cheveux longs et son strict col d'écolier, il fronce les sourcils, l'air soucieux, comme s'il avait quelque difficulté à prendre conscience de ses traits.

Rembrandt, apparemment, laisse ses cartons ouverts, suggérant à ses élèves d'y prendre ce qu'ils veulent : ses dessins et ses gravures, d'autrefois comme d'aujourd'hui, soit qu'il s'agisse de les copier, soit de s'en servir comme référence pour le thème proposé. Ainsi Ferdinand Bol, l'un des plus âgés de l'atelier, grava-t-il un cuivre d'après une estampe de Rembrandt, *Esther enveloppée dans ses cheveux*, ne s'attachant ni au décor de pilastres et d'arcs, ni au geste de la femme tenant un papier à la main, mais au visage et à la chevelure, insistant sur les lignes qui ondulent dans la blancheur du vêtement, saisissant bien la volonté obstinée qui se lit sur le visage. Un autre jour, Bol s'installe devant un tableau de Rembrandt, la *Saskia en Minerve*, pour le dessiner. Il situe bien la femme accoudée à un gros livre parmi les accessoires du savoir mais le trait, fidèle, est crispé. Il semblerait que l'élève eût peiné sur ce devoir.

Govaert Flinck, arrivé chez Rembrandt à dix-huit ans, devait, pour sa part, nous laisser une copie du *Sacrifice d'Abraham*, une copie à l'huile sur une toile du même format, ou presque. Cette fois, il ne s'agit pas de se documenter ou de se former mais bien de réaliser une réplique, pratique courante alors dans les ateliers d'Europe. Mais pour Rembrandt l'affaire n'est pas aussi simple. Avant de la signer et de la dater de 1636 (l'original est de 1635), il a modifié l'œuvre et l'a repeinte totalement, si bien qu'on ne voit rien de la version qu'en avait donnée le disciple. Que reprochait Rembrandt à la copie ? D'être trop exacte ? D'être un double imparfait ? Ou n'a-t-il pas supporté la réplique d'une œuvre qui lui était particulièrement chère ?

Quant à l'effet des idées proposées comme exercices, voici un *Daniel dans la fosse aux lions* par Constantin D. van Renesse, entré dans l'atelier en 1649. Visiblement l'élève fait d'abord ce qu'il peut, de chic. Pour montrer la férocité des fauves qui, sur son dessin, ont l'air paisible de ruminants, il place sur le sol des fémurs et des têtes de mort, restes de leur repas. Sans doute est-ce une de ses premières compositions. Le dessin est plutôt pâteux et manque de précision. Sous la scène il a écrit son nom, suivi de la mention *inventor et fecit*. Justement, à l'époque, Rembrandt, qui a vu des lions vivants à la foire d'Amsterdam, les dessine maintes fois. Rien n'empêche de penser qu'il s'est assis dans son coin pour traiter le sujet en même temps que ses élèves. Bien sûr, la différence est évidente : la silhouette musculeuse du lion convient bien au trait de Rembrandt qui insiste sur l'énormité des pattes, la menace des gueules ouvertes alors que l'élève ne progresse que timidement, cherchant à placer lentement des volumes dans la lumière. Il écrira ensuite sous sa scène :

> *Le 1er dessin que j'ai montré à Rembrandt le 1er octobre 1649. C'était la seconde fois que je le rencontrais.*

L'inscription célèbre évidemment une date importante de sa vie. Sur son dessin, pas de correction du maître. Pas d'influence non plus.

Un autre jour, le thème fut l'Annonciation : Marie assise près de son prie-Dieu, l'ange qui entre et lève la main vers elle, thème traditionnel, gestuelle connue. On sait que Constantin D. van Renesse, ayant pensé à nouveau son projet en volumes dans la lumière et placé les personnages dans une vaste pièce, Rembrandt s'approcha et corrigea : on ne voit pas assez la structure de la chambre, les personnages y sont perdus; il souligne à grands traits l'architecture, trace un pilastre, un arc, ouvre une fenêtre; il agrandit le meuble trop petit, en précise la fonction : qu'on puisse s'agenouiller devant et ouvrir un livre sur la tablette inclinée; enfin l'ange est trop proche de la Vierge et sa taille n'est pas assez grande... Sa main court sur le papier; il dessine une très haute figure, au geste ample, lui donne des ailes immenses, ouvertes! C'est tracé très vite et le sens de la scène apparaît aussitôt : on voit l'effarement de la femme qui, sous le choc de l'apparition, baisse la tête, se soutient d'une main sur son siège et se protège en plaçant l'autre main sur sa poitrine. Bien sûr, ces corrections, ces simples traits rapides sont dans le style de Rembrandt qui indique les structures nécessaires au traitement dramatique du sacré.

Quand il s'agit de dessiner Job sur son tas de fumier, au moment où deux de ses amis le visitent, Constantin D. van Renesse montre Job assis, regardant ses visiteurs debout. Rembrandt trouve la disposition trop figée. Alors, il ajoute un personnage qui, devant la misère de Job, lève les bras au ciel. Puis, remarquant que le décor du dessin est statique, il trace des obliques répétées pour ajouter un accent, fait surgir le cylindre d'une tourelle. Le propos de Rembrandt est toujours de recentrer, d'ajouter du geste, de faire surgir du sens. Encore une fois, il ne se comporte pas comme quelqu'un qui veut imposer son style, mais intervient sur la conception de l'œuvre, au moment du choix de son organisation. Samuel van Hoogstraten se souvenait de moments difficiles où l'exigence du maître était telle qu'il en ressentait une tristesse profonde. Mais, les larmes aux yeux, sans s'accorder le répit de boire ni de manger, l'élève ne quittait pas l'atelier s'il n'avait pas corrigé ses erreurs. Si violence il y eut, elle n'était pas celle de l'autorité, mais celle de l'exigence. En fait, le maître Rembrandt estimait que les jeunes gens qui venaient chez lui arrivaient trop occupés d'idées toutes faites. Hoogstraten gardait en mémoire la phrase clé de l'enseignement de Rembrandt. Il disait : « Tâchez d'apprendre à introduire dans votre œuvre ce que vous savez déjà. Alors, vous découvrirez bientôt ce qui vous échappe et que vous souhaitez découvrir. »

Son enseignement n'a pas abouti à des traités. Rembrandt ne peut pas être le défenseur d'une esthétique, car il voit bien que la création est sans cesse évolutive, vivante comme un être vivant. Mais qu'est-ce qu'un enseignement qui ne se réfère à aucun dogme? Jamais les disciples n'ont attendu du maître une incertitude.

De l'enseignement de Rembrandt, il ne reste que quelques souvenirs, l'émotion de Constantin D. van Renesse notant sa rencontre; la leçon socratique que se rappelle Samuel van Hoogstraten. On a conservé un cahier où l'on ne sait qui rassembla des feuilles de dessins corrigés par Rembrandt. Non pas les originaux des dessins sur lesquels le patron redressait les erreurs, montrait les voies possibles, mais des copies de ces corrections. Il aura fallu que les élèves se soient communiqué ces pages, qu'ils les aient reproduites dans l'idée que ces traits de roseau trempé dans l'encre, que ces remarques à la craie avaient la capacité d'éveiller la pensée, d'ouvrir l'esprit, et qu'il ne fallait pas laisser perdre la force créatrice que le maître avait dispensée autour de lui. Aucune théorie, donc, mais des indications éclairantes données à chaud, au moment même de la conception des œuvres. Tel fut l'enseignement de Rembrandt : une stratégie pour les peintres, sur le terrain même de l'art.

Après lui, la lignée des théoriciens, des niveleurs, reprendra le pouvoir, alignant les livres sur les rayons des bibliothèques. De bons auteurs écriront des histoires de la pensée créatrice, oubliant que Rembrandt, qui enseigna pendant une trentaine d'années, avait le statut de professeur. Peut-être, tout simplement, parce que cette pratique militante de l'art religieux selon Rembrandt n'avait pas d'avenir.

Pas d'avenir puisque le dogme de l'impossibilité des images était demeuré intact, puisque les fortunes considérables qu'amassaient négociants et financiers ne les conduisaient pas à se constituer des galeries de peinture. Il convenait que la richesse ne fût pas provocante et les demeures n'auront jamais les dimensions de palais dont les murs appellent des décorations murales. Des cycles de peintures, il n'y en aura que dans les résidences des princes, dans les hôtels de ville, principalement à Amsterdam, et dans les sièges des corporations. La clientèle ordinaire persistait à se faire peindre le portrait, achetait quelques tableaux de thème sacré, mais, pour l'essentiel, se reconnaissait dans les scènes paysannes, citadines, et dans les paysages, ce genre hollandais qui allait prospérer pendant deux siècles jusqu'aux paysanneries de Millet et de l'École de Barbizon, jusqu'aux mangeurs de pommes de terre de Vincent van Gogh.

Son succès fut si franc que les historiens d'art ne retinrent du siècle d'or que cette peinture-là, qui analyse les hommes, les paysages, les fleurs, les harengs sur assiette, une peinture dont le nationalisme aboutit à faire des Provinces-Unies une terre séparée, le lieu d'un miracle unique. Sans qu'on remarquât même que, près d'Anvers et de Bruxelles, en Pays-Bas catholiques, on peignait des scènes fermières très voisines. Sans qu'on prêtât attention aux voyages que les peintres hollandais firent en Italie et aux conséquences que ces voyages eurent sur le paysage. On préféra aux vues de la campagne romaine ou toscane tout ce qui était dune, chaumière et marécage.

Du coup, on insista sur Amsterdam, La Haye, Delft, Leyde, aux dépens du foyer italianisant que fut Utrecht. Surtout, on abandonna aux réserves des musées nombre de tableaux de thème sacré. Évidemment pas ceux de Rembrandt dont on accentua l'isolement, mais d'artistes qui furent ses disciples, ou d'autres qui s'étaient risqués dans le genre.

Aujourd'hui les historiens proposent une vision plus nuancée du siècle d'or. Rembrandt n'y perd rien de sa présence et la tendance qu'il souhaita répandre est mieux perçue. Reste que, de son vivant, et jusqu'à notre époque, la place qu'il voulut faire prendre à l'art sacré demeura méconnue. Et que cela tient sans doute à une méfiance profonde envers les images, tenues pour des sources imprécises, des causes de déviation spirituelle. Adonnés aux sciences, les Hollandais en tirèrent un outillage de mesures de l'espace et du temps qui servit leur prospection de l'univers. Missionnaires du commerce, ils le furent aussi de la Réforme et, la Bible en poche, ils évangélisèrent la planète. Mais la Bible, c'était le texte, pas l'image, pas la représentation des personnages, ni la forme corporelle du Christ.

Les Pays-Bas étaient entrés dans le monde abstrait des idées, ce que Rembrandt refusait d'admettre, persistant à croire que la lumière divine était plus puissante quand elle touchait le corps des hommes. Personne n'a peint comme lui la fin du soleil avec la mort du Christ, ni le renouveau de la vie dans un cadavre dont on ouvre le tombeau. Car il ne séparait pas le matériel du spirituel ; il faisait précisément ce que les Hollandais ne voulaient plus voir en peinture : le divin pour eux n'existait plus qu'invisible. Ils n'en aimaient que davantage leur bas monde et ses lumières changeantes, ainsi que la société parfaite qu'ils y avaient créée.

Avec les années, Rembrandt se retrouvera de plus en plus seul dans ce projet auquel il avait rêvé d'associer des générations.

4

LA RONDE DE NUIT

En dépit de l'atelier, des tableaux de la Vie du Christ pour le stathouder, des œuvres liées à la vie de Saskia, à la vie de Samson, des paysages qu'il commence à peindre, des gravures qu'il multiplie pendant ces années-là, Rembrandt ne s'éloigne pas du devoir traditionnel du peintre hollandais, le portrait de groupe, puisqu'il est l'un des six artistes chargés de composer des tableaux pour les Sociétés des milices bourgeoises d'Amsterdam. Les commandes, on le sait, ont été passées en 1638 pour témoigner des belles prestations des compagnies au moment de l'entrée de la reine Marie de Médicis dans la ville et orner les nouvelles salles qu'elles se faisaient aménager contre l'énorme tour Zwijg-Utrecht.

Pour honorer ses miliciens, la Hollande trouvait des murs qu'elle n'accordait pas à la peinture sacrée. Les six tableaux sont en effet très vastes. Ils rassemblent chacun entre dix-huit et trente-deux portraits de miliciens présentés dans leur hiérarchie militaire : le capitaine, le lieutenant, l'enseigne, les sergents, le tambour et les hommes. Leur attitude, leur place dans la composition permettent de deviner leur grade.

Les capitaines, Cornelis de Graeff, Frans Banning Cocq, les lieutenants Frédérick van Banchem, Gerrit Hudde, Jan Michielsz. Blaeuw, Lucas Conijn, Hendrik Lawrensz., Willem van Ruytenburch font manœuvrer leurs hommes. C'est une superbe parade et l'ensemble constitue un témoignage de la démocratie militaire que la peinture hollandaise est la seule en Europe à glorifier, et cela depuis le XVIe siècle.

D'âge en âge, on a vu le genre évoluer, la composition s'assouplir, les gestes prendre plus de naturel et le projet initial d'une succession de portraits devenir la représentation de la cohésion d'un groupe. Il est arrivé à Frans Hals de s'autoriser des sourires devant ces soldats que l'embonpoint congestionne, que la vie douillette loin des campements a un peu rouillés, mais aucun peuple n'a aussi constamment demandé à ses peintres d'honorer les gardiens de sa sécurité.

On sait comment le programme des six tableaux consacrés aux six compagnies a été conçu. En fonction du plafond des salles, on a demandé aux artistes de respecter une hauteur moyenne de 3,40 mètres. Certains s'y sont pliés, d'autres non. Quant aux longueurs, elles ont varié de 4,50 à 7,50 mètres. Faute d'exactitude militaire dans les indications données aux artistes, les compagnies ont disposé d'une certaine autonomie et les plus nombreuses ont obtenu plus de place que les autres.

A l'intérieur de chaque groupe, les honoraires de l'artiste étaient partagés, et chacun payait selon l'importance de son grade. Certains bourgeois prirent goût à leur apparition dans les tableaux, comme ce Frans Banning Cocq, le capitaine de la compagnie de Rembrandt, qui, onze ans plus tard, se fera à nouveau peindre par Bartholomeus van der Helst, parmi les dirigeants d'une autre milice, celle de Saint-Sébastien. Selon la tradition, une fois les quotes-parts établies, la recette était donnée au peintre. Frans Hals, pour un portrait collectif, avait obtenu 66 florins par tête. Rembrandt, bien que sa peinture fût beaucoup plus peuplée, obtint une moyenne de 100 florins par garde représenté dans son tableau, soit 1 600 florins pour l'ensemble. Si nous ne comptons que les visages identifiables, en plus du capitaine et du lieutenant, on dénombre dix-huit personnes.

Au moment de la commande et de son exécution, son vrai rival est Bartholomeus van der Helst.

De six ans le cadet de Rembrandt, il pénètre parfaitement la formule du portrait collectif où chacun doit trouver sa place, son identité, son bon profil, son meilleur habit, dans une densité humaine qui n'exclut pas la dynamique des groupes assis, des groupes debout, des passants, des accessoires guerriers, une belle symphonie de couleurs claires et de lumières fraîches. Personne ne fera mieux et van der Helst, qui mourra en 1670, aura d'autres occasions de remporter de nouveaux succès dans un genre où il fut supérieur à tous.

Les autres artistes sont l'Allemand Joachim von Sandrart, qui deviendra un des premiers historiens et critiques de Rembrandt, Nicolaes Eliasz., dit Pickenoy, le plus âgé de tous et voisin de Rembrandt dans sa demeure de la Sint-Anthoniesbreestraat, enfin Govaert Flinck et Jacob Backer, deux peintres plus jeunes. Le second subissait l'influence de Rembrandt ; le premier était sorti depuis cinq ans de son atelier.

Ainsi, dans cette commande qui mobilisa ces six artistes pendant plusieurs années, la tendance Rembrandt occupa-t-elle une place prépondérante puisque, pour la moitié, le choix s'était porté sur lui et ceux de son atelier. Dans ces conditions, face au plus habile technicien van der Helst, Rembrandt, en compagnie de ses disciples (Flinck, Backer), va s'interroger sur sa capacité d'être différent des siens et des autres, jusqu'à renouveler le genre du portrait de groupe. Ce renouvellement n'eut pas de conséquence dans l'histoire de la peinture. Personne n'osa, ni ne put l'accompagner dans la voie qu'il avait ouverte. Son tableau fut celui qui ferma le chemin.

L'idée de base fut de peindre le portrait d'une collectivité en marche. Le mouvement de la compagnie s'opposait à la stabilité que demande le portrait. Pour assurer plus que la ressemblance des gardes, il fallait les insérer dans un ensemble qui comporterait plus de personnages que ceux qui avaient cotisé. Ainsi Rembrandt arriva-t-il à la nécessité d'un tiers en plus, un tiers qui ne serait pas identifiable. Cette décision allait à l'encontre des principes du portrait collectif, mais c'était la vraie façon d'obtenir le mouvement.

La deuxième idée fut que la notion de mouvement serait donnée par une alternance d'ombre et de lumière. Il faudrait donc éclairer celui-ci et assombrir celui-là, de façon à obtenir un rythme de mobilité. Procédé de l'esthétique baroque, mais aussi constat quotidien aux Pays-Bas où les rayons solaires s'allument et s'éteignent sans cesse à travers les nuages que le vent pousse.

Enfin il fallait admettre que le spectacle ne pouvait pas être un défilé discipliné, à l'alignement, et qu'on assisterait au désordre d'un peuple qui prend les armes, des armes disparates, lances, hallebardes, mousquets, arquebuses.

L'ordre de rassemblement vient d'être donné. Le porte-enseigne, à l'appel du tambour, vient de dérouler son drapeau. Les miliciens bourgeois entrent sur la place, arrivant de plusieurs rues. Ils ont abaissé leurs piques pour passer. Ils sortent des voies étroites où ils avançaient encombrés et, tout d'un coup, les voûtes à peine franchies, ils se redressent et lèvent leurs armes. On dirait des ruisseaux encaissés qui se répandent soudain dans un lac. Ils trouvent leur espace. La place devient le lieu de convergences de courants multiples. Troupe sans uniforme, cohorte de volontaires, jeunes et vieux mélangés, les uns portant des bérets, les autres des chapeaux, quelques-uns des casques, tous entrant sur la place en vérifiant leur équipement. Rembrandt donne là l'image d'un rassemblement de citoyens et non d'une mobilisation militaire, l'idée forte étant d'avoir fait passer les hommes sous une voûte pour pouvoir les saisir au moment où ils se redressent et déploient leurs armes.

Désordre ? Oui, mais il est dû à la traversée du dédale de la ville. Chacun sait ce qu'il doit faire et, dans un instant, le capitaine Frans Banning Cocq, vêtu de noir, éclairé de son écharpe rouge, et le lieutenant Willem van Ruytenburch dans son costume jaune d'or, qui sont habitués à ce vacarme préliminaire, verront les bourgeois s'aligner et le silence s'installer dans leurs rangs.

Que Rembrandt peigne en même temps un tableau qu'il intitule *la Concorde dans le pays* – où il montre le rassemblement de chevaliers en armure non loin du lion qui veille devant les armoiries d'Amsterdam – confirme, dans le registre héroïque, ce que sa compagnie de bourgeois suggère dans le registre quotidien. *Soli Deo gloria*, a-t-il écrit sur le rocher que garde le fauve emblématique. Le désordre de l'allégorie médiévale rejoint celui de la rue d'Amsterdam où les courants de la foule se croisent devant la forte permanence d'une architecture de colonnes massives et de murs énormes sur lesquels s'allume et s'éteint le soleil.

La composition installe vigoureusement au sol la compagnie Banning Cocq. Elle la plante sur un ensemble de triangles pointant vers le haut. Au-dessus, elle insiste, répète d'autres triangles de piques qui se croisent, de hallebardes obliques qui rencontrent la hampe du drapeau. Elle se renforce en bas sur les jambes des hommes debout et, en haut, dans le cliquetis des armes heurtées. Une fois imposée cette quantité de forces levées sur le sol, Rembrandt peut lancer, à travers cette structure majeure, des bras, des mousquets, des lances, faire courir des enfants, aboyer un chien contre le tambour. Tous les incidents peuvent traverser cette levée verticale des hommes. L'idée qu'ils sont en marche ensemble, qu'ils forment groupe et qu'ils avancent est assurée. Le rythme de l'ombre et de la lumière prépare celui de la mise en marche qui va commencer.

A ce contraste du clair et du sombre, il en ajoute d'autres : un garçon qui court, une petite fille qui se faufile dans la foule, un poulet attaché par les pattes à sa ceinture (est-ce la cantinière ?), un gant vide qui pend à la main gantée du capitaine. Et aussi un tout petit bourgeois casqué qui fait partir par mégarde un coup de son mousquet. La flamme du canon frôle le chapeau jaune et les plumes du lieutenant, qui demeure impavide. Personne ne bronche. Ni cette erreur accidentelle, ni les contre-courants, ni les remous, ni les fuites, rien n'arrêtera les forces qui se croisent pour le rassemblement.

La collectivité s'impose, faite des gens les plus différents qui ne semblent pas aller ensemble, qui ne pensent qu'à leurs affaires personnelles et qui forment le peuple rassemblé. Dans leur nombre, il y a les méthodiques et les distraits, les fous et les raisonnables. Ils peuvent être dangereux avec ces armes dont ils ne semblent pas avoir tellement l'habitude. Ce jeunot avec sa pique risque d'embrocher un passant, ce vieillard n'y voit plus très clair pour doser la poudre de son mousquet, et ce garçon, s'il tombe dans sa course, va gaspiller celle qu'il porte dans sa corne de bœuf. Celui-là encore, dans le fond, qui plisse les yeux, doit être complètement myope. Dix, vingt détails insolites, burlesques parfois, viennent révéler l'aspect disparate de cette foule.

Sans folie, pas de raison. Sans part de mystère, pas de clarté. Chez Rembrandt le clair-obscur n'organise pas seulement la peinture, il s'impose aussi aux personnages. Car l'instant ici montré est celui où des dizaines d'énergies faibles se conjuguent pour composer une puissance, où le désordre va se transformer en organisation cohérente.

Évidemment, ce tableau apporte avec lui un véritable tumulte. Il est construit sur de telles forces, il exprime de telles vérités, il est nourri de tant de contrastes que les cinq autres portraits collectifs deviennent en comparaison des œuvres simples, n'illustrant que des pensées superficielles, sans arrière-plans. *La Ronde de nuit* est au civisme des Provinces-Unies du XVIIe siècle ce que *l'Enterrement du comte d'Orgaz* du Greco fut à la mystique de Tolède, ce que *l'Atelier* de Courbet sera à la société du XIXe siècle parisien, ce que *la Reddition de Breda* de Velázquez a été à la courtoisie des guerres du XVIIe siècle. Certains pays parviennent exceptionnellement à trouver chez certains artistes le génie qui transformera à jamais leur vérité.

Vraisemblablement, la compagnie du capitaine Roelof Bicker aura été plus satisfaite du tableau de van der Helst que la compagnie du capitaine Banning Cocq de celui de Rembrandt. Mais Rembrandt aura su créer une image si forte que, pendant des siècles, elle installera dans les esprits le capitaine, le lieutenant et leurs seize hommes, surgis pour toujours de la foule mouvante où ce tableau les a saisis.

Pourtant la peinture de van der Helst est un bon tableau, fort, nuancé, avec des beautés de tissus, d'aciers, d'expressions humaines, construit en groupes harmonieux. Il est lisse comme si le pinceau n'y était pas passé, mais il n'a que l'apparence de ce qu'étaient ces groupes de citoyens, l'effet qu'ils souhaitaient produire. Rembrandt, au contraire, a donné à ses gardes une dimension à laquelle ils n'avaient jamais pensé. Il a apporté au genre la démesure qu'il n'avait pas encore eue et qu'il n'atteindra jamais plus.

Seul Frans Hals, dans le même emploi, est allé à son niveau, dans une mise en scène cependant sans folie, souriante mais pas satirique, amusée, sans cet excès de dérision que Rembrandt a naturellement osé, y risquant le ridicule, avec toutefois une construction si puissante que *la Ronde de nuit* sera en premier lieu l'image d'un rassemblement d'hommes libres, c'est-à-dire l'expression d'un idéal, la République. Personne sans doute n'en demandait autant.

Dans l'atelier, à l'époque, va et vient un adolescent de quatorze ans, Samuel van Hoogstraten. Il veut être peintre et le sera. Il prend part aux discussions qui s'engagent autour du tableau. Quand on dit : « Rembrandt a mis là toute son imagination, mais il n'a pas fait les portraits qu'il devait peindre », Hoogstraten répliquera : « L'œuvre est si pittoresque dans son invention, si habile dans sa composition, si pleine de force qu'à côté d'elle les autres tableaux de la maison des gardes civiques ont l'air de cartes à jouer. » En disant cela, il parlera en peintre, pour qui le tableau existe en tant que tableau avec toute sa signification, avant d'être la représentation d'un certain groupe de miliciens.

C'est dire qu'en 1642 Rembrandt peut penser qu'il est compris par la jeunesse et que l'effort qu'il a accompli à l'atelier porte ses fruits, puisque Hoogstraten a ce genre de jugement, puisque Backer et Flinck sont admis comme des maîtres, et que la tendance que représente l'atelier est reconnue publiquement.

5

PAYSAGES NOBLES ET BANLIEUES DE LAGUNE

Qu'est-ce que la nature chez Rembrandt ? Des rochers en chaos, des arbres morts, des cavernes, des fleurs sauvages, des ruisseaux, un fleuve, de hautes collines, les uns et les autres formant un décor plus ou moins mouvementé où l'espèce de l'arbre, de la fleur, compte moins que la couleur et la lumière qui ajoutent à l'intensité dramatique. Dans cette nature, des villes, des palais, des temples, des tours, des portes et, pour seuls habitants, des personnages bibliques.

Certes, Rembrandt aura vu Amsterdam. Il aura dessiné certaines tours, certains clochers, certains moulins de la ville, quelques portes fortifiées de cités de province avec une fidélité qui permet de les reconnaître, mais, plus souvent encore, des étendues d'eau, des pâturages dans lesquels évoluent quelques barques, lieux qui sont de toute la Hollande et qu'on ne peut identifier. Il aura été surtout, par le dessin et la gravure, le spectateur de son pays. Mais ses dessins sont des notes. Ils servent à garder des détails en mémoire, non à rendre compte du paysage. De la nature il prend ce dont il a besoin, il a une vision sélective : pas de passants autour des portes de ville ou devant les clochers, ni de navires dans la ville. Et si parfois on voit pointer des mâts au-dessus des toits, des coques au bout des rues, c'est beaucoup moins qu'il n'y en avait en réalité. Le dessin de Rembrandt cherche un objet, l'analyse et l'isole du reste. En ce sens, il n'a pas été un paysagiste ou, en tout cas, il le fut autrement que ses contemporains et successeurs qui se voulaient les topographes des églises, des maisons, des canaux, de l'animation des villes. La Hollande vit au XVIIe siècle ce que Paris connaîtra au XIXe : la promotion de la scène de rue, de village, de campagne, avec des artistes qui se spécialisent dans la pâture des troupeaux, le passage du gué, la mélancolie des dunes, l'agitation des auberges citadines et rurales, la pêche, le marché.

Aucun métier qui ne devienne sujet de tableaux et d'estampes, on y met une précision qui s'attache aussi à l'architecture et à l'urbanisme. L'hiver arrive, la glace gèle les canaux, voilà d'autres scènes à peindre : les patineurs, les traîneaux, la neige sur les toits, les cheminées qui fument. Il n'y a pas une saison de l'année, pas un caractère de la vie des Hollandais que les peintres n'aient saisis. Cela va bien avec la conception que le pays se fait de la peinture, miroir de son quotidien, dont le peintre est le chroniqueur. Cartographes et paysagistes sont animés d'un égal souci d'exactitude. Ce qui permettra à la Hollande d'exporter son invention du paysage jusqu'en Italie, où Kaspar van Wittel d'Utrecht, sous le nom de Vanvitelli, à la fin du XVIIe siècle, incitera les Canaletto et les Bellotto, à partir de la *camera oscura*, l'appareil des perspectivistes et des architectes, aux descriptions des *vedute* de Rome, de Venise ou de tant d'autres villes d'Europe, Londres, Dresde, Varsovie.

Rembrandt ne se situe pas dans ce courant, bientôt international. Là encore, il surprend ses contemporains. Après avoir choisi pour modèles de ses nus des filles d'Ève marquées par le péché originel, dégradées par l'âge et la misère dans leur chair, voilà que ses paysages ne ressemblent généralement à rien qu'on puisse immédiatement identifier dans une ville ou une campagne des Pays-Bas. Se voulut-il réaliste dans le nu et irréaliste dans le paysage ? Certainement pas. Son intervention dans l'un et l'autre domaine fut également puissante. S'il grava des femmes aux corps fatigués, il sut aussi en montrer de belles, car il travaillait selon la signification qu'il attendait de la nudité, sans chercher à se soumettre aux canons des beautés allégoriques. Il en allait de même dans le paysage qu'il créait selon son gré, et qui pendant dix-huit ans, à travers une douzaine de peintures de 1637 à 1654, lui permit de proposer sa réflexion sur la nature.

Pour lui, la nature parle comme un corps ou un visage. Un pont sur un fleuve, un arbre foudroyé n'ont pas une simple signification plastique. Le pont est un passage, l'arbre incendié une catastrophe. On trouve chez lui quelque chose du regard de Pieter Bruegel sur l'eau et les montagnes, d'Altdorfer sur les panoramas immenses, de Rubens qui percevait sur l'horizon la courbure de notre planète. Le paysage, il l'aime immense, comme les Italiens de Rome et de Bologne, comme les Hollandais italianisants qui commencent à revenir de leurs voyages dans la péninsule. Il l'aime vu de haut et témoignant de l'immensité de l'univers. Ce n'est plus l'ancien *speculum mundi* où l'on voit les éléments dans leurs fureurs comme dans leurs calmes, portant les emblèmes du jour et de la nuit, le soleil, la lune et les étoiles, ou cette merveille que lève l'arc-en-ciel. Mais il en reste la volonté de montrer la terre dans sa grandeur noble, les montagnes et les vallées, la rivière, le ciel immense, les empreintes qu'y ont laissées les civilisations, villes, palais, ruines, et sur ces terres les cultivateurs et les pasteurs dans leurs ouvrages. En somme, rien de très différent de ce que les *Géorgiques* de Virgile avaient inscrit dans la culture occidentale et dont témoignent aussi bien les dessins panoramiques de Léonard de Vinci, les fenêtres ouvertes de Paolo Véronèse que les saisons mythologiques de l'idéal classique telles que les peignirent Carrache, Poussin et Claude Lorrain : on veut témoigner de la présence de l'histoire antique dans la vie des champs, identique depuis des siècles, témoigner d'une nature permanente, si l'on n'ose dire éternelle, où les traces humaines s'ajoutent aux traces humaines, creusant toujours davantage les ornières anciennes, s'insérant dans les demeures séculaires. De génération en génération se transmet la même culture, qui se souvient de collines giboyeuses, de sous-bois riches en cèpes, d'étangs pleins de carpes, de grands noyers et de chênes centenaires, qui garde trace du taureau vaillant, du cheval formidable, du cerisier merveilleux, aimant à nommer la maison du nom de celui qui un jour s'y est pendu, la plage de celui qui s'y est noyé ; à moins encore que la terre ne garde mémoire de pêches miraculeuses, de récoltes inespérées, du passage des conquérants, du mariage des princesses ou des éloges des disparus. Pour Rembrandt, on le voit, la nature est la rencontre des mémoires humaines, animales et végétales, dans la lente métamorphose du sol. L'infini se mesurant en siècles, la brièveté humaine peut être ressentie comme un passage dans une continuité. Le bouvier qui conduit son bœuf, le pêcheur qui pousse sa barque avec sa rame, le marin qui baisse sa voile, le cavalier qui va sur le chemin, ne font que continuer les vies d'autrefois, même si l'église alors nouvelle est maintenant réduite à sa seule structure originelle, si le palais est abandonné, si l'obélisque a perdu son sens.

Car, sur cette nature, Rembrandt n'a pas le regard nostalgique du romantique amateur de ruines. Il choisit les paysages dans leur plus vaste espace et dans la plus grande durée qu'ils puissent exprimer. D'où les arbres morts à côté des arbres vifs, d'où les ornières sur les routes non loin des trajets solitaires, d'où les échafaudages de poutres et de planches autour des clochers et des moulins menacés d'effondrement, dans un cadre maintenu, entretenu, soigné, malgré son apparence d'abandon. Le citadin sait lire l'activité des campagnes apparemment endormies, il sait reconnaître l'immensité qui cerne les hommes et fait la solitude du pêcheur près de la rivière, l'isolement du cavalier sur la pente de la colline.

Ainsi son idée de la nature est-elle celle d'une permanence des valeurs. Et si les gestes des hommes traduisent leur ancienneté, rien n'interdit que ce monde immobile reçoive les acteurs des scènes bibliques. Le bon Samaritain n'emporte-t-il pas le pauvre sur son cheval comme le fermier conduit chez lui un ouvrier blessé ? Si bien que, dans cette pérennité, les seuls événements majeurs demeurent ceux de la lumière. Mobile, elle blanchit d'un coup le bouquet d'arbres sur la colline, noircit la rivière sous la passerelle de bois. Sur un paysage calme, vaste, harmonieux, où se déplacent de petites silhouettes humaines et animales, voici qu'elle fait soudain crier l'éclair blafard, donnant aux branches de l'arbre l'allure pétrifiée d'un bouquet de corail blanc, à moins qu'il ne devienne squelette, ossements du fond de la mer, cages thoraciques qui ne respirent plus. La nature est à la fois vive et morte, aquatique et terrestre. L'orage de Rembrandt déplace les repères, multiplie les références, pour finalement redonner aux hommes le sentiment de l'universalité. A l'époque, la nature sert d'ordinaire d'accompagnement à une *Fuite en Égypte,* à une *Adoration des Mages,* à *Narcisse cherchant dans l'eau son image,* à *Tobie pêchant dans la rivière.* A moins qu'elle ne soit présente encore dans les suites des quatre saisons où elle apparaît soignée par les travaux des hommes. Tout un répertoire d'arbres, de rochers, de ponts, de châteaux forts perchés sur les collines, de lacs, de montagnes lointaines, de navires passant sur la mer, permet aux peintres de présenter une nature, sinon dans sa totalité, du moins dans sa diversité. En cela, Rembrandt n'est pas différent d'Annibal Carrache, d'Adam Elsheimer, du Dominiquin, de l'Albane, ni de Nicolas Poussin. Cependant, alors qu'on verra Claude Lorrain prendre la Villa Médicis comme palais portuaire, un fragment de Colisée pour servir de monument sur une baie, Rembrandt refuse les citations architecturales. Non par manque de culture, mais parce qu'il n'en a pas besoin. De même, et contrairement à Gaspard Dughet qui a découvert Tivoli, son temple perché, ses vallées croisées, ses cascades, archétype du fragment de nature idéal, il ne croit pas qu'il existe de paysage parfait. Sans doute n'a-t-il pas visité l'Italie et ne connaît-il les murs et les sculptures de l'Antiquité que par des documents gravés, mais sa nature n'est pas celle des Italiens. Pas plus qu'il n'a voulu y intégrer leurs temples, il n'en retient les rochers, les ravins. L'ampleur de la vallée qu'il aime peindre est celle du Rhin dans les dernières hauteurs qui l'entourent avant son entrée dans les Pays-Bas. Et pourtant sa peinture prend, avec le paysage rhénan, la même distance que le paysage italien de Poussin avec la campagne romaine : il s'agit, dans les deux cas, d'essences de paysage. Poussin en aime la chaleur brumeuse, Rembrandt la fraîcheur. Hormis un obélisque, quelques tours au sommet des collines, un pont, un clocher d'église en restauration, Rembrandt ne voit rien de monumental dans son paysage. C'est vrai qu'en Italie les fermes que les peintres apercevaient au pied des collines étaient des œuvres d'architectes, avec des tours, des arcades et des entrées monumentales, alors qu'en Hollande la ferme n'est qu'une chaumière faite de branches d'arbres, de murs de terre, d'un toit de chaume. Sa cheminée est en brique. La construction campagnarde, à la fois fonctionnelle et naturelle, a de grands et beaux volumes, mais elle est fondamentalement différente de l'architecture de la ville. Ce que Rembrandt a voulu montrer, c'est la grandeur, la solitude des espaces, la vie à l'écart de la cité, retranchée quant à elle derrière ses murailles.

Ses tableaux aiment les grands espaces où le soleil fait passer ses gloires entre les nuages, les étendues où le regard peut explorer la grandeur de la terre, l'ampleur du spectacle qui suscite une respiration plus profonde. En comparaison avec la nature romaine, au pays rhénan les mythes sont rares. Pas de sibylle, pas de nymphes ni de satyres; les seules grandes voix qu'on entende sont celles des rythmes de la terre et du ciel : dialogues des vallonnements et des nuages. Dans cette immensité, on perçoit ce dont en ville on n'a que les reflets, l'orage et ses éclairs. L'orage est dans la peinture depuis le Déluge, mais surtout depuis Giorgione et la Vénétie du XVIe siècle, Giorgione qui en a peint la lueur dans le ciel au-dessus d'un paysage fragile, ne faisant de l'éclair qu'un signe puisque le tableau ne tient pas compte de sa lumière. Au contraire, le Greco, à la fin de sa vie (il mourut en 1614), n'avait gardé de l'éclair que la révélation qu'il apporte de la pâleur funèbre de Tolède, dressée au-dessus du Tage, sur la sinuosité des chemins enchevêtrés, Tolède dont il ne craint pas de déplacer les murs et les tours pour la montrer dans l'instant qui précède la fin du monde, tandis que vont et viennent calmement les hommes.

L'orage est encore chez Gaspard Dughet, le contemporain de Rembrandt. Dughet aime le vent qui couche les arbres, fait onduler leurs branchages feuillus à l'horizontale comme un torrent d'herbes renversées, quand le pays tout entier se met à courir sous la bourrasque. On y voit distinctement la ligne de la foudre qui frappe la tour et y allume les premières fumées de l'incendie. Pour Rembrandt, pour Giorgione, Dughet ou le Greco, l'orage aura été le spectacle d'une bousculade de nuages géants, la démonstration d'une force suprême. Aucun ne croit plus que l'éclair soit une volonté des dieux, mais la manifestation par la nature de sa force de destruction.

Rembrandt dessinateur s'intéresse à l'organisation de l'eau, du ciel, des berges, des cabanes qui sont devant lui, mais refuse de s'en faire l'analyste précis. Pour toutes ces raisons, ses paysages sont peu souvent identifiables. Certes, il a dessiné à Amsterdam la tour de la Westerkerk, la tour de Montelbaan, la grosse tour Zwijg-Utrecht, ou l'hôtel de ville, une porte dans les fortifications de Rhenen, près d'Utrecht, la ville anglaise d'Oxford, près de Londres, la cathédrale de Saint-Alban, mais c'est peu et le dessin peut avoir sa source aussi bien dans un document tiré du carton d'estampes que dans une promenade sur place. Il ne regarde guère davantage les arbres. Et s'il grave un très vieux saule poussé dans le sable du fleuve, c'est pour en faire un personnage aux replis compliqués où pourraient habiter quelque gnome, quelque fée. En général, pour Rembrandt, les arbres n'existent pas en solitaires, mais en petits ensembles, poussés à l'alignement sur une butte où ils deviennent île au milieu des deux infinis de l'eau et du ciel.

Ce matin, il part avec quelques plaques de cuivre, du papier, un flacon d'encre, des pinceaux, une pointe, des plumes. Il tourne le dos à Amsterdam et franchit, au bout de sa rue, la porte Saint-Antoine. Il est encore près de la ville, mais déjà elle ne se signale plus que par quelques clochers, quelques tours et moulins qui gesticulent sur les murs d'enceinte. Il n'est pas pour autant au bout du monde. Les barques vont et viennent. Les chevaux sur les chemins du halage tirent. Des dialogues s'échangent entre les pêcheurs des berges et les passagers des barques. Des carrioles circulent sur la route qui court au sommet de la digue. Des bergers qui veillent sur leurs troupeaux hèlent des passants. Dans une nature aussi irriguée, aussi travaillée et fréquentée, la solitude n'est jamais que provisoire, et, où que l'on s'installe pour dessiner et graver, c'est toujours avec la certitude de voir un moulin tourner au loin, un cavalier passer sur la crête d'une digue, des oiseaux prendre leur envol, des canards fouiller les buissons d'herbes, un navire s'acheminer vers les hangars. La petite Hollande est une terre pauvre, mais totalement cultivée, et abondamment peuplée.

Que cherche Rembrandt dans ce marécage d'où émergent çà et là quelques demeures de paysans ? Sans doute quelque chose, qui est apparu discrètement dans ses paysages peints, ses paysages nobles et qui devient ici flagrant : une nature que les dieux n'ont pas survolée. Non pas une nature sauvage puisque tellement cultivée, mais cette terre impossible, ce marécage où les armées s'embourbent et où vivent les oiseaux, les poissons et les Hollandais. Rembrandt pourrait, comme les peintres vénitiens, demeurer attentif à l'organisation de la lagune, au quadrillage des canaux, aux belles demeures, aux ponts de pierre et de brique. Non, il va vers les chaumières, préférant aux bâtiments neufs des quartiers qu'on aménage le moulin qui manque de crépi, la maison dont le toit est défoncé par le poids de la verdure. Dans sa jeunesse, il regardait les visages ravinés des vieillards, aujourd'hui les fermes qui ont vécu, les moulins qu'on devra réparer. Plus que la création et le style d'un architecte, c'est la permanence de l'habitation qui l'intéresse, la façon qu'elle a de résister aux éléments, de porter la trace d'un effondrement dans le sol meuble, de montrer la pauvre palissade qui la protégera quelque temps encore du délabrement final. Il aime la précarité de l'existence sur cette lagune où les habitants ne prennent que des mesures de survie, cherchant seulement à se maintenir en symbiose avec le marais, ses herbes, ses arbustes, ses oiseaux, ses poissons. On ne sait plus si le toit de chaume est porté par les murs de la maison ou soutenu par les branches qui le traversent, l'entente s'est faite entre l'espace humain et l'espace naturel, confondus.

Le paysage de ces rencontres sur les zones incertaines, à l'écart de la ville, à l'écart de la mer, Rembrandt n'est pas le seul à en avoir le goût. Jan van Goyen, Salomon van Ruysdael aiment aussi les marécages. Leurs thèmes, ils vont les chercher dans les espaces au-dessous du niveau de la mer, derrière les dunes qui les protègent des grandes marées. Jan van Goyen aime les pilotis qui se couvrent d'algues brunes, plantés dans le clapotis de l'eau grise ; Ruysdael les lieux perdus qui n'ont pas de nom ; Rembrandt aussi, qui y conduit ses disciples, Ferdinand Bol, Grebrand van den Eeckhout. Il les a emmenés du côté de Haarlem. A l'horizon, les moulins, les clochers de la ville, mais devant eux l'espace plat, tranché par les canaux d'irrigation, jalonné de rares fermes.

Philips Koninck, dont les paysages panoramiques constitueront le plus durable de l'œuvre, se souviendra des leçons de distance que lui donnait Rembrandt, lui faisant découvrir le paysage hollandais à perte de vue. Mais aucun de ses élèves ne le suivra au point de continuer, avec les étranges cabanes des habitants de la lagune, les mauvaises herbes poussant sur quelque tas de boue au péril des eaux, le dialogue qu'il aimait.

Un jour, il grave un peintre assis par terre. C'est un de ses élèves en train de dessiner une maison de la lagune. Elle n'est pas abandonnée puisqu'un petit troupeau paît dans le pré voisin, qu'une charrette est garée près de l'entrée de la grange. Mais elle semble vieille et usée. Son chaume, en haut du toit, est troué. Des carcasses de chariots, de barques, s'entassent près d'un arbre. Surtout la demeure est close. Les portes et les fenêtres sont fermées.

Rembrandt, manifestement, aime les lieux où les règles de la cité sont oubliées, où surgissent des formes de fantaisie, de rêve, qu'elles viennent de palissades mal équarries, récupérées au bord de l'eau comme le bois flotté qui arrive après un naufrage, ou de planches plantées dans les roseaux que recouvre un épais béret de chaume auquel un arbre semble ajouter une plume. Pour un Hollandais dont la demeure est nettoyée à grande eau chaque semaine, les folies des îles de la lagune constituent une voie d'accès aux puissances du marécage.

Sont-elles pour Rembrandt la survivance des croisements chimériques qui proliférèrent dans les peintures de Jérôme Bosch ? Ses moulins ont parfois des yeux noirs. Ses chaumes coulent comme les plis d'un pelage. Ses maisons, envahies par la végétation, semblent prêtes à s'avancer dans le marais, nouvelles machines amphibies, immenses vaches aux os de bois, au cuir de voiles et de roseaux, défi à l'urbanisme et à l'organisation, comme ces mendiants que la prospérité de la ville aurait en principe abolis mais que l'artiste n'a jamais cessé de croiser et de dessiner. Le mystère, Rembrandt le sait, surgit toujours au crépuscule et à l'aube dans les heures de l'incertitude triomphante. Alors, les habitations ne sont plus d'innocents bouquets d'arbres comme les autres, car celui qui y vit a allumé sa lampe à huile et il a fait de sa demeure au milieu des eaux et de la nuit, au seuil de l'incroyable, le lieu de toutes les veilles, la halte des âmes des trépassés guettant la barque qui les emportera vers les grandes mers calmes. Dans le marécage hollandais, Rembrandt cherche le contact avec les forces anciennes que la raison, le commerce ou la juste mesure éloignent des villes.

Amsterdam est le lieu où le fleuve disparaît dans les canaux. Rembrandt n'aura pas aimé le peindre asservi. Il sera allé le chercher en amont, là où, sortant des collines, il a encore sa présence sauvage. Et en aval, là où il accède à un autre état de mystère, où il disparaît dans la mer. Il aime la nature dans les excès de sa force. Au contraire des Italiens et des Français de son temps, il ne la réduit pas en quelque figure allégorique. Il la veut mystérieuse. Et il se met aux aguets des états secrets, des forces invisibles, de ce qui prend vie dans les détours des lignes, de ce qui surgit dans les creux d'ombre, de ce qui échappe à l'identification. Il lui faut de l'indiscernable, car c'est avec cette matière-là qu'il construit l'image. Le sens se trouvera dans le rassemblement de signes insensés. D'où la recherche de ces étranges compositions où l'on finit par distinguer des hommes au milieu de bouquets d'arbres qui s'élèvent sur quelques tas de boue. D'où les collines qui respirent, mais de quel souffle ? Rembrandt est d'une génération qui n'identifie plus l'obscur. Devant le mystère, il ne ressent pas le besoin (ou il n'est pas capable) de le formuler, il ne donne pas les formes qui permettraient de distinguer les composants, de nommer les acteurs des puissances obscures. Il aime dans ces terres l'ambiguïté, les significations multiples. Non qu'il veuille les charger de plusieurs sens, mais il choisit naturellement ce qui est le plus riche de sève et son pinceau sur la toile, sa plume sur le papier, sa pointe sèche sur le cuivre, donnent par leurs mouvements la matière la plus nourrie qui soit.

Son goût du foisonnement se traduit par une inquiétude devant les présences cachées. Il ne retourne pas le monde pour en faire paraître la face noire, mais il sait la dualité des choses, leur équilibre instable entre raison et déraison, le bien et le mal, et de l'un à l'autre il veut rendre perceptible le mouvement incessant.

Car la main de l'artiste éveille plus que l'œil ne perçoit. Au moindre mouvement, une ombre s'installe qui fait surgir un geste. Une clarté apparaît qui révèle un front. A chaque instant, tout arrive qui pourrait être ce que ne veut pas le peintre, qui ne s'inscrit pas dans son projet, mais qu'il accueille. Pour lui, la forme n'est bonne que si elle contient toutes les formes.

Nourrir l'image de tout ce qui peut et veut y entrer, voilà ce qui sépare Rembrandt des autres peintres de son siècle, particulièrement de ceux d'Italie, de France et de Flandres, dont l'idéal est la clarté qu'on nommera classique, l'expression accomplie du thème qu'ils traitent. Ceux-là veulent que le tableau dans sa composition, son dessin et l'organisation de ses couleurs, produise une évidence. Dessein et dessin tendent à se recouvrir exactement. Cette hygiène de la création pourchasse les parasites de l'idée, détruit les lichens, dissout les mousses qui prolifèrent et cachent la vraie nature. L'art classique est le lieu de la perfection calibrée, de l'équilibre des forces maîtrisées, un équilibre qui atteint au sublime, lorsque le flou de la mémoire rend incertains les contours, que le passé éteint les couleurs. Dans cet apaisement de toutes choses, dans ce système qui vise à tout éclaircir, l'art produit alors des images aux dosages exacts et pleines d'un mystère mesuré : c'est Poussin.

Rembrandt, au contraire, accueille les ambiguïtés. Il est persuadé qu'elles confèrent aux œuvres la diversité qui les ancre plus fortement dans un réel multiple. Il n'est nullement en quête d'une théorie du beau, qui lui permettrait de circuler de la terre au ciel, à travers toutes les catégories du monde. Il refuse tout ce qui simplifierait l'univers, il préfère l'abondance des vies, de toutes les vies.

On dira qu'il n'a pas d'autre règle que celle de sa foi, qu'il n'invente pas un nouveau système du monde, qu'il n'est pas un homme de l'ordre mental. Sans doute. Et sans doute apparaît-il plutôt comme un homme de savoirs multiples. A l'image du paysan qui, dans les champs ou son potager, alterne les cultures, à l'image du chasseur habile à tirer comme à piéger, il se sait capable de toutes les inventions pour survivre, pour maintenir dans l'acide de la gravure, l'eau du lavis, l'huile du tableau, la craie du dessin, sa force créatrice.

En circulation continuelle, amphibie, polymorphe, nomade de tous les passages, vivant de toutes les métamorphoses, Rembrandt nous oblige, pour l'observer, à suivre des dizaines de pistes à la fois.

6

PERMANENCE DE LA MÉTAMORPHOSE

Sous chaque tableau, épaisseur d'alluvions successives jusqu'à l'image choisie pour recouvrir les précédentes, le trajet de la pensée disparaît.

En général l'idée est née chez Rembrandt dans un dessin, à partir duquel les trajets peuvent commencer. Ainsi la feuille reçoit-elle l'idée : les personnages dans leurs gestes et le décor qu'il leur attribue. Par exemple, *le Christ apparaissant à Marie Madeleine*. Elle est agenouillée, les mains jointes devant un homme coiffé du large chapeau de paille du jardinier et tenant à la main une bêche, le Christ. Au fond, le mont des Oliviers et les trois croix, une ville aux hautes tours et aux grandes murailles. Quelques larges hachures, à droite, indiquent l'ouverture sombre de la grotte vers laquelle se dirigent les lignes horizontales des marches. C'est un dessin de mise en scène, de recherche des postures : le Christ sera accoudé, Marie Madeleine aura, dans sa surprise, un mouvement de recul.

Deux tableaux naîtront de ce dessin, l'un en 1638, le second treize ans plus tard en 1651, montrant que le peintre a estimé que le dessinateur avait été trop statique puisqu'il décide d'apporter le mouvement en modifiant les lointains du paysage, en agrandissant un rocher et son buisson, surtout en inversant la situation des personnages. Aucun tableau ne corrige l'autre. Ils sont les deux possibilités du dessin.

Car la plume d'encre brune va vite sur le papier. A peine s'estelle relevée pour plonger dans l'encrier qu'elle repart. Elle ne modifie pas, elle accentue, elle souligne. Elle dresse un bouquet d'arbres, elle délimite des masses de feuillages. Elle ombre de rayures le volume d'une tour. Pour indiquer la poussée des branches dans le rocher, il lui suffit d'un seul trait qui serpente. Ainsi l'idée d'une présence végétale est-elle notée, dont le peintre se souviendra. Pas de reprise. Le dessinateur sait ce qu'il veut. La plume ne divague pas. Tout vient ensemble : l'organisation et le détail. On y perçoit le plaisir d'une écriture en pleins et déliés. L'idée vivante est jetée sur le papier. Ses frémissements sont ceux de la plume qui établit le rythme de l'œuvre dans ses accélérations et ses calmes.

Sur le papier, il va jusqu'au signe qu'on dirait aujourd'hui abstrait. Au centre de la feuille, voici qu'on voit vivre un trait : il commence par osciller, puis descend à la verticale, tourne à angle droit, pour finalement se terminer par un gros point rond. Signe qui résume l'informe du rocher et des plantes, l'incertitude de la foi, et aboutit à l'orthogonie de l'architecture comme à l'affirmation de la croyance. Cette sténographie porte le germe. Autour d'elle, l'idée s'incarne.

Le trajet de Rembrandt est multiple, ramifié. De dessin en dessin, de dessin en gravure, de gravure en peinture, de peinture en gravure, les voies de recherche apparaissent et disparaissent, sa pensée circulant entre l'encre, l'huile et l'eau-forte, attentive à chaque technique, renforçant chaque expérience.

Cependant, entre l'eau-forte et la peinture, la balance n'est pas égale. Au début, Rembrandt traitait la plaque de cuivre comme la feuille à dessin. Il y prenait des notes, y jetait des idées. Et cette habitude d'accumuler sur le cuivre remarques et projets, il ne l'abandonnera jamais. Au début des années 1630, il pensa qu'il devait séparer les traitements du même thème. Ainsi dans *la Résurrection de Lazare*, le tableau représente-t-il de face le Christ levant la main, alors que la gravure le montre de dos. De même dans une *Fuite en Égypte* peinte, la famille sort-elle de la forêt, quand, en gravure, elle y entre. Enfin, vers 1634, il donna à la gravure une place majeure dans son œuvre, égale à celle de la peinture. Alors il gravera *l'Annonciation aux bergers*, œuvre exceptionnelle par ses dimensions et son invention dramatique. Pris de panique, les vaches et les moutons s'égaillent dans toutes les directions ; la bousculade surprend les bergers affolés ; le ciel s'est ouvert, révélant tout un peuple ailé qui tourbillonne dans les rayons de la lumière centrale ; au seuil des nuages, un ange apparaît, levant une main immense ; sa voix formidable résonne sur la terre pour annoncer la naissance de Jésus ; soudain révélée, la lumière du ciel éclaire fortement le désordre des bestiaux et plus faiblement une ville au loin ; elle fait deviner aussi les arches énormes d'une fortification qui descend vers le fleuve où se reflètent entre les arbres les feux d'un campement ; sur la vallée, c'est la nuit, la forêt est obscure, dont l'entrée bée entre les rochers, les arbres morts, la montée des fûts jusqu'au ciel où leurs gonflements de feuilles rencontrent ceux des nuages ; des palmes se balancent ; nuit profonde traversée de lueurs tremblantes. Rembrandt a voulu faire d'abord la nuit. Il a creusé son cuivre, l'a fait mordre à l'eau-forte pour obtenir la noirceur la plus belle et en a tiré une épreuve.

Ensuite, il a placé les plages de lumière, les accents de clarté. Entre le chaos des hommes et des bêtes sur la terre et les orbites des angelots dans l'ouverture du ciel, deux gestes se répondent : la main levée de l'ange et le signe que font les ossements blancs des branches mortes où pend la dernière liane d'un lierre qui flotte. Dans ce moment de la révélation du message, dans ce contraste de l'ordre sacré du ciel avec la confusion terrestre que traverse le long paysage calme de la vallée, la terre est plus mystérieuse que le ciel : avec cette colline qui se soulève en deux bosses, cet arbre creux qui agite nerveusement ses vieux membres écorcés, ces têtes d'animaux qui, entre les broussailles, apparaissent et disparaissent, tout y est plus vif parce que, dotée de plusieurs sens, la vie foisonne, alors que, dans le ciel, la perfection géométrique de la clarté céleste s'impose. Cette estampe est la plus approfondie qu'il ait encore créée.

Parfois la gravure sert de diffusion à la peinture. Ainsi l'estampe née d'un des tableaux commandés par le stathouder, *la Descente de croix*, œuvre de reproduction tirée avec la mention *cum privilegium* destinée à éviter les piratages.

En 1636, Rembrandt prend un second privilège pour une gravure de taille voisine, un *Ecce homo*, la présentation du Christ à Ponce Pilate et au peuple. Cette fois, ce n'est pas d'après un tableau commandé, mais d'après une grisaille composée exprès en vue de l'estampe, c'est-à-dire une œuvre peinte dans les nuances de gris ou de brun, conçue dans les intensités de valeurs. Il a vingt-huit ans quand il peint la grisaille, vingt-neuf quand il entreprend l'estampe. Les deux œuvres sont du même format mais l'estampe devra dire plus que la peinture. La gravure précise, détaille, ajoute, parfois enlève, elle réinvente dans le détail, reprend la pensée originelle dans le sens du trait, accorde des visages aux êtres de la foule qui en peinture n'étaient que des silhouettes.

Le passage à l'estampe ne signifie pas néanmoins que la grisaille est renvoyée à un seul usage préparatoire. A preuve une autre grisaille, qui n'aura pas abouti à une gravure, mais sera complétée, marouflée sur un panneau de bois et mise en circulation comme tableau.

Pour Rembrandt l'œuvre nouvelle n'abolit pas la précédente. Il n'est pas l'économe qui conserve tout, car rien ne vient qui ne trouve un jour sa nécessité. C'est un homme qui contrôle ce qu'il fait. En peinture, il recouvre, reprend, et son épaisseur est celle de l'accumulation de ses idées. En gravure, il étudie ses étapes, les états successifs de l'estampe lui permettant de constater le trajet de sa pensée. Mais dans l'*Ecce homo* de ses vingt-neuf ans, comme dans la précédente *Descente de croix*, l'estampe par sa précision a glacé le projet

Autoportrait, 1629.
Huile sur bois, 15,5 x 12,7. Pinacothèque de Munich.

La mère de Rembrandt, 1631.
Eau-forte, 14 x 13. British Museum, Londres.

Le père de Rembrandt. Crayon noir, sanguine et lavis.
18,9 x 24. Musée Ashmolean, Oxford.

Autoportrait, 1630. Eau-forte et burin,
5,1 x 4,6. British Museum, Londres.

Vue de l'Omval, près d'Amsterdam, 1645. Eau-forte,
18,5 x 22,3. Bibliothèque nationale de France, Paris.

Portrait de Titus, 1660-1662.
Huile sur toile, 72 x 56. Musée du Louvre, Paris.

Autoportrait dit « en saint Paul », 1661.
Huile sur toile, 71 x 77. Rijksmuseum, Amsterdam.

Saskia au grand chapeau de paille, 1633.
Pointe d'argent sur vélin blanc, 18,5 x 10,7.
Kupferstichkabinett, Staatliche Museum, Berlin.

Femme endormie, dite « *Hendrickje* », vers 1655.
Pinceau et encre brune, 24,5 x 20,3. British Museum, Londres.

Autoportrait, 1669.
Huile sur toile, 86 x 70,5. National Gallery, Londres.

Dessin attribué à Rembrandt (19,4 x 14,8) représentant la tour de la Wester Kerk, où il fut enterré. Musée Fodor, Amsterdam.

peint. Une perte semblable, mais de façon opposée, se rencontre si l'on compare *l'Annonciation aux bergers* (gravure) et *l'Ascension du Christ* (tableau) qu'il peindra deux ans après pour la même suite destinée au stathouder. Ciel pour ciel, angelots pour angelots, la peinture, plus conventionnelle, n'aura pas la puissance de l'estampe. D'une ouverture du ciel à l'autre, une force s'est perdue.

Il en tire la leçon : la gravure ne doit plus prendre appui sur le tableau. Désormais les chemins demeureront parallèles, et les échanges entre les deux voies seront d'autant plus forts qu'ils ne pourront plus être formels, le dialogue étant d'intentions, de recherches. Encore plus de contraste entre l'ombre et la lumière. Une présence plus forte de la matière (couleur et encre). L'œuvre va ici vers plus de peinture et là vers plus de gravure.

Rembrandt laisse à d'autres, aux spécialistes, le soin d'assurer la diffusion graphique de ses tableaux. Mais il tire ses estampes lui-même, sur sa presse, contrôle l'effet des tailles de sa pointe sèche, de son burin, la profondeur des creux opérés par l'eau-forte.

La gravure achevée, il ne cesse pas pour autant les expériences. Alors que le tireur professionnel souhaite produire des exemplaires semblables, Rembrandt, incapable de s'intéresser à la répétition d'une œuvre jugée « bonne à tirer », recherche les différences. Il tire clair, il tire sombre. Il laisse sur la plaque de cuivre un léger voile d'encre qui lui permet d'avoir des gris à certaines places, des gris qu'il ne pourra, ni ne voudra obtenir deux fois semblables. Ce n'est pas qu'il soit en quête de la rareté, qu'il souhaite des exemplaires systématiquement différents, mais il veut voir ce qui se passe quand une curiosité lui vient.

Même chose pour les papiers. Car la diversité du support ajoute à la diversité du tirage. Ainsi, il a usé d'abord de papier blanc, importé de France, puis fait en Hollande. Il s'est servi de parchemin, puis il a découvert un papier assez grossier, couleur de pain bis, une sorte de papier d'emballage, le papier de paille d'avoine. Puis il a aimé les papiers de couleur qui provenaient du Japon dans toute une gamme du blanc coquille d'œuf au jaune d'or, et aussi des papiers d'un jaune pâle, peut-être originaires d'Inde. Il emploiera aussi des papiers de nuance gris perle.

Tirant ses estampes lui-même, Rembrandt ne conduira jamais ses cuivres jusqu'à l'usure. Il sait jusqu'à quel nombre d'exemplaires passés sous la presse les noirs conservent leur puissance et il limite le tirage. En diversifiant les exemplaires, il a en outre donné à chaque gravure un rang d'œuvre originale. Une façon de faire qui change la logique commerciale d'une estampe et lui permet de demander des prix élevés. Ainsi échangera-t-il une estampe contre une œuvre ancienne très rare, de Marc-Antoine Raimondi, le graveur de Raphaël. Lui, vivant, aussi cher qu'un maître de la Renaissance! Le marchand estimait à 100 florins son Marc-Antoine. Il accepta l'échange. Et l'eau-forte porte à jamais le titre de *Pièce aux cent florins.*

Cent florins... Rembrandt achète en vente publique certaines de ses propres gravures à des prix qui étonnent les amateurs. C'est faire comprendre que la gravure n'est pas seulement un moyen de mise en circulation des tableaux, mais un art majeur. Lui-même qui avait acquis, dans des enchères, trois estampes de Lucas de Leyde pour 1 florin et 10 stuyvers, six planches d'Albert Dürer pour 2 florins et 5 stuyvers, savait très bien quel courant il fallait remonter pour donner un renom et une valeur monétaire à la gravure.

Le siècle est, dans ce domaine, un siècle d'inventions. En Italie, Giovanni Benedetto Castiglione invente le monotype, c'est-à-dire le tirage unique d'après une planche encrée. Né en 1616 à Gênes, il connaît les estampes de Rembrandt et s'en inspire au point de faire des variations sur ses autoportraits. En Hollande, Hercules Seghers, mort peu avant 1638, travaillait de son côté à des essais totalement neufs. Pour obtenir une estampe en couleurs, il utilisait des encres rouges, vertes, des papiers de couleur, tirait sur tissu, mêlait la peinture à l'encre. Peintre de paysages amples et calmes, de panoramas montagneux qui font rêver les habitants du pays plat, il est devenu, en gravure, le maître des étendues du rêve, des grandes vallées du sommeil charriant des blocs erratiques, éponges gorgées de songe, sur des pentes jalonnées d'arbres décapités où de grands sapins agitent comme des fantômes des branches couvertes de lianes et de lichens. Rembrandt aimait son œuvre. Il a acheté de ses peintures, de ses gravures, et même un de ses cuivres : un paysage d'une vallée couverte d'arbres s'ouvrant sur la plaine et un village à l'horizon ; au bord de la forêt, sur un sol couvert de mousses, s'avancent Tobie portant un gros poisson et l'ange qui l'escorte.

L'achat de la plaque avait un but : savoir comment Seghers procédait, comprendre sa technique, une technique rare, du vernis mou qui demande qu'on chauffe la plaque et qui produit des tracés discontinus. Seghers était un inventeur, unique en son temps. Et le hasard fit qu'un jour Rembrandt acheta cette planche où Seghers pouvait passer pour un artiste évadé de ses rêves. Aurait-il retenu un cuivre d'une autre veine, moins sage, d'une violence très personnelle comme il en osa ? Toujours est-il qu'il prit son brunissoir et qu'il se mit à effacer, dans la grande plaque de 28 centimètres de long, la présence de Tobie et de l'ange, pour installer en leur place Joseph et Marie sur l'âne pendant leur fuite en Égypte, s'inscrivant de ce fait dans l'œuvre d'un artiste qu'il respectait.

En regardant aujourd'hui les six épreuves successives qu'il a réalisées, on suit la façon dont ils dialoguèrent ensemble. Car Rembrandt n'effaça pas tout dans la partie qu'il avait polie à nouveau. Les ailes de l'Ange transparaissent encore sous les branchages des arbres qu'il conserva et son épée pousse une oblique derrière l'âne. Ses personnages sont plus petits que ceux de Seghers. Les retirant de la lumière, il les a enfoncés dans les bois, a fait entrer profondément dans le paysage la clarté des eaux, transformé le sol en ôtant les mousses et en y renversant un grand tronc d'arbre mort, au milieu des broussailles. Enfin, pour faire disparaître l'ange, il a transformé les plis de sa robe en un réseau puissant de lignes qui enserrent le corps de la Vierge.

Ici le dialogue est donc manifeste, avec la volonté, de la part de Rembrandt, d'apporter sa clarté, son organisation à une œuvre qu'il jugeait confuse, répétant trop le même bourgeonnement végétal. Mais ce dialogue se fait dans le respect du meilleur de l'autre. Ainsi, dans la montée régulière des feuillages de la forêt de Seghers, il aime placer ses feuilles à lui, plus remuantes, traversées des verticales des fûts morts et vifs. Devant les pèlerins qui se glissent en lisière du bois, là où Seghers avait élevé un pâle peuplier presque à l'horizon, Rembrandt plante une jeune tige dont les feuilles retombent, souvenir d'autres arbres de Seghers qui ont parfois cette allure de jet d'eau en pleurs.

Il semblerait que le cuivre de Seghers, en arrivant chez lui, ait réveillé les souvenirs du peintre allemand de Rome auquel dès ses débuts il s'était intéressé, cet Adam Elsheimer qui traitait souvent le thème de Tobie, son poisson et l'ange, et dont le tableau avait été gravé par le Hollandais Hendrick Goudt, puis repris, en réplique, par Seghers. A travers l'estampe de Goudt et la gravure de Seghers, Rembrandt aimait le moutonnement régulier des grands arbres des forêts d'Elsheimer. S'il modifia les personnages, pourtant bien dans l'esprit d'Elsheimer, c'est qu'ils le gênaient dans le Seghers.

Seghers aura donc renvoyé à Rembrandt la musique qu'il aimait, les fines lumières passant entre les feuilles qui l'avaient séduit quand il étudiait chez Pieter Lastman, une musique ancienne qui rebondissait jusqu'à lui à travers un art dont il souhaitait découvrir les méthodes. Est-ce parce que cette méthode ne lui sembla pas assez puissante qu'il intervint ? Ou parce que les personnages n'étaient pas dignes d'Elsheimer, ni de Seghers ? Un coup de colère ?

Ou simplement l'envie de se mêler à un concert où deux artistes, à travers les décennies passées, chantaient ensemble dans sa tête, croisant leurs idées, leurs thèmes, leurs techniques et leurs images ?

Métamorphoses. La création chez Rembrandt s'opère partout à la fois, sur plusieurs pistes simultanément. Elle passe d'un métier à l'autre, reprend force dans chaque discipline. Que ce soit le cuivre, le papier, la toile, chaque support le renvoie à un autre. Son invention se manifeste dans l'action, mais elle se renouvelle aussi dans les images des autres, dans les œuvres des quelques artistes qu'il aime. Il ne leur emprunte pas leur style ; il ne se soumet pas à leur influence ; il cherche chez eux une essence dont il a besoin, une lumière scintillante chez Elsheimer, l'épaisseur d'une forêt chez Seghers, ou encore une coiffure chez Lucas de Leyde, un velours chez Cranach. Il est incapable d'insérer directement dans son œuvre un élément étranger. Rien n'y pénètre qui n'ait été assimilé, qui n'ait subi les transformations qu'exige sa nature. Ses proies sont d'espèces rares. Ses prises peu fréquentes.

Il y avait peu d'espoir que cette capacité d'invention, que cette mobilité créatrice se transmît à ses disciples. Au moins ceux-là auront-ils approché ce pouvoir, connu ce rythme, envié cette aisance. Aucun d'eux n'aura ces facilités, mais aucun ne regrettera d'en avoir contemplé le spectacle : l'intelligence en action.

VI

MATURITÉ

1

L'EFFERVESCENCE DU VIVANT

A l'approche de la quarantaine, Rembrandt se peint. Apparence soignée, fourrure, soie, béret de velours, costume élégant sur lequel courent de précieuses chaînes d'or. Il est jeune encore : la moustache blonde, la mouche légère, encadrant les lèvres roses. C'est un homme assuré – il a posé le poing sur la table –, puissant, riche. S'étant fait sa place à Amsterdam, la première, il est en mesure, contrairement à ses débuts, de ne plus accepter toutes les commandes. Sa célébrité repose sur les deux tableaux exposés en permanence à Amsterdam, à la Guilde des chirurgiens et dans les salles des milices bourgeoises, comme sur la renommée que lui vaut sa *Vie du Christ* dans la galerie du stathouder à La Haye. Enfin il dirige un atelier connu de tous les Pays-Bas.

En dix ans, il s'est imposé. Dix années entre la *Leçon d'anatomie du docteur Tulp* et *la Ronde de nuit* qui ont été le temps d'une évolution en profondeur dans la manière et dans l'esprit. Au fur et à mesure que la peinture devenait matière plus riche, plus diverse, que le pinceau se reconnaissait le droit de laisser voir ses passages, lisses ou striés, et montrait ainsi les forces et les finesses de la peau vivante qu'il créait, tissu aéré de pores, gonflé de muscles, irrigué de veines, conjuguant le plissé, le lisse, le velu, bien plus complexe que le croisement de la chaîne et de la trame dans les tentures, l'idée du tableau gagnait en évidence. En dix ans, Rembrandt est allé vers des images de plus en plus fortes, dont la charge de sens n'a cessé de croître. Cette clarté d'intention, il ne l'a pas obtenue seulement en simplifiant, en réduisant. Il l'a trouvée en aiguisant son sens dramatique, en cherchant plus d'intensité. Il n'a pas reculé devant l'horreur d'un aveuglement de Samson, mais il a su accompagner cette souffrance de l'envol léger de Dalila portant la chevelure coupée. Il a recherché, pour les actions qu'il représentait, les moments fugitifs, rapides : un sabre lâché par la main du soldat et qui tombe sur le sol, un groupe de militaires cuirassés, renversés cul par-dessus tête par la force de l'ange. Homme de foi, tout occupé à prendre Dieu sur le fait, à saisir le prodige, sachant qu'il ne dure que le temps d'un éclair, il a voulu devenir le peintre des instants de la révélation, se faire lui-même le révélateur des crises qui déchirent la continuité du réel. L'ordre des choses se brise. Rembrandt témoigne d'explosions qui cassent l'organisation du monde. La lumière frappe. Le rayon désintègre, réveillant une dramaturgie qui perdait ses forces dans la répétition usante des thèmes. Rembrandt renouvelle le tragique insoutenable de la Passion du Christ en l'abordant comme si personne avant lui n'en avait peint les souffrances, les doutes et l'espoir, comme si, malgré les innombrables tableaux d'autel qui prétendent la montrer, on n'avait pas encore compris l'inconcevable et indissociable alliance de l'espoir et du désespoir.

L'avenir ne peut être recherché que dans un cadavre au fond du cercueil, épreuve d'initiation par laquelle il faut passer. Et il insiste sur l'horreur du corps proche de la décomposition pour faire ressentir plus fortement combien il est difficile d'accepter l'incroyable idée de la résurrection.

Faits d'excès, de tensions extrêmes aux limites du possible, le tableau, la gravure sont les lieux de ces explosions, de ces dépassements. Le réel est soumis dans l'œuvre à des forces qui ne le détruisent pas, qui le redressent, qui le recomposent dans un ordre nouveau. La structure ne casse que pour se reconstituer dans une organisation plus pure. C'est l'ordre de Dieu qui corrige l'ordre de la Terre.

Spectateur des crises qui régénèrent la foi, attentif aux moments qui déstabilisent, Rembrandt offre des scènes de cruauté qui surpassent en horreur celles de Rubens. Le mythe, chez le Flamand, s'habille somptueusement. L'Antiquité est toujours d'une érudition qui protège, la beauté est un rempart contre la peur. Le catholicisme fait du Christ un athlète cuirassé de muscles. Chez Rubens, il y a toujours une beauté idéale. Chez Rembrandt, l'idéal est au-delà de la beauté.

Cela tient à ce que Rembrandt n'a jamais vu en lui, ni en son œuvre, vivre un profil grec, s'incarner une proportion parfaite. L'idéal se trouve dans l'esprit, il ne le perçoit pas dans la forme. Le guetteur qu'il est des signes du Ciel et de la Terre se trouve naturellement attentif aux mutations constantes, moins explosives, du quotidien. Sa curiosité pour un monde vivant, donc de métamorphoses, est liée à la lumière variable des Pays-Bas, au vent qui pousse les nuages devant le soleil et transforme sans cesse toute chose. Il dit, dans ses paysages, que rien n'existe qui soit totalement neuf. Il a aimé les rides des vieux visages. Il aime les ornières creusées dans la boue par des siècles de charroi et dans la bande des miliciens bourgeois le mélange des âges.

En cela, il s'apparente à Jérôme Bosch qui voulait que, dans le même tableau, les sources fussent multiples, les unes claires, les autres obscures. Rembrandt se sent assez fort pour recevoir dans sa création toujours plus de créatures. Il donne le sentiment de ne vouloir rien laisser perdre du monde, dont il possède suffisamment l'ordre pour rapprocher ce qui semble impossible à mettre ensemble.

Dans sa *Ronde de nuit* il a ajouté des présences. Non pas inutiles, comme l'ont pensé certains de ses contemporains. Au contraire, nécessaires, pour qu'un rassemblement banal, grâce aux obscurités, aux trivialités qu'il y a introduites, prenne d'autres dimensions, atteigne à des valeurs durables. Au cours de ces dix années, il a conquis une envergure exceptionnelle. Poussé par le besoin de saisir dans son art plus que le sujet qu'il propose, il y a mis l'effervescence infinie du vivant. Pas un centimètre carré d'un tableau, d'une estampe, où le vivant ne pullule, ne frémisse, dans le contraste incessant de l'obscur et du lumineux.

Ombre et lumière, certes, mais pas seulement l'ombre portée d'une main sur un costume, d'un arbre sur la plaine, pour obtenir, selon les règles qu'enseignent les traités de perspective, une construction raisonnable du spectacle, mais pour montrer la lutte des inséparables éléments contraires qui sont les fondements du vivant, montrer le tourbillon des atomes.

Telle est sa vision du réel. En dix années, il aura appris à l'accepter, à l'approfondir. De plus en plus assuré de ne pas avoir sa place du côté des peintres qui se soumettent aux règles grecques et latines de l'harmonie du corps, de ne pas appartenir à l'école qui réduit la diversité du monde à des formes essentielles où serait concentrée toute la beauté, il refuse tout modèle directeur. De même que le calviniste lit la Bible selon sa seule conscience, de même l'artiste ne peut accepter la vision de l'autre sans risquer d'appauvrir la sienne.

Même si c'est pour reconnaître le génie de Caravage ou de Titien. Car ce n'est pas une théorie qui l'a conduit où il est, mais sa nature de guetteur du vivant, émerveillé d'un foisonnement qui déborde toutes les règles. Et lorsqu'il tire une épreuve d'une estampe, puis travaille à nouveau sa plaque de cuivre pour en tirer un nouvel essai, ce n'est pas pour multiplier les états, mais parce qu'il aime regarder les métamorphoses, parce qu'il s'intéresse à ce qui est en cours de changement. Dans la vie comme dans l'œuvre, d'un essai à l'autre, il veut voir le vivant se modifier.

En une décennie, Rembrandt aura compris qu'il est né pour étudier les phénomènes de croissance, d'accomplissement, de décrépitude et de mort, pour suivre le cours de la vie, en éclairer les magnifiques recommencements, de temps à autre secoués par les mystérieux désordres qui appartiennent au mystère du sacré. Fleuves lents et orages. Troupeaux calmes paissant dans les prés. Cieux qui s'ouvrent pour laisser paraître l'ange annonciateur des bouleversements de l'univers.

Mais son art à lui se déroule sans rupture, sans passage à vide. D'une œuvre à l'autre, peinture comme gravure, c'est le même fleuve qui coule avec ses régularités et ses accélérations, avec les tourbillons qui soudain le creusent, et les remontées de courant sur les bords qui accompagnent la descente générale. La circulation est totale, d'amont en aval, comme d'aval en amont, une seule et même eau en mouvements divers, fluides ascendants et descendants, continuellement mêlés. A chercher ainsi les variations du continu, il ne cesse jamais de peindre son propre visage.

Pourtant, en cette année 1642, l'homme, puissant dans sa peinture et puissant dans sa ville, va éprouver au cœur de sa vie l'imperfection du monde. Il y a eu la mort des enfants, l'incertitude sur la fragilité de Titus, et maintenant il lui faut accepter la mort de Saskia. Malgré le soutien de la foi, l'homme est atteint. Mais pas son art. Et, cependant, la séparation est-elle si nette ? La vie ressemble au fleuve. Le courant ne passe pas les ponts avec une vitesse égale. C'est vrai de la création qui connaît des avancées comme des retours en arrière. C'est vrai de la vie affective qui ne coule pas à la même vitesse. Les rythmes ne sont pas les mêmes dans l'atelier et dans les chambres privées de la maison. Ainsi les blessures reçues par Rembrandt dans son foyer n'ont-elles pas d'effet sur la peinture, sa peine ne marque pas son œuvre, qui se développe selon ses forces propres ; elle n'intervient ni pour affaiblir, ni pour stimuler la création. Ce qui ne veut pas dire que l'atelier ne communique pas avec la chambre familiale. Le climat de l'un agit nécessairement sur celui de l'autre. Remarquable est, à ce titre, *la Réconciliation de David et d'Absalon* qui date de cette même année 1642. C'est un tableau d'effusion : deux hommes dans les bras l'un de l'autre. L'un que nous ne voyons que de dos, ses cheveux blonds répandus sur sa veste de soie dorée, cache son visage sur la poitrine de l'homme enturbanné. Nous sommes aux portes d'une ville. Au fond, une vaste cité, des maisons rassemblées autour d'une grande église circulaire. Rien d'autre que deux mouvements de refuge et de protection, la conjonction d'une demande et d'un accueil. A l'homme qui accueille, Rembrandt a donné quelque chose de ses propres traits. C'est donc lui qui prend en charge la confusion qu'apporte le jeune homme. Et il est peut-être aussi le jeune homme.

Derrière eux, la ville dans les nuages noirs et blancs, les fumées d'un incendie qui s'élèvent en mouvements menaçants. La peinture est volontairement très simple : un seul visage, des gestes élémentaires devant la ville menacée, tandis que les princes dont dépend le destin de la cité s'abandonnent à une tendresse profonde. Tout est somptueux : l'or gravé du sabre qui pend à la ceinture, les tissus des vêtements, soies rouges, soies vertes, soies brodées, éperons damasquinés, liens qui enserrent la botte de flèches. L'histoire, la réconciliation d'un père et de son fils, épisode crucial de la tragédie, vient de la Bible, les costumes orientaux le disent. Qu'est-ce qui la relie à la maladie et à la mort de Saskia ? Est-ce parce que Saskia est mourante que Rembrandt a eu envie de composer un tableau avec seulement les deux couleurs de base, un vert qui s'éclaircit jusqu'à une nuance d'eau pâle et un brun qui se réchauffe et qui blondit jusqu'à l'or, choisissant d'employer le moins d'éléments alors qu'il voulait obtenir la plus grande diversité ? Et tant de douceur sur ce fond dramatique, ce ruissellement central de cheveux blonds et de soie, grande coulée de chaleur humaine, de tendresse, entre deux êtres aux destins aussi glorieux que difficiles, est-ce l'affaiblissement progressif de Saskia qui la suscite ? On peut penser que l'œuvre est née de la volonté de créer du vivant pour compenser le déclin de l'autre existence. Entre l'atelier et la chambre, il n'y aurait pas d'indifférence. Contre la mort qui avance entre les draps du lit, on peut se surpasser dans un tableau. Jamais encore sa peinture n'a été aussi tendre. Cet or doux et soyeux qu'il invente représente peut-être sa réponse à la question : Saskia meurt, est-elle aimée ?

Tel est le langage de la peinture, imprécis mais poignant, comme la musique. Et cette *Réconciliation de David et d'Absalon* qui est aussi un soleil s'éloignant dans le brouillard a les accents d'un amour désespéré.

2

PREMIÈRES OMBRES

Tant qu'il y a un enfant à la maison, le rythme de la vie ne cesse de battre. Rembrandt a engagé une femme pour s'occuper de Titus, Geertghe Dircx, la veuve d'un musicien qui sonnait de la trompette, et qui, par la charge qu'elle a de l'enfant, prend de plus en plus la fonction de gouvernante. Rembrandt travaille, dessine, peint, grave, s'occupe de l'atelier, reçoit des commandes de portraits. Rien n'a changé dans sa vie.

L'inventaire des biens laissés par Saskia a fait apparaître la somme de 47750 florins. La sécurité est donc assurée. L'héritage ira à Titus, l'usufruit est pour Rembrandt. Et puis il y a l'œuvre. Pour l'heure, une figure de prêtre se vend à Amsterdam 100 florins. A Delft, un paysage dans une vente après décès a atteint 166 florins. Trois de ses dessins ont produit à Leyde 2 florins et 17 stuyvers, il a vendu une estampe pour 16 florins, un portrait peint pour 60. Ces chiffres révèlent qu'il est connu dans le pays. Ils n'ont pas d'autre sens. De même que l'ordre du stathouder Frédérick Hendrik de lui adresser 2400 florins le 29 novembre 1646 pour deux tableaux n'a pas d'autre sens que celui d'un taux propre à la grandeur du prince. Rembrandt sait la fragilité des cotes, et que toujours l'occasion fait la bonne affaire. S'il en profite parfois dans les ventes publiques et chez les marchands d'Amsterdam, il aurait pu espérer vendre mieux son Rubens, le grand tableau d'*Héro et Léandre* que Saskia avait acheté en 1637. Sept ans plus tard, quand il cède le tableau au marchand Lodewijk van Ludik, le bénéfice n'est que d'un peu plus de 100 florins. Saskia l'avait payé 424 florins et 10 stuyvers. Le veuf le revend 530 florins.

Rubens est mort. Van Dyck est mort. Rembrandt peut-il les remplacer? On pourrait le penser. Au banquet de la Guilde de Saint-Luc qui, pour la fête du saint patron en octobre, rassemble les artistes et les artisans originaires parfois d'autres villes qu'Amsterdam, on fait son éloge. Rembrandt y a retrouvé d'anciens élèves comme Ferdinand Bol et Govaert Flinck, il y a rencontré Jan Asselyn, de Diemen, peintre dit le « Crabbetje », le petit crabe, à cause d'une malformation qu'il a aux doigts (Ferdinand Bol le lui présentera comme son beau-frère et Rembrandt gravera son portrait), mais aussi tous ceux que Philips Angel, dans cette séance, a célébrés : Jan Lievens, Jacob Backer, Gerrit Bleker. Les éloges sont conventionnels, ils se réfèrent à la ressemblance, à la vraisemblance, à la correction anatomique, au respect des données historiques, à tout ce qu'on sait des pesantes lois académiques qui devraient aligner la peinture hollandaise sur les règles italiennes et flamandes. Mais, sous l'académisme de la louange, Rembrandt peut percevoir que la séance où il a été accueilli parmi ses anciens élèves, ses amis et le condisciple de sa jeunesse, où surtout aucun peintre étranger à sa tendance n'a été nommé dans le discours, signifie la reconnaissance de son rôle dans la vie des arts. Ce n'est pas seulement Amsterdam qui se manifeste autour de lui, mais aussi Haarlem d'où viennent Gerrit Bleker, peintre de pastorales bibliques et de scènes antiques, et Philips Angel, secrétaire de la Guilde de Haarlem, peintre de natures mortes aux couleurs fortes. Amsterdam et Haarlem, les deux villes majeures de l'art en Hollande.

Rembrandt est célébré par une génération qui salue en lui son jeune aîné. Que valent de tels honneurs ? On sait combien souvent ils sont rendus à la veille de revers. Car la communion autour d'une idée et des hommes qui l'illustrent est souvent proche de l'abandon. Ainsi, est-ce au moment où Rembrandt se surpasse qu'il sera écarté du grand projet auquel Constantin Huygens va désormais s'adonner : construire et orner le premier palais hollandais qui soit digne des demeures des autres souverains d'Europe. Ce n'est pas que Constantin Huygens abandonne Rembrandt. Mais cela n'a pas été si facile de lui faire peindre la *Vie du Christ*. Le peintre a eu des retards, s'est plaint des paiements qui n'arrivaient pas, a demandé plus d'argent qu'on ne prévoyait. Surtout, dans le palais qu'on va bâtir dans les bois de La Haye, l'Huis ten Bosch, on veut des peintures gaies et fortes, qui témoignent de la puissance des Pays-Bas, comme Rubens a témoigné de la grandeur de la royauté française au palais du Luxembourg et de celle de la royauté anglaise au Whitehall de Londres.

Constantin Huygens, qui connaît bien l'œuvre de Rembrandt, qui a vu *la Leçon d'anatomie du docteur Tulp* et la ronde des milices bourgeoises, *la Ronde de nuit*, n'est pas sûr que Rembrandt, peintre de la Bible, portraitiste de la bourgeoisie, soit le noble décorateur qui convienne à l'entreprise. Amalia van Solms, l'épouse du stathouder, connaît aussi Rembrandt. Elle a posé devant lui pour un portrait en 1632. Rembrandt l'avait représentée de profil. Sans manquer de faire valoir la finesse et l'empesage parfait de son grand col de dentelle, la distinction des perles de son collier et des ornements de sa coiffure. Mais il l'avait aussi montrée fermée sur elle-même, l'air plutôt boudeur. Il avait peint la distinction du vêtement qu'elle portait plus que l'aisance qu'elle y montrait. Seules ses perles la distinguaient des modèles bourgeois qui venaient à sa porte.

Certes, l'époque voulait que le vêtement ne fût qu'un uniforme égalitaire, qu'on ne fît étalage de son rang que par la qualité des noirs tissus dont on se vêtait. Cependant, Rembrandt, peut-être intimidé, peut-être de mauvaise humeur, n'avait rien peint qui pût plaire. Il n'avait pas même fait percevoir la jeunesse de son modèle. Et les nobles d'Europe, dépeints dans leurs plus brillants atours par Rubens et Van Dyck, n'ont pas envie de se livrer à des peintres qui les jugeraient. Ainsi Amalia van Solms n'ayant certainement pas oublié quelle prude et rigoriste jeune personne Rembrandt a vue en elle, le plus original des peintres hollandais ne sera pas convié aux grands fastes de l'Huis ten Bosch pour lesquels l'architecte Pieter Post, bientôt rejoint par Jacob van Campen, est en train de concevoir, au centre du palais, une très haute salle octogonale (20 mètres), salle d'apparat exceptionnelle à laquelle les grands menuisiers hollandais vont ajouter le luxe de leurs planchers de noyer brésilien marqueté de buis, les peintres leurs couleurs aux triomphes de la dynastie. Pour une fois, la première, que le pays pense accéder au luxe, Rembrandt n'est pas convié. Ni Bol, ni Maes, ni Flinck ne le sont davantage, au contraite de Gerrit van Honthorst, peintre de la cour, et Jan Lievens, celui qui fut si proche et qui, bien que s'éloignant, garde le souvenir de Leyde, et Pieter de Grebber et Salomon de Bray et Jacob Jordaens, c'est-à-dire, dans l'ensemble, ceux qui aiment peindre clair.

Dans l'entreprise, pour créer un décor d'élégance et de noblesse, on ne s'occupe pas de la religion des artistes. Que Jordaens soit en train de devenir calviniste à Anvers même, ville papiste, tant mieux ou tant pis. A La Haye, on ne se soucie que de faire un palais, dans le style international, donc flamand, puisque les Flamands ont porté l'invention italienne à son état de modernité.

Le tournant est d'importance. Dès 1645, les Pays-Bas, qui sont devenus une puissance mondiale en quelques années et dont la place centrale dans les nations sera reconnue en 1648 par le traité de Westphalie, ont hâte d'aligner les apparences de leur grandeur sur celles des autres cours européennes. Les dirigeants voient bien que la célébration de leur rang ne peut pas être confiée à leurs artistes nationaux. Pas plus que les gens de l'atelier Rembrandt, Jan Steen, van Ostade, Ruysdael ou Gérard Dou n'y seront conviés. Après tout, ils sont les produits d'une République de gueux devenus des marchands, ils vivent dans les marais des paysans et la roture des citadins, qu'ils y restent ! En tout état de cause, Rembrandt avait une autre ambition. Son art, par sa nature même, se refusait à cet emploi.

Cela dit, les Hollandais ne furent pas les seuls à rencontrer dans leur création nationale une incapacité ou un refus de participer au courant international de la louange du prince selon les formules classiques. Louis XIV en France sera conscient de la difficulté de faire entrer les artistes français dans l'esprit de ses palais. Puget était trop véhément et Poussin trop indépendant. Heureusement, il avait Le Brun. Dans les autres pays, l'appel ne fut pas mieux entendu. En Espagne, Velázquez mis à part, Zurbarán n'était guère à l'aise dans la louange. Puisque Rubens avait disparu, il ne restait guère que ses disciples et les Italiens qui pussent donner l'éclat de la noblesse aux demeures royales. Ils s'y emploieront aux quatre coins du monde, bientôt relayés par les Français.

Amalia van Solms et Constantin Huygens avaient raison de se sentir pressés par le temps pour introduire dans le pays des idées et des artistes qui n'y avaient jamais eu droit de cité. La mort du stathouder en 1647 allait les conduire à transformer la grande salle octogonale en Orange-Saal, c'est-à-dire en lieu de célébration des gloires de la maison d'Orange et de Frédérik Hendrik. Amalia van Solms, au plafond de la pièce, fit recouvrir son portrait de souriante et discrète souveraine par son effigie de veuve, portant le voile noir et touchant de la main une tête de mort. Dès le décès du prince, la République chercha à reprendre le pouvoir. On parla en 1651 de l'abolition possible du stathouderat et, en 1653, les pouvoirs furent donnés à un grand pensionnaire, Jan de Witt. Péripétie politique qui ne sonna pas l'heure de la fin de la puissance des Orange, puisqu'au XVIIIe siècle ils firent appel au Français Daniel Marot pour parachever leur Huis ten Bosch. A nouveau le style international, à nouveau un artiste étranger.

Pour le palais de Hollande, tout fut donc joué en quelques années. Mais le retentissement de ce style, dont on n'avait apprécié l'éclat que dans une petite enclave du territoire, fut tel que, quelques années plus tard, en 1655, quand la République reprit l'architecte Jacob van Campen pour construire à Amsterdam le plus vaste bâtiment des Pays-Bas, le nouvel hôtel de ville, on fit appel de nouveau à Jacob Jordaens, au sculpteur anversois Artus Quellin, que Vondel compara à Phidias, et aussi à Rembrandt. La bourgeoisie ne pouvait éliminer le peintre qui l'avait fait entrer dans l'histoire de l'art. Les sujets qu'on lui proposa, liés à la formation de l'identité néerlandaise, devaient en principe lui convenir. Pourtant, nous le verrons, cela ne se passa pas sans heurts, ni sans humiliations.

L'Huis ten Bosch aura donc été entreprise juste à temps pour devenir le lieu de la célébration de la dynastie triomphante. Mais qui réellement triomphe ? Ne serait-ce pas plutôt le négoce des compagnies ? Car les Pays-Bas possèdent désormais la moitié des vingt-cinq mille navires marchands d'Europe ; Amsterdam contrôle toutes les circulations de devises, au centre d'un réseau de concessions commerciales en Asie et aux Amériques, et commerce avec les peuples slaves, germaniques et scandinaves de la mer Baltique, avec l'Afrique du Nord, la France et l'Espagne. La Hollande commande au négoce du monde entier. Sans chercher de conquêtes territoriales. Cela est un projet dépassé, féodal. Elle n'a besoin que de quais, de hangars et de bureaux. Et c'est sa puissance économique qui a raison finalement de l'Espagne, puissance militaire et coloniale. En 1648, le traité de Westphalie lui offrira, en condamnant le port d'Anvers et la voie fluviale de l'Escaut, le privilège du commerce européen.

Les fêtes de la Paix furent générales dans les villes, les villages, les ports. On la célébra par des déclamations de poèmes, des pièces jouées sur la scène du théâtre d'Amsterdam, des médailles frappées, des œuvres picturales : Gerard Ter Borch, un jeune peintre de trente et un ans, fut chargé du reportage officiel. Il représenta le départ vers Münster du cortège plénipotentiaire néerlandais, fit le portrait de l'ambassadeur de la province d'Utrecht à la cérémonie, peignit la cérémonie elle-même à Münster, dans la grande salle de l'hôtel de ville, au moment de la signature du pacte par les deux parties, chacune s'engageant sur la Bible. Pour les salles des Doelens d'Amsterdam, Bartholomeus van der Helst représenta, sur plus de cinq mètres de long, le banquet des gardes civiques que présidait un énorme hanap d'argent, sculpté d'un cavalier et de son cheval.

Écarté de la célébration de la dynastie d'Orange, Rembrandt n'est pas convié davantage à la commémoration de la Paix. Sans doute le considère-t-on avec respect pour son originalité, mais sa différence, sa façon d'aller au-delà de la convention, auront plutôt dissuadé. Bien entendu, il conserve des soutiens dans la bourgeoisie. Pour preuve, ses liens avec Jan Six qui auront la durée d'une vie, et au-delà.

Issu de la famille d'un pasteur de Lille, Jan Six a douze ans de moins que Rembrandt. Il a toujours habité les beaux quartiers d'Amsterdam. Sa mère, Anna Wijmer, a fait faire son propre portrait par Rembrandt au moment de la jeune célébrité du peintre, en 1641. C'était une femme en coiffe, fraise et manchettes de dentelle blanche, toute vêtue de noir, une femme de tête qui a repris l'affaire familiale, de textile et de teinture, à la mort de son mari. Elle a envoyé son fils Jan à l'université de Leyde et lui a offert le traditionnel voyage d'Italie. Il en est revenu peu tenté par le poste de direction auquel la famille le destinait, bien qu'il ait commencé par essayer de concilier l'industrie, le commerce et son goût pour la poésie et pour les arts. Grand bourgeois, il épousa une fille de grands bourgeois, Maria Tulp, dont le père est ce Nicolaes Tulp, qui avait commandé à Rembrandt en 1632 sa *Leçon d'anatomie.* Ainsi, les mariés descendaient-ils d'amateurs de Rembrandt. Ils continueront à l'aimer, mais pas exclusivement. Jan Six fera peindre le portrait de son épouse par Govaert Flinck et par Ferdinand Bol. Élèves de Rembrandt, ils ont sur leur maître l'avantage de proposer des images moins imprévisibles et semblent plus désireux de donner aux visages un certain air de noblesse.

Peu à peu, Jan Six se dégagera du négoce et de l'entreprise pour faire en ville figure d'écrivain et d'amateur éclairé. La politique l'attire. Il deviendra administrateur des affaires publiques et enfin bourgmestre. Quand Rembrandt grave son image, ce n'est pas pour faire de lui le portrait d'un notable, mais d'un poète de vingt-neuf ans : col ouvert, cheveux longs, il s'adosse à la fenêtre pour lire un livre; il a posé son épée sur la table; une chaise supporte une pile de volumes; un tableau est accroché au mur. Dans des dessins préliminaires on voit que Rembrandt a cherché son image, qu'il l'a vu d'abord songeur, accoudé à la fenêtre, avec un petit chien debout contre lui qui demande une promenade, le préférant, pour finir, dans la gravité du lecteur seul dans sa chambre.

Cette gravure est de 1647, alors que Jan Six a récemment dédié au poète Hooft, qui vient de mourir, son premier long poème, qui le situe bien dans la part internationale, latiniste, humaniste et maniériste de la littérature de son temps, pleine d'allégories, de déesses et de références antiques, mais sans trop s'y affadir.

En art, Six va constituer une collection abondante et diverse de peinture italienne, de peinture hollandaise, d'objets d'art et de curiosité. Un ensemble disparate qui ressemble à celui que rassemble Rembrandt dans sa propre maison. Six possédera donc des Rembrandt : outre le portrait que le peintre fera de lui en 1654, représentant le grave bourgmestre qu'il est devenu arrêté un instant devant l'artiste pour enfiler ses gants, il achètera le portrait de *Saskia au béret rouge* et *la Prédication de saint Jean Baptiste*, deux œuvres anciennes, des années 1630. En 1648, il lui demandera une estampe pour accompagner l'édition de sa tragédie en vers et cinq actes, *Medea*, créée au théâtre d'Amsterdam l'année précédente.

Cette gravure est un étrange mélange d'antique et de moderne. La scène est située dans le grand espace clair, aux vitres blanches, aux colonnes puissantes d'une église calviniste; sur l'autel chrétien, une statue de Junon assise, avec son paon; devant la déesse, le prêtre, coiffé d'une tiare, la crosse à la main, qui bénit le couple agenouillé de Jason et de Créüse, les dignitaires se tenant debout derrière les mariés, cependant que chanteurs et musiciens, dans leur tribune, accompagnent la cérémonie; dans l'ombre, au premier plan, de l'autre côté de l'autel, avance la magicienne, dont une suivante soutient la traîne. D'une main, elle porte son cadeau nuptial, voilé (une paire de gants empoisonnés), de l'autre un poignard; devant elle, l'escalier qui la conduira jusqu'au couple. La gravure n'illustre pas exactement un acte de la pièce, mais ajoute à la tragédie une synthèse graphique. Le texte gravé, qui accompagne la planche à l'intérieur du livre, dit : « Créüse et Jason se jurent fidélité dans les liens du mariage. Médée, l'épouse de Jason, injustement répudiée, vient chercher vengeance. Hélas ! l'infidélité dans le mariage se paie très cher ! » Cette curieuse gravure, au lieu de s'attacher à reconstituer un temple grec, au lieu de reprendre le décor « antiquisant » du théâtre d'Amsterdam, acclimate à un décor gothico-calviniste une tragédie antique. Alors que c'est le moment où la Hollande apprend à s'aligner sur la mode internationale, pour les vêtements d'abord – désormais on s'habille comme en France ou en Angleterre, ou presque –, et aussi pour le choix des artistes. On veut de la nouveauté, se prêter au goût jugé plus « relevé » des Français et des Italiens.

On pourrait croire à la fin de la création locale mais ce n'est qu'un mouvement de surface. Van Goyen, Ruysdael, Rembrandt, Vermeer sont là pour maintenir l'art hollandais dans sa dimension supérieure. Simplement, les « amateurs » du temps s'intéressent à d'autres artistes. Parce qu'ils se veulent planétaires, les Hollandais se souhaitent à l'unisson des grands royaumes. Naguère à Utrecht, ils frappaient à la porte de Ter Brugghen, à Haarlem à celle de Frans Hals, à Amsterdam à celle de Rembrandt. Maintenant, il leur faut des tableaux dans le goût de Rome ou de Paris. Curieux des tendances nouvelles, ils y inclinent leurs artistes. Cette transformation, on l'a dit, aura pour effet d'encourager deux tendances : l'une vers le grand genre à l'italienne, l'autre vers le genre national, le « vieux hollandais ». Entre ces deux directions, la première artificiellement importée et implantée, la seconde peu capable de renouvellement, la présence de Rembrandt est condamnée à l'isolement. L'avenir public de sa peinture s'obscurcit.

Deux signes révèlent son isolement. Le premier est l'indifférence qu'eut à son égard le dramaturge Joost van den Vondel, qui créa la tragédie hollandaise dans la langue nationale. Rembrandt sera spectateur de ses pièces. Vondel ne viendra jamais dans son atelier et fera peindre son portrait par d'autres. Leurs voies pourtant étaient parallèles, leurs thèmes se recoupèrent souvent. Peut-être se trouvaient-ils trop proches l'un de l'autre ?

Le second signe est la divergence de son frère de Leyde, Jan Lievens, qui quitta leur atelier pour Londres, pour Anvers, surtout pour un art moins rude. Fort du prestige acquis à l'étranger, Lievens revint à Leyde et s'imposa à sa ville natale qui ne fera jamais appel à Rembrandt. Le frère de Leyde vient d'arriver à Amsterdam. Il peint ce que les gens de goût aiment désormais. Il habite de l'autre côté de la ville, sur le Rozengracht. L'un d'eux est-il allé voir l'autre ?

Vondel, trop proche. Lievens, trop différent. Le temps accentue la solitude. Lievens, différent. Précisons. Différent parce que capable d'être naturellement de son temps, de composer des œuvres assimilables par ceux qui possèdent la culture de ce temps-là, les référencer aux allégories, à la mythologie antique, etc. Certes, Rembrandt a la même culture, mais il en fait un usage différent. Sa peinture est autre. Et ses tableaux civiques ou religieux, trois siècles après, sont demeurés significatifs. Ainsi *La Ronde de nuit* est-elle plus représentative de l'idéal de la République des Provinces-Unies que tous les tableaux des milices. Ainsi *La Conspiration de Julius Civilis* surpasse-t-elle toutes les allégories romaines de l'hôtel de ville d'Amsterdam. Rien ne sert de comparer un génie avec d'autres artistes, ni même des artistes entre eux. Ça empêche de les voir.

Mais Lievens fut plus qu'un peintre de portraits qui séduisaient les modèles, plus qu'un décorateur mural dont l'opinion trouva l'œuvre édifiante. Lievens a peint des paysages et, dans ce domaine si fréquenté aux Pays-Bas, il affirma son originalité. Il ne s'est pas spécialisé dans les vues de villes, ni de champs, ni dans les solitudes des dunes, ni dans les pâturages, ni dans les marines.

Pour parler de ses paysages, rien ne convient mieux que la formule de Hans Hartung, peintre abstrait : il disait que le peintre, pour donner la présence d'un arbre, devait « se cogner dedans ». Les paysages de Lievens ? Ses dessins, au bambou trempé dans l'encre de Chine, sont proches des dessins de Rembrandt par leur technique, mais leur esprit diffère. Ce sont des bosquets, des petits bois comme il en est toujours en Hollande. Les fûts sont serrés. On n'y passerait qu'en se faufilant, en se frottant aux troncs. Cette sensation du bois, on ne l'a jamais vue chez d'autres paysagistes. Lievens l'a donnée également en peinture (tableau du musée de Rouen). Oui, il ne faut jamais résumer l'œuvre d'un artiste à une direction unique. Lievens fut plusieurs fois différent.

3

LA SAINTE FAMILLE

En peinture, Rembrandt entre dans une période de paix, liée sans doute à sa vie privée, à l'enfant Titus qui grandit près de lui et renforce le goût du calme et du silence qui se manifeste dans sa peinture. Deux jeunes filles apparaissent dans une ouverture de la maison, une fenêtre, une porte, elles témoignent de la sérénité d'une demeure où les femmes ouvrent les fenêtres le matin et referment les volets le soir, présences attentives plus que curieuses, signes de l'organisation familiale dans l'alternance du jour et de la nuit. Abandonnant les révélations stupéfiantes de sa *Vie du Christ*, Rembrandt s'oriente peu à peu vers un registre moins spectaculaire, vers des images intimes. Ainsi peint-il par deux fois *la Sainte Famille*. Le premier tableau de 1645, en hauteur, fait le signe de croix. Une verticale traverse une horizontale au centre de la toile dans un quadrillage qui se répète sur toute la surface. La construction, la moins baroque qui soit, est classique dans sa façon de souligner l'organisation en trame régulière comme le battement d'une mesure musicale. Plusieurs lumières circulent dans la peinture : à droite, celle d'un feu dans l'âtre dont les flammes éclairent le berceau d'osier où dort l'enfant dans des draps blancs, sous une couverture rouge; à gauche, une lumière céleste tombe du plafond dans la pièce, portant une avalanche d'angelots qui dégringolent dans un foisonnement d'ailes dorées. L'un d'entre eux plane, les ailes ouvertes, au-dessus du berceau. Sa lumière éclaire le visage de la Vierge qui se détourne un instant de sa lecture de la Bible pour ajuster l'épais tissu brodé qui protège le petit visage de trop de clarté. Voilà pour le dialogue du ciel et de la terre. Mais une troisième source lumineuse existe, elle révèle Joseph à son établi sous la hotte; au mur, on voit ses outils, dont un vilebrequin, tandis que, de son herminette, il s'occupe à tailler une pièce de bois, un manche de faux ou un élément d'attelage. La pièce de bois en oblique, le geste tendu de la Vierge, les battements d'ailes, ajoutent à la fermeté du quadrillage.

Cette famille-là est une architecture inébranlable. Après tout, ce n'est que l'intérieur d'un artisan hollandais qui travaille pendant que son épouse surveille le berceau au coin du feu. Rien que de banal, comme Rembrandt en voit tous les jours le long de la Sint-Anthoniesbreestraat, mais éclairé par la lueur céleste des angelots, preuve que le sacré, le merveilleux, peuvent entrer n'importe quand chez une famille du quartier.

L'année suivante, en 1646, il peint une seconde *Sainte Famille*, moins vaste, en longueur. Joseph le charpentier à son ouvrage, Marie et l'Enfant, un chat près du feu. Cette fois, la scène paisible s'inscrit dans un cadre de bois sculpté et doré, tableau dans le tableau. Le cadre et le rideau rouge qui protège la peinture de la lumière font partie de la composition. On dirait qu'une main vient d'écarter un peu le tissu pour laisser voir la calme famille dans sa chambre, ou plutôt dans sa boutique, puisqu'une grande vitrine aux petits carreaux reçoit une vague lueur de la rue.

C'est en réalité réveiller la vieille idée de l'art se surpassant quand il trompe l'œil. Les écrivains jusqu'au XVIIIe siècle iront répétant l'exemple antique d'une nature morte de raisins si parfaite que les oiseaux venaient la picorer. Les contemporains de Rembrandt parlèrent de sa malice : un jour, il aurait placé à la fenêtre de sa maison le portrait d'une jeune fille, si vivant que les passants en auraient salué l'image.

Même si ses tableaux sont tout le contraire de l'illusionnisme, on ne peut pas empêcher une tradition séculaire de courir dans les rues d'Amsterdam, comme dans les villas italiennes de la Brenta ou dans l'Huis ten Bosch : on aime les jeux d'illusion.

Le rideau à demi tiré devant cette famille renvoie à une conception de l'illusion plus subtile. L'idée n'est pas de faire croire à la réalité d'une famille hollandaise dans la pièce unique où elle demeure, mais à la vérité de la peinture, qui peut révéler et dissimuler à la fois, aller au-delà de l'image. Si nous tirions un peu plus le rideau, nous ne verrions rien d'autre qu'elle, la peinture, où tout peut s'inscrire de l'univers, le Christ, une jeune fille, un vieillard en méditation, un paysage, exemples des mille apparences que prend le vivant. Tout est illusion sans doute, le cadre, la tringle, les anneaux, le rideau, et la peinture a pour intérêt de dévoiler cette vérité, d'être comme la parole sacrée qui corrige toutes les aberrations.

En ce temps, Rembrandt semble plein de curiosités. Voici qu'il s'offre en 1646 le plaisir de représenter une scène de patinage sur les canaux gelés. C'est comme un signal affectueux de la main vers un peintre mort voilà plus de dix ans, Hendrick Avercamp, qui s'était fait une spécialité des scènes hollandaises sur la glace en peignant les foules bruegeliennes dans les divertissements du patin, du traîneau, du jeu de kolf (ou golf) sur glace. A l'époque, Rembrandt dessine, grave, des paysages de la banlieue aquatique d'Amsterdam avec des barques sur les canaux, des chaumières un peu croulantes. Pour cet amical salut adressé à Avercamp, il demande à la peinture de traiter de la lumière du froid sur un village d'hiver. Le ciel est bleu clair vif, marqué de petits éclats de nuages très hauts comme des cristaux, comme s'il était gelé lui aussi. Le pont qui franchit le canal est désert. Le village pousse vers le ciel quelques toits de chaume informes, une tour incertaine, dans les bruns et les blancs-gris de l'hiver. Le soleil est bas, avant la tombée de la nuit. La dernière lumière lisse la glace bleutée sur laquelle, dans l'indécision d'avancer, dans la précaution d'une marche, d'un mouvement interrompu, se dresse une femme en tablier, suivie par son chien. Ailleurs tout est arrêté, le patineur assis sur le sol, les joueurs de kolf assis ou debout près de leur haute canne, la vache et son bouvier, tout est planté immobile sur la glace. Le froid a tout saisi. Dans ce quart d'heure immobile d'avant la nuit, il a pris aussi l'arbre qui ne frémit pas. L'approche de la disparition du soleil rend les hommes songeurs, songeurs de rien si ce n'est de l'instant quotidien, sur ce bout de canal où chacun est confronté à la majesté du rythme solaire. Le salut à Avercamp est aussi sa négation. Avercamp peignait les joies du patinage, le mouvement explosif des amateurs de glisse. Rembrandt, sur le lieu même de la fête, propose de se recueillir.

Le tableau est petit. On voit le pinceau courir. Quelques traits ébouriffés pour l'arbre, quelques glissades pour les toits des maisons, quelques accents pour souligner la pointe recourbée des patins, les cannes verticales des joueurs, une seule touche pour le tablier de la femme, quelques striures blanches dans le bleu du ciel comme des griffes de patin, des traces creusées dans la glace. Rembrandt a peint d'un seul jet, sa peinture a fonctionné comme le gel. Elle est devenue l'hiver même.

A l'époque, cette façon de peindre est unique. Les paysages se créent lentement. On y ajoute des détails symboliques. Il convient que le paysage parle, donne à réfléchir sur le destin du monde et de l'humanité. Ici, au contraire, Rembrandt peint un paysage instantané, comme un dessin à l'encre, sans retouche, cueillant la signification profonde d'un des instants de la nature qu'il a jeté vivant sur le tableau. C'est une expérience qu'il ne renouvellera jamais.

Jeu du tableau dans le tableau. Paysage sur nature, comme le feront les impressionnistes, tout cela s'inscrit dans les expériences et réflexions sur les pouvoirs de la peinture. Comme le domaine secret de la sexualité auquel il aborde à cette même époque.

A l'atelier du Bloemgracht, on l'a dit, il y avait régulièrement séance avec un modèle nu, homme ou femme. Parmi ces modèles, on connaît un garçon à la tignasse frisée, costaud, mais pas athlète, qui figure à plusieurs reprises dans les peintures et les dessins de l'atelier. Rembrandt, assis parmi ses élèves, grave une fois, deux fois, trois fois, le personnage de face, de profil, de dos, debout, assis sur un coussin par terre, assis sur un tabouret surélevé de façon que tout le monde le voie bien. Rembrandt a noté que le garçon, les deux mains jointes sur le bas-ventre, s'ennuie. Pudique, le modèle porte une sorte de linge blanc qui le protège. Sur l'une des planches, on voit qu'il a défait le linge et que, de la main gauche, il tire sur son sexe cependant que la main droite se crispe sur la hanche. Le visage n'exprime aucun sentiment, aucune sensation, ni jouissance, ni provocation. On n'y lit que l'indifférence. Sur la même planche, Rembrandt grave une autre pose du garçon, debout cette fois, accoudé à un coussin. Le pagne laisse voir ses génitoires. Il est attentif, amusé. Il y a un sourire sur son visage.

Plusieurs fois, Rembrandt reprend son cuivre, le plonge dans l'acide, y revient au burin pour accentuer certaines parties, jusqu'à effacer les génitoires sous le pagne, mais pas l'image du sexe tiré. La partie droite du même cuivre, tracée d'une pointe légère, montre devant la grande cheminée une scène familiale : un tout jeune enfant debout dans une chaise à roulettes qui apprend à marcher. Il s'avance, les bras tendus vers une femme qui s'est assise pour être à son niveau et qui lui fait des signes avec les doigts. Intérieur joyeux avec, par terre, un jouet, une toupie et son fouet.

Ainsi, du fait du hasard, le modèle a-t-il été projeté dans le décor typique d'une grande salle de maison hollandaise, dans cet instant de la vie familiale de la demeure. Hasard qui a voulu que les proportions des deux scènes s'accordent. Mais le hasard a ici le sens clair de réunir sur une même planche les deux vies parallèles et séparées de Rembrandt patron d'atelier et père de famille.

A l'atelier, il a voulu se refaire la main d'après le nu. A la maison, il a noté au vol un moment capital d'une jeune existence, celui où l'on se tient debout et où l'on commence à marcher. Les deux scènes traduisent la même curiosité. Quant au laisser-aller de la pose du garçon, il signifie que l'estampe diffère fondamentalement des études académiques qui analysent les corps de l'homme et de la femme, sans passion, avec le souhait de bien comprendre l'anatomie humaine dans sa totalité. Elle témoigne de ce moment plutôt cocasse de la pose où, oubliant les élèves, le modèle fait ce geste de tirer sur son sexe sans penser à rien. Incident sans importance, mais que Rembrandt, venu voir un corps d'homme pour s'en remettre en mémoire la construction, l'articulation, la lumière, a saisi au passage, y trouvant le sujet de son étude, qui est ni sexualité ni anatomie, mais dans les parages de l'une et l'autre.

Dans sa collection d'estampes, Rembrandt avait rassemblé tout un ensemble de planches érotiques de Raphaël, du Rosso, d'Annibal Carrache et de Giulio Bonasone, de gravures d'Hendrick Goltzius, de Dürer et de ses élèves. On sait que la gravure érotique a toujours eu besoin de garanties morales ou érudites. Érudites en mythologie, s'entend. Chez Giulio Bonasone, élève de Jules Romain, le libertinage se revêt de culture antique : on représente l'amour physique, et c'est licite, puisque ce sont les dieux qui font l'amour. Chez Marc-Antoine Raimondi aussi, qui a gravé en 1524 tout un recueil d'après Jules Romain : *Jupiter et Sémélé, Mars et Vénus saisis par Vulcain dans son filet.* Les unions sont représentées avec la précision nécessaire. Le *Jupiter faisant violence à la nymphe Io* de Goltzius n'en manque pas, mais il fallait, pour s'autoriser à graver un couple, se référer à l'Âge d'or.

Évidemment, Rembrandt ne laissait pas ces cartons-là ouverts quand il recevait la visite d'un pasteur, mais les érotiques faisaient partie de la documentation qu'un artiste pouvait avoir chez lui. D'autant que la garantie morale était donnée par la propagande antipapiste. Ainsi, Heinrich Aldegrever, élève de Dürer, avait gravé plusieurs fois l'horrible fornication d'un moine avec une religieuse dans la forêt, qu'un homme armé, pourfendeur des vices catholiques, dénonciateur de la pourriture des mœurs romaines, surprend en pleine action : l'accouplement pouvait servir à argumenter pour la juste cause.

4

LE LIT A LA FRANÇAISE

Sans doute, Rembrandt a-t-il besoin lui aussi d'aller dans le sens d'une garantie morale, puisque sa première image licencieuse, celle d'un couple faisant l'amour, se réfère au thème de la gravure d'Aldegrever, l'image du moine et de la religieuse qu'il reprend à son compte. Pas de forêt, pas d'homme armé ni de religieuse. Un champ qu'un paysan commence à tailler à la serpe et un moine, reconnaissable à sa capuche, qui s'enfonce entre les cuisses d'une femme disparaissant dans une forêt de roseaux.

La gravure est de 1645. Auparavant, il ne s'était pas privé d'estampes légères – berger jouant de la flûte, mais beaucoup plus occupé à lorgner sous les jupes de la bergère qu'à surveiller ses chèvres, vieillard endormi dans la forêt et guetté par un jeune couple qui s'enlace – mais avec la santé des poètes médiévaux, des auteurs de contes galants, des sculpteurs de chapiteaux et de gargouilles, une santé amoureuse qui suggère et ne montre pas.

En 1646, l'année des garçons posant dans l'atelier, période où il revient souvent à sa *Danaé*, dont il veut reprendre la peinture, il songe au lit à baldaquin des *Amours des dieux* de Marc-Antoine Raimondi dont les montants sculptés lui ont servi pour les colonnes de la couche de Danaé et, cette fois, il n'a plus besoin d'aucune garantie mythologique. Il grave un couple faisant l'amour dans un grand lit. Ils ne se sont pas dévêtus. En chemise, ils se sont enfoncés dans les coussins rebondis. Les draps et les couvertures font des vagues sous eux. Pressé, l'homme a accroché sur un des montants du lit son béret à plume dont on sait qu'il est l'emblème de Rembrandt : il s'en était coiffé il y a plus d'une décennie déjà, quand il se peignait aidant à l'érection de la croix, collaborant au supplice du Christ.

L'œuvre est belle de l'alternance sombre et claire des courtines du lit qui construisent une architecture textile dont la lumière a conduit le couple jusqu'au profond de la retraite cachée, voie qui mène aux corps mêlés entre lumière et pénombre, dans leurs mouvements répétés, face au calme lisse des murs. Elle est belle aussi de la gravité de l'homme et de la femme en train de s'unir, de la paix qui est sur le visage de la femme aux yeux mi-clos et du calme de l'homme qui, de très près, la regarde et scrute son expression.

Rembrandt reprendra jusqu'à cinq fois son cuivre. Il corrigera la position des jambes, celle des bras. Au début, la femme recevait l'homme, inerte, les mains à plat sur les draps. Soudain, elle le serre contre elle. Le graveur n'a pas effacé l'un des bras ; elle a donc deux bras gauches, l'un indifférent, l'autre passionné. Oubli ou volonté de garder à l'estampe l'idée d'un début dans l'abandon et d'une fin dans l'ardeur ? Il s'agit en tout cas d'une œuvre intime, qui ne pouvait pas circuler sous couvert de mythologie. Et pourtant ce n'est pas une chronique. La scène ne se passe pas dans un lit ordinaire néerlandais, mais dans une fastueuse couche digne des amours des dieux, à l'intérieur d'une demeure noble. La verticale d'un pilastre, le creux d'un mur, signes d'une architecture de palais, font contraster le grand ordre calculé avec le creux du lit et les nœuds charnels de l'amour. Rembrandt a voulu installer cette seconde image de la vie sexuelle dans un espace idéal. La première, la fornication du moine dans les champs, dénonçait un parjure. Celle-ci parle de bonheur.

Elle apparaît quatre ans après la mort de sa femme. Avec Saskia sur ses genoux, il s'était représenté en galanterie. Cela avait été un point extrême dans leur vie et dans son œuvre. Ici, il parvient à une image qu'il n'avait pas encore osée, sans équivalent à l'époque. Et qui n'aura dans sa création pas de suite. Comme sa recherche du tableau dans le tableau et du paysage sur le vif né d'une promenade dans l'hiver.

Le plus étonnant est qu'à peine abordé ce territoire érotique, il l'abandonnera, sinon pour toujours, du moins pour une douzaine d'années. Les nus, le couple dans sa couche, ne réapparaîtront qu'à partir de 1658. En peinture, il y aura *Bethsabée* en 1654, mais protégée par une garantie biblique. Quant à l'année 1646, elle s'achèvera sur un portrait posthume du pasteur Sylvius, la main tendue comme s'il commentait la Bible. C'est dire que *le Lit à la française* aura été un moment unique dans son œuvre et dans sa vie, une parenthèse dans sa création. Il l'aurait été dans l'œuvre de tout autre artiste. Car l'image de l'accouplement a toujours été rare en Europe. Quant au nu féminin, introuvable au lendemain de l'indépendance des Provinces-Unies pendant les premières années du pouvoir calviniste, il revient au XVIe siècle avec Hendrick Goltzius qui joue aisément de la carte mythologique comme garantie, au XVIIe siècle avec les peintres d'Utrecht, Honthorst le premier, qui ne se privent pas de pastorales dénudées, ni de scènes décolletées sous prétexte de Tziganes et autres étrangères. Autour de Rembrandt, on demeura sous la caution mythologique. Les Vénus avec ou sans Cupidon ne seront pas absentes des tableaux de ses élèves, Flinck, Bol, Maes. On tentera aussi de remplacer Ovide par l'Ancien Testament : une femme nue au lit, écartant le rideau, pourra être une *Agar attendant Abraham* ou une *Sara guettant la venue de Tobie.* Bartholomeus van der Helst, le rival de Rembrandt dans les portraits collectifs, peint lui aussi des amoureuses bibliques, leur mettant aux oreilles les grosses perles hollandaises. Le nu féminin tient donc sa place en Hollande pourvu qu'il entre dans une légende où chacun peut clairement voir ce qui sépare les passions licites des passions illicites. Ailleurs, on tombe dans la catégorie des scènes de mœurs, de bordel ou d'auberges accueillantes chez Jan Steen ou Nicolaus Knupfer d'Utrecht, chargées de dénoncer le péché.

Dans l'ensemble, les artistes hollandais n'ont pas, devant la nudité, autant d'aisance que les peintres italiens. Rembrandt non plus n'est pas vraiment à l'aise comme en témoignent aussi bien les chaînes de son *Andromède* de 1631 que l'Amour qui se tord les mains de désespoir au-dessus de sa belle *Danaé.* Il reste cependant qu'il fut un des très rares artistes capables d'aller jusqu'à cette gravure heureuse de l'union d'un homme et d'une femme dans un grand lit. Gravure qu'il a signée et datée. Comme il avait daté et signé son premier portrait à la pointe d'argent de Saskia. Cette fois cependant l'amante n'est pas nommée.

Qui est-elle ? Amour de passage ? Peut-être. Brève rencontre ? Pourquoi pas ? Peut-être n'est-il pas le partenaire du jeu, seulement le graveur ? Ce qui rejoindrait encore l'idée du peintre, serviteur de la beauté et de l'amour, qui apparut dans le tableau de la *Danaé.*

On peut aussi, puisque la gravure exprime un bonheur si fort, en rechercher les motifs dans sa vie. Une femme est apparue qui va susciter chez lui un comportement incohérent, l'amenant à alterner procès et cadeaux, plaintes et subsides, à agir avec elle dans un mélange de tendresse et de colère. Elle soutiendra qu'il lui a promis le mariage, qu'ils ont couché ensemble. L'affaire – aura-t-elle commencé dans *le Lit à la française*? – ira devant les tribunaux : c'est la gouvernante de la maison, la gardienne de Titus, Geertghe Dircx.

Son visage ? Il demeure introuvable dans l'œuvre. Nous ne la connaissons que de dos. Sur un dessin, elle se tient au seuil de la maison, parlant avec un passant dans la rue et vêtue du costume traditionnel des paysans du nord de la Hollande. Son portrait peint par Rembrandt a disparu. Fut-elle expulsée de l'œuvre comme elle sera renvoyée de la demeure ?

Le 24 janvier 1648. Geertghe Dircx passe chez un notaire pour faire son testament, non pas le notaire de la famille van Rijn, mais Me Lamberti, à qui elle déclare désigner Titus comme son légataire universel. Elle lui lègue 100 florins et son propre portrait. Le testament précise qu'elle se sent malade. Tout laisse donc supposer qu'elle aime l'enfant au point de vouloir s'inscrire, pauvre domestique, sur le même plan que la riche épouse, comme protection tutélaire du petit par-delà la mort. Titus aura son argent et placera son effigie parmi les portraits de Saskia. L'acte est clair : Geertghe veut entrer dans la famille. Indirectement bien sûr, mais elle veut, à travers l'enfant, y pénétrer. Rien que de très normal : voilà six années qu'elle s'occupe de Titus et qu'elle règle la vie de la grande maison. Se jugeant malade, elle a donc pris les précautions qui incombent aux mères. En Hollande, les serviteurs sont peut-être plus qu'ailleurs considérés comme des membres de la famille. Le geste est touchant dans sa ferveur. Personne n'aurait le mauvais esprit d'y soupçonner quelque manœuvre. C'est tout naturellement que la veuve serait entrée dans le lit du veuf, comme deux sommeils qui se réchauffent l'un l'autre dans l'obscurité.

L'art de Rembrandt est d'ailleurs de plus en plus calme et stable. Ainsi dans ces *Pèlerins d'Emmaüs* qu'il est en train de peindre, reprenant le thème abordé un peu moins de vingt ans auparavant, dans le grenier de Leyde. Alors, il avait montré dramatiquement l'instant de la révélation dans l'auberge : la chaise renversée, l'homme à genoux par terre, l'autre homme stupéfait et le Christ s'adossant au mur de planches, le pain rompu dans les mains.

Aujourd'hui, il ne veut plus de lumières obliques, de contre-jours, de silhouette au loin fouillant dans la cuisine. Il construit une image calme, une architecture noble de pierres de taille, de pilastres et de murs concaves, la composition la plus stable possible, comme dans *la Sainte Famille* de 1645, avec le croisement affirmé des verticales et des horizontales. Pas de gestes excessifs. Seulement l'homme de droite s'appuie soudain plus fortement sur la table. L'autre convive à gauche s'immobilise dans le mouvement de porter quelque chose à sa bouche et le gros chien, sous la chaise, n'a pas bronché. Simplement le Christ, au centre, les deux pieds nus posés sur le plancher, rompt le pain et lève les yeux vers le ciel. Son visage est devenu source rayonnante de lumière. Le tableau dit simplement ceci : un voyageur à l'auberge qui, au moment où il s'apprête à dîner, devient phosphorescent; une halte pour se restaurer dans un palais déchu en auberge, avec un plancher un peu défoncé et quelques restes de sa splendeur ancienne, un portemanteau pour les capes, des meubles qui furent somptueux, la table, les fauteuils, une nappe brodée d'or. C'est là que la lumière commence à émaner du Christ. Décidément,

Rembrandt va de plus en plus à l'essentiel, vers l'affirmation claire de ce qu'il croit, vers la proposition la plus simple de l'évidence.

Il reste encore un détail étrange dans ce tableau. Le jeune serveur, déférent, se penche vers le Christ pour déposer un plat sur la table. Il le porte avec précaution, cherchant des yeux la place où le mettre sur la nappe. Dans ce plat se trouvent deux crânes d'agneau, décharnés, dont les yeux ont été ôtés, dont la pauvre chair a déjà été mangée sans doute.

La présence de ce plat au souper d'Emmaüs est rare dans la peinture, mais on la trouve chez Bassano, chez Jordaens. La fréquentation des juifs portugais de son quartier, particulièrement du très savant rabbin Menasseh ben Israël, qui publie à Amsterdam des livres en latin et en hébreu, a sans doute permis à Rembrandt de connaître le rite de la présence de l'épaule d'agneau sur la table de la Pâque juive. Mais ici il s'agit de tête d'agneau, nourriture de pauvre, plat aussi sinistre que rare sur la table de l'auberge, dans lequel on lit un signe de la liberté où le peintre est d'inventer dans le domaine sacré. Le serviteur aurait-il apporté un gigot, cela n'aurait pas distingué *Emmaüs* d'un repas familial. Il lui a plu de replacer le symbole de l'agneau pascal dans sa réalité de cuisine macabre. Peu importait qu'il fût seul à peindre cela. Dans le secret de sa maison, Rembrandt dialogue à sa guise avec le divin.

Dans la ville, on pense qu'il fréquente des gens peu ordinaires, des mennonites, protestants certes, mais pratiquant le rite du baptême à l'âge adulte, des juifs dont il connaît bien la synagogue voisine. Ses relations, dit-on, expliqueraient certaines des étrangetés de ses peintures sacrées. Lui, il se réfère à sa Bible et forge lui-même la cohérence de ses images sacrées.

En 1649, l'harmonie de la calme maison est troublée. La séparation d'avec Geertghe s'écrit dans un acte notarié du 28 juin. Séparation à l'amiable. Geertghe quittant son emploi, sans ressource, a engagé au Bureau de crédit son trésor : une bague à la rose de diamant. Rembrandt tient assez à ce cadeau qu'il lui fit pour qu'il veuille qu'elle le dégage. Dans le projet d'accord qu'il lui propose ce jour-là, il s'engage à lui verser avant la fin de l'année 200 florins pour ce faire. De plus, il lui constituera une pension à vie de 160 florins par an, à commencer dès juin 1650. Leur façon de se quitter est correcte, marquée, pourrait-on dire, d'une certaine tendresse dans les clauses de l'accord qui stipulent qu'elle ne devra jamais se défaire de la bague et qu'elle n'annulera jamais le testament qu'elle a fait en faveur de Titus.

Pourtant l'acte reste à l'état de projet, Geertghe ne l'a pas signé.

5

LA PIÈCE AUX CENT FLORINS

1649, c'est l'année où Rembrandt grave « Laissez venir à moi les petits enfants », titre incomplet d'une estampe qui sera connue de son vivant sous le nom de *la Pièce aux cent florins*, parce qu'il en fit l'échange avec son ami Petersen Zoomer contre une planche de Marc-Antoine Raimondi estimée à ce prix.

A la porte d'une ville, le Christ est debout, les bras ouverts, une main levée pour bénir. Il est entouré d'une foule de pauvres, de désespérés, de malades et de mourants; une femme a été déposée sur la paille devant lui, une autre est portée sur une brouette, une troisième s'approche sur les genoux, s'appuyant sur des bâtons. Un âne et un chameau les accompagnent (un souvenir de la parole de l'Évangile : « Il est plus facile à un chameau de passer par le chas d'une aiguille qu'à un homme riche d'accéder au royaume éternel. ») A la droite du Christ, qui accueille un garçon et une femme pieds nus portant un enfant, un autre groupe, élégant celui-là, de rabbins discoureurs.

Une quarantaine de personnages, organisés en mouvements divers comme dans *la Ronde de nuit*, fluctuent en vagues autour de lui. Est-ce la lumière qui les entraîne ou en sont-ils porteurs ? Leur luminescence se dirige vers le Christ dans une progression de rythmes cassés, brisés, comme le sont leurs membres, force hésitante, où paraissent et disparaissent des visages misérables pour aboutir, au-dessus de la mourante couchée sur la paille, au geste des mains jointes d'une vieille femme. La lumière est assez forte pour imprimer sur la robe du Christ l'ombre tremblante du visage et des mains jointes de la vieille.

Lui, son visage est multiple. On le dirait fait de têtes superposées. L'imprécision de ses traits lui donne un frémissement incessant, éclairé par la lueur intermittente qui émane des pauvres. Manifestement il est issu des portraits qu'à l'époque Rembrandt accumule de jeunes juifs du quartier, aux cheveux longs et à la barbe courte.

Donc, à la gauche du Christ, Rembrandt grave les débatteurs, les sceptiques. Il les dessine au trait. Il les place tout près du Christ. Mais il les prive de sa lumière. Ils n'ont pas d'ombre, comme si le blanc pur était la couleur de l'indifférence. Ainsi dans l'ensemble de l'estampe le dialogue de l'ombre et de la lumière, selon qu'il est puissant, léger ou aboli, détermine-t-il la possibilité de chacun d'accéder au Royaume. L'homme au grand chapeau, qui ressemble à Érasme, le philosophe de Rotterdam, en est exclu, comme ce jeune homme élégant, la main devant la bouche, qui s'interroge. Les traits qui les délimitent sur le blanc du papier n'ont ni épaisseur ni volume. Ils sont plats, comme rejetés du combat de l'ombre et de la lumière, non pas renvoyés dans les ténèbres extérieures, mais dans la blancheur du néant. Le néant est le rien à l'infini, la blancheur du papier.

Contredisant la tradition, Rembrandt témoigne que la lumière qui apporte la vie éternelle ne ressemble pas aux rayons du soleil, qu'elle progresse par contagion, par capillarité, et contourne autant qu'elle traverse les corps des humains. Ni la physique ni l'optique ne peuvent dire ce qu'elle est. Le monde où elle évolue, fondamental, ancré au plus dense du réel, révèle les frontières du bien et du mal, de la foi et du doute dans toutes leurs nuances. L'art est ici essentiellement religieux, réflexion sur les degrés du vrai et du faux.

Cette estampe complexe, la plus complexe qu'il ait créée, organisée de la façon la plus simple – le Christ au centre et les deux groupes de part et d'autre –, rejoint par sa stabilité le calme du tableau des *Pèlerins d'Emmaüs*. Rembrandt en a réalisé deux tirages, l'un sur papier du Japon, l'autre sur papier occidental. Il les conservera tous deux.

La fin de l'année 1649 voit revenir les procès. Geertghe le fait citer le 25 septembre devant la Chambre des affaires matrimoniales et des querelles. Il n'ira pas. Le projet d'accord pour la séparation amiable n'ayant pas été signé, il faut qu'il trouve des témoignages qui en garantissent l'existence.

C'est alors qu'apparaît Hendrickje Stoffels, l'autre femme de la maison. Elle se présente : « demoiselle, vingt-trois ans », et témoigne que le 15 juin avec une amie, Trijnte Harmans, elle a assisté à la présentation par Rembrandt du projet d'accord avec Geertghe. Sa déclaration est enregistrée le 1er octobre. Deux semaines plus tard, Rembrandt fait noter un autre témoignage, celui d'Octaef Octaefsz., cordonnier de son métier, qui rapporte avoir assisté à une autre rencontre avec Geertghe, durant laquelle cette dernière aurait refusé avec colère de signer, une pension de 160 florins n'étant pas suffisante si elle retombait malade. Rembrandt, selon le cordonnier, aurait répondu qu'en cas de maladie il augmenterait la pension. Mais cela ne l'aurait pas décidée à accepter le contrat.

Rembrandt, préférant payer les amendes qui sanctionnent ses absences, ne se rend pas davantage à la nouvelle convocation devant le tribunal.

Finalement, il ne s'y résoudra que le 23 octobre. Cette fois, Geertghe attaque à fond. Attendu qu'ils ont couché ensemble plusieurs fois, qu'il lui a donné la bague à la rose de diamants le jour où il lui a promis oralement le mariage, elle demande qu'il l'épouse ou qu'il lui donne les moyens de vivre.

Le Tribunal des affaires matrimoniales et des querelles a l'habitude de ce genre de plaintes, très difficiles à recevoir dans la mesure où les deux parties sont incapables d'apporter la preuve des paroles et actes avancés. Si les actes sont vraisemblables, la promesse de mariage est moins sûre. Elle aurait fait perdre à Rembrandt l'usufruit de l'héritage de Saskia, les 47750 florins, qui, selon le testament, lui échapperaient « s'il se remariait ». Avait-il été si amoureux qu'il eût oublié cette clause ?

Faute de preuves, les juges trancheront en établissant un contrat de séparation amiable, décidant que le montant de la pension s'élèverait à 200 florins par an, soit 40 florins de plus que ce qui avait été prévu initialement.

Mais l'affaire n'est pas finie. Elle aura chassé Geertghe de l'œuvre de Rembrandt. Cette femme qui avait vécu des années dans sa maison, qu'il avait vue en train de nourrir Titus, revenant du marché, accueillant les visiteurs, lavant les chambres, rangeant le linge, nous n'avons d'elle que quelques dessins de dos dans son costume du pays, quelqu'un ayant écrit, au dos d'une de ces feuilles : « La nourrice de Titus. » Par un témoin nous savons aussi qu'elle était « de petite taille, bien en chair, le visage agréable ». Mais le procès l'a chassée de l'art de Rembrandt, au point qu'on doute qu'elle ait pu être, en peinture, cette jeune femme vêtue de sobre façon citadine, apparaissant dans l'encadrure d'une porte, les mains posées sur le battant de bois et guettant.

Ainsi Geertghe s'éloigne-t-elle dans la brume.

Alors que pour Saskia et pour Hendrickje nous disposons d'une continuité d'images, nous ne trouvons pas à son propos de suite cohérente. Si elle fut dans *le Lit à la française*, anonyme pour tous sauf pour le graveur, si elle fut celle qui regardait à la porte dans le tableau, celle qui parlait avec un passant dans le dessin ou la femme « petite, bien en chair » qui posa pour l'artiste dans les dessins de nus, nous n'en saurons rien et la défiance interdit de rapprocher ces images l'une de l'autre. Pour avoir déplu au peintre, elle est devenue une inconnue. Rembrandt aura-t-il déchiré ce qu'il avait dessiné d'après elle ? Aura-t-elle détruit son portrait dont il est question dans son testament ? On connaît les haines des maîtresses rejetées.

Et Geertghe aura des raisons de haïr Rembrandt. Ne l'envoie-t-on pas pour douze ans de réclusion dans une maison de correction à Gouda au sud d'Amsterdam ? Le motif de cette peine ne nous est pas connu, mais elle terminait une affaire désagréable pour le peintre qui prêta alors à Pieter Dircx, le frère de Geertghe, la somme de 140 florins nécessaire à son installation dans l'asile. Geertghe ayant fini par recouvrer la liberté au bout de cinq ans, Rembrandt poursuivra en justice ce frère, Pieter, charpentier de marine à bord du navire *De Bever* (« le Castor ») pour qu'il rembourse sa dette, sous peine de prison. Les Dircx, manifestement, le rendent furieux. Qu'elle ait été voleuse ou folle, que le frère soit insolvable, ces deux-là suscitent en lui des réactions sans proportion avec les délits qu'ils ont commis à son encontre.

L'affaire finira tristement, puisque, retirée enfin dans son village natal, Geertghe figurera sur la liste des créanciers de Rembrandt, ce qui laisse penser qu'il n'a pas payé la pension promise et permet de comprendre la haine de Geertghe.

Titus a huit ans. Près de lui et de son père, se tient depuis quelque temps déjà une autre femme, Hendrickje, celle qui a donné son témoignage. Derrière le procès qu'intente Geertghe, on pressent donc la jalousie, le dépit de l'abandon de la servante dévouée au profit d'une femme plus jeune, qui va réussir avec Rembrandt ce qu'elle n'a pas su faire, être présente dans son œuvre et lui donner un enfant. Ainsi Rembrandt aura-t-il passé huit ans avec Saskia, puis sept années avec Geertghe dans la maison. Il en vivra quatorze avec Hendrickje jusqu'à sa mort en 1663.

VII

LA FAILLITE

1

FAUST OU ARISTOTE ?

La maison de la Sint-Anthoniesbreestraat est très claire. A l'entresol, en haut des quatre marches de l'escalier central, on a beau fermer les volets, le jour entre encore. Il a fallu poser des rideaux. Cela protège du froid et des regards des passants. Les petits carreaux des fenêtres, tout en haut, suffisent pour éclairer les modèles. Les rideaux, on peut les relever comme des voiles, avec des cordons. Ainsi peut-on varier l'intensité de la lumière. L'atelier est devenu une chambre optique, l'outil majeur du peintre.

Ce matin de 1652, il a trouvé que la lumière circulait étrangement dans la pièce. Les plis du vélum se gonflaient. Il avait laissé ouvert le rideau de son lit et dans la couche les oreillers entassés suggéraient autre chose que de la literie. Sur le matelas un coussin se creusait de cavités, se transformant en quelque chose de menaçant, une tête de mort, prête à mordre, peut-être. L'atelier était devenu un espace inquiet. Voilà sans doute le décor dangereux qu'il lui fallait pour entourer le personnage d'un penseur de l'époque. Au grand jour, en pleine clarté.

Jusqu'alors, il avait lié la réflexion et la nuit. Il avait peint des chambres closes où, le soir venant, des vieillards, oscillant entre le sommeil et la veille, guettaient la pensée, interrogeaient les mystères de la vie et de la foi, comme si l'obscur avait le pouvoir de stimuler l'esprit. Derrière eux, on devine l'escalier à vis qui s'élève vers l'étage et prend le sens de la spirale de leur pensée. De même, il a eu besoin de la nuit pour allumer les faibles lanternes des bergers entrant dans la paille de l'étable, la nuit encore pour qu'on perçoive la lueur du Christ se levant du tombeau, la nuit sur *la Fuite en Égypte.*

Aujourd'hui, il veut la pleine lumière, tous rideaux écartés et dans cette blancheur le rayonnement d'un disque portant en son centre le monogramme du Christ, I.N.R.I., dans le premier cercle les mots ADAM TE AGIRAM et, dans le second, AMRTET, ALGASTNA. Rembrandt grave les lettres avec beaucoup de soin, place des croix entre les mots, éclaire vivement le visage de l'homme, chaudement vêtu, bonnet enfoncé jusqu'aux oreilles, qui se trouve à sa table de travail. Le message est si inattendu qu'en sursautant il a gardé sa plume à la main, son poing appuyé sur le bras du fauteuil. C'est un homme d'âge mûr, au visage taillé rudement, marqué de rides. Devant lui, au centre d'un vaste meuble, un cercle, une sphère céleste ou terrestre, indique sa recherche : géographie ou astrologie.

On ne peut pas être plus précis : dans le lit, la menace de mort; devant l'homme, l'univers; face à lui, le message gravé dans la lumière. Tout est net, aussi évidemment écrit sur le papier que par les plombs qui enserrent les vitres de la fenêtre. Le trait veut tout faire apparaître de l'extraordinaire moment qui va changer le destin de l'homme, soit qu'il obtienne enfin la réponse à sa question, soit que l'inscription le renvoie au doute.

Nous assistons à l'instant même de l'oracle décisif. Jusqu'alors, tout a eu des contours. Même les plis du vélum dans leur allure de présences en sommeil, de masques aux yeux clos, pouvaient être mesurés. Maintenant, on passe du calibré à l'insaisissable, du volume à la fumée.

Dans l'air clair de la pièce entrent les nuages, tandis qu'un être imprécis pointe la main et l'index vers un miroir éclairé par le disque. L'homme stupéfait regarde à la fois le disque et le miroir. Dans le premier, il lit la révélation. Dans le second, il interroge son propre visage, que nous ne voyons pas.

Enfin, à la fois dehors et dedans, dans l'atelier et de l'autre côté des vitres, l'ultime volute de la fumée s'enroule sur elle-même, comme un turban, volute en dialogue avec, à l'autre bord de la fenêtre, les plis du vélum tiré. Étrange théâtre où le palpable et l'impalpable se croisent, les deux aspects du vivant, présences tutélaires au-dessus de la sphère terrestre (ou céleste), miracle en plein jour, miracle pour le savant à sa table de travail. Double miracle, puisque le disque révélé s'accompagne du miroir qui invite le chercheur à s'étudier lui-même.

Pour Rembrandt, cette estampe représente une incursion dans les régions vertigineuses du signe, de la lettre et de leurs pouvoirs. Il sait que l'écrit est révélateur. A preuve, dans son tableau de 1635, *le Festin de Balthazar*, l'apparition en lettres de feu des mots « Mané, Thécel, Pharès ». Il connaît les énigmes de Samson. La parole ne se révèle que voilée. Mais ici le disque gravé de lettres ne surgit pas dans l'Orient de légende, mais dans une demeure hollandaise qui est son propre atelier. L'énigme ne se trouve pas dans la Bible, elle provient des travaux des exégètes. Dans le disque, l'homme n'a pas vu surgir le visage du Christ, mais des mots qui peuvent donner du pouvoir, des formules qui ne sont pas du domaine des anges, mais du côté du diable. Le penseur contemporain, selon Rembrandt, a toujours affaire au démon.

Avec *la Pièce aux cent florins* déjà, il avait montré que les érudits se tenaient à l'écart de la parole du Christ. En 1652, il insista avec un *Jésus prêchant* à un coin de rue, parmi des hommes et des femmes perplexes d'être confrontés à l'incroyable. Dans un *Jésus enfant parmi les docteurs*, il est revenu sur cette idée d'une foule à moitié curieuse, à moitié indifférente. Et puis voilà qu'au milieu de ce flux incessant d'images construites sur les vieux récits de l'Évangile a surgi cette création unique : l'homme stupéfait par l'apparition du disque lumineux. Elle suscitera des interprétations multiples. On y a reconnu Faust face au miroir que lui tendait son bon ange, on y a trouvé une image conforme aux idées des mennonites, sachant que les disciples de Menno auraient été nombreux autour de Rembrandt, on y a vu encore la représentation d'un Faustus Socinius, un disciple de Lelio Sozzini, dont la Réforme ne fut pas celle de Luther, ni de Calvin, mais d'un kabbaliste nommé Fautriers, autant de suggestions qui sont aussi érudites que plausibles. Sauf que, si l'on peut faire entrer Rembrandt dans une secte – pourquoi pas ? –, on n'y fera pas tenir son art qui a toujours débordé les orthodoxies des sujets qu'il traitait.

Alors, au lieu de le croire militant d'une cause, graveur d'une image de propagande pour cette cause, on peut, avec cette estampe d'une révélation lumineuse en plein jour, lire aussi sa mise en doute des pratiques savantes qui foisonnent dans la bibliothèque parmi les instruments de la connaissance. Rembrandt n'est pas du côté des docteurs. Il se place parmi les hommes et les femmes de la prière. Curieux, il aura traversé le domaine aride des chercheurs aux frontières de la physique et de la métaphysique, mais non sans penser que leurs efforts sont vains. La tête de mort le souligne. Sa gravure dit seulement que ces terres-là ne sont pas les siennes.

Le 30 janvier 1648, on avait célébré la Paix de Münster, le triomphe des Pays-Bas. Le 30 janvier de l'année suivante, le roi d'Angleterre Charles Ier Stuart était décapité devant Whitehall. Parce qu'Amalia van Solms, l'épouse du stathouder, est une Stuart, la nouvelle suscite l'indignation aux Pays-Bas. On apprend aussi que les Portugais ont reconquis le Brésil et que les régents abandonnent la compagnie des Indes occidentales. Mais le stathouder lance l'armée contre Amsterdam. L'alarme a sonné dans la ville, on a armé des barques, monté des canons sur les remparts entre les moulins. Le coup échouera.

Le 7 novembre 1650, la petite vérole emporte le stathouder. Il n'a que vingt-quatre ans. Son héritier, Guillaume-Henri, naîtra huit jours plus tard. Les nouvelles courent la rue.

Plus grave est la décision prise par Cromwell, en 1651, décrétant que les marchandises britanniques ne pourront désormais être transportées que par des navires britanniques. Que l'Angleterre veuille échapper à la puissance de la flotte marchande hollandaise qui transporte tout, depuis, et vers tous les ports du monde aboutira à la guerre. Rembrandt, comme tous les Hollandais, en verra les effets : des batailles navales, une alternance de victoires et de revers sous des amiraux de génie, Blake et Tromp, le pays tout entier vibrant aux grandes heures de la guerre, aux canonnades devant Douvres et devant Nieuport, puis la défaite et la demande de paix par le grand pensionnaire Jan de Witt, représentant du pouvoir civil qui vient de remplacer le pouvoir militaire du stathouder.

L'héroïsme retombé, on fait les comptes. La flotte hollandaise a perdu 1600 vaisseaux. Le trafic est réduit à presque rien. De nombreux négoces sont ruinés. La crise est sévère. Elle atteint la clientèle de Rembrandt. De nouvelles fortunes se construisent, mais dans une génération qui ne le connaît pas. Chacun cherche à rentrer dans ses fonds, et Rembrandt, dans cette crise générale, va arriver au bout de son crédit.

Certes, il a encore des soutiens. Jan Six qui abandonne le négoce pour se consacrer totalement aux lettres et à la politique est encore à même de lui prêter 1 000 florins. Et une commande lui arrive d'un collectionneur de Sicile, Antonio Ruffo. La proposition est flatteuse. On lui paiera son tableau huit fois le prix qu'on donne d'ordinaire à un peintre italien. Quant au thème, on veut un philosophe, sans plus de précision.

Comment à Messine ce Ruffo connaît-il Rembrandt ? Sans doute grâce au peintre hollandais Mathias Stomer dont il possède des œuvres. Ce Stomer (1600-1649 ?) avait commencé sa carrière à Utrecht avec Bloemaert, puis était parti pour Rome travailler auprès de Honthorst. Avec le temps, il était devenu de plus en plus proche de Caravage dont il avait certainement vu les œuvres à Messine. Peut-être au cours de son séjour en Sicile avait-il parlé de Rembrandt à l'amateur, attirant sa curiosité sur ce peintre dont le refus du voyage d'Italie trahissait un comportement exceptionnel.

Pour ce Ruffo (leur relation durera jusqu'à sa mort), Rembrandt va peindre un *Aristote contemplant le buste d'Homère.*

Deux cascades de tissu clair aux remous infinis, une chaîne en or qui barre un costume sombre, une main portée à la taille, la chaîne entre les doigts, l'autre sur la tête du buste en marbre blond ; Aristote est debout touchant la face du poète aveugle, montrant ses deux références, la chaîne en or dont lui fit présent son disciple Alexandre le Grand et le visage du poète dont il tire sa force, le pouvoir du prince et le pouvoir du mythe fondateur de l'Antiquité, les yeux du clairvoyant scrutant la cécité, la philosophie interrogeant la poésie. Aristote est majestueusement vêtu, son visage, creusé de rides, contraste avec la jeunesse de la chevelure bouclée et de la barbe.

On est frappé par la grande ampleur des gestes où la lumière ruisselle en vagues, face à la pierre muette dont le philosophe attend l'oracle. Derrière le buste, sur un pilastre, une pile de livres reliés, posés les uns sur les autres, avec l'exactitude d'une construction de pierre. Ce tableau représente la question que le savoir scientifique et philosophique pose à la poésie.

Rembrandt possède dans ses collections un buste d'Homère et un buste d'Aristote. Pour Jan Six, il avait dessiné la grande stature d'un vieillard vêtu d'une toge et récitant ses vers au milieu d'un public immobile, version antique du Christ prêchant au coin d'une rue. Pour le philosophe, il n'a rien voulu garder de sa figure habituelle. Il l'a vêtu d'un costume de théâtre, d'un de ces vêtements de légende dont il se sert pour ses figures mythiques, et lui a donné le visage méditatif dont il trouve des éléments dans les traits des juifs de la synagogue voisine. La scène ne se passe pas en Grèce, mais dans l'espace et le temps infinis de la pensée. Le tableau n'a qu'une date, celle à laquelle fut taillé le morceau de marbre à l'image d'Homère, le reste appartient à tous les temps. Quant à la composition, elle est des plus naturelles. Seulement cette simplicité est rehaussée de la richesse de tissus gonflés de lumière. Ici encore la matière a pris un sens spirituel.

L'œuvre fut payée 500 florins et partit par bateau pour Naples en 1654.

Antonio Ruffo poursuivait son idée – pour sa bibliothèque peut-être – de constituer un ensemble de figures vues à mi-corps. Il savait choisir ses peintres puisqu'il demanda dès 1660 au Guerchin, le peintre émilien (1591-1666), de lui peindre une demi-figure pour accompagner son Rembrandt. Le Guerchin le pria de lui envoyer un croquis du tableau de façon à s'accorder avec lui, ajoutant : « La peinture de Rembrandt qui vous appartient ne peut être que parfaite, car j'ai vu plusieurs estampes d'après ses œuvres, très réussies, gravées avec talent et faites de telle manière qu'on peut en déduire que sa couleur est également parfaite. Et moi, novice, je le tiens pour un grand virtuose. »

Le Guerchin, qui avait soixante-dix ans, est célèbre pour le mystère et les ombres de ses *Bergers d'Arcadie*, la douceur de ses *Sibylles*.

Il est l'auteur d'une œuvre considérable entre Bologne et Rome. Au-delà de la politesse, on peut deviner son respect et reconnaître la perspicacité de l'artiste qui, face au noir et blanc, sait imaginer la couleur. Peut-être aussi, dans les estampes dont il a eu connaissance, a-t-il perçu les affinités qui existent entre Rembrandt et lui. En tout cas, les historiens d'art du XVIIIe siècle ne se priveront pas de les rapprocher, ne serait-ce qu'en leur reprochant à tous deux de ne pas avoir un dessin correct.

Ainsi l'hommage était-il rendu par un des grands maîtres italiens. Celui-ci, ne disposant sans doute que d'un croquis sommaire du tableau, l'interpréta comme un physionomiste palpant un visage et, pour faire un pendant, envoya à Ruffo l'image d'un astrologue méditant devant un globe terrestre.

En 1661, le tenace Ruffo demandait un nouveau tableau à un autre peintre italien Mattia Preti (1613-1699), qui travailla longtemps à Naples et un peu à Rome avant de s'installer à Malte. Issu de Caravage et de Honthorst, influencé par le Guerchin, Mattia Preti était un peintre de fresques et de tableaux d'autel représentant les martyres des apôtres et des saints. Lui aussi voulait savoir entre quelles œuvres son tableau aurait à s'insérer. Mais sans doute les croquis de Ruffo manquaient de précision, car il envoya au Sicilien une figure enturbannée, celle du tyran de Syracuse, Denys l'Ancien, après lui avoir écrit que le Rembrandt et le Guerchin étaient deux très belles œuvres d'art. Simple flatterie pour l'amateur, car entre Preti et Rembrandt il n'y a pas les mêmes ententes qu'entre Rembrandt et le Guerchin.

En même temps, Ruffo continuait à commander des œuvres à Rembrandt : un *Alexandre le Grand* qui lui fut envoyé en 1661 et un *Homère dictant à un scribe* qui partit pour l'Italie en 1662. Mais là, tout n'alla pas pour le mieux. Rembrandt dut refaire un autre *Alexandre* et reprendre son *Homère*, Ruffo s'étant plaint que l'*Homère* était composé de morceaux accolés. A la fin, le commanditaire se déclara satisfait et on sait qu'il affirmait à ses visiteurs que l'*Aristote* de Rembrandt était le tableau préféré de sa collection, pourtant riche en œuvres rares dont plusieurs de Nicolas Poussin.

Voilà qui prouvait à Rembrandt, s'il en était besoin, qu'Amsterdam n'était pas coupée du reste du monde, qu'un étranger habitué aux compositions baroques était capable de l'accepter dans la stabilité affirmée de sa composition, la richesse croissante de sa matière. L'expérience lui avait également permis d'intégrer à son art un thème chez lui rare, celui de la culture antique. Et dans ce domaine sa vision n'avait pas semblé incohérente aux Italiens.

L'année où il envoya l'*Aristote* au Sicilien, il entreprit une de ses plus grandes gravures, une *Crucifixion*, un thème qu'il n'avait plus abordé en peinture depuis 1639, en gravure depuis 1641. Cette fois, il le traitera à distance, comme un opéra à vaste décor, comme un vacarme de gens qui courent, crient, tombent, les deux larrons accrochés à un étal de boucherie humaine et le Christ en croix au centre. Le ciel lance des rayons de lumière et des rayons d'ombre comme des flèches, grandes obliques qui découpent sur le papier des plages sombres et claires. Le ciel immense s'ouvre sur le moment crucial, mais la terre est vaste où les groupes se resserrent ou éclatent en fuites. Il ne demeure debout que deux cavaliers dressant une lance et leurs épées, mais leur centurion s'est jeté à terre, il s'agenouille les bras ouverts, devant le Christ qui est maintenant la seule verticale de l'image, la seule puissance qui reste, celle du supplicié sur la croix plantée en terre. Nous sommes aux premières heures du signe qui se répandra sur la planète. Le Christ n'a presque pas de visage, sa tête commence seulement à émettre les premiers rayons de ce qui sera l'auréole. Une fois encore Rembrandt a choisi un moment précis dans l'événement, alors que Jésus vient d'expirer dans un grand cri, à la minute même où l'on sait que tout est consommé.

Dans cette estampe il est entré sans avoir besoin comme autrefois de peindre au préalable une grisaille. Il lui a suffi d'esquisser quelques groupes. Sa pointe désormais court comme sa plume. Il va directement à sa mise en scène avec ses rochers qui s'ouvrent, son ciel qui se fend. La croix plantée provoque un séisme. Ensuite, il place les hommes et les femmes saisis d'horreur et de peur.

Rembrandt tira les premières épreuves de ces *Trois Croix*, peu nombreuses, sur parchemin. Il reprit ensuite son cuivre pour préciser à droite un personnage, fit quelques essais sur papier, puis s'accorda un troisième état en accentuant au burin les ombres des rochers et des fuyards. Il voulait des noirs encore plus noirs. Alors il signa et data « Rembrandt f. 1653 ». Huit ans plus tard, il reprendra complètement l'estampe. Le thème de la Crucifixion disparaîtra à jamais de son œuvre, sauf pour la reprise de la gravure des *Trois Croix* en 1661, l'année où il peindra *Homère* pour le Sicilien. Peut-être, en écho, voudra-t-il retrouver la conjonction de deux mondes qui avait été un moment de sa vie.

En Hollande où la crise inquiète tout le monde, les créanciers veulent être payés.

La grande maison de la Sint-Anthoniesbreestraat avait été acquise le 5 janvier 1639, voilà bientôt quinze ans, pour 13 000 florins. Rembrandt s'était engagé à la payer en six années, et à verser des intérêts de 5 %. Or voici que la mise en demeure de s'acquitter lui parvient le 4 février 1653. Sur les 13 000 florins, il en a versé 6 000. Autrement dit il est encore débiteur de 8 570 florins et 16 stuyvers, soit 7 000 de dette et 1 570 d'intérêts et de taxes. Le contrat est prêt qui lui donnera quittance. Il voudrait qu'on le lui remît avant de s'être acquitté. Ce n'est pas sérieux, mais cela gagne du temps. Sa tactique est toujours d'obtenir des délais.

Pourtant, il a de l'argent. Jan Six lui a prêté 1 000 florins, Cornelis Witsen, bourgmestre, lui en a confié 4 180 ; en mars, il obtiendra du marchand Isaak van Heertsbeeck le prêt de 4 200 florins. A chacun de ses créanciers il a promis de rembourser la somme au bout d'un an, sur garantie de tous ses biens. Dans le même mois, il a confié à un agent le soin de faire payer les débiteurs qui lui sont redevables.

Le voici donc avec de quoi payer sa maison. Certes, il n'aura fait qu'échanger une dette pour une autre, mais il aura gagné du temps. Et bientôt il ne devrait plus devoir que 1 000 florins à l'ancien propriétaire de sa maison. Ses affaires sont compliquées. Installé dans le flux d'argent du monde marchand d'Amsterdam, il fait affaire avec des tableaux, des gravures, des objets, tente d'acquérir un Hans Holbein pour 1 000 florins, fait rentrer l'argent d'une traite de 1 000 florins, possède des intérêts dans des cargaisons de navires. Habile, il joue de toutes ses ressources et combine l'achat d'une nouvelle maison pour 4 000 florins en argent et 3 000 en œuvres d'art.

Dans la crise, une centaine de florins, c'est toujours bon à prendre : il fera mettre en prison pour cette somme le frère de Geertghe. Quant aux 1 000 florins qu'il doit à Jan Six, il en paiera une partie en lui vendant le portrait qu'il vient de faire d'après lui : *L'Homme au gant.* Comme toujours dans les affaires, il se montre adroit, entreprenant, audacieux. Ses arguments ne sont pas toujours inattaquables, mais il ne se laissera pas rouler.

Les Hollandais sont les premiers boursiers, les premiers banquiers de l'Europe. La crise n'empêche pas qu'il y ait à Amsterdam plus d'argent que partout ailleurs. Rembrandt va se maintenir sur ce flot. D'ailleurs, il a des objets à vendre et il les fera passer en salle des ventes à la grande auberge de la Keizerskroon sur la Kalverstraat.

2

BETHSABÉE

Elle est nue, assise sur des linges blancs au bord de la piscine, comme l'était Danaé il y a dix-huit ans, cette *Danaé* qu'il reprend de temps à autre. Le lit de repos se trouve tout proche. Quelques feuillages grimpants suggèrent qu'on est dans le patio d'un palais. Nue avec un cordon autour du cou qui porte un pendentif, des perles en corail dans la chevelure, les grandes gouttes de verre nacré hollandaises aux oreilles et un bracelet d'or au bras. Elle sort du bain. Une servante lui essuie les pieds. De la main droite, elle tient une lettre. Elle lève la tête, les yeux perdus dans le vague. Le tableau est carré, calme, clos. Rien n'y pourrait entrer. Il suffit que la lettre ait franchi la clôture.

C'est Bethsabée que le roi David a vue et désirée et qu'il convoque. On ne résiste pas au roi, et David, pour prendre cette femme, enverra son époux se faire tuer au combat. On connaît l'avenir des amours illicites devant le jugement de Dieu. La servante, coiffée d'un extraordinaire chapeau (que Rembrandt a peut-être trouvé chez un marchand du port), soigne les ongles des pieds de Bethsabée. Scène ordinaire de gynécée, de la maîtresse et de la servante qu'on a vue chez Titien, qu'on retrouvera chez Ingres, avec ici le côté trivial de la pédicure qui sera peu souvent exploité par ailleurs. On est dans le banal des soins du corps, dans la vacuité d'esprit de la femme qui s'y abandonne. Et puis quelque chose se lève qui s'enroule en vagues sur le lit, un tissu d'or, presque une carapace dont les plis se recouvrent, glissant l'un sur l'autre, parsemés de quelques yeux, somptueuse allusion à on ne sait quelle bête qui tourne sur elle-même.

Ce n'est qu'un dessus-de-lit, un tissu lourd de fils d'or, presque raide, aux bords tranchants, qui ondule, et c'est en même temps la froideur luisante d'un destin dramatique qui s'éveille lentement dans la paix de la demeure. C'est surtout de la magnificence picturale. Le merveilleux enroulement ajoute une tension au sujet plus qu'il ne sert à évoquer quelque pompe exotique.

Pour refermer davantage le carré du tableau, Rembrandt décidera que la femme doit cesser de lever la tête, qu'elle doit la baisser vers sa main qui tient la lettre. Ainsi aucun mouvement ne suggérera plus l'idée de sortir du tableau. Le triangle se fermera entre le visage de la maîtresse, celui de la servante et la lettre, trois points surmontés par le monstrueux serpent qui tord lentement ses anneaux d'or.

Hendrickje a-t-elle posé pour Bethsabée ? C'est vraisemblable. Rembrandt recommence avec elle le jeu qu'il avait entretenu avec Saskia, en faisant d'elle par exemple, comme de Saskia, une Flore. Sa femme doit être dans son œuvre, personnage de légende dans les rôles qu'il lui propose, et épouse à la maison. La même année, il montrera Hendrickje, près de l'eau encore, non plus une piscine, mais un étang. La campagne de rochers, de vieux troncs d'arbres, est à peine esquissée. La femme retrousse sa chemise et son jupon pour entrer dans l'eau. Derrière elle, revient la grande carapace du tableau *Bethsabée*, l'or en souple cuirasse rehaussée de plis de velours rouge.

Hendrickje, de l'eau jusqu'aux genoux, s'avance avec un sourire d'amusement. Sur le panneau de bois Rembrandt trace d'une large brosse les mouvements blancs de la chemise. L'eau reflète l'or du tissu, les jambes claires. C'est tout juste indiqué par des accents de couleurs. Des traits de pinceau font les gestes, les plis, les frémissements du tissu, les mains qui le relèvent. Le tableau est aussi vite peint que le paysage gelé de naguère, il est allègre : c'est une fête pour eux deux. Voilà Hendrickje enfin sortie de la sombre histoire biblique, le temps d'une escapade, l'été. Un tableau intime qui fait suite à la peinture de la légende, à moins qu'Hendrickje à la baignade n'ait abouti à *Bethsabée*. Peu importe, Rembrandt joue sur les deux registres. Cette conjonction-là est celle des temps heureux.

Hendrickje est enceinte de cinq mois quand le Consistoire de l'Église réformée se réunit le 25 juin 1654, justement à l'époque où ce tableau fut peint. Son secrétaire déclare sur un registre que Hendrickje demeurant dans la Breestraat « *heeft haer hoerery verloopen met Rembrandt de schilder* », se prostitue avec Rembrandt le peintre. « *Hoerery* » signifie prostitution, le terme est clair. Il ajoute que le couple sera convoqué dans les huit jours.

2 juillet 1654. Le Consistoire a attendu en vain. La putain et son homme ne se sont pas présentés. Le secrétaire note qu'on leur adresse une nouvelle mise en demeure de comparaître.

16 juillet 1654. Le Consistoire constate que la seconde lettre est elle aussi demeurée sans effet. Il décide de mander à la maison de la Breestraat deux « Broeders vant Quartier », deux frères du quartier. Cette fois, le scandale sera public. On ne résiste pas à l'Église nationale.

23 juillet 1654. Le secrétaire du Consistoire note que Hendrickje qui se prostitue avec Rembrandt le peintre a été reçue, que le Conseil l'a réprimandée, l'a incitée à faire pénitence, et, la traitant comme on traite les prostituées, lui refuse désormais l'accès à la Table de communion.

Trois mois plus tard, Hendrickje mettra au monde une petite fille qui sera baptisée à la Vieille Église, l'Oudekerk, le 30 octobre 1654. Ses parents lui donneront le nom de Cornélia et la déclareront comme la fille de Rembrandt van Rijn et de Hendrickje Stoffels. Ce prénom de Cornélia, c'est le peintre qui l'a choisi en souvenir de sa mère Neeltje, diminutif de Cornélia, et des filles qu'il eut avec Saskia et qui n'ont pas survécu.

Les officiels de la religion s'étaient donc entremis pour que le peintre réparât avant la naissance et épousât religieusement la jeune femme. Au reste, ce n'était pas à lui que le Consistoire s'en était pris, mais à sa maîtresse. Il fallait qu'elle obtînt la dignité d'épouse. Pourtant, dans la crise financière générale, Rembrandt ne pouvait ajouter à ses difficultés par un nouveau mariage qui lui ferait perdre l'usufruit de l'héritage de Saskia. Geertghe avait voulu le mariage jusque devant les tribunaux. Mais Hendrickje, perdant tout espoir, si jamais elle en avait eu, de devenir Mevrouw van Rijn jamais ne plaida.

Forcément elle souffre d'être écartée de la communauté religieuse, d'être traitée de putain, mise au ban du voisinage. L'épreuve l'aura conduite à se tenir toujours plus au creux de la maison.

Le couple vit un drame qui le ravage et le soude. Rejetée du dehors, Hendrickje verra se multiplier sa présence dans la peinture de Rembrandt. Elle est Bethsabée, elle est cette jeune femme entrant dans l'eau de l'étang, elle pose pour son portrait, qui doit être placé sur le mur en pendant d'un autoportrait de Rembrandt.

Cette fois, Rembrandt s'est vu différent. Il a rasé sa moustache. La peinture le rajeunit, malgré les deux rides verticales qu'il indique sur son front. Son béret ondule sur sa tête. Il porte un collier au cabochon d'or et Hendrickje, elle, a les bijoux qu'il lui a offerts : un bracelet de perles au poignet et une parure de trois ornements d'or, chacun entourant une grosse perle hollandaise, les deux premiers en pendants d'oreille, le troisième en broche pour fermer le corsage. Ils sont bien là tous deux, côte à côte, et d'une certaine façon fiers de leur destin, même s'ils ne parviennent pas à être mariés devant les serviteurs de Dieu.

De Titus, Rembrandt n'avait encore fait qu'une figure rapide lorsque le garçon avait huit ou neuf ans, une œuvre d'intimité comme la baignade d'Hendrickje. Le garçon était déguisé – justaucorps de velours et chapeau à plume – avec la fraîcheur d'un jeune visage tout neuf, aux yeux immenses, aux joues rondes de la petite enfance et une grande clarté interrogative dans le regard.

Maintenant il a quatorze ans. Il voit la petite Cornélia dans son berceau et les soins dont Hendrickje l'entoure. Il va en classe, mais n'entrera pas à l'Université. Rembrandt ne construit pas son avenir, contrairement à ce que firent ses parents. Il garde l'enfant à la maison. Le petit groupe a tendance à se resserrer de l'intérieur. Titus sera peintre. Aurait-il pu ne pas l'être ? Rembrandt signe et date le premier vrai portrait qu'il fait de lui : « Rembrandt f. 1655. »

Le garçon est assis à son pupitre incliné, presque couché sur ses feuilles de papier. Il a ses instruments de travail, le calame, les flacons d'encre. Pensif, il appuie son visage sur son pouce, les yeux grands ouverts sur sa pensée. Placées au centre du tableau, entre le bois de la table d'étude devant laquelle se balancent à leurs cordons de cuir les encriers, voici la tête, les mains et la solitude du garçon devant lui-même. Si les traits du visage ont les rondeurs enfantines, le moment choisi pour le représenter est un de ces moments de gravité qui parfois assombrissent le visage des enfants.

Des bruns, du sombre au clair, un rouge éteint, mais encore chaud, Titus porte déjà, dans son expression, quelque chose d'adulte comme si Rembrandt, plus qu'attendri par le rayonnement de sa jeunesse, le chargeait déjà, fragile et volontaire, du poids de son destin qui l'oblige à devenir lucide. Le tableau est grave. Rembrandt transmet à son fils les outils de l'art, puis le laisse aller. Titus à son pupitre guette la vie, attend les idées. C'est volontairement que Rembrandt ne l'a pas représenté dans l'acte de dessiner, mais au moment de l'interrogation sur ce qu'il fera, avant qu'il ne se saisisse des outils. Au moins est-ce ainsi qu'il souhaite son avenir. Titus, devenu peintre, continuera à apparaître dans ses tableaux, mais jamais plus en artiste. Certes, il dessine, il peint, et dans ses œuvres on perçoit des affinités avec celles de son père, ses silhouettes d'arbres, de personnages. Dans la mouvance de Rembrandt, sa personnalité se cherche, plus douce visiblement, mais toujours dans la voie de la grande peinture des mythes antiques et sacrés qui fut la marque de l'atelier paternel.

Ainsi, à cette époque, Rembrandt se retrouve-t-il dans la grande maison avec sa femme Hendrickje, que les « Broeders vant Quartier » ne reconnaissent pas pour son épouse légitime, son fils, qui commence sa vie de peintre, et sa fille, la petite Cornélia.

A l'intérieur de la demeure, la vie continue, sans que l'on puisse exactement mesurer le poids de la désapprobation avoisinante dans le fonctionnement même de cette vie.

29 juillet 1655. Amsterdam inaugure son nouvel hôtel de ville, le plus grand bâtiment de la cité. Les poètes font son éloge, Vondel en tête (un texte de 1500 vers), Jan Six aussi. Constantin Huygens parle à son propos de huitième merveille du monde. En tout cas, il a valeur de symbole : la République est capable d'ériger pour la direction collégiale de sa ville un édifice aussi vaste et aussi somptueux que les palais des rois. Sur la grand-place, entre le Poids public et la Nieuwe Kerk, il est le symbole de la puissance d'Amsterdam. On y trouve tout ce qui est nécessaire à la vie publique : des chambres fortes pour le Trésor, des cellules de prison, des réserves d'armes et de munitions, des salles d'apparat et de réunion, des bureaux. L'architecture est noble, les façades ornées de bas-reliefs allégoriques, mais l'architecte n'a pas eu le droit d'y établir une entrée d'honneur. On y accède par sept petites portes de même format dont le nombre, comme la modestie, symbolise sans doute les Sept Provinces et l'égalité dans la démocratie.

Dans les ateliers, les peintres, dont Rembrandt, attendent les commandes qui ne manqueront pas d'être passées pour l'ornementation des salles. Deux thèmes sont choisis, l'un et l'autre se référant à la Rome antique. Le premier, la soumission du père à son fils, veut imposer l'idée que les honneurs dus au rang politique doivent l'emporter sur les hiérarchies familiales, et que la démocratie, grâce au pouvoir du droit, doit passer avant la noblesse. Fabius Maximus le père reçoit dans son camp militaire Fabius Maximus le fils, consul. Le père, devenu l'écuyer du fils, tient la bride du cheval blanc sur lequel l'homme qui symbolise Rome fait son entrée. Un programme conçu pour plaire à une démocratie qui a aboli le stathouderat et confié le pouvoir central à un grand pensionnaire élu.

Le second thème, romain encore, exalte la volonté d'indépendance nationale : c'est la révolte des Bataves contre la domination romaine. On lit Tacite, et que l'historien latin ait mis en évidence le courage des ancêtres des Hollandais est une chance qu'on ne laisse pas passer de s'intégrer, par l'Antiquité, dans la communauté culturelle de l'Europe.

Les premières commandes se portèrent sur Jacob Jordaens, Govaert Flinck, Ferdinand Bol et Jan Lievens. C'était désigner, outre le maître flamand, deux anciens élèves de Rembrandt et son condisciple de Leyde : Jordaens parce que, Rubens mort, il était le Flamand qui proposait une imagerie claire alliée à une puissance épique, et les trois Hollandais parce qu'ils développaient de façon aimable la grandeur parfois rude du plus grand maître vivant du pays. Mais à Rembrandt les bourgmestres ne donneraient pas l'occasion de peindre, pour l'hôtel de ville d'Amsterdam, un grand œuvre public comparable à celui que Michel-Ange avait composé à Saint-Pierre de Rome. La République est de nature partageuse.

A Govaert Flinck fut offerte la responsabilité de l'ensemble de la grande galerie, l'espace le plus vaste et le plus fréquenté de l'hôtel de ville. A Ferdinand Bol, celle de deux scènes romaines, les sujets de Gaius Fabricius Luscinus. A Jan Lievens, Fabius Maximus, et surtout l'insurrection des Bataves, avec le chef frison Brinio que ses sujets, les Caninefates, portent en triomphe sur son bouclier. A Jordaens, on demanda de représenter deux épisodes du soulèvement : la destruction nocturne du camp des Romains par Claudius Civilis et la conclusion de la paix entre Civilis et Cerialis, à quoi il ajoutera un Samson mettant les Philistins en déroute.

Telle est la répartition des tâches. Rembrandt est oublié et Lievens triomphe, comme il triomphe depuis qu'il a pris part au décor de l'Huis ten Bosch en 1650, peint des figures mythologiques en 1654 dans le palais berlinois de Louise-Henriette d'Orange et même composé une *Allégorie de la Paix* pour un édifice public d'Amsterdam en 1652. C'est normal, il est moderne, lui, et l'art de Rembrandt s'éloigne de plus en plus du goût qui a cours dans la ville.

Sans doute, l'affaire des commandes pour le nouvel hôtel de ville a-t-elle été compliquée du jeu des influences autour du choix des artistes. On sait que Jan Six a applaudi à l'architecture du bâtiment. A-t-il suggéré que Rembrandt soit associé à l'entreprise? On peut le penser puisque nous sommes en possession aujourd'hui d'une photographie d'un grand tableau de Rembrandt de 197 centimètres de large sur le thème de Fabius Maximus, une photographie seulement, car le tableau a disparu au début du XXe siècle. Mais cela permet de supposer que le *Fabius Maximus* de Rembrandt a été refusé et remplacé par celui de Lievens, ou encore que les artistes ont été mis en compétition. Dans ce cas c'était perdu d'avance pour Rembrandt, car Lievens, peintre de l'Électeur de Brandebourg, était de plus en plus à la mode et Rembrandt de moins en moins, Rembrandt, dont les rapports avec les amateurs ne sont pas toujours faciles : un marchand portugais d'Amsterdam, qui lui a commandé le portrait d'une jeune femme et l'a payé d'avance 75 florins, le refuse pour manque de ressemblance, obligeant Rembrandt à demander l'arbitrage de la Guilde de Saint-Luc. Il est passé le temps où, sans doute, l'on discutait ses tableaux, mais sans aller jusqu'à les refuser ou lui demander de les refaire.

Reste autour de lui le cercle des fidèles : le médecin Arnold Tholinx, Clément de Jonghe, l'éditeur et marchand d'estampes de la Kalverstraat, la rue des Veaux, entre la tour de la Monnaie et l'hôtel de ville, Abraham Francen, le marchand de tableaux (Hendrik Uylenburch apparaît moins souvent depuis la mort de Saskia), l'orfèvre Jan Lutma qui a ciselé une coupe en l'honneur de Nicolaes Tulp, et Tulp lui-même. Encore puissants dans la ville, on peut penser qu'ils font des démarches en sa faveur.

3

LE CAVALIER ET LE BŒUF

Cette année 1655, en plus de ce *Fabius Maximus* qui va disparaître, dernière preuve tangible de l'attention que lui portent ou non les bourgmestres d'Amsterdam, Rembrandt travaille à deux tableaux qui vont compter parmi ses œuvres les plus accomplies : un *Cavalier* et un *Bœuf écorché*.

Le cavalier, première figure équestre de son œuvre, a peut-être un rapport avec le consul Fabius Maximus sur son cheval blanc. C'est un archer vêtu à la polonaise qui avance dans une vallée, au pied d'une ville fortifiée. Pour comprendre comment s'accordent un homme et son cheval, Rembrandt dessine un squelette de cheval portant un squelette de cavalier. Il ne recherche pas l'exactitude anatomique. Il veut voir comment les deux êtres vont ensemble. Mais pourquoi ce Polonais ?

Les Pays-Bas sont alors en guerre avec la Suède pour maintenir leur présence économique dans la mer Baltique. Charles X s'est emparé du port de Dantzig (Gdansk) afin de contrôler l'exportation du blé de Pologne. Jan de Witt arme donc une flotte pour libérer la ville et la rendre aux Polonais. Coup de panache apparemment ; en réalité protection des intérêts maritimes. Tel est le contexte politique en 1655. On parle donc des Polonais à Amsterdam et le costume de l'archer, pantalons rouges, veste à petits boutons, chapka de fourrure, aura peut-être été acheté sur le port, ou remarqué dans une estampe. L'image de ce soldat peut aussi avoir le sens d'un soutien à la doctrine religieuse des Frères polonais qui, en Hollande même, luttent par leurs écrits contre la condamnation par l'Église officielle du dogme socinien dont ils sont proches. Serait-ce ainsi que Rembrandt aurait été amené à peindre la figure d'un combattant pour la liberté ? Car c'est un soldat des temps anciens, armé d'un sabre, d'un arc et de flèches, qui s'avance sur son cheval blanc. Jeune, son visage respire la franchise et la détermination. Le cheval, au pelage luisant comme une armure, est l'incarnation du merveilleux serviteur qui, dans les romans de chevalerie, prend toujours le parti de son maître. Ces deux-là, ensemble, inspectent le monde, en quête des méchants qui le salissent. Près de la rivière qui coule sous le château-fort et la tour, ils vont, irrésistibles, avec la force des chasseurs purs chargés de replacer dans l'ordre divin ce qui s'enfonce trop dans le désordre terrestre.

Nous reconnaissons bien Rembrandt dans le traitement de sa peinture, dans la franchise de sa composition. Mais, comme la gravure de l'alchimiste ou l'*Aristote contemplant le buste d'Homère*, et bientôt son *Bœuf écorché*, ce *Cavalier polonais* représente une incursion hors d'un répertoire qui semblait jusque-là lui suffire. Les thèmes – la mise en question du pouvoir magique de l'écriture (*L'Alchimiste*), la philosophie se ressourçant à la poésie (*Aristote*), la juste chasse aux impuretés du monde (*le Cavalier polonais*), – lui permettent d'affirmer, une fois encore, que l'art est une éthique, que la peinture est là pour indiquer au monde un ordre juste.

Au moment où l'homme a toutes les raisons de s'estimer rejeté de sa ville, où les pasteurs accusent sa compagne et l'excluent de la communauté, où les bourgmestres, pris par la mode, se détournent de son œuvre, où les comptables tentent de prouver qu'il a dilapidé les biens de sa femme ou n'a pas su gérer son patrimoine, Rembrandt ne met de l'ordre que dans l'art, son moyen de communication personnel. Il demande à la peinture de rétablir le monde dans son sens généreux, de replacer les hommes et les femmes dans le meilleur de leur présence.

Jean Genet parlera de la bonté de Rembrandt. Ce n'est pas une bonté béate, mais une quête active du bien dont ces trois tableaux prouvent qu'il vient d'en élargir le champ. Alors qu'il est accusé de toutes parts de détruire des équilibres, il se dépense sans cesse pour maintenir les anciens et en révéler d'inconnus.

Ainsi ce bœuf, auquel le boucher a enlevé la tête, les membres, les viscères et la peau et qui pend à des cordes dans la resserre, spectacle rouge et nacre, crème et brun d'un corps ouvert. Rembrandt a déjà peint cette scène de boucherie, une quinzaine d'années auparavant. Spectacle ordinaire du marché aux viandes, à l'abri de la lumière, quand les portes sont closes et les volets entrouverts, dans l'odeur âcre du sang qui a coulé par terre. Spectacle provisoire. Le boucher va revenir et mettre en pièces le corps ouvert.

Depuis Pieter Aertsen au XVIe siècle, les scènes de boucherie ne manquent pas dans la peinture hollandaise, ni les marchés aux poissons, ni les étalages de légumes. Rembrandt n'ajoute pas au genre un tableau de plus de la vie populaire. Il laisse cela aux autres, aux Steen et aux Ostade. Lui, il ne fait que passer pour saisir l'organisation corporelle de la bête renversée, devenue presque incompréhensible, corps qui marchait hier dans l'herbe, aujourd'hui proposé comme nourriture. Ouvert, le bœuf se révèle comme une architecture, un réceptacle parcouru d'échelles d'os, de gonflements de graisse blanche, une puissance retournée ; les muscles rouges sont devenus viandes dans lesquelles quelques couteaux de dépeçage ont été oubliés. Os dégagés, rotules luisantes, on perçoit à peine la formidable machine que fut l'animal, désormais changé en paysage nourricier. Le bœuf apparaît dans le dernier état où l'on puisse encore deviner ce qu'il fut, au moment précis de la métamorphose. Le tableau, dans une seule gamme de couleur, les bruns du rouge au clair, précise les matités des muscles, les brillances des graisses, fait circuler une fête de lumière dans l'obscurité de la pièce.

Il y fait frais, c'est l'hiver. La porte s'entrouvre sur une jeune femme, les oreilles au fond de sa coiffe, les mains enfouies dans son manchon, qui se penche et regarde avec un reste de sourire. Le même rouge a servi pour les muscles de la bête et le corsage qui apparaît sous sa veste. Que fait-elle là ? Elle donne l'échelle des proportions.

Il y a quinze ans, Rembrandt n'avait pas été aussi clair avec le même sujet. Il avait ajouté une servante occupée à nettoyer le sol, mais ce n'était qu'une anecdote. Cette fois, il y va sans détour. Il ne s'adonne pas à une enquête méthodique, mais la même confiance relie la main d'Aristote qui touche le marbre d'Homère, le cavalier de légende qui avance dans le monde, et cette franche et bonne viande d'où la peinture a extirpé la moindre trivialité. Le monde est juste et bon, la peinture le dit.

Ces œuvres ne s'organisent pas pour créer un système intellectuel et, cependant, la pensée de Rembrandt y apparaît clairement attachée à quelques valeurs fondamentales, on peut dire physiques ; le toucher (Aristote a besoin de toucher la pierre du buste d'Homère), le marcher (le cavalier polonais inspecte le monde), le manger (le bœuf), des actes simples du quotidien auxquels le peintre donne une dimension supérieure. Transfigurant l'ordinaire, Rembrandt le transporte dans l'histoire antique, la légende de la chevalerie et un aliment pantagruélique. Comme toujours, il se place simultanément dans les deux champs de l'objet et du concept. Sans doute, le bœuf n'est-il pas accompagné d'une référence culturelle. Sans doute, malgré sa lumière, cette carcasse renvoie-t-elle seulement à l'idée de nourriture. Mais sa force est telle qu'un spécialiste de Rembrandt a pu lire, dans ce paysage de viande, une allégorie de la foi. L'aliment n'est plus repoussant comme les têtes d'agneau servies aux *Pèlerins d'Emmaüs.* Il devient somptueusement porteur d'un sens spirituel.

Ainsi les trois tableaux vont-ils ensemble, dans une invention d'images qui ne se substitueront pas aux figures bibliques, mais diffuseront une leçon parallèle de confiance dans le monde. Ils composent un triptyque de vie forte, de vie saine, constituant trois manifestes positifs qu'encadrent deux œuvres maléfiques : la gravure de *Faust* et la *Dissection Deyman*, deux quêtes de secrets dont l'art dit fortement la vanité. Rembrandt a quarante-huit ans. Il n'a pas fini de s'ouvrir à des idées neuves.

Dehors, il lui faut parer de tous côtés aux échéances financières, en déplaçant les créances, en signant de nouveaux engagements. Il est entré dans la course éperdue où l'on creuse un trou pour en boucher un autre. Il multiplie les démarches pour protéger ce qui peut l'être, tente de mettre la maison au nom de son fils, sollicite, mais en vain, la Chambre des orphelins.

A partir de 1656, chaque semaine ou presque, il va de comptoir en bureau, il propose, il échafaude des projets. En vain. La faillite est à sa porte. Ce qui est une catastrophe, puisque le failli perd tous ses droits, que le peintre failli peut même être exclu de la Guilde de Saint-Luc et ne plus avoir le droit de vendre le moindre tableau, ce qui apparaît un comble. Il veut à tout prix éviter cela. En juin, devant la Haute Cour, il déclare souhaiter que les magistrats le considèrent comme un négociant dont les affaires ont mal tourné, non par sa faute, ni par malhonnêteté, mais par destin contraire. Il fait valoir des pertes imprévues dans les cargaisons maritimes qu'il avait financées, argument recevable, puisque la Cour reconnaît au négoce les aléas des naufrages, des guerres et des actes de piraterie.

En définitive, la faillite ne sera pas jugée infamante et le tribunal lui sauvera l'honneur (un des fils de Nicolaes Tulp siège dans la commission), mais il faut payer les créanciers et donc vendre les biens du débiteur. Le 20 juillet 1656, la Cour nomme un liquidateur judiciaire, du nom de Frans Jansz. Bruyningh, un parent d'un jeune élégant, Nicolaes Bruyningh, dont Rembrandt a fait le portrait quatre ans auparavant. On se trouve donc entre gens du même monde. Cependant, rien n'a pu arrêter la décision de la Cour et le 26 juillet, dans la grande maison de la Sint-Anthoniesbreestraat, commenceront les opérations de l'inventaire qui dureront deux jours. Au folio 29 du registre, on lit :

> *Inventaris van de Shilderijen, inventaire des peintures et de tous les biens meubles appartenant à Rembrandt van Rijn, demeurant dans la Breestraat, près de l'Écluse Saint-Antoine.*

4

ANATOMIE D'UNE MAISON

Au milieu des démarches qui n'auront abouti, en définitive, qu'à l'entrée des huissiers dans la grande maison, Rembrandt aura trouvé du temps pour répondre à la commande d'une nouvelle *Leçon d'anatomie.* Ce n'est plus le docteur Tulp, mais son successeur, le docteur Johan Deyman qui, au titre de « praelector anatomiae », lui demandera de peindre une dissection de l'encéphale. On sait que les occasions de ces cours magistraux sont plutôt rares. Tout dépend d'une peine de mort prononcée par décision de justice. Or voici qu'une condamnation survient. Elle sera appliquée à un voleur qu'on pendra le 28 janvier 1656. Et, le lendemain, Rembrandt assistera aux trois leçons que le docteur donne sur le cadavre de Joris Fonteyn.

L'amphithéâtre anatomique est installé alors dans la chapelle du couvent Sint-Margaretha, devenue, au moment de l'indépendance et de la prise du pouvoir par les réformés, un petit marché pour la viande, puis, en 1639, le local des sociétés de rhétorique, des associations littéraires et de la Guilde des chirurgiens. La dissection à l'emplacement de la boucherie apparaît dans l'ordre des choses : Rembrandt lui-même, de 1655 à 1656, passe du bœuf à l'homme.

Il est manifeste que cette commande est une réplique du petit groupe des fidèles au dédain des bourgmestres. Johan Deyman avait en effet succédé pour la fonction d'inspecteur des collèges médicaux à Arnold Tholinx dont Rembrandt avait, à la même époque, peint et gravé le portrait, lequel était apparenté à Nicolaes Tulp et à Jan Six.

C'est un tableau de mêmes proportions que *la Leçon d'anatomie du docteur Tulp*, mais presque deux fois plus grand. Le cadavre est sur la table. On en a ôté les viscères. L'abdomen de l'homme est ouvert comme celui du bœuf. Le docteur Johan Deyman, avec une pince et un scalpel, travaille sur le cerveau de Joris Fonteyn. Le crâne a été découpé à la scie. Les enveloppes méningées ont été rabattues sur les côtés. Le professeur Gysbrecht Matthysz. Calkoen, peut-être un descendant d'un des spectateurs de la *Dissection Tulp*, tient à la main la calotte crânienne.

Rembrandt ne s'est toujours pas habitué au spectacle. Ce corps nu, ces plantes de pied énormes que la perspective situe près des mains inertes, voici l'homme livré à l'analyse, ouvert pour l'étude. Rembrandt choisit la composition la plus stable. C'est évident dès son dessin préparatoire : au centre, le pilier qui porte deux des arcs de la salle basse, la table de dissection, le corps allongé et le *praelector* au travail. De chaque côté, quatre personnages, certains avec leur grand chapeau sur la tête.

Plus rien du mouvement, ni de l'éclatement surpris des visages de la *Dissection Tulp,* mais une méditation attentive autour du crâne ouvert, des personnages vêtus, ou presque, comme en 1632, sauf qu'ils ne portent plus la fraise autour du cou, mais un petit col de dentelle qui éclaire leur costume sombre. Un silence grave émane de leur immobilité.

Dans la *Dissection Tulp*, le peintre, tout occupé à remplir son contrat, n'avait qu'indirectement marqué son inquiétude. Ici encore, tout est exact dans le sujet, un sujet dont il ne faut pas croire qu'il soit exceptionnel (on connaît l'anatomie du crâne depuis Léonard de Vinci et les illustrations du traité de Vésale sont familières à toute l'Europe). Par rapport aux gravures des traités d'anatomie, le tableau n'a rien d'explicatif, il ne présente pas, par exemple, une révélation anatomique qu'aurait faite le docteur Deyman. Rembrandt peint ce qu'il voit. Il n'illustre aucune démonstration.

Ses deux *Dissections* n'auraient pu servir à plus qu'une image pour un frontispice de traité d'anatomie. Bien qu'à l'époque les frontispices des traités de Bartholin (1651), de Johannès de Muralt (1677), de Manuel et Leclerc (1685) en disent plutôt moins, qui représentent l'agitation des professeurs autour de la misère du cadavre autopsié, qui évoquent des squelettes porteurs de faux, ou agitent la peau de l'écorché en référence au martyre de saint Barthélemy. En revanche, à la même époque, le peintre Charles Le Brun est plus curieux des circonvolutions de l'encéphale. Rembrandt, lui, va largement dans la lumière et l'ombre. Il éclaire les mains vivantes et les mains mortes, le cerveau rougeoyant au-dessus du visage blafard, cette coupe qu'est devenue la calotte crânienne et le corps abandonné. Il n'est pas du tout émerveillé par ce spectacle et, manifestement, n'a jamais cru que l'ouverture du crâne lui permettrait de voir le lieu de la pensée, ni le siège de l'âme. Mais, remplissant son rôle de peintre, il témoigne, comme lors de la première *Leçon*, vingt-quatre ans auparavant, de sa répulsion et de sa fascination.

Et puisqu'on lui demande comment présenter ce grand tableau, il en dessine le cadre, un cadre épais qui éloigne le tableau, le faisant reposer sur une base assez haute, le bordant sur les côtés de bois creusés de verticales comme des pilastres, il le surmonte d'un arc dont le centre est sculpté d'un motif. Il aime donc que l'œuvre apparaisse au centre d'une architecture qui ajoute encore à la stabilité de la peinture. En réalité, c'est un cadre Renaissance, donc de goût ancien, comme pour un tableau d'église, dont la bordure elle-même se distingue du goût du temps qui préfère les cadres sobres en bois noir ou doré.

Ainsi achevé, le tableau fut accroché à la Guilde des chirurgiens parmi d'autres œuvres à sujet médical et près de *la Leçon d'anatomie du docteur Tulp*. Sans doute, la Guilde, loin de reprocher aux *Leçons* de n'être pas devenues des fêtes de la science, partageait-elle avec l'artiste le sentiment d'un acte terrible, à la fois nécessaire, repoussant et inoubliable. La *Dissection Deyman* demeura dans les salles jusqu'en 1723, date à laquelle un incendie en détruisit plus de la moitié.

Le peintre avait signé *la Leçon d'anatomie du docteur Deyman*, sur la table de dissection : « Rembrandt f. 1656 ». C'était en février-mars. A la fin juillet, les huissiers entrèrent dans sa maison pour l'inventaire. Dès lors, ils furent partout, dans les couloirs, les chambres, au grenier, dans les ateliers, à la cuisine.

Ils notent. A Rembrandt de préciser que ceci est un tableau de lui, cela une œuvre d'Adrien Brouwer qui représente un pâtissier. On ne peut pas laisser les huissiers écrire n'importe quoi. A lui d'expliquer que ce marbre est de Michel-Ange, que ceci est un Raphaël, cela une copie d'après Annibal Carrache, que ce carton contient des estampes de Lucas de Leyde et cet autre des gravures de Rembrandt lui-même, que cette armoire renferme des gravures de Van Vliet d'après ses tableaux et aussi pourquoi il a deux grands poêles : pour que les modèles nus n'aient pas froid.

Ainsi tout sera-t-il compté, répertorié, consigné : les tapis, les lits, les chaises – on a même noté qu'un tapis de Tournai couvrait une table en noyer, qu'il y avait six chaises à coussin bleu, deux oreillers, un fer à repasser, deux couvertures, trois chemises, six mouchoirs, trois nappes, une tasse de la Compagnie des Indes, du linge sale. Et aussi des hallebardes, des éventails indiens, des animaux empaillés, un petit canon, des tissus anciens, des bustes d'empereurs et de philosophes, des instruments de musique de divers pays, des arcs, des arbalètes, des bois de cerf, des boucliers, le masque mortuaire en plâtre du prince Maurits, un cornet à poudre turc. Les huissiers écrivent, tracent des signes à la craie au dos des toiles, referment les armoires, rangent les objets. Grâce à leur « inventaris », on saura donc ce qu'il y avait exactement dans le vestibule, dans le grand atelier, dans le petit atelier, dans les chambres, dans la cuisine, mais aussi ce que Rembrandt lui-même en disait. Ceci, par exemple : « Ces gravures d'Andrea Mantegna sont précieuses, cet ensemble d'estampes de Pieter Bruegel l'Ancien aussi. Le *Livre des proportions* d'Albert Dürer comporte des gravures sur bois. Ce volume, c'est la tragédie de *Médée* de Jan Six. J'y ai mis une gravure. Ce tableau-là n'est pas tout à fait de moi, c'est le travail d'un élève que j'ai retouché et ceci est une copie d'après une de mes œuvres. » C'est toute sa vie qui défile entre les mains de ces hommes. Les dessins, les tableaux de Pynas et de Lastman au temps de sa jeunesse ; les gravures, les peintures de Lievens lors de ses débuts ; les paysages d'Hercules Seghers, sa passion ; les retables des anciens peintres de Leyde comme Aert van Leyden, les Van Eyck, les Metsys, les Cranach, les Schongauer, qu'il a redécouverts, les miniatures indiennes, sa curiosité ; les petits Brouwer, vulgaires, mais sublimes, que Rubens aimait aussi ; tout ce qu'il a rencontré, acheté, échangé, conservé depuis plus de trente ans.

Il lui fallait aussi préciser que, dans l'ensemble, se trouvaient des œuvres en dépôt, un Palma le Vieux et un Giorgione appartenant à Pieter de La Tombe. Voici encore des œuvres personnelles : *la Concorde dans le pays* de 1641, la *Danaé*, telle *Descente de croix* ou *Résurrection du Christ*, ses carnets de dessins, ses paysages. Et les peintures de Titus : un paysage avec deux chiens, une tête de la Vierge. Et les Jan Lievens encore : voici sa *Résurrection de Lazare*, dont Rembrandt, à ses côtés, avait peint le même thème dans l'atelier commun de Leyde.

Ce que les huissiers se passent de main en main, c'est toute sa vie. Pendant les deux jours qu'a duré l'inventaire, il aura vu défiler tant d'années ! Pour les portraits de Saskia a-t-il dicté : « Portrait de femme ? » Pour les portraits de sa mère : « Portrait de vieille femme ? » Pour Hendrickje, retroussant sa chemise en entrant dans l'eau : « La Baigneuse ? » Et Titus à sa table de dessin : « Portrait de jeune garçon ? » En réalité, les greffiers n'ont pas tout inventorié. Rembrandt avait eu le temps de déposer des choses chez des amis sûrs. Qui n'aurait fait comme lui ?

Après deux journées pleines, ils sont repartis avec leur registre. Officiellement, ils n'avaient rien oublié. Ils avaient tout répertorié, sauf ce qui avait été déclaré comme propriété de la maîtresse Hendrickje et de l'enfant Cornélia, et qui tenait dans une armoire qu'on n'avait pas ouverte. Le seul meuble qui put conserver un secret, que la mort de Rembrandt n'éclaircira pas.

Cette collection n'avait rien d'un ensemble constitué au hasard, rien d'un ramassis de brocante. Elle relevait d'une culture générale par ses œuvres italiennes, flamandes, hollandaises (l'ensemble de ses estampes allant de Jacques Callot à Schongauer), de la culture historique par ses antiques, ses recueils de gravures géographiques ou ethnographiques ; de la culture zoologique par la présence de taxidermies et de moulages d'animaux. Tout ce qui vivait sur terre, dans la mer et dans les airs l'intéressait. Son savoir se voulait encyclopédique.

Les huissiers ont dit qu'ils ne saisissaient pas les outils de travail, les couleurs, les pinceaux, les palettes, les esquisses, les poêles pour les modèles, mais que par ailleurs tout serait vendu, y compris les miroirs de Venise, ces miroirs qui avaient servi à ses autoportraits.

La machine administrative poursuivit son chemin. On nomma un tuteur pour Titus. On notifia à Rembrandt ses dettes. Pour un créancier, il s'engagea, au cas où le produit de la vente ne suffirait pas, à le rembourser en œuvres d'art. Dans ce domaine de l'art il a encore heureusement des appuis. Le marchand Lodewijk van Ludik et l'apothicaire Abraham Francen, nommés experts en l'occurrence, sont de ses amis.

Rembrandt résiste encore. Il envoie Titus chez le notaire maître Spithof, sur le Singel, faire son testament, avec l'idée qu'on pourra sauver ce qui peut l'être de la gestion de ses biens par la Chambre des orphelins, Titus déclarant vouloir léguer ses biens, dont Rembrandt demeure l'usufruitier, à sa demi-sœur Cornélia et à la mère de celle-ci, Hendrickje Stoffels. Manœuvre sans doute, mais qui témoigne de la solidarité de ce petit groupe assailli de toutes parts : Titus, seize ans, Cornélia deux ans, Hendrickje trente ans et Rembrandt cinquante ans.

Avant que les miroirs ne soient vendus, Rembrandt s'y regarde encore par deux fois dans cette année de débâcle. Sur le premier tableau, il se donne le visage de la défaite. Pas rasé, mal peigné, les poils blancs s'échappant sous le béret, se multipliant dans la moustache, la barbe pauvre. Il est pâle, avec des cernes creusés sous les yeux, là où la peau est blafarde et lisse, comme il l'a montré déjà sur la face de la Vierge au pied de la croix. Sur son visage, l'inquiétude et les tourments font plus de rides que l'âge. Mais les yeux du peintre montrent qu'il est toujours présent, que, meurtri, il persiste. En 1656, il a peint six tableaux, réalisé six gravures. Cela n'a pas arrêté le pouvoir de ceux qui veulent mettre son fils en tutelle et décider de ses actes. L'homme est accablé, pas l'artiste.

Sur le second tableau, il a voulu encore se représenter dans la déroute, le front toujours aussi plissé, les yeux aussi cernés, mais comme émergeant de l'usure et de la fatigue. Il a coupé ses poils blancs, sa moustache est taillée, l'homme qui se regarde n'est plus un homme traqué, c'est quelqu'un de chaudement vêtu qui a triomphé de ses doutes. Certes, il porte les marques de l'épreuve, mais il est clair qu'à nouveau il fait face, avec des raisons de reprendre espoir : sa peinture vaut de l'argent. Lors de l'estimation des biens du marchand Johannès de Renialme, l'expert ne vient-il pas d'estimer que son *Christ et la femme adultère* serait coté 1 500 florins ? Sa peinture se porte bien sur le marché.

C'est Thomas Jacobsz. Haaring, qui officiait à la Keizerskroon comme commissaire-priseur lors de la vente Rembrandt. Ce Thomas était le gardien de la Chambre des insolvables. Rembrandt le connaissait depuis 1655. Il avait gravé son portrait et avait fait voir un vieil homme assis dans son fauteuil de cuir, le dos à la fenêtre, vêtu de velours noir, qui porte autour du cou un strict col blanc sur lequel retombent les cheveux blancs. Il a passé sa vie à vendre les biens des marchands en faillite ou des foyers détruits. Cependant Rembrandt ne le montre pas comme un rapace qui se nourrit des désastres, mais comme un vieillard fatigué, au regard un peu fixe. Est-ce une gravure propitiatoire ?

Il ne faudra pas moins de trois ventes pour disperser ses biens. En décembre 1657, on a commencé par les tableaux, les objets d'art de sa collection et par soixante-dix de ses propres peintures. Puis, le 13 février 1658, on a mis en vente la maison et les meubles. Dommage pour nous, le registre des enchères a en partie brûlé dans un incendie.

5

LA VENTE

A l'approche de la vente, tout le monde s'est précipité pour obtenir une priorité pour sa créance. Plaintes, réclamations, cela ne fit que retarder les versements. Quand on en vint à la maison, les enchérisseurs négligèrent le premier jour d'apporter leur caution. Les créanciers protestèrent. Il faudra encore deux séances pour s'en sortir. A la troisième, Thomas Haaring obtint une enchère de 12 128 florins d'un fabricant de chaussures. Rembrandt l'ayant acquise pour 13 000, cela commençait mal : la dette totale était estimée à 20 000 florins. Pourtant certains estimèrent que, compte tenu de la crise, c'était un bon prix.

Ensuite on dispersa les meubles à l'exception de l'armoire de Hendrickje dont on reconnut le bon droit. Quand vint le tour des estampes et des dessins, une petite affiche fut placardée dans la ville un peu avant le 24 septembre 1658. On lisait :

> *De Curateur ober den insolventen boedel van Rembrandt van Rijn, Konstigh Schilder [...], le liquidateur des biens des Insolvables après autorisation de MM. les Commissaires procède à la vente judiciaire des biens consistant en œuvres sur papier des plus excellents maîtres italiens, français, allemands et hollandais, collectionnés avec grand soin par Rembrandt van Rijn, ainsi qu'une bonne quantité de dessins et d'esquisses de Rembrandt lui-même. La vente aura lieu chez Barent Jansz. Schurman, aubergiste de la Keizerskroon, dans la Kalverstraat.*

On imagine le vieux Thomas Haaring dans le brouhaha du public. Entend-il bien les enchères qui fusent de tous côtés ? Faute de documents, on ne connaît pas le produit de la vente. Mais on sait que le résultat fut lamentable et qu'il n'atteignit pas les 20 000 florins de la dette globale, car les créanciers se manifestèrent avec vivacité. Par respect de la hiérarchie, le bourgmestre Cornelis Witsen fut remboursé le premier des 4 180 florins qu'il avait prêtés à Rembrandt en 1653. Puis intervint le nouveau tuteur de Titus qui fit bloquer tous les fonds, de crainte qu'on ne s'en servît pour désintéresser les créanciers et qu'on spoliât l'héritier de Saskia (les 47 000 florins !). Beaucoup y laissèrent des plumes, comme ce Lodewijk van Ludik qui se retrouva ayant à payer la créance de Jan Six sur Rembrandt, soit 1 200 florins (avec les intérêts). D'autres ne parviendront jamais à récupérer leur argent, comme cet Isaac van Hertsbeek qui avait prêté 4 200 florins en 1653.

La faillite, bien qu'enregistrée comme n'entachant pas son honneur, a pour Rembrandt des conséquences graves. Les enquêteurs font des recherches pour essayer de comprendre comment le très honorable Rembrandt a pu être obligé à une vente si riche dans son contenu et si pauvre dans son produit. Lodewijk van Ludik est ainsi chargé, par le tuteur de Titus, d'évaluer ce que le peintre a acquis entre 1640 et 1650 (près de 18 000 florins). On cherche partout un patrimoine qui semble s'être évaporé. On trouve des témoins qui évoquent les bijoux laissés par Saskia, perles, diamants, bagues, bracelets, colliers. Le peintre Salomon Koninck se souvient d'avoir acheté un de ces colliers vers 1651-1652. On fait témoigner des modèles de *la Ronde de nuit*. Les comptables s'échinent. L'affaire Rembrandt demeure incompréhensible. Si on ne le voyait mener ensuite une vie pauvre dans un quartier populaire, on se demanderait s'il n'a pas dissimulé plus que quelques tableaux ou quelques objets chez des amis. Mais l'inventaire, après décès, démontrera bien un dénuement réel. Comme celui de ses frères et sœurs qui vivent difficilement à Leyde. Alors, où trouver les causes de sa faillite ? (Un fonctionnaire à l'époque gagne environ deux cents florins par an.) Sans doute dans le dérèglement de la vie économique du pays. Le trafic d'influences, la corruption sont devenus des pratiques ordinaires. L'argent ne correspond plus à la réalité de chacun ; sa valeur varie en fonction des grands échanges du commerce international.

A l'appauvrissement de certains correspond l'enrichissement d'autres. La perte du Brésil, les difficultés rencontrées par la Hollande au Japon, à Ceylan, dans ses guerres contre l'Angleterre ou contre la Suède, ne sont pas favorables à la vente des œuvres d'art contemporain. Le marché d'art d'Amsterdam est sans doute une place internationale pour les tableaux italiens ou les porcelaines de l'Orient, mais les peintures hollandaises ne sont pas encore des placements. Tandis que des fortunes se défont, les nouveaux riches cherchent hors de Hollande les signes qui les distingueront. La peinture est devenue un divertissement, comme la mode. Mais au-delà du déplacement des fortunes, de l'incertitude de l'évaluation des œuvres d'art, de la fluctuation de la conjoncture économique, l'échec de la vente publique des biens de Rembrandt tient au caractère même de cette vente : elle fut classée « après faillite, par décision de justice », dans un climat de conflit entre les créanciers. Cela n'attire guère les grands amateurs. Ils abandonnent généralement l'affaire à la bande noire des négociants qui se partagent le butin à moindres frais, et ne font que profiter des circonstances.

Dans la débâcle, Rembrandt ne change pas de comportement. Pour s'acquitter envers le marchand fidèle que fut Lodewijk van Ludik, il a offert de le régler en partie avec un tableau dont il assure qu'il est presque achevé. C'est *David et Absalon*, peint en 1642, dont il repousse sans cesse l'achèvement. Ce n'est pas mauvaise volonté, mais, pour peu qu'une œuvre reste à sa portée, il lui arrive de la reprendre. L'argent a ses lois et l'art les siennes.

Et puis, en cette année 1658, celle de la déroute, il entreprend un nouvel autoportrait, un grand tableau de plus de 1,30 mètre de haut, plus optimiste encore que l'autoportrait de 1657. Il s'y représente en souverain. Non pas en prince de la peinture puisqu'il n'a pas ses outils à la main, mais assis, la main droite sur l'accoudoir du fauteuil, la main gauche tenant sans s'y appuyer une canne. Il est somptueusement vêtu d'une pelisse de fourrure, d'un tissu brodé d'or, d'une robe de textile lourd, d'une large ceinture terminée par un gland, et d'une chemise de soie. Jamais encore il ne s'était représenté aussi puissant et riche, même s'il s'était déjà montré avec une chaîne d'or, l'enseigne de sa réussite. Le voici complètement ruiné, sa maison vendue, plus rien sur les murs, les armoires vides et sans doute plus d'armoire du tout (sauf celle d'Hendrickje), la demeure de la Sint-Anthoniesbreestraat résonnant du bruit des voix et des pas, et c'est le moment qu'il choisit pour peindre son triomphe. Et même si c'est un fantasme que l'art lui permet, cela reste une réalité. Dans la ville, les avocats, le tuteur, les créanciers s'assignent les uns les autres devant des bureaux pour faire valoir leurs droits. Et Rembrandt, lui, travaille dans la grande maison vide, enrichissant son œuvre, en cette année 1658, de sept gravures (des nus : une femme près d'un chapeau d'homme, une négresse), de plusieurs tableaux, petits comme *Philémon et Baucis*, et surtout de cet *Autoportrait* qui confirme sa confiance en soi, une confiance redoublée.

Une dérision ? Sans doute. Alors qu'il ne possède plus rien que ce qu'il porte sur lui, ses vêtements et la canne qu'il tient négligemment à la main, il est bien capable de ce bras d'honneur fait à ceux qui courent dans la ville à la recherche de leur bon argent. Mais plus vraisemblablement il est ailleurs, sûr, décidément, qu'il n'est pas de leur monde. Puisqu'il est déchu, il se peint comme il se pense, en souverain d'un domaine où personne d'autre ne souhaite régner, roi de décennies de création, dont demeurent des traces ici et là, dans des maisons particulières, dans des édifices publics, aux Doelens, à la Guilde des chirurgiens, aussi au palais du Prince, à La Haye.

Mais il n'y a plus grand monde pour proclamer que ces peintures et ces gravures sont des aliments indispensables à la survie d'un peuple, plus grand monde à l'exception du poète Jeremias de Decker qui s'apprête à publier *De Hollandsche Parnas* (« le Parnasse hollandais »). Rembrandt fera le portrait de ce poète dont l'admiration est si bien venue en cette période difficile, un portrait dont un autre auteur, H. P. Waterloos, écrira la louange. Rembrandt n'est pas tout à fait seul : le naufrage où il s'enfonce semble lui avoir attiré de nouvelles amitiés.

Témoin des rares soutiens qu'il suscite encore, voici une gravure qui passe pour un signe d'adieu au respectable peintre qu'il fut et un pari sur celui que l'avenir fera de lui. Nous sommes dans une ville. Quelques passants, un vieillard, un jeune homme, une femme avec son nourrisson, lèvent les yeux vers un socle monumental au bas duquel un homme jeune vient de tomber à la renverse. Sur le socle en pierre, on voit du feu, des flammes et deux angelots sonnant de la trompette, cependant que, dans les volutes de fumée, un jeune oiseau déploie ses ailes, comme le phénix qui renaît de ses cendres. Mais cet aiglon a le ridicule de l'animal trop vite grandi, ses ailes trop petites ne lui permettent pas encore l'envol. L'allégorie superbe passe par un stade comique. Avec ce jeune homme mort, cet oiseau qui bat des ailes comme un poulet, ce socle qui supporte une basse-cour, Rembrandt dit assez qu'il ne croit pas aux réparations de l'avenir, malgré les trompettes des angelots, les rayons de la gloire solaire et la stupéfaction des rares passants. Ainsi a-t-il marqué son retrait du présent comme de l'avenir. Le phénix, oiseau encore volaille, renaîtra d'une stèle un peu fendue où poussent déjà quelques mauvaises herbes parmi les gestes pompeux de rares individus.

Car les vrais vêtements du peintre ne sont ni ceux du citoyen hollandais, ni ceux du déguisement oriental qui le séduisit un temps, mais ce que la peinture peut inventer pour vêtir : l'or comme un arc architectural, le jaune comme une tenture, le rouge comme une embrasse de rideau, le blanc comme une douceur sur le corps. L'autoportrait de la faillite surmontée est celui d'un roi dépossédé qui s'est habillé de ses plus belles couleurs. Les mains sont faites d'accents de lumière. Le tableau ressortit à l'art intime où la peinture montre sa vie propre, sa capacité de devenir les plis des tissus, les articulations des phalanges. Le blanc pur sur le bout du nez, les yeux dans leur couleur sombre, les gonflements du double menton, les cernes sous le regard, les joues un peu flasques qui se marquent encore de l'accent des pommettes, ne sont que peinture. Voici Rembrandt vêtu de sa peinture. Il n'est plus propriétaire de quoi que ce soit. Son art seul le fait souverain.

Cet *Autoportrait* clôt une histoire. Rembrandt aurait pu mourir après avoir composé ce tableau. Il lui restait onze ans à vivre.

Cette image somptueuse de soi, il l'a peinte en 1658, l'année où le poète national Vondel, qui n'a jamais écrit que des vers méprisants pour son talent, subit lui aussi un grave revers financier, l'obligeant, à soixante-dix ans, à demander un emploi au Crédit municipal où il prit ses fonctions le 31 janvier 1658 : il tenait à son guichet le registre des objets déposés en garantie de prêts. Il perdit son indépendance l'année où les biens de Rembrandt furent mis en vente.

Les destins de Rembrandt et Vondel vont se croiser, de plus en plus souvent, sans qu'ils communiquent jamais. Ni l'un ni l'autre ne manqueront de courage. L'écrivain continuera à écrire et le peintre à peindre.

VIII

CONTINUER

1

LES BATAVES ET LES DRAPIERS

Les voici tous quatre dans la grande maison vide. Rien n'a changé dans le rythme de travail de Rembrandt. La saisie a épargné son outillage de peintre, mais pas sa presse à bras pour tirer les estampes. Désormais, il ne touchera plus guère au cuivre et, s'il lui arrive d'avoir envie de retravailler sa planche des *Trois Croix* ou d'entreprendre un nu, il lui faudra se rendre par exemple chez Clément de Jonghe, le marchand qui lui achète des tirages depuis longtemps.

Pour la famille, c'est un campement provisoire dans ce qui fut une maison confortable. Titus et Hendrickje sont de plus en plus proches l'un de l'autre. Titus, qui attend de toucher ce qui aura été sauvé de l'héritage de sa mère, a quelques économies de jeune homme, et Hendrickje a mis un peu d'argent de côté. Ils vont restreindre le train de vie et déménager, tenter de monter une affaire qui dégagerait Rembrandt de tous soucis financiers et éviterait une nouvelle catastrophe. Surtout, il faut inventer une parade contre la règle que vient de promulguer la Guilde des peintres d'Amsterdam, la Guilde de Saint-Luc – peut-être liée à la faillite « honorable » de Rembrandt –, qui interdit à ceux de ses membres qui ont fait faillite de se livrer à tout commerce. Ils n'ont plus le droit de vendre ni leurs propres œuvres, ni celles d'autres artistes de quelque époque qu'ils soient. Cette décision permet de constater que, malgré le développement des négoces d'œuvres d'art, l'atelier des artistes continuait à être la boutique où l'on avait coutume d'acheter des œuvres de toutes sortes. L'artiste est considéré comme un commerçant, ce que, d'ailleurs, Rembrandt a fait valoir devant le tribunal lorsqu'il a demandé qu'on considérât ses revers comme accidents n'entachant pas son honneur. Maintenant la règle se retourne contre lui. Le voici désormais interdit de commerce, Titus et Hendrickje cherchent donc à faire sortir l'artiste du circuit commercial. S'il ne peut plus vendre lui-même ses œuvres, ils s'en chargeront, en créant une Société d'exploitation des œuvres de Rembrandt.

Ainsi, le 15 décembre 1660, Titus, Hendrickje et Rembrandt se rendent-ils chez Me Listingh notaire et, devant témoins, déclarent fonder une compagnie. Plus exactement, ils donnent une extension à un négoce de peintures, dessins, estampes, objets rares et curiosités qu'ils avaient déjà créé en 1658, l'année de la vente désastreuse. La compagnie Titus-Hendrickje – le garçon de dix-neuf ans et la servante-maîtresse – va prendre à son service le peintre Rembrandt : tout le ménage leur appartiendra, les meubles, les objets, les tableaux, le matériel nécessaire. Ils partageront les pertes comme les bénéfices. Rembrandt, ne possédant plus rien et ne pouvant plus rien vendre, ne doit plus toucher à l'argent. Mais, contre le don de son œuvre à venir, il sera logé, nourri, vêtu, blanchi. La compagnie le représentera en toute chose. Elle paiera le loyer et les impôts, Rembrandt demeurant lié par les nouvelles dettes, prioritaires celles-là, qu'il a contractées auprès d'elle : Titus lui a prêté 950 florins et Hendrickje 800. Les associés fondent une société dont la durée est prévue jusqu'à six ans après la mort dudit Rembrandt.

Lui le peintre, le graveur, célèbre dans tous les Pays-Bas et dont les œuvres commencent à être connues en Europe, lui à qui les poètes dédient des vers, sur qui les historiens vont se mettre à recueillir des témoignages et des documents, trouve dans ce contrat la seule possibilité de continuer à vivre. Bien sûr, ni Titus ni Hendrickje, qui signa d'une croix, n'ont été les inventeurs de cette combinaison, œuvre d'un juriste malin qui a conçu la mise en sujétion de Rembrandt comme seul moyen de lui conserver sa liberté. Les apparences sont terrifiantes, mais elles servent la bonne cause. La solidarité des siens lui donne sa liberté. Il faut remarquer que la combinaison n'aurait pas été possible si Hendrickje avait été son épouse légale. Hendrickje, que l'Église rejeta comme prostituée, le sauve.

Rembrandt peut continuer à peindre. Il peint de plus en plus d'autoportraits, huit depuis 1658. Mais il peint aussi Hendrickje qu'il a montrée en Flore modeste, quelques feuillages sur la tête. Cette *Flore* n'est plus la déesse majestueuse évoluant dans un parc menaçant que Saskia lui avait suggérée, mais la femme qu'il aime et qui a cueilli ce matin les premières branches du printemps. Hendrickje apparaît encore souriante dans l'encadrement d'une fenêtre et vêtue d'une fourrure de rêve.

Rembrandt peint aussi Titus, Titus lisant un livre, le visage illuminé de sa lecture, ou debout devant lui, ou encore la face encadrée de la capuche d'un moine. Il ne le présente jamais en peintre et pourtant Titus peint, près de lui.

Ces deux-là, à ses côtés, veillent. La peinture dit qu'ils ont toute sa confiance. S'il est peintre encore, Titus et Hendrickje y sont pour beaucoup. Même si aucun d'eux n'espère plus refaire fortune, ils lui apportent le répit. Il n'a plus à aller emprunter ici et là, à échafauder des combinaisons miraculeuses. Et s'il demeure des créanciers, ils ne peuvent se saisir de l'œuvre sitôt qu'elle est née. C'est prévu ainsi : il n'a plus qu'à peindre en paix, à son rythme, sans autre obsession que sa nécessité intérieure.

Le déménagement se fait dans une petite maison non loin du Bloemgracht où autrefois il eut l'atelier avec ses élèves, d'où il allait souvent sur les remparts dessiner les moulins, non loin aussi du domicile qu'habita Jan Lievens. Ce n'est pas dans les faubourgs, mais dans un quartier à l'intérieur du canal de ceinture, le Singel. En 1660, l'urbanisme procède à des aménagements. Dans les parages, demeure son ami Abraham Francen, l'apothicaire et amateur.

C'est un quartier populaire où vivent des artisans, des tanneurs, des graveurs mêlés à des intellectuels et des artistes. Le coin est connu pour son « Doolhof », un labyrinthe, un parc d'attractions. C'est le lieu de fête de la ville. Du haut des tours on découvre Amsterdam ; sur des terrasses, parmi des jeux d'eau à surprises, on écoute des musiciens. Rembrandt habite juste en face. Pour visiter cette curiosité populaire, on vient de partout, même des Provinces. Non loin, se trouvent les alambics de la fameuse distillerie d'alcools de Lucas Bols. Le loyer de la maison, devenue évidemment le siège de la Société d'exploitation de son œuvre, se monte à 225 florins par an. Il y vivra jusqu'à sa mort, plus de huit années. Les deux premières seront très productives. Ensuite, le rythme faiblira. Mais c'est ici qu'il développera sa pensée créatrice dans des œuvres tout à fait neuves. Et il peindra jusqu'à sa fin.

Il a appris le décès d'Hendrik Uylenburch le 22 mars 1662. L'oncle de Saskia avait déménagé et habitait près de l'hôtel de ville, veillant à l'entretien des tableaux des bourgmestres. Il avait soixante-quatorze ans. Ainsi disparaissait un des premiers témoins de ses débuts. Autour de lui, l'univers se rétrécit aux limites du cercle de famille. On pourrait penser que, parallèlement, sa création va se replier dans des peintures de plus en plus secrètes. Au contraire, l'avancée qu'il opère dans son art va se faire en public, sur le plus vaste tableau qu'il ait encore entrepris. La chance d'un triomphe est à sa portée.

On se rappelle qu'en 1656, pour le nouvel hôtel de ville, un ensemble de peintures avait été commandé sur des thèmes romains et républicains, à l'entreprise duquel Rembrandt aurait peut-être été convié. Mais finalement on confia à Govaert Flinck, son ancien élève, la charge de peindre les vingt-deux tableaux de la Grande Galerie. Flinck – dont l'historien italien Baldinucci écrira en 1686 qu'il faisait mieux les contours que Rembrandt – avait montré les esquisses de son projet et brossé à la hâte des panneaux provisoires pour que les bourgmestres pussent se faire une idée en vraie grandeur de ses intentions. Mais il mourut en février 1660 à l'âge de quarante-cinq ans. C'est alors que Jordaens et Lievens s'attaquèrent aux œuvres de la seconde tranche de travaux, consacrée au thème de la résistance batave contre les Romains, autour des figures héroïques et légendaires de Civilis et de Brinio, que l'on nommait en latin, pour évoquer Tacite. Chaque tableau serait payé 1 200 florins. Jordaens travaillera vite puisqu'il aura achevé en cinq mois sa *Destruction du camp romain par les insurgés de Civilis.*

Cette même année 1660, Rembrandt travaille, lui aussi, sur le thème de Claudius Civilis pour une toile carrée, cintrée en haut, de plus de 5 mètres de côté, la plus grande surface qu'il ait encore abordée, à 5 mètres du sol à l'extrémité de la Grande Galerie, tout un mur pour lui.

L'architecte Van Campen a fait en sorte qu'on se croie à Rome et dans des dimensions plus vastes encore, si possible. Les murs sont ornés de bas-reliefs et ménagent dans des niches la présence de personnages allégoriques en cuirasses ou tuniques. Des guirlandes de fleurs sculptées donnent un rythme dansant entre les pilastres. C'est une architecture noble. La voûte en berceau reprend les accents des parois et s'orne aussi de reliefs. La peinture de Rembrandt connaît les mêmes forces ascensionnelles, en grandes verticales, les mêmes plans concaves. Son tableau sera vu de bas en haut, sous un éclairage venant de gauche, avec enfin ce recul qu'il a toujours souhaité pour sa peinture. Ce sera une œuvre à la fois sombre et claire, verte et rouge, produisant à distance un ton de vieil or. Rembrandt ne peindra pas la nuit du souterrain où, selon Tacite, les insurgés se rencontrèrent, car trop d'ombre ne conviendrait pas à ce mur très haut et bien éclairé. Pour que l'architecture de la Grande Galerie respire, il lui faut la légèreté du plein air. Un mur, des voûtes, des pilastres, des arbres, des degrés, s'inscrivant dans l'architecture réelle. En bas, un escalier monumental conduit à la scène centrale qu'il organise autour d'une grande table. On se croirait à Venise, dans une composition à la Véronèse, comme *le Repas chez Lévi* ou *les Noces de Cana*, des groupes assemblés, des gestes clairs et une figure plus haute qui lève son glaive vers lequel viendront se croiser les armes des conjurés, le serment dans l'acier. A gauche et à droite, au premier plan, deux lions de pierre font face aux spectateurs.

Pour noter l'idée qui lui vient dans la maison du Rozengracht, il prend le premier papier qui lui tombe sous la main : un faire-part de deuil, l'annonce que Rébecca de Vos est décédée et que ses obsèques auront lieu le 25 octobre 1661. Au dos il dessine son projet, un dessin à la plume d'encre brune, lavé au pinceau de la même encre et repris ensuite avec du blanc. Un petit dessin de 19,6 sur 18 centimètres. Rien d'autre avant de commencer le tableau (dont on sait qu'il sera peint très vite puisque, neuf mois plus tard, il sera mis en place), pas d'études de gestes, pas de recherches de groupes, pas de tracés de la composition selon le nombre d'or, pas de mises au carreau pour agrandissement! Ou du moins rien n'en demeure. En réalité on sait seulement que ce dessin-là avait été précédé par un ensemble d'essais où il avait cherché son idée, sur des feuilles assez petites où il avait tracé un carré, selon les proportions de l'espace à peindre. Un premier état avait placé la table et les conjurés de manière qu'ils forment une longue scène rythmée par des pleins et des vides, sous un dais qui occupait presque toute la largeur de la scène. Une poutre s'élevait en son centre, faisant penser au sommet d'une tente, tout en supportant la forme mystérieuse d'une cloche ou d'un bouclier. Ainsi les conjurés étaient-ils rassemblés et protégés à la fois sous une géométrie qui leur servait de caisse de résonance.

Puis, il renonça à cette pensée de construire un volume irréel et regroupa, pour le second état du projet, ses personnages dans un décor de ville, colonnes géantes, arches immenses, tours, arbres. Il les installa dans le creux d'un tissu tendu dont la ligne ondulait au-dessus d'eux, ce qui lui donnait deux horizontales souples dans la géométrie orthogonale de l'architecture. Il plaça le vieux roi avec sa tiare, son glaive dressé, il précisa certaines attitudes, certains gestes.

Troisième étape, il s'agissait alors de prendre du recul, de voir l'ensemble de sa composition, bien que ce fût sur un papier très petit. Cette composition, il la souhaitait majestueuse, calme, ouverte : un escalier de la largeur du panneau, des groupes de personnages debout, indiqués en quelques signes, avec la table qui en rassemblait un certain nombre vers la droite et, derrière eux, une architecture formidable, une oblique à gauche, une oblique à droite, marquant la présence d'arbres, ou plus simplement le souhait d'obliques dans cette organisation qui insistait ainsi sur la forme cintrée du panneau.

Ce dessin est fascinant : on y trouve, en quelques traits, la projection sténographique de la structure désirée par le peintre; c'est du concept vivant, à l'état pur. Dans ces quelques signes, Rembrandt a placé les forces directrices de son travail. Pour tout autre que lui, ce schéma est illisible. Ensuite viendra le dessin du faire-part, plus élaboré, avec des clartés indiquées au pinceau. On y voit les marches, les lions de pierre, on y distingue les personnages debout, ceux qui sont assis, les verres sur la table, les murs, les tours, les arcs, quelques gestes. Un projet déjà beaucoup plus clair, mais trop imprécis pour être admis comme une maquette à réaliser.

Est-ce néanmoins grâce à cette esquisse que les bourgmestres se décidèrent ? Si oui, ils ne manquaient pas de confiance en Rembrandt qui, de son côté, tablait sur son prestige et sa force de persuasion. Au reste, tout au long de cette recherche de l'idée, on voit fonctionner sa pensée. A la volonté de départ de faire baroque, spectaculaire (grouper son assemblée sous un bouclier sonore, personne n'a encore peint cela), il substitue un décor classique, de manière que l'accompagnement du sujet ne soit qu'un soutien et ne détourne pas l'attention. C'est son habitude, ou, plutôt, sa nature.

Ensuite Rembrandt passe directement du dessin au dos du faire-part à l'immense tableau. Contrairement à ce que font en général les autres peintres italiens ou français – s'appuyer sur des documents, des archives, des études successives –, il va directement à la toile. Le tableau ne s'élabore pas dans l'encre, mais naît dans la peinture.

Armé de pinceaux, de couteaux à palette, il va donc peindre comme on enduit un mur, le nez sur la toile, travaillant de près pour être vu de loin, tirant de longs traits de ses brosses larges, montant des empâtements énormes, étalant une matière épaisse, rugueuse, qui, à distance, révélera la brillance d'une coupe de cuivre, la transparence d'un verre, les reflets de la soie.

Pour la composition, il s'appuie sur toute une structure d'épées, de glaives, de sabres, toutes formes tranchantes qui en un bout de table se rejoignent, cependant que le serment juré sur les aciers rassemble aussi les convives désarmés. Ainsi la nappe qui recouvre la table devient-elle une longue coulée de métal lumineux qui les éclaire et les unit. En voici l'idée : une lame de trois mètres de long, qui trace un trait entre les conjurés, illumine le visage des uns d'une clarté frémissante et dégage les ombres des autres. Tout autour, un moutonnement de gestes et de visages entrevus dans une lumière tremblante. L'œuvre est construite sur la rigidité des armes et le tremblement de la lumière, géométrie et vacillement des flammes. Ces deux éléments se conjuguent pour donner une unité à ce paysage de corps humains tournés vers la figure massive d'un personnage barbu, coiffé d'une énorme tiare à plusieurs étages, vêtu d'or et de soie, un monolithe à l'œil crevé, inébranlable, qui de sa main droite dresse son glaive sur lequel viennent sonner les épées et que touchent deux mains, celles d'un prêtre et d'une femme. Vers ce roi borgne converge l'attention de la tablée.

Une femme, un enfant, des hommes. D'abord une organisation très complexe, le croisement des armes qui se prolonge par le long fleuve d'acier lumineux, le frémissement des lumières sur les êtres et les choses, et puis la couleur, du rouge au blanc et à l'or en passant par toutes les nuances du brun, peinture chaude, délibérément terrienne, où s'inscrivent quelques froideurs de gris, de gris-bleu, de vert et d'argent. La progression se fait vers la droite. Les tons froids qui font chanter les chauds deviennent de plus en plus rares jusqu'à disparaître quand on s'éloigne du vieux roi. A droite, seuls les rouges flamboient. On ne tend plus de glaive, ni de main vers le chef. La ferveur ne passe plus par le rythme des gestes tendus et croisés en faisceau. Elle monte dans l'échauffement progressif de la couleur. Le dernier personnage qui s'inclut plastiquement dans le serment est le jeune homme qui se dresse de dos devant nous, profil perdu, dont la lumière signale la rondeur des joues. Il est debout, marqué par des tailles de couleur qui lui permettent à contre-jour d'être visible, et ces tailles, les crevés verticaux de son pourpoint, répondent aux formes pointues des armes. Plastiquement, il est ainsi relié au serment ; mais le béret rouge accroché à sa ceinture le rapproche d'un personnage rond, au visage joyeux, qui est le dernier de l'assemblée, le plus éloigné du serment, vieillard satisfait de ce qu'il regarde, mais qui ne s'engage pas dans l'entreprise. Et c'est vrai qu'à partir du jeune homme debout, vers la droite, l'assistance ne s'associe plus, elle contemple.

Rembrandt, le nez sur sa toile, tire d'un trait de large brosse la lumière de la nappe de feu. Il va vite. La peinture coule un peu. Il en profite pour placer des points de lumière tremblante, inventant le traitement de la lumière par ponctuations, que Vermeer à la même époque va trouver dans les accents qu'il place sur le pain et la jatte de son tableau *la Laitière.* Pensées de peintre, travaux optiques, qui rapprochent deux trajets divergents, Rembrandt dans la légende nationale, Vermeer dans l'habituel quotidien, l'un et l'autre à la recherche d'une vérité que la lumière perce en la matière.

De part et d'autre du trait horizontal qui illumine les personnages, la peinture ondule comme un grand corps qui respire. Elle se structure en bandes dorées cousues l'une contre l'autre, en montées de rouge comme une muraille de brique sur laquelle se gonfle on ne sait quoi, un sac fendu, un nuage ? Non, ces bandes sont la veste du vieillard riant, ce sac est la manche de son vêtement au bas duquel une bande horizontale devient forcément la ceinture. Tout est double : une fête de la matière-peinture et une description précise des insurgés : cette œuvre incite à d'autres lectures que celle de son sujet. Sa richesse est telle qu'elle donne envie de la parcourir dans tous les sens, de l'explorer de haut en bas, de gauche à droite, de la survoler à basse altitude pour mesurer le double sens d'un ensemble de champs colorés.

De tels survols sont possibles aussi au-dessus des grands tableaux vénitiens, mais leur organisation en perspective y change les proportions. On s'y heurte à des coins de table, à des lignes de fuite, à des plans éloignés et des plans rapprochés.

Ici, Rembrandt accentue sa tendance naturelle : il refuse de creuser le tableau en couloirs qui distribuent la proximité et le lointain. Certes, il a installé son groupe sur une terrasse, au-dessus de quelques marches d'escalier, devant un mur crénelé au-delà duquel on voit quelques arbres, quelques architectures. Mais le premier et l'arrière-plan du tableau, la majeure surface de la toile, ne sont que les accompagnements discrets du seul événement qu'il ait choisi de montrer : la réunion. Son espace est limité à deux rangées de convives séparées par une table de banquet. Tout se joue sur une profondeur d'un mètre, à peine plus ; ici, il parvient à donner à cette petite profondeur une grandeur sans limite, celle des dimensions infinies de la couleur dans la lumière et l'ombre, domaine où l'art change les proportions de la perspective et transporte le réel dans une dimension nouvelle.

Jusqu'alors le clair-obscur avait été une façon d'ajouter une tension dramatique à la perspective. Rembrandt lui-même, dans son *Aveuglement de Samson,* avait utilisé l'ombre et la clarté pour creuser l'œuvre. Ici, il montre clairement qu'il s'est dégagé de la tradition, qu'il a cessé de croire à une organisation spatiale mesurable. Son tableau refuse les lois de la Renaissance, cette parité des arts et des sciences qui chiffrent le diamètre de la terre, qui permettent aux navires de se situer sur l'océan, aux propriétaires de connaître les dimensions de leur domaine, et aux peintres de proportionner convenablement leurs sujets. Il casse les règles de la mesure. Et si sa peinture représente un spectacle qui a encore les apparences de ce qu'on connaît, les lumières et les ombres sont devenues des couleurs dont les éclats s'organisent sur une surface plane à la façon d'un corps vivant avec ses gonflements et ses creux, tour à tour rugueux et lisse, diffusant ici des lueurs qu'on ne trouvera plus là-bas, et ce corps respire et ses clartés circulent comme fait l'ensoleillement à travers les nuages poussés par le vent. Cet espace est hors mesure. Le réel y est complètement transfiguré. On quitte le domaine de la physique pour la dimension métaphysique.

En fait, l'esprit de ce tableau est de même nature que celui de *la Ronde de nuit.* Ses accents de clair et de sombre produisent un rythme d'ensemble. La différence se trouve dans le maniement de la lumière qui joue ici avec une plus grande finesse, moins sur ses contrastes, plus sur la force des couleurs. Les onze personnages ne surgissent pas de l'obscurité comme des apparitions. Ils constituent de l'un à l'autre une chaîne cohérente. L'univers n'est plus une alternance de pleins et de vides, mais une harmonie complexe, allant du grave à l'aigu, de la basse au ténor, grâce à laquelle Rembrandt a changé l'orchestration de l'art, remplaçant par cette logique toute personnelle les joies partagées de la mise en perspective. Il a rapproché de nous le vivant. Sa peinture est un tissu qui en montre la continuité. Ce grand tableau est un refus. Il signifie la rupture de Rembrandt avec les principes qui rassemblaient en son temps par exemple le médecin anatomiste Godfried Bidloo et le peintre Gérard de Lairesse dont le savoir médical et le dessin perspectif s'accordaient à décrire le corps humain disséqué. Rembrandt, lui, ne veut plus rien avoir à faire avec ce chiffrage-là. Sa peinture révélera d'autres aspects du vif, ses tensions, ses points de chaleur, de fraîcheur, ses rayonnements, ses gains d'intensité, ses affaiblissements. Il quitte un univers qui obéit aux lois de la mécanique, pour aborder une terre inconnue, découvrir une organisation d'échanges d'énergies sur laquelle un système plus ouvert du monde, celui d'Einstein par exemple, aurait peut-être pu nous éclairer.

Cet immense tableau, on le verra depuis le sol de la galerie, comme il l'a toujours souhaité pour sa peinture, de loin. De loin, on ne pourra pas se plaindre qu'elle est bosselée d'empâtements. Il a réussi un verre. A cinq mètres de distance, il a la transparence du cristal. Depuis le sol, les bourgmestres ne percevront pas comment cette œuvre est faite. L'essentiel leur sera caché.

Jusqu'à maintenant, sa nouvelle peinture ne s'imposait pas avec autant d'évidence. Là, dans cette composition géante, elle prend une allure de manifeste.

Le réel a cessé d'être mesurable. Il est si dense que la peinture doit inventer d'autres moyens pour l'explorer. Matière et lumière, corps et esprit, sont devenus indissociables. Le champ d'exploration n'a plus besoin de profondeur. Désormais, il faut regarder le vif comme le font les savants avec leurs microscopes, au-delà des apparences.

Joost van den Vondel croise à nouveau le chemin de Rembrandt. Pendant que le peintre compose son *Claudius Civilis*, le dramaturge travaille à une pièce, *les Frères bataves*, tragédie en cinq actes et en vers qui met en scène la colère des Hollandais contre Rome et la façon dont le gouverneur de Néron détruira les deux princes qui pourraient prendre la tête de la révolte. Claudius Civilis y porte le nom hollandais de Nikolaes Burgerhart.

Si, en peinture, les structures demeurent stables, dans les couleurs, le mouvement de la lumière a changé. Rembrandt veut voir comment il fonctionne en noir et blanc. Il reprend donc son cuivre des *Trois Croix* qu'il avait gravé en 1653. L'œuvre est belle, mais Rembrandt veut la refaire. Le cuivre ayant été très profondément creusé pour trois états successifs, il faut effacer au brunissoir tout ce qu'il veut reprendre et polir à nouveau. Pour lui, maintenant, l'œuvre comporte trop de personnages. Il enlève un fuyard du premier plan, remplace un groupe de discoureurs par un grand rocher, en fait disparaître un autre dans une ombre mouvementée, ouvre les bras d'un homme au pied de la croix, donne à l'un de ses cavaliers une tiare semblable à celle de Civilis, à l'autre un glaive comme celui du vieux roi borgne. Le centurion frappé par la grâce va perdre la lumière qui le mettait en évidence. Rembrandt retravaille beaucoup la planche, jusqu'à ce que les images superposées se mélangent trop et qu'il décide, à l'exemple du grand tableau de *la Conjuration de Claudius Civilis*, que le contraste entre le blanc et le noir ne se fera plus par masses. L'obscur ne délimitera plus les formes. Le noir et le blanc deviendront la trame continue de l'œuvre. Il réalise son idée de la lumière frémissant sur la structure, en striant le cuivre de longues lignes verticales, horizontales, obliques en tailles croisées. Ainsi le noir et le blanc deviennent-ils ensemble la matière même de l'estampe, une pluie blanche, une pluie noire mêlées, à travers lesquelles on découvrira l'action. Ainsi l'encre et le papier n'illustrent-ils pas, mais accompagnent-ils la parole de l'Évangile : « Il y eut des ténèbres sur toute la terre. » Ténèbres et lumières intimement unies.

Rembrandt demande qu'on regarde son union de l'encre et du papier dans un quadrillage serré, dans les lignes de force qui tombent du ciel et filent sur la terre. Il a atteint dans le noir et blanc à la même densité frémissante que dans *la Conjuration de Claudius Civilis*. L'idée fonctionne aussi bien dans l'estampe que dans la peinture.

Cela lui suffit sans doute, puisque cette reprise des *Trois Croix* restera sa dernière recherche dans l'estampe et même sa dernière gravure. Il n'abordera plus le cuivre qu'une seule fois, pour obtenir quelque argent d'un portrait posthume de commande, un an avant sa mort.

En cette année 1661, Rembrandt, qui a cinquante-cinq ans, accède à un niveau d'invention exceptionnel. Il se surpasse dans l'audace. L'art est le terrain d'aventure par excellence. Évidemment, dans sa création de cette année-là, il n'a rien à partager avec d'autres artistes. On ne peut pas dire qu'il appartient à son temps. Personne ne conçoit ainsi la peinture. Velázquez, Frans Hals, Zurbarán, ses contemporains, ont conquis, eux aussi, la liberté de laisser voir la vie que le pinceau donne à la matière picturale. Ils sont des libérateurs. Ils prépareront la peinture pour Delacroix et pour l'impressionnisme. Rembrandt libère aussi, mais il n'indique pas simplement un développement formel.

Le quatrième état des *Trois Croix* et le *Claudius Civilis* resteront des œuvres closes sur elles-mêmes, des aboutissements à partir desquels rien ne pourra commencer. Le pointillisme coloré de Georges Seurat naîtra de Vermeer plus que de Rembrandt. Ces œuvres closes constituent les anomalies d'une époque, les présences qui la mettent en cause plutôt qu'elles ne l'éclairent, qui n'ont d'équivalent que dans d'autres œuvres exceptionnelles, comme certaines esquisses de Rubens, certains dessins de Nicolas Poussin, *la Prière au Jardin des oliviers* de Goya, les *Danseuses* de Degas, les *Baigneuses* de Cézanne, toutes œuvres de maturité solitaire. Non pas ces étrangetés sublimes qui surviennent dans les vieillesses, mais des créations où s'affirme l'indépendance à l'égard du siècle. Rembrandt, en cette année 1661, est plus différent qu'il le fut jamais.

Une fois le très grand tableau du *Claudius Civilis* en place, il entreprend une nouvelle commande, celle des *Contrôleurs de la Guilde des drapiers*. Chaque corporation, chaque association aligne ses portraits dans ses salles et Frans Hals donnera de gérants de bonnes œuvres une représentation terrible : des gâteaux et des rapaces veillant au bon ordre de la charité. Ferdinand Bol a peint, voici quelques années, lui aussi, un autre comité de bienfaisance. Pour Bol, pour Hals, pour Rembrandt, la tradition veut qu'on voie, assis autour d'une table recouverte d'un tapis, des personnages en costume noir et chapeau noir, leur domestique-factotum se tenant habituellement debout. La tradition veut aussi qu'il y ait du naturel dans les poses et que le tableau donne le sentiment d'un groupe que le peintre surprend en plein travail, parlant entre soi, s'interrogeant du regard. Bol a disposé ses *Régents* de cette manière, mais pas Hals qui tiendra à ce que certains le regardent. Rembrandt les peindra tous de face, même l'employé auquel il fait cependant baisser les yeux. Il pense que dans ce genre il ne convient pas d'innover. Sortant du grand tableau de *Civilis*, lumineux d'héroïsme, porteur des valeurs nationales d'indépendance, il peint les syndics le plus simplement possible, tous de face, ce qu'ils souhaitaient sans doute. Devant les peintres, les modèles sont toujours un peu inquiets de l'idée qui pourra passer par la tête de ces artistes qui disent qu'ils font de l'art, alors qu'on ne leur demande qu'une image de soi, ressemblante pour l'éternité. Pourtant, il suffit qu'un archiviste égare les papiers de référence, et l'espoir de durer disparaît. Ce qui est le cas ici où des esprits malins ont introduit le doute, affirmant qu'il n'était pas certain que l'on eût affaire à Willem van Doyenburg, Volckers Jansz., Jacob van Loon, Aernout van der Mye, Jochen de Neve, qui furent contrôleurs de la Corporation des drapiers du Jeudi saint 1661 au Jeudi saint 1662, avec leur serviteur (sans chapeau) Frans Hendricksz. Bel. On sait seulement qu'il s'agit d'un Rembrandt signé et daté de 1662, une grande toile de 279 cm de long.

De même que le *Claudius Civilis* fut préparé par des essais où il chercha l'esprit de la composition, cette réunion de syndics est née de plusieurs dessins. Rembrandt y marque l'ampleur des bords des chapeaux comme l'élément dont la répétition l'intéresse. Il cherche la disposition des personnages qu'il modifiera à plusieurs reprises et, pendant le travail de la peinture, il déplacera aussi le serviteur.

Tout cela pour en arriver à l'organisation la plus simple qui soit : un triangle pointé vers le haut, un autre vers le bas, ligne mélodique des visages, des chapeaux, des cols blancs, entre deux bandes de décor, le mur et ses somptueuses boiseries ornées de paysages parmi les moulures, et le tapis d'une admirable laine chaude dont les plis marquent les coins de la table. Espace restreint. Pas d'action : une main ouverte, le pouce levé sur un livre, deux mains qui feuillettent un registre, une main qui tient à la fois un gant et une bourse, et l'un des syndics dans le mouvement de s'asseoir, angle d'un corps qui répond aux décrochés de la boiserie et du tapis.

Silence de la peinture. Trois ondulations parallèles, trois rythmes lents l'un au-dessus de l'autre, le tapis, les hommes, la boiserie, chacun avec son angle. Calme chaud des bois bruns à l'odeur de cire et de la laine rouge épaisse. Le tableau sera vu de près. Il est fait pour cette approche, et ce regard de proximité n'empêchera pas la peinture d'être pleine d'accents lumineux. Aucun mystère. Le contrôle de la qualité des tissus ne s'y prête pas. Simplement cette bourse posée sur la table par le trésorier se creuse en deux points et, entre ces deux points, descend un pli vertical. Certains jours, à certaines heures de la lumière, la bourse brodée fait penser à un masque. Le hasard tire la similitude vers une tête humaine remplie de florins d'or. Ainsi ce trésorier aurait-il deux têtes, la sienne propre et celle de sa fonction. Mais le glissement du sens n'est pas perceptible en permanence.

Rembrandt n'a rien mis là d'irrévérencieux. Il n'a aucun compte à régler avec ces contrôleurs. Alors que Frans Hals contemple les siens en visionnaire, il les montre au moment où ils regardent l'arrivée de leur peintre. Tout simplement. Entre les conjurés du complot batave et ces portraits de patrons syndiqués occupés à garantir la qualité des produits des ateliers d'Amsterdam, il n'y a que quelques décennies : la révolte des gueux a abouti à la République marchande. Lui, il a peint ces deux tableaux d'une année sur l'autre. Forcément, il a pensé au destin des révoltes. C'est un constat. Sans colère, Rembrandt a rempli son devoir pour le mieux.

Le tableau fut accroché dans une belle maison récemment restaurée par Pieter de Keyser, la Saaihal, où se rassemblaient les corporations du textile : les soyeux, les fabricants de serge, les tisseurs de drap, à quelques rues de la grande maison de la Sint-Anthoniesbreestraat. Chaque guilde du tissu y possédait sa salle de conseil et le Rembrandt devait rester chez les drapiers pendant plus d'un siècle, jusqu'en 1771. Ensuite, il fut transféré dans les collections de l'hôtel de ville quand la corporation céda la place à une église anglicane. Lorsque Rembrandt fait ce qu'on lui demande, son tableau est bien accueilli.

Par contre, le *Claudius Civilis* disparut de l'hôtel de ville. Destin des tableaux : l'un entre dans la continuité, circule d'archives en archives, et si on a égaré le nom des syndics, on connaît jusqu'au jour de son transfert. L'autre, mal toléré, ne fait même pas scandale. Il disparaît, effacé des Grands Livres. Les retouches que Rembrandt y apporta, connues par les radiographies, furent-elles demandées par les bourgmestres pour qu'il corrigeât l'œuvre selon leur goût, ou sont-elles le fait du peintre après qu'ils lui eurent refusé le tableau? L'affaire reste obscure. Pendant près de deux siècles, jusqu'en 1852, personne ne saura que sur ce mur de la Grande Galerie de l'hôtel de ville Rembrandt avait composé sa plus vaste peinture. A cette date, on découvrit, au musée de Stockholm, un tableau qui ne correspondait pas du tout aux dimensions du mur. Il avait perdu plus de 2 mètres en largeur et plus de 3 mètres en hauteur. On n'en avait conservé que les personnages attablés.

A Amsterdam, à la place du Rembrandt, car son tableau fut bien déployé sur le mur – un témoin l'a vu – on découvrit une exécution hâtive d'un des projets de Govaert Flinck, deux guerriers casqués à la romaine qui se serrent la main au cours d'un banquet servi dans les bois. Cette peinture est signée Jurgen Ovens (1623-1678), un temps élève de Rembrandt, qui peignit des portraits, des scènes bibliques très rembranesques dans des décors de châteaux, de villes, de campagnes, avec un sens de l'unité du tableau et de son atmosphère générale. Puis il s'éloigna de son maître parce que sa propre nature était moins dramatique et qu'il avait à remplir sa fonction de peintre à la cour de Gottorp au Schleswig-Holstein. Pour l'hôtel de ville, il aura accompli la besogne de couvrir le mur de la Grande Galerie. Ensuite il regagna l'Allemagne.

Qu'avaient donc refusé les bourgmestres? La peinture dans la richesse de sa matière? Non. Elle était trop haut placée dans la galerie pour qu'ils pussent être choqués. Sans doute n'avaient-ils pas supporté la vérité historique telle que Rembrandt l'avait conçue, le serment barbare dans l'acier, ni la façon d'insister sur l'œil perdu du roi. Ils n'avaient pas admis non plus les vêtements imaginaires. Car bien que la résistance batave à l'occupant romain fût devenue le modèle antique du soulèvement contre l'Espagnol, ils n'avaient pas aimé que ces costumes pussent évoquer la disparate de l'équipement des gueux. Ils préféraient la convention à l'italienne, la scène sans surprise, une image connue qui pourrait servir à d'autres thèmes, d'autres célébrations de la parole donnée.

En effet, tout cela étant codifié, écrit, gravé dans des traités spéciaux, pourquoi ne pas utiliser ce langage international qui permet à tout un chacun de lire correctement l'ambition d'un tableau?

Qu'on soit en Italie, dans les Flandres, en France ou en Espagne, on retrouvera partout les mêmes cuirasses, les mêmes armes, les mêmes toges, les mêmes arbres, les mêmes architectures, les mêmes ruines, les mêmes stèles antiques. C'est ainsi qu'on se débarrasse dans l'élégance internationale de l'histoire propre d'un pays. C'est ainsi qu'on éteint les feux qui brûlèrent, qu'on efface les plaies qui firent mal, qu'on replace dans sa juste proportion historique l'espoir qui anima.

Rembrandt fut rejeté parce qu'il n'avait pas adopté cette langue internationale, parce qu'il avait cru que, pour traiter la naissance d'un peuple dans le combat, il se devait de mettre en évidence les traits nationaux, de faire parler ses conjurés en vieux hollandais et non pas en latin.

Les bourgmestres avaient placé leur patriotisme dans la Bourse d'Amsterdam. Pour les arts, ils s'en remettaient au bon goût international. Le comportement actuel de nos hommes politiques nous permet de comprendre cela. La crainte de passer pour provinciaux dans leur goût officiel ne les empêchait pas de vouloir dans leurs demeures des tableaux ultra-hollandais : scènes paysannes, scènes maritimes, scènes citadines, paysages qui se souviennent du marécage originel, tables garnies de leurs cuivres, de leurs étains, de leurs verres, servies du hareng national, des huîtres de Zélande et ornées des fleurs de leurs plus habiles jardiniers. Pendant des siècles, ils garderont leur confiance dans ces valeurs locales et refuseront que leur peinture tente d'inventer dans le domaine de l'allégorie et de l'histoire. Et c'est ainsi que *les Syndics des drapiers* demeurèrent en Hollande, alors que le *Claudius Civilis* disparaissait et que nous ne le connaissons que mutilé.

Qui le découpa ? Rembrandt lui-même ? On l'a vu, nous manquons de documents sur toute cette affaire. Si une organisation privée comme celle des syndics des drapiers était libre de ses décisions, l'administration de la ville ne pouvait traiter ouvertement avec un peintre failli que sa guilde avait placé sous interdit. Voilà peut-être pourquoi Amsterdam passa à côté de sa chance en matière culturelle. Mais peut-on demander à des édiles qui gèrent bien leur cité d'être également capables d'admettre une œuvre qui deviendrait un jour le symbole du pays ?

Quant à Rembrandt, son échec auprès des officiels le renvoya à son indignité sociale et contribua sans doute au calme qu'il s'imposa dans le tableau des *Syndics des drapiers*.

2

HENDRICKJE EST MALADE

Rembrandt s'achemine vers la solitude. Que se passe-t-il autour de lui pour que, depuis plus de vingt ans, le destin frappe ainsi les plus jeunes que lui ? Tant d'enfants morts, puis Saskia, et maintenant, Hendrickje ? Hendrickje, à trente-huit ans, qui est malade et fatiguée au point de vouloir mettre en ordre ses affaires. Le dimanche 7 août 1661, elle se présente chez Me Listingh vers midi pour dicter son testament. Deux témoins l'accompagnent. Le notaire écrit que « Hendrickje Stoffels, demeurant sur le Rozengracht, près du nouveau labyrinthe, malade de corps, cependant maîtresse de ses mouvements, disposant de toute sa mémoire, s'exprimant avec aisance, vient à son étude pour faire enregistrer ses dernières volontés ». Il ne s'agit pas de consigner une disposition pour donner quelque pouvoir à sa parenté sur sa fille. Non. Comme Saskia, et même comme Geertghe, qui a tenu à léguer ses 100 florins à Titus, elle est fidèle à Rembrandt, entièrement dévouée à cet homme si fort, mais qui a tant besoin qu'on l'aide. Leur fille Cornélia sera son héritière universelle. Si elle meurt, que son bien aille alors à Titus son demi-frère, Rembrandt demeurant le tuteur de Cornélia dont l'héritage lui reviendra en usufruit. La société qu'Hendrickje a fondée avec Titus devant le même notaire pour l'exploitation des œuvres de Rembrandt doit, selon son souhait, continuer après sa mort.

Dans ce testament, on ne lit rien d'autre que la volonté de protéger cette famille pas du tout légale, mais si chaleureuse. Titus a fait un testament semblable. On resserre les rangs. On fait en sorte que l'avenir soit clair. Dans la nouvelle demeure va commencer une vie nouvelle.

Changer de quartier a parfois des avantages : sur un acte officiel à propos d'un fait divers, Hendrickje est présentée comme l'épouse de Rembrandt. La hargne de l'Église qui l'avait harcelée dans la maison de la Sint-Anthoniesbreestraat ne l'a pas poursuivie à l'autre bout de la ville. Et puis les amateurs, moins nombreux qu'il y a vingt ans sans doute, continuent à demander leur portrait. Il est vrai qu'il s'agit plutôt de gens âgés qui ont entendu vanter Rembrandt dans leur jeunesse. Jacob Trip est un vieillard, son épouse Margaretha porte autour du cou l'énorme fraise tuyautée qui était à la mode dans les années 1630. Rembrandt les peindra un peu comme il l'aurait fait au moment de sa grande vogue de portraitiste. Il ne se pastiche pas, la touche est plus large, mais ces clients-là ont voulu des tableaux dans la manière de sa jeunesse. Il les leur fera.

Un élève, Aert de Gelder, seize ans, envoyé par Samuel van Hoogstraten, est venu de Dordrecht à Amsterdam, pour travailler chez Rembrandt. Qu'un de ses plus brillants disciples ait pensé qu'il demeurait encore nécessaire à la formation d'un jeune peintre n'a pu que lui faire plaisir. Mais la mode a si vite changé et l'orientation de sa peinture est devenue si particulière qu'il a pu se demander à quel peintre exactement Hoogstraten avait adressé Aert de Gelder. A l'auteur de *la Ronde de nuit* ou à celui qui vient de se faire refuser le *Claudius Civilis?* Il ne tardera pas à voir que cet Aert le considère pour ce qu'il peint maintenant.

Il continue à correspondre avec l'amateur italien, don Antonio Ruffo, qui attend toujours en Sicile son *Alexandre* et son *Homère.* Comme nous l'avons vu, cela ne va ni sans accroc ni sans contretemps, mais cela se fait. On lui demande aussi à Amsterdam une *Junon.* La vie continue. Il se peint en saint Paul, avec l'Épée et le Livre. Le temps est loin où il se représentait en Samson.

Il tient à être présent dans une suite de tableaux d'apôtres et d'évangélistes, saint Jacques, saint Martin, saint Simon, saint Barthélemy, près d'un Christ ressuscité. Ce n'est pas un travail de commande, les tableaux ne sont pas peints dans le même format et d'ailleurs qui souhaiterait avoir chez soi un vieux visage lisant? Tout cela est vieillerie papiste. Dans cette suite de figures religieuses, les personnages sont caractérisés par le minimum d'attributs, au point que le saint Barthélemy, dont le martyre fut d'être écorché vif, se signale par un simple couteau qu'il tient à la main, ce qui lui valut de passer un temps pour *le Boucher* de Rembrandt.

En fait, le peintre ne cherche pas, dans cet ensemble, à fournir les églises d'images qui aideraient à la prière. Il regarde des hommes et il se demande quels saints ils pourraient incarner à travers les siècles. Dans son temps à lui, il étudie des êtres et veut savoir quel destin sacré ils pourraient assumer. Qu'il ait tenu à se peindre en saint Paul, c'est-à-dire en homme d'action et de pensée, fût-ce par dérision comme lorsqu'il se montra en Samson, prouve bien qu'il se croit un comédien qui essaie des rôles. Sa force créatrice lui permet d'entreprendre, de peindre très vite un tableau, en quelques jours, de le retravailler, de le refaire, jusqu'à ce qu'il soit satisfait, mais l'est-il jamais ? Disons jusqu'à ce qu'il soit lassé. En 1661, l'année du *Claudius Civilis*, en plus de ce grand décor, il aura peint une vingtaine d'œuvres. Telle est sa puissance. Il n'en a rien perdu, bien qu'il se montre, en saint Paul, les cheveux grisonnants sous le linge blanc qu'il porte en turban, le visage ridé, une grande lassitude dans les traits, une ébauche de sourire sur les lèvres, des yeux qui mettent à nu ceux qu'ils regardent comme un homme qui a beaucoup vu, beaucoup appris, et qui sait peser la vie et la mort à leur mesure d'incidents de parcours. Ce rôle incarne la lucidité.

Sa présence dans cette galerie de saints ne peut se lire comme le signe d'une appartenance au catholicisme. Si les Pays-Bas pratiquent officiellement la tolérance et si des personnalités comme Vondel ont fait connaître qu'elles abandonnaient la Réforme, Rembrandt ne manifesta jamais qu'il eût changé de dogme, mais il est vraisemblable qu'il est devenu de plus en plus croyant et de moins en moins fidèle à son Église. Il ne fréquentait les temples que pour les baptêmes et les obsèques. Sa foi a toujours été une affaire personnelle et, puisque sa peinture l'exprime sans détour, son art ne cessera jamais d'être religieux, selon une religion où il est seul avec Dieu.

22 août 1662. Le voici encore chez son notaire Me Listingh, pour régler des affaires avec Lodewijk van Ludik. Ces deux-là sont liés depuis longtemps par des ventes et des achats. Rembrandt, dans la boutique de Van Ludik, ne résiste jamais à certains tableaux, et Van Ludik aime les œuvres de son client. En 1660, Rembrandt lui a donc acheté trois tableaux de Pieter Lastman et de Jan Pynas, deux artistes qu'il aima à ses débuts. Il s'en souvient.

Un coup de folie. Il n'avait plus un sou. Il est vrai que, s'il n'a pas payé le marchand, il n'est pas venu non plus chercher les tableaux. Mais Van Ludik ne veut pas rester sur une promesse de vente qui lui interdit de remettre ces trois œuvres dans le circuit commercial. Suit, ce même jour chez le notaire, une histoire très compliquée d'estampes que Rembrandt lui avait aussi achetées, une dette qui devait être couverte par deux tableaux que le peintre a cédés au marchand. Il y a aussi une vieille créance qui court depuis que Jan Six a mis un billet en circulation. Cela se réglera quand Rembrandt aura été payé pour son *Claudius Civilis* à l'hôtel de ville, il donnera un quart de ses honoraires, et grâce aussi à ce qu'il gagnera l'an prochain (tout le monde semble oublier que Rembrandt ne gagne plus rien, qu'il est sous contrôle de la Société d'exploitation de ses œuvres). En plus, pour s'acquitter, Rembrandt fera le portrait du marchand.

C'est embrouillé au possible. Mais au moins ce Van Ludik s'intéresse à sa peinture et demeure persuadé de sa valeur. Rembrandt lui doit un tableau, mais ne le laisse pas sortir de l'atelier, ne l'estimant pas achevé. En dépit de la faillite, rien, on le voit, n'a changé. L'homme est tout prêt à recommencer des échanges, des achats, des ventes, des tractations comme autrefois quand il avait de l'argent et qu'il trouvait sans peine du crédit. A-t-il envie d'une œuvre ? Il promet tout ce qu'on voudra pour l'obtenir. Entouré d'admirateurs, fascinant, il passe, il donne, il prend. Son prestige lui a permis cette aisance. Il ne parvient pas à se faire à l'idée que sa peinture ne lui rapporte plus rien. Certains de ses tableaux sont vendus très cher. Pourquoi n'aurait-il pas le meilleur de la vie, c'est-à-dire la possibilité d'acquérir des œuvres d'art ? Il lui est impossible de vivre sans posséder des tableaux, des estampes. Il a perdu ses collections ? Il faut qu'il s'en constitue une autre, d'autant qu'un jour cela deviendra rare et vaudra beaucoup d'argent. Il est magnifique, chaleureux, enthousiaste. Personne ne lui résiste. A chaque affaire, il perd des plumes, mais aucun coup ne l'abat. Que pourrait faire Hendrickje pour le retenir ? Et Titus ? Le contrat de la Société d'exploitation était une superbe combinaison de juriste et Rembrandt y a souscrit, comme à tout ce qu'on lui propose, pourvu que cela ne l'empêche pas de peindre. Le fils n'a pas d'autorité sur le père. Il n'a pas la force d'interdire et personne ne peut entrer dans l'organisation personnelle de cet homme. Il produit des peintures. En intervenant, on pourrait interrompre, abîmer une force créatrice qui reste pour tous mystérieuse. Qui se risquerait à blesser ce passant éblouissant qui descend quelques heures parmi eux, écoute, n'entend que ce qui concerne l'art, le sien, puis retourne à la chambre où il invente une peinture comme on n'en a jamais vu ?

Comment oser introduire de l'ordinaire dans ce mystère ? Rembrandt seul peut le faire. On assiste étonné à tout ce qui surgit sur le chevalet. En regard la vie est dérisoire, douloureuse de plus en plus souvent. Mais elle sert l'œuvre. La médiocrité elle-même l'alimente. L'œuvre consomme toutes les énergies qui passent à portée. On dirait que cette transformation se fait aux dépens de la vie. Saskia est morte. Titus n'est guère valide, Hendrickje est malade. Ils sont autour de lui, éblouis, sans un reproche. Ils ne savent rien faire d'autre que l'aider, lui faciliter le quotidien. Rembrandt ne les a pas sacrifiés délibérément. C'est l'œuvre qui les dévore.

---

27 octobre 1662. Rembrandt se rend à l'Oudekerk où Saskia a été inhumée le 19 juin 1642, voilà plus de vingt ans. Sur le registre de la paroisse, on lit qu'il est passé chez un notaire, maître Van Veen, et qu'il a vendu la concession qu'il avait achetée pour elle. Le registre est précis, on y apprend le nom du fossoyeur de 1642 et celui de 1662 et que la place de Saskia sera libre le 1er novembre.

On a cherché à interpréter la vente de ce tombeau. Les uns ont accusé la pauvreté, d'autres y ont vu une indifférence monstrueuse, d'autres encore ont prétendu normale la fin d'une concession qu'on n'avait plus la possibilité de renouveler dans une ville surpeuplée, ce qui justifiait l'achat d'un emplacement dans une église plus proche : la Westerkerk. Il faut plutôt croire au détachement. Vingt ans font le silence sur les tombes, vingt ans éloignent des rites, éclairent la vanité des recueillements publics. Rembrandt sait ce qu'est un cadavre. Il a dessiné l'anonymat d'un squelette. Saskia, il la conserve en lui. Humilié de vendre la sépulture ? Peut-être pas. Il ne tient pas rang dans la ville. Tout est dans sa peinture. Rien n'existe ailleurs. Et dans ses tableaux Saskia est présente qui met ses boucles d'oreilles, se costume en Minerve, en Flore. Dans ses dessins, il la retrouve encore plus proche depuis le jour de ses fiançailles jusqu'aux derniers moments de la maladie, les traits tirés, couchée dans son lit, en attente de l'immobilité définitive.

Les événements d'une vie ont-ils un sens ? Peut-on y percevoir des enchaînements volontaires comme on en remarque dans les développements d'une œuvre ? C'est peut-être faire beaucoup d'honneur au hasard que de lui attribuer une volonté, sauf si on le nomme Dieu. Pourtant dans les années que va vivre Rembrandt, on pourrait croire qu'une volonté s'est manifestée de tailler dans le vif de l'entourage qui se serre autour de lui pour le protéger, une volonté de conduire l'homme jusqu'à l'extrême solitude. Autour de lui, l'un après l'autre, les destins vont s'arrêter. Fut-ce la volonté de Dieu ou du hasard ? Le hasard ou Dieu voulurent-ils savoir quelle quantité de peine un peintre pourrait supporter, quelle charge d'épreuves il tolérerait jusqu'au moment où il renoncerait à peindre ? Qui s'acharnait sur lui dans les sphères absolues où règnent ces pouvoirs ? Peut-être, seulement un enchaînement imprévu, fatal, de circonstances.

A partir de quelle époque commença le processus de mise à l'écart ? Sans doute à partir de la mort de Saskia, premier signe de son éloignement de la société. Ensuite il y eut un temps de rémission, puis le mouvement alla en s'accélérant.

Hendrickje est malade, mais le peintre n'est pas oublié des amateurs d'Amsterdam. Les drapiers ont voulu leur portrait en 1662. En 1663, Frédéric Rihel, marchand d'Amsterdam, notable aussi de la ville, vient lui demander de le peindre à cheval. Il ne souhaite pas un simple portrait équestre, mais veut que le tableau rappelle qu'il figura dans l'escorte d'Henriette Stuart, princesse d'Orange, qui fit, en 1660, une grande entrée dans Amsterdam. Les bourgmestres avaient organisé, sur la grand-place du Dam, une parade de chars. Les carrosses défilèrent. La princesse, sœur du roi d'Angleterre, accompagnait son fils Willem, qui n'avait pas dix ans. La politique fera que le jeune Willem, formé par le grand pensionnaire Jan de Witt, élevé dans le respect de la République, deviendra à vingt-deux ans, après avoir laissé assassiner Jan de Witt et son frère, l'homme providentiel qui arrêtera les armées de Louis XIV en faisant ouvrir les digues et en inondant le pays. En 1660, le cortège, emportant l'enfant d'un Nassau et d'une Stuart dans la liesse populaire, avait été un moment de la coexistence peu souvent pacifique des Provinces-Unies et de l'Angleterre. Parions que Rembrandt n'était pas allé crier « Vivat » avec la foule. Il n'avait pas dû assister à l'événement que Frédéric Rihel lui demandait d'évoquer dans son tableau et pour lequel Vondel, encore lui, avait composé un poème.

Rembrandt a peint l'automne brun et roux dans les bois, le cortège de carrosses sur la route. Il a insisté sur un carrosse bleu à l'intérieur duquel on perçoit des silhouettes, forcément celles des visiteurs princiers. Devant le cortège qui sinue, il a dressé un cavalier et son cheval, Rihel en veste jaune d'or, une plume blanche au chapeau, pistolets et épée à portée de main, un somptueux manteau brodé replié sur la selle. Son cheval gris, harnaché de cuir rouge et d'or, crinière blanche ruisselant sur l'encolure, se dresse sur ses deux jambes, puissance énorme qui se met en branle. Frédéric Rihel a voulu être dépeint dans ce qui fut son jour de gloire, et Rembrandt, sur cette toile de 2,41 mètres sur 2,34, l'aura bien servi. Service de roi, service digne de ceux que Velázquez rendait au duc d'Olivares, ou au prince Baltasar Carlos. Voici Frédéric Rihel à l'égal des grands de ce monde : peut-être que le cheval semble un cheval de bronze, mais c'est une nuance de gloire supplémentaire et Rihel aimera ce tableau qu'il conservera jusqu'à sa mort en 1681.

Tableau superbe et pourtant on n'y trouve pas le souffle épique du *Cavalier polonais.* Manifestement les missions des deux hommes, l'un vigile de la pureté, l'autre surveillant d'un défilé, ne sont pas, aux yeux du peintre, comparables.

Dans la peinture, donc, Rembrandt continue. L'œuvre développe son sens. Mais dans la vie non. Il y a la peste à Amsterdam. Hendrickje meurt. On l'enterre en juillet 1663 à la Westerkerk. Est-ce l'épidémie qui l'a emportée ? Elle était bien faible et le mal s'est répandu plus vite dans les quartiers populaires que dans d'autres moins peuplés de la ville. Deux jours après les obsèques, c'est au fils du propriétaire de la maison du Rozengracht de succomber.

Ainsi la flamme vacille. Qui souffle ? Pourquoi a-t-il fallu qu'Hendrickje disparaisse ? Hendrickje, qui l'a aidé depuis plus de treize ans, qui est intervenue en 1649 dans le différend qui l'opposait à Geertghe, Hendrickje, l'inconditionnelle, celle qu'il avait peinte, chemise retroussée, entrant dans l'eau, qui avait été pour lui une modeste Flore, qui avait posé nue pour *Bethsabée* ! Ou encore qu'il avait vue souriante dans l'encadrement d'une fenêtre, grave, soudain penchée vers quelque chose, Hendrickje dans la grande maison ! Et aussi poursuivie par les Frères de l'Église quand elle attendait leur enfant, la petite Cornélia, qui s'était tenue auprès de lui quand les huissiers étaient venus faire l'inventaire, près de lui encore pour recommencer une vie au Rozengracht. Et voici que Rembrandt ne la trouverait plus sur le seuil quand il reviendrait du dehors.

Restaient Titus, vingt-deux ans, et Cornélia, neuf ans. Tous trois allèrent à l'office funèbre. Titus tenait son père par la main et Rembrandt avait la main de Cornélia dans la sienne, trois silhouettes fragiles sur le chemin de l'église, le long des rues et des canaux. Quand ils revinrent, la petite maison leur sembla déserte.

Le choc a été rude. Mais Rembrandt ne cesse pas de peindre. Une *Junon* pour un amateur et deux tableaux de *Lucrèce*. Les poètes chantent sa renommée et, cette année, c'est Jan Vos, poète, dramaturge et directeur du théâtre d'Amsterdam, qui le place en tête des artistes de la ville. La même année, à Rotterdam, Jacobs Loys, marchand de draps, architecte et peintre, accueille un voyageur français, Balthazar de Monconys à qui il montre ses collections. Le visiteur admire Holbein, Rubens, Van Dyck, Lucas de Leyde et Rembrandt. Telle est désormais sa place dans les collections, dans la déclinaison des noms de maîtres.

Hendrickje est morte. Il peint *Junon.* Quel rapport ? Aucun, sauf que peindre est maintenir du vivant dans ce monde mortel. Plus que jamais.

3

DE JUNON A LUCRÈCE

Encore une fois, il a emprunté de l'argent. Comment peut-on lui faire confiance à lui, le failli ? Son nouveau créancier, Harmen Becker, toujours devant notaire, lui avait prêté 537 florins en 1662, et cette année, 450. Rembrandt a donné des tableaux, des dessins en garantie. Or Becker se plaint qu'il a pris du retard dans la livraison de sa *Junon.* Rien de nouveau : Rembrandt n'aime pas laisser sortir de chez lui des tableaux auxquels il n'a pas dit son dernier mot. S'il le pouvait, il ne les abandonnerait jamais.

Curieux personnage, ce Becker. Marchand venu de Riga dans les beaux quartiers d'Amsterdam, il trafique sur tout : bijoux, étoffes, dalles de marbre, réglisse... On dirait que les difficultés financières de Rembrandt et même ses bizarres échafaudages financiers l'attirent. Fasciné par le peintre, il ne tolérera cependant pas que son intérêt pour ses œuvres lui coûte trop. Jusqu'à la mort de Rembrandt, il alternera aides et récriminations.

Cette *Junon*, Rembrandt l'avait d'abord conçue les deux mains appuyées sur un bord rouge. Puis trouvant la déesse trop statique, il lui fit lever le bras droit et poser la main sur l'insigne de son pouvoir, canne ou sceptre d'or. Sans doute savait-il de l'épouse de Jupiter, de la reine de l'Olympe, de la déesse de la lumière, de la divinité du mariage, tout ce qu'il fallait savoir, qu'elle pouvait rendre fou et que le paon, dont la queue porte les yeux d'Argus, était son animal emblématique. Mais Rembrandt ne veut pas plus raconter l'histoire mythique de Junon qu'il n'a tenu à représenter le martyre de saint Barthélemy.

On ne sait d'emblée qu'une chose : nous sommes devant une souveraine, non pas une princesse du siècle, mais une puissance totale au féminin dont la peinture exprime la force. Les yeux immenses, le visage rond comme un astre, la couronne d'or sur la tête, les cheveux répartis en masses retenues par des résilles noires, deux colliers de grains d'ambre qui tombent sur sa poitrine où s'étale une parure géante de perles et de pierreries qui maintient sur ses épaules sa cape d'hermine. Pierreries, topaze, ambre, sardoine, quoi d'autre? Junon ne fait pas étalage de ses joyaux. Elle porte le plus somptueux bijou que jamais Rembrandt ait inventé. La robe brune se creuse à la taille et descend en plis lourds. Qu'est-ce qu'une déesse? Un buste surgissant d'une carapace sublime. Sur son visage, on ne peut lire aucun sentiment. Les traits de Junon n'expriment rien de sa violence, ni des conflits qu'elle a sans cesse avec Jupiter. Elle est la force à l'état pur, impassible. Elle a une immobilité de pierre et pourtant ses yeux brillent et sa poitrine respire. Une statue vivante, avec un œil plus vif que l'autre. La peinture insère ainsi dans la fête des joyaux, des tissus brodés et de la fourrure, un visage qui appartient à la fois à l'humanité et à la divinité. Symétrique? Pas vraiment. L'œil gauche, lumineux, est protégé par un sourcil en arcade parfaite. La joue, de ce côté, est colorée de la bonne santé qui caractérise Junon. Alors que le côté droit a un sourcil moins pur, un œil éteint, une certaine pâleur, le côté gauche est moins structuré. Peut-être est-ce un jeu : mi-partie du visage à la Rubens, une citation voulue, un souvenir; mi-partie d'une face à la Rembrandt. Plus sûrement, le tableau est interrompu. Ce qui nous donne le privilège d'assister à une étape de l'œuvre et de constater que Rembrandt peint le tableau en tous ses points à la fois. Il n'est pas de ces artistes qui traitent la robe avant d'aborder le visage, pour qui le dessin doit tout installer avant que la couleur n'intervienne. Le tableau se crée directement en peinture dans son ensemble, dans l'hermine comme dans le collier et la peau, et si l'œil droit n'est pas encore brillant, c'est peut-être parce que, dans la manche gauche, dans la parure de poitrine, les valeurs ne sont encore qu'indiquées. Tout doit monter à son intensité exacte et chaque intensité dépend de son rôle sur l'ensemble de la toile. Ainsi peut-on voir par quel parcours se développe un tableau, avec des zones de référence à d'autres artistes, puis en recherche de sa nature vraie, c'est-à-dire progressant vers ce moment où l'œuvre sera totalement conforme à l'homme qui la crée. Atteignant peu à peu son unité.

Avec ce tableau, nous entrons aussi dans l'imaginaire de l'Antiquité chez Rembrandt. Les artistes ont toujours peint Junon dans ses actions, avec ses attributs et dans sa nudité de déesse. Lui, il l'habille comme il vêtait Artémis, Minerve, Flore au temps de Saskia, d'un de ces costumes fabuleux qui ont leur source dans Van Scorel ou Lucas Cranach. Le tableau est un retour à ces fêtes. Une trentaine d'années plus tard, il reprend le cours de sa galerie des mythes féminins. Peut-être y a-t-il été incité par les commandes de son amateur sicilien, *Aristote, Alexandre le Grand, Homère,* toutes figures fondamentales de la culture classique, héros masculins, qu'il aura voulu accompagner de figures féminines. Un ensemble qui n'a existé que dans sa pensée, puisque aucun prince ne lui avait demandé d'entreprendre un tel projet et que sa *Junon,* si peu traditionnelle, n'ayant conservé qu'une ombre de paon et beaucoup de majesté, de toute façon ne serait pas entrée dans un tel programme. Il aura peint une galerie antique pour lui-même et en tout cas d'une façon peu crédible pour un public qui avait une conception bien précise de l'Antiquité et de la mythologie. *Junon* était aussi incroyable que sa *Minerve* ou que son *Artémis* d'autrefois (qui était peut-être d'ailleurs une Sophonisbe).

Rembrandt avait toujours eu la volonté de donner une nouvelle vision des dieux et des héros. Il n'a rien renié de sa façon de se différencier. Il insiste. Curieusement, les écrivains de son temps n'ont rien dit de son étrangeté dans ce domaine. Ses historiens les plus proches ont inlassablement répété qu'il ne fréquentait pas les beaux esprits de son temps, qu'il se plaisait dans la compagnie des gens ordinaires et, aujourd'hui encore, on fait valoir que sa bibliothèque ne comptait pas vingt livres. Rembrandt inculte ? Rembrandt « peuple » ? Il se peut qu'il n'ait pas été le grand lecteur que les gens de lettres eussent aimé qu'il fût, mais on sait qu'il lisait la Bible, l'interprétait à sa façon en solitaire, s'en repaissait absolument. Et tout ce qu'il avait besoin de savoir, il le savait. Peut-être trouvait-il sans intérêt les références antiques dont les poètes se nourrissaient. Quand le poète Jeremias de Decker rompit avec l'habitude des commentaires dédaigneux que son maître Vondel réservait à Rembrandt, pour faire l'éloge du peintre et le comparer à Apelle, peintre de l'Antiquité, seul digne de faire le portrait d'Alexandre le Grand, sans doute se réjouit-il de cet appui, mais, à la différence de l'écrivain à qui il importait peu de n'avoir jamais vu une œuvre d'Apelle (il lui suffisait que Pline en eût parlé), Rembrandt, lui, aurait demandé à voir.

Dans ces conditions, qu'il se soit avancé sur les terrains de l'humanisme antique farouchement surveillés par les théoriciens et les littéraires ne peut pas passer pour la présomption d'un ignorant qui s'aventure sur une chasse gardée. Depuis son *Andromède* de 1630, sa *Diane et Actéon* de 1632, son *Artémis* de 1634 jusqu'à sa *Junon*, trente ans plus tard, on voit le trajet du lecteur d'Ovide et de Tite-Live qu'il fut, mais qui rejette tous les accessoires, toute la gestuelle convenue, pour ne garder que l'Histoire et le Mythe, demandant en outre à son art de négliger le devoir du récit pour mettre en évidence la peinture.

Voici Vondel encore. En 1663, occupé à traduire les *Métamorphoses* d'Ovide, il compose aussi *Phaéton*, l'histoire du fils de Phébus qui crut pouvoir diriger le char du Soleil. Junon est dans l'action. Vondel et Rembrandt se croisent toujours. Harmen Becker se plaint de ne pas recevoir cette *Junon.*

Rembrandt fait traîner les délais. Le tableau n'est pas achevé. On voit bien que la parure qui maintient la cape est juste indiquée sur le côté gauche de la robe. Même remarque pour la manche gauche qui n'apparaît que dans quelques croisillons des broderies. On a l'éclat de l'or mais on ne perçoit que l'ébauche des rythmes de la broderie. Quant à la main qui s'appuie sur le bord rouge, elle est à peine signalée, mais si fortement qu'elle s'impose comme un coup de poing sur le tapis rouge, où elle est le sceau de la souveraineté de la déesse. Oui, Rembrandt n'a pas fini le tableau, mais Harmen Becker l'accepta tel qu'il était et on le trouvera dans l'inventaire de ses biens lorsqu'il mourut en 1678, neuf ans après le peintre. Sans doute, l'avait-il aimé, puisqu'il le conserva.

Après *Junon, Lucrèce.* Il fallait bien que Rembrandt ait lu Tite-Live, pour connaître l'histoire de cette petite épouse fidèle dont la vertu fut forcée par Sextus Tarquin et qui se suicida, ne pouvant survivre au déshonneur. Ou qu'il ait entendu raconter l'histoire ou qu'il ait vu un spectacle au théâtre d'Amsterdam, dont on inaugurait justement la nouvelle salle à l'italienne à l'emplacement de l'ancienne et que continuait à diriger l'enthousiaste laudateur de Rembrandt, Jan Vos. Lecture ou spectacle ? L'un et l'autre font partie de la culture ordinaire. Mais les références sont à chercher aussi dans la peinture. En Italie, le thème de Lucrèce conduit à représenter un homme qui force une femme. Chez Titien, Tarquin menace Lucrèce nue d'un poignard et la renverse. Le viol va s'opérer sous nos yeux. La femme est belle, l'homme vigoureux. Le spectacle serait heureux sans l'arme qui déshonore l'amour. En Allemagne, Albert Dürer comme Lucas Cranach insisteront sur la suite du viol, le suicide de Lucrèce. Le poignard est dans sa main cette fois, dont elle va se percer le cœur. Et c'est pitié que d'assister à la mort d'une femme aussi belle, car Lucrèce est nue encore et sa nudité est rayonnante de beauté.

Rembrandt connaît sans doute ces différentes versions. Mais sa conception propre de l'événement lui fait peindre une femme noblement vêtue, le visage grave, au bord des larmes, qui dirige sur elle son poignard. N'est-il pas normal que l'épouse chaste et fidèle ne soit pas demeurée dans l'état de nudité où Tarquin l'avait surprise, et qu'ayant décidé de se donner la mort, elle ait choisi de revêtir le corps déshonoré des vêtements les plus dignes de ses obsèques ? Ainsi Rembrandt reprenant le texte de Tite-Live, ou assistant à la représentation d'une tragédie, n'a-t-il rien trouvé qui justifiât le nu au moment du suicide et a-t-il corrigé la tradition des peintres. Quant au type de femme qu'il choisit pour ce tableau, il y fait entrer quelque chose d'Hendrickje telle qu'il l'avait vue un jour dans l'embrasure d'une fenêtre, mais une Hendrickje amaigrie, grave, et cette Lucrèce peut passer pour la résurgence posthume d'Hendrickje dans sa peinture, comme il y avait eu un portrait *post mortem* de

Saskia. Cette fois, c'est seulement la structure d'un visage qui s'inscrit dans le tableau. La vie intime s'éloigne de la création. Elle n'y pénètre plus que par allusion, par éléments de souvenir. Rembrandt n'avait pas admis la mort de Saskia. Il s'est résigné à celle d'Hendrickje. Plus exactement, sa peinture ne fait plus l'effort d'un portrait. Elle ne sépare plus l'effigie de ceux qu'il aime de la création qu'il poursuit pour lui-même. Tout passe par une seule voie où, désormais, reflueront plus ou moins en surface les ressemblances.

Lucrèce : la robe maçonnée au couteau à palette, construite dans le vert et l'or, masses de matière juxtaposées presque en relief, deux mains qui surgissent de cette carapace de faste coloré, la main gauche ouverte jaillissant de la manche en un geste de surprise et d'accueil, la main droite dirigeant l'arme vers le cœur, les bras écartés, créant dans les épaules une ligne ondulante douce, seule horizontale mélodieuse, alors que tout, par ailleurs, tombe à la verticale : les bas des manches, les bords de la cape, les bracelets, les bijoux fixés au vêtement de la femme. Perles et or, ils glissent comme des larmes.

Deux ans plus tard, en 1666, Rembrandt reprendra l'idée de Lucrèce dans un format semblable, à peine plus petit, 105 centimètres sur 92. Même plaisir de construire le vêtement dans une matière qu'on croirait de joyaux, mais, cette fois, il ne la veut plus parée de bijoux. Il réduit le rôle des accessoires au profit d'une image plus simple. Pas de corsage émergeant de la robe, pas de taille marquée, une simple tunique blanche au ras du col, presque un costume masculin, haute coulée de peinture dont le lin blanc aux plis discrets, par son allure d'aube sacrificielle, apparente le personnage à quelque figure sacrée. Au-delà de la femme, c'est l'être humain qui met en cause son destin. Le visage, la tenue ne jouent plus à la séduction. L'être présente la fin qu'il se donne. Rien de théâtral non plus dans l'expression : seulement la gravité de la décision qui creuse les traits. Pour accompagner cette plage blanche verticale, le costume se réduit à des volumes élémentaires : la manche devient un cylindre et la cape descend dans un glissement de volume conique comme une armure qui tombe. Cette fois, Rembrandt veut voir Lucrèce quand elle accomplit son geste. Le sang s'étale sur la tunique et la main qui tient encore le poignard retombe. Aucune douleur dans le visage. Le suicide l'emporte au-delà des lois physiologiques comme il la met au ban de la société. Lucrèce tient encore debout. Elle saisit un cordon d'appel des domestiques. C'est le moment de la mort désirée et acceptée, le moment d'avant l'effondrement. Le cordon peut sembler trivial, il est le dernier lien qui rattache Lucrèce au monde des vivants, il répond à la longue chaîne d'or qui court sur sa tunique.

Plus tard, quelqu'un effaça le rouge du sang qui imprégnait le lin blanc et nettoya l'arme. Un restaurateur à qui l'on avait demandé de rendre la toile présentable aux clients éventuels ? Sans doute, dans la simplification générale des formes, ces deux marques de sang étaient-elles devenues intolérables. Une fois encore, Rembrandt avait choisi de peindre l'instant crucial comme il l'avait fait pour le Christ en croix de sa jeunesse à Leyde, allant vers des formes de plus en plus simples, à la signification plus efficace. Aurait-il pu imaginer qu'on effacerait de son tableau ces taches de sang ?

Lucrèce aura été sa dernière image antique, une antiquité historique dont il aura cherché la morale, la célébration de l'honneur, accentuant le modèle romain de la dignité humaine comme le feront les moralistes de la fin du XVIIIe siècle. Il n'aura pas voulu montrer un viol, mais l'horreur du suicide qu'il entraîne, d'où les républicains hollandais pourraient tirer l'enseignement de leur choix sur la conséquence du comportement des tyrans. Il lui restait cinq ans à vivre.

Sans doute fut-il informé de la mort de Frans Hals, de son enterrement le 1er novembre 1666 à Saint-Bavon-de-Haarlem. Frans Hals qui à l'âge de quatre-vingt-un ou de quatre-vingt-six ans (on ne fut jamais très sûr de sa date de naissance) n'avait plus de succès, et vivait pauvrement. On voit les gens s'éloigner comme ça, on se demande : comment vivent-ils ? Et on ne cherche pas trop à le savoir. On ne pensait pas qu'il en était arrivé à une telle pauvreté que la ville dût faire une maigre rente à sa veuve.

Rembrandt avait peint *la Ronde de nuit*, Hals *les Banquets des arquebusiers*. Puis Rembrandt les *Syndics des drapiers*, Hals *les Régentes de l'hospice*. Leurs carrières s'étaient faites parallèlement dans les genres hollandais typiques. Hals ne s'était pas aventuré dans la peinture sacrée, ni dans la peinture historique. Et, dans son grand âge, il avait semblé plus dépassé encore que Rembrandt : il ne s'était pas soucié de rivaliser avec les allégories élégantes dont le flot allait tout recouvrir. Tous deux avaient en commun d'être demeurés de Vieux Hollandais, peintres de ces générations qui avaient vécu sur la grandeur populaire de l'indépendance conquise. A la fin, les modèles de Hals étaient devenus presque aussi vieux que lui et le peintre n'avait pas eu un regard tendre pour leur grand âge. Lui-même, depuis longtemps, ne se regardait plus dans son miroir.

Rembrandt n'avait pas possédé de Frans Hals dans sa collection. On ne sait même pas si les trois grands du siècle d'or hollandais, Rembrandt, Hals et Vermeer, se rencontrèrent. Leurs trois solitudes émergent de tant de groupes et d'écoles !

Rembrandt sut cependant qu'avec la vie de Frans Hals s'achevait une œuvre qui n'avait peut-être pas été la gloire temporaire de Haarlem, comme Bloemaert fut celle d'Utrecht, mais sûrement la chance incroyable de cette petite ville de s'inscrire dans l'histoire mondiale de l'art.

4

DEUX JEUNES GENS DANS L'ATELIER

Après le *Claudius Civilis* (1661), *les Syndics des drapiers* (1662) et le *Portrait équestre de Frédéric Rihel* (1663) la puissance créatrice de Rembrandt va se ralentir un peu. En cinq ans, on ne dénombrera plus qu'une vingtaine de tableaux. Les commandes se font plus rares. La peinture se développe sans bouleversement profond, mais dans la ligne apaisée qui est désormais la sienne, vers l'approfondissement. Certes, il ne fera rien de plus puissant, de plus hardi que le *Claudius Civilis*, il n'inventera rien qui remette en cause la montée vers les sommets de ce grand tableau-là. Mais jusqu'à l'année de sa mort (1669), où sa peinture commence à montrer les signes de sa lassitude, où comme le vieux Nicolas Poussin il aurait pu dire que sa main tremblante ne suivait plus la volonté de sa pensée, il aura porté à leur maximum d'efficacité ses recherches. Son ambition ne s'est pas restreinte. Elle ne concerne plus que la matière colorée, la façon de conférer plus de sens à son éclat. De plus en plus, il va travailler sur la vision et l'invention d'un réel continu, sans ces contours chers aux classiques, sans les cloisonnements du trait, livré seulement à la stridence des couleurs.

C'est à ce moment-là de sa pensée que se présente chez lui un jeune peintre de Liège. Il a vingt-quatre ans et peint depuis l'âge de quinze ans. On sait qu'à l'époque la précocité n'a rien d'exceptionnel, mais il a déjà eu des succès dans les cours, chez l'Électeur de Cologne notamment, et on dit qu'il a connu des déboires financiers. Il est passé par Bois-le-Duc, Utrecht. Il cherche fortune. Il arrive à Amsterdam et sa première visite est pour le marchand de tableaux Hendrick Uylenburch qui, toujours fidèle, l'envoie chez Rembrandt qui le recevra et fera son portrait. C'est en 1665.

Gérard de Lairesse est laid, visage simiesque, qui éclate d'intelligence. Remuant, entreprenant, il apporte les idées du classicisme tel qu'on en débat à Paris entre rubénistes et poussinistes. Il sera un des premiers en 1669 à adhérer à la Société littéraire d'Amsterdam « Nil volentibus arduum » qui s'occupe de traduire Corneille, Racine, Molière et de les faire représenter sur scène. Il diffuse les théories de l'art, s'intéresse au savoir scientifique. Il composera plus de cent dessins admirables pour accompagner le texte d'une *Anatomia Humani Corporis* du docteur Godfried Bidloo qui sortira des presses en 1685. Ses dessins sont d'une parfaite précision dans le rendu des chairs ouvertes, de la nacre des nerfs, avec quelques détails inattendus : un de ses disséqués a les mains liées comme un supplicié, une mouche s'est posée sur un muscle, accents étranges dans un livre irréprochable qui restera comme un des plus intéressants de l'histoire du dessin anatomique.

De plus, la peinture de Lairesse est d'une grande qualité : nuages, draperies flottantes, envolées d'angelots, Vierges de l'annonciation, scènes antiques, tout chez lui doit être montré dans une douceur générale, rien ne se permettant jamais de surprendre, de choquer le regard, comme si, avant tout autre devoir, il s'agissait de faire passer la justesse du dessin, la délicatesse des couleurs. Aurait-il peint l'enfer, il l'aurait fait fréquentable. Longtemps les théoriciens du classicisme se référeront à ses livres, où il développait des idées esthétiques qui purent faire croire qu'il ne répétait pas les traités anciens. Il y portait des jugements audacieux sur la Renaissance italienne qui le firent passer pour novateur. Et on le surnommera le « Poussin du Nord ».

Donc le futur Poussin, vingt-quatre ans, rend visite à Rembrandt, cinquante-neuf ans. Qui rencontre-t-il dans la petite maison du Rozengracht ? Un homme occupé à se peindre dans des couleurs de cuivre et d'or, un homme devenu comme l'âne d'Apulée, en qui tout est or : la grande écharpe qu'il porte autour du cou, le bonnet qu'il a posé sur son crâne, son visage qu'il a teinté de cuivre rouge sur les pommettes. Ce masque à la peau métallique est en train de rire. Car Rembrandt rit. Tenant l'appuie-main du peintre, se représentant en peintre, il s'est placé sous le regard d'un de ces bustes de philosophe antique qu'on a dans les maisons et qu'on adosse au mur sur une tablette. Le philosophe, du même métal, le nez crochu, renfrogné. Le peintre rit de bon cœur. Et de quoi donc ? D'abord, sans doute de la tête qu'il s'est découverte dans le miroir, métallique personnage qu'il est devenu avec ses cheveux gris, désormais dorés, qui s'échappent de sous son bonnet. De quoi rit-il encore ? Des gens. Qu'ont-ils à courir ? Qu'est-ce qui les fait tant s'agiter ? Il rit des peintres qui paradent dans la ville, de ceux de la Guilde qui siègent gravement chaque mois pour décider du statut des artistes et de l'art. Il rit parce que les bourgmestres n'ont rien compris à ce qu'il leur offrait, qu'il a dû reprendre son tableau, qu'il n'est plus du tout dans les courants de la mode. Et qu'on ne croie pas qu'il compte les points ! Que son échec à l'hôtel de ville, il le compense par les témoignages lyriques des poètes, par les quelques succès qu'il remporte à l'étranger ! Défaite et victoire, tout lui est égal. Hors de l'atelier, chacun sait ce qu'il convient de peindre ; on le fait savoir, on tranche de ce qui est neuf, de ce qui est dépassé, comme si l'art était une course avec des premiers et des derniers. Là où il vit, sur le

Rozengracht, Rembrandt ne se pose plus de questions de ce genre. Il se peint tout doré et cela le fait rire d'avoir atterri dans ce petit logement avec ses deux enfants, indifférent au beau monde et aux belles idées modernes, un rat dans sa tanière entouré de vieilleries.

Qu'on ne le prenne pas cependant pour un misanthrope, replié sur soi, qui rit de la vanité des choses. Il sort de sa chambre et voit passer devant lui des œuvres qu'il voudrait acquérir. Tenté par un Holbein, il succombera, puis renoncera ; tenté par des préparations d'anatomie attribuées à Andreas Vésalius, par des armures, par des armes, il achètera. Il n'est pas relégué au bout du monde, il travaille sur ce que peuvent exprimer les couleurs. Cela le passionne, même s'il doute que cela puisse intéresser qui que ce soit. Voilà ce qu'il est devenu, cuivré comme un reflet sur le fond de la plus grande des casseroles de la cuisine.

Sept années plus tôt, en 1658, l'année de sa débâcle, il s'était représenté en seigneur. Avec à peine un sourire. Plutôt une expression de satisfaction. Aujourd'hui, il éclate d'un rire silencieux. Peut-être aussi parce que le jeune Lairesse est venu le voir et que ce petit homme à tête de singe lui a posé des questions de principe… Et qu'à ces interrogations-là le bonhomme en or ne sait répondre que par le rire.

Pourtant Gérard de Lairesse est venu chez lui avec respect. Il écrira par la suite que, pour la vigueur, Rembrandt ne le cède pas au Titien. Alors Rembrandt a fait son portrait et, face au vieux peintre en or qu'il est, il a montré le petit homme au chapeau noir, en costume noir, col et manchettes blanches, cheveux blonds de la jeunesse en boucles sur les épaules, tenant à la main quelques grandes feuilles de papier pliées. Il l'a montré vif, surpris par le regard de son portraitiste, curieuse tête d'avorton qui a survécu, qui survivra jusqu'à soixante-dix ans, courageux, puisque, devenu aveugle à cinquante ans, il se fera l'auteur de deux livres sur la peinture qui connaîtront une diffusion européenne. Rembrandt aura vu Gérard de Lairesse comme n'importe lequel de ses modèles bourgeois. Il n'aura pas fait entrer le jeune peintre, ni l'image qu'il en donne dans le domaine des recherches auxquelles il se livre.

La rencontre est étrange. Le jeune homme n'est sans doute pas encore le théoricien qu'il deviendra, ce génie bizarre allant aux extrémités de son raisonnement jusqu'à écrire, sacrilège! que Raphaël commettait des fautes de dessin et que Michel-Ange était indécent. On voit quelle pensée glaciaire il introduira dans l'esthétique. Dans son *Grand Livre des peintres* qui paraîtra dans les premières années du XVIIIe siècle, Lairesse confirmera qu'il a beaucoup admiré autrefois la manière de Rembrandt dont il n'a « reconnu les défauts que lorsqu'il eut pénétré les règles certaines et invariables de l'art ». Sûr désormais de ses vérités, il émettra des jugements sans appel contre « les Hollandais comme Rembrandt et Lievens qui ont donné à leurs ombres un ton chaud, à un tel degré qu'on croirait que leurs figures sont entièrement en feu ». Il notera également la différence ineffaçable entre « Rubens et Van Dyck qui vivaient dans le grand monde et ont arrêté leurs regards sur la partie la plus sublime de l'art, alors que Jordaens et Rembrandt qui ont adopté la peinture de genre ont montré leur goût bas et commun ». Lairesse proférera ainsi beaucoup d'axiomes dont celui-ci sur le coloris : « Plus les couleurs locales sont rompues et dégradées par les reflets et les ombres, moins elles sont vives et belles. Plusieurs maîtres célèbres se sont singulièrement trompés dans cette partie, par exemple Rubens parmi les peintres flamands, Rembrandt et Lievens parmi les Hollandais. Les uns par de la bigarrure, les autres en cherchant la morbidesse de la chair et ne faisant que la rendre molle et flasque. »

Ainsi, que Lairesse devienne un jour le classique le plus rigoureux de son temps, Rembrandt l'a vraisemblablement deviné. Il n'aura pas laissé passer le personnage sans vouloir le peindre. Quand Lairesse parle de la bigarrure, faut-il penser qu'il a vu dans l'atelier sur le Rozengracht les tableaux récents ? À l'époque, il n'avait pas encore « pénétré les règles invariables de son art ». Peut-être les a-t-il admirés. Ou Rembrandt ne les montrait-il pas ? Il reste difficile à comprendre que le jugement esthétique ait aveuglé en lui le peintre au point de placer sur Rembrandt et Lievens la même réprobation. Il est vrai que les théoriciens sont coutumiers d'excommunications sans nuance.

Gérard de Lairesse chez Rembrandt. Deux pôles contraires sous le même toit. Le raisonnement frappant à la porte de la conscience. Le dogmatisme interrogeant la liberté. Malgré le goût des collectionneurs et des peintres, le nom de Rembrandt va disparaître de la liste des exemples esthétiques pendant des décennies. Le XVIIIe siècle l'achètera, mais ne le prendra pas pour modèle, du moins le XVIIIe siècle des théoriciens. Mais Fragonard copiera des Rembrandt, possédera de ses dessins et de ses estampes, Goethe écrira que son originalité déborde les principes. Lairesse aura été l'inspirateur des générations qui s'opposeront à Rembrandt dans leur enseignement. Ce refus, qui lui avait déjà été signifié par l'opinion publique hollandaise, allait être renforcé par celui des professeurs qui ne trouvaient pas chez lui de principes à codifier.

Rembrandt avait encore un élève, cet Aert de Gelder que lui avait adressé Hoogstraten, et qui, pour sa part, ne ressentira pas le besoin d'une rupture avec son maître. Intéressante présence que celle de cet apprenti qui, après quelques années chez Rembrandt, reviendra faire carrière à Dordrecht, sa ville natale où il mourra à quatre-vingt-deux ans (1727), poursuivant dans un XVIIIe siècle qui ne s'y intéresse plus la pensée de Rembrandt et ses sujets bibliques.

A la différence des autres disciples, Aert n'a pas été perturbé par son maître. Certains, on l'a vu, Carel Fabritius, Samuel van Hoogstraten, Nicolaes Maes, se sont adonnés à des recherches personnelles qui les ont éloignés complètement de leur maître. D'autres, comme Ferdinand Bol, Govaert Flinck, ont eu des carrières pleines de succès. Sous la pression du goût public, ils ont peint des portraits aimables, versant pas mal de Van Dyck dans leur verre, aboutissant parfois à des créations hybrides où le portrait séduisant comme on le souhaitait s'accompagnait d'un paysage où flottait quelque chose de l'éclat et du mystère de Rembrandt. Ces deux-là auront des carrières oscillant entre leur maître d'origine et les tendances de la mode, hybrides.

Gelder, lui, est demeuré dans la voie de Rembrandt, tout en s'en différenciant peu à peu. On a l'impression qu'à la maison du Rozengracht il s'imprégna de nouveautés techniques, qu'il adopta le mouvement dans la matière, la juxtaposition des surfaces colorées, une manière de faire vivre la pâte avec le pinceau, fût-ce même en y revenant avec une pointe de bois ou le bout du manche de la brosse, et qu'il emportera dans son souvenir quelques-uns des accessoires anciens qui avaient séduit Rembrandt : le chapeau exotique de la servante de *Bethsabée*, les chapeaux emplumés que Rembrandt posait sur la tête de Saskia. Ainsi une figure de femme montre-t-elle à la fois sa filiation et son originalité. C'est un tableau qu'il peignit vers l'âge de quarante-cinq ans : une jeune femme regarde le peintre bien en face. Elle n'a rien de la beauté idéale recommandée par les théoriciens et plus précisément par Gérard de Lairesse, le vilain petit homme qu'il a sans doute salué quand il est venu visiter Rembrandt. Elle a le visage trop long, la bouche trop large et des yeux vairons, l'un clair, l'autre sombre. Regard inoubliable, pas conforme aux canons de la beauté. Gelder l'installe à la fenêtre, l'accoude à la rambarde de pierre et l'habille du plus extraordinaire costume qui soit. Ses mains rondes et longues, son jeune visage émergent d'une merveilleuse construction de tissus assemblés, construction d'un vêtement dont les éléments s'emboîtent l'un sur l'autre comme ceux d'une cuirasse : bas de manche jusqu'à mi-bras, manche, emmanchement du corselet, ceinture brodée, corsage de linon. Sur tout cela tombent la transparence des dentelles et le tremblement des pampilles qui s'accrochent au décolleté, un voile ruisselle en éclats lumineux sur les épaules nues que touchent presque d'immenses boucles d'oreilles, les plus grandes perles hollandaises jamais vues, encadrant le visage coiffé d'un chapeau d'homme dont une grande plume recouvre la visière jusqu'à retomber sur l'épaule. Matières de soie, de plume, de laine, de broderies, de lin, colliers de couleur, cette jeune femme est sous carapace peinte. Elle habite un costume qui épuise toutes les possibilités de la peinture, translucidité laiteuse des perles, folie dansante du voile qui a fait de l'ombre sur la veste, parallèles des fils brodés, vagues ondulantes de la grande plume. Aert de Gelder joue d'une triple séduction, le regard vairon du modèle, la diversité des matières picturales, lignes, grattages tirés en creux dans la couleur, en épaisseurs, en mouvements, et le va-et-vient du regard entre les deux fantaisies du vêtement et de la peinture.

L'originalité de ce tableau est qu'il reprend la méthode de Rembrandt et qu'il y ajoute des développements dont le maître n'avait pas eu l'idée : ces parallèles tracées dans la couleur pour créer une résille de fils sur le tissu, cela appartient en propre à Aert de Gelder. Ce voile à la fois brillant et transparent qui flotte dans l'air, c'est à lui encore. Gelder n'est pas seulement l'inventeur de ces finesses dans le détail, son art conserve la puissance, la charpente inébranlable des constructions de son maître, mais ses douceurs lui sont personnelles, douceurs et vivacités que Fragonard, lui aussi à partir de Rembrandt, inventera à son tour des décennies plus tard.

Ainsi Aert montra-t-il que Rembrandt n'était pas une fin, que son œuvre pouvait avoir une suite et, dans cette mesure, il donnera tort à Gérard de Lairesse. Cet héritage n'était pourtant pas codifiable.

Rembrandt aura transmis obscurément un certain amour d'une certaine peinture à Gelder qui aura retourné la tendance à son profit, au profit de l'épanouissement de sa personnalité, comme s'il bénéficiait de ce phénomène, si rare en art, de transmission qui devient héritage génétique, transfusion entre sujets d'un même groupe sanguin. Plus tout jeune, le front commençant à se dégarnir, le visage empâté, il peindra son propre portrait, assis à la table hollandaise recouverte d'un tapis, sur lequel il a posé un très bizarre chapeau rond à large bord plat. Il porte un costume rare dont la veste est jalonnée d'une ligne de gros boutons. Costume de paysan ? De valet ? En quoi s'est-il déguisé ? Il se regarde dans un miroir. Des deux mains, il déploie au-dessus du tapis un exemplaire de la gravure de Rembrandt, *la Pièce aux cent florins*. Que fait-il sinon montrer le trésor qu'il conserve, jaloux de sa rareté, heureux de présenter, comme le signe de son admiration fidèle, ce qui fut peut-être un cadeau du maître ?

Ainsi se croisèrent la même année, sur le Rozengracht, celui qui condamnera Rembrandt sur la place publique de son livre et celui qui, dans le silence de son atelier, maintiendra son message par son admiration. Qui survivra ? Lairesse avec une postérité de théoricien aujourd'hui tarie, ou Gelder dont la continuité secrète reste à découvrir ?

La guerre avec l'Angleterre a repris. Les deux pays s'affrontent sur la mer. L'année précédente (1665), le duc d'York a coulé dix-neuf navires de l'amiral Wassenaar. Tandis que la peste ravage Londres, après avoir frappé Amsterdam, l'amiral Michael de Ruyter livre aux Anglais une bataille qui durera quatre jours du 11 au 14 juin 1666. Les artistes hollandais n'ont pas fini de peindre cette rencontre à l'issue indécise, puisqu'il fallut reprendre le combat. Près de Dunkerque cette fois, où la déroute hollandaise devint évidente. Mais on réarme une flotte qui, l'année suivante, remontant la Tamise, écrasera les Anglais chez eux. Londres vient de brûler. Les adversaires à bout de souffle après deux ans et demi de guerre signeront la paix de Breda. Du partage des zones d'influence, il ressort que les Hollandais perdent les villes fondées en Amérique du Nord – Nieuw Amsterdam devient New York, Breukelaan Brooklyn – mais gagnent des ports en Amérique du Sud.

Comme tout le monde, Rembrandt aura été informé de ces batailles. Il aura entendu ses voisins de rue dire leur satisfaction en apprenant que la flotte avait forcé les barrages sur la Tamise, il aura connu la signature du traité de paix. Mais, on le sait, il n'est pas de ceux qui vont manifester sur la place leur enthousiasme.

La guerre ne cesse pourtant jamais. Quand on ne combat pas l'Angleterre, c'est le roi de France Louis XIV qui envahit les Pays-Bas espagnols. Jan de Witt réplique à la menace française par une alliance avec la Suède et l'Espagne, et les Hollandais se retrouvent les alliés de leurs ennemis traditionnels. La Hollande est présente aux quatre coins du monde quand la peinture de Rembrandt s'isole.

Survient un événement dans la vie de la famille Rembrandt : les fiançailles de Titus avec une jeune Magdalena van Loo, du même âge que lui, qui habite sur le canal de ceinture, le Singel, avec sa mère Anna. Titus n'est pas allé chercher sa fiancée loin du cercle familial puisque le père de Magdalena était le beau-frère de Hiskje, une des sœurs de Saskia. Cela ne peut que rappeler à Rembrandt son mariage en Frise, dans le Bildt, chez Gerrit van Loo. Jan van Loo était orfèvre à Amsterdam. Avec sa femme, il avait témoigné en faveur de Rembrandt au moment de sa débâcle. En tant qu'orfèvre patenté, il avait établi l'inventaire des bijoux qu'avait portés Saskia et que Rembrandt conservait, ce qui avait permis de prouver que le peintre n'avait pas dilapidé l'héritage de sa femme. C'est dire que Titus connaissait Magdalena depuis longtemps. Quant aux Van Loo, ils savent toute l'histoire de Rembrandt, sa faillite n'a pas entamé leur estime. On prévoit que Titus ira vivre avec son épouse sur le Singel, chez Anna, Rembrandt demeurant seul avec Cornélia. Les deux demeures sont proches.

A Florence, les Médicis ne collectionnent pas que la peinture italienne. La tradition veut que l'on possède aussi des œuvres étrangères. Laurent le Magnifique avait acquis déjà une *Descente au tombeau* de Rogier van der Weyden et tout naturellement dans la fameuse tribune on accrochait ensemble Michel-Ange, Tintoret, Dürer et Cranach, pour donner l'exemple de cette ouverture d'esprit que refusait Gérard de Lairesse. Le grand-duc Cosme de Médicis, connu sous le nom de Cosme III, formé dans un milieu d'amateurs, collectionneur d'antiques, dédicataire des premiers travaux d'une science nouvelle, l'étruscologie, fut de ces souverains qui ne cessèrent d'augmenter leurs collections. Il voulait que les Offices soient un musée ouvert au public. Jeune héritier, il entreprit de 1667 à 1669 un grand tour d'Europe, en compagnie du comte Magalotti, écrivain et érudit. Chemin faisant, il ne se trompa pas dans ses choix de collectionneur et acheta un Lucas de Leyde. Peu importe qu'il l'ait pris pour un Dürer. C'était un beau tableau et il l'aimait. A Amsterdam, il visita le nouvel hôtel de ville et en emporta une vue peinte par Jan van der Heyden. Très sensible aux œuvres lisses et soignées de Netscher, de Schalken, de Metsu, de Ter Borch, de Mieris, de Gérard Dou, il en rapporta à Florence. C'est à lui qu'on doit la mise en place, dans une galerie nouvelle de son palais, de la collection des autoportraits des peintres célèbres.

Tel était l'homme de goût et de savoir qui vint visiter Rembrandt le 29 décembre 1667. Un secrétaire tenait le journal des faits et gestes de Son Altesse et à la date de ce 29 décembre on pouvait espérer trouver un écho de la conversation du prince et du peintre, mais le secrétaire, hélas ! se montra surtout attentif au temps qu'il faisait ! Il nota :

> *Ce jeudi, de bonne heure, le temps était beau et très froid (il ne se couvrit que vers les cinq heures de l'après-midi : c'est une propriété des climats de ces régions où à la fin du jour un brouillard se lève qui durera jusqu'à la nuit). Après avoir entendu la messe, Son Altesse alla voir la peinture de divers maîtres comme Van de Velde, Rembrandt, peintre fameux, Scamus qui peint des marines, et d'autres, lesquels n'ayant pas chez eux d'œuvres achevées, indiquèrent quelques maisons où il était possible d'en voir. Son Altesse Sérénissime s'y rendit et fut accueillie avec les meilleurs témoignages d'estime et d'affection.*

Rien d'autre.

Cependant les achats de Cosme III à Amsterdam sont révélateurs de ses goûts. Il a, en effet, acquis des hollandais typiques, petits tableaux léchés, scènes d'intérieur, mises en scène de la vie quotidienne peintes pour être regardées à la loupe. Il a choisi ce qu'on ne faisait pas en Italie. Acheta-t-il un Rembrandt ? Aura-t-il demandé un autoportrait pour sa galerie ? Ici, les archives sombrent dans le brouillard. Le musée des Offices conserve deux portraits de Rembrandt, l'un des années 1630 (avec son hausse-col d'armure), l'autre des années 1660, mais qui ne serait plus un autoportrait. Il possède ainsi deux âges et deux manières de Rembrandt, mais on sait que ce n'est pas Cosme III qui les apporta. A-t-il cependant acquis au Rozengracht le troisième Rembrandt des collections médicéennes, un portrait de vieillard dont on n'a pas vraiment identifié le modèle ? Le tableau est le plus structuré qui soit, avec au centre de la toile un quadrilatère composé sur le côté d'une écharpe qui tombe des épaules, en haut d'un visage à longue barbe, en bas des mains croisées. Des mains dont les doigts se mêlent, des mains vraies, de forme juste, avec tous les doigts distincts, et dont néanmoins ressort quelque chose d'insolite. On doute que ce travail du pinceau en horizontale sur les phalanges, en verticale sur les jointures, avec ces plages de lumière qui éclatent en d'autres places de la peau, produise vraiment l'image de mains. Pourtant, on en perçoit bien la matière, des mains de vieillard aux doigts longs où s'inscrivent les marques de l'âge. Le doute n'a duré qu'un instant. Telle est bien la marque du peintre : il veut que le tableau soit aussi mystérieux que le réel! Il fait ce qu'il faut pour retarder l'identification de l'objet dépeint, afin qu'on puisse percevoir la richesse multiple du sens.

Cosme aurait donc bien choisi. Au reste, à Florence, l'opinion n'était pas totalement défavorable à Rembrandt.

Filippo Baldinucci, l'écrivain d'art florentin qui travailla sur les collections médicéennes, parle de lui comme d'un peintre extravagant, dont il admire le savoir pictural même s'il le juge dévoyé, dont il célèbre la personnalité des estampes, même s'il les trouve d'une technique étrange. Florence, qui avait une longue expérience de la peinture, de Giotto à Michel-Ange, acceptait et même recherchait les solitaires.

IX

ÉLOIGNEMENT

1

LA FIANCÉE JUIVE

La mort d'Hendrickje n'est qu'une étape de plus dans la montée de Rembrandt vers la solitude. Le destin ne cessera jamais de frapper aux alentours, comme s'il fallait mener cet homme à l'état légendaire du vieillard conduit par une enfant. Tout va se resserrer autour de lui. Le cercle de famille, de moins en moins nombreux, devient un rempart fragile, bien que toujours résistant. Rembrandt qui restreint la profondeur de champ dans sa peinture, qui travaille en vision rapprochée, se comporte en homme assiégé, qui, confiné dans son retranchement, va faire avec les figures des siens de grandes fêtes de la couleur. Il ne peint plus que des portraits et des scènes bibliques qui rapprochent les âges extrêmes, des vieillards avec un jeune homme, un vieillard avec un enfant, des thèmes de la plus simple proximité humaine. Chaque tableau tisse du vivant. C'est toujours ainsi qu'il a répliqué à la mort. Autrefois, il aimait aborder des sujets sacrés et historiques. Après la mort de Saskia, il était sorti dessiner et peindre des paysages. Maintenant il reste à la maison et quand il se promène dans le quartier, c'est pour ne pas perdre de vue ceux qui lui sont chers. Au cas où l'art protégerait la vie, il ne faut pas relâcher son attention…

Ainsi l'œuvre est-il devenu totalement intime. Certes, il avait toujours peint les siens, donnant à sa mère le sens d'une sainte Anne, à Saskia, à Hendrickje celui d'une Flore, mais on lui passait des commandes de portraits ou de groupes et il allait chercher au-delà

du noyau familial des occasions de développer son art : les légendes de Samson, de Ganymède, d'Esther, la vie et le supplice du Christ, les enlèvements de Proserpine et d'Europe, ces histoires qu'il racontait à sa façon, et dont il avait renouvelé l'esprit. A présent, il ne peint au contraire que des hommes et des femmes qui ne sont engagés dans aucune action ; il les aime occupés d'un unique rôle : vivre. C'est avec ses couleurs qu'il les fait entrer dans le mythe, un mythe qui n'appartient qu'à lui.

Le 10 février 1668, Anna Huybrechts et sa fille Magdalena van Loo, Rembrandt van Rijn et son fils Titus van Rijn se rendent, ensemble, à l'église. Ils signent le registre. Titus, vingt-sept ans, et Magdalena, vingt-sept ans, sont déclarés unis par les liens du mariage. Comme prévu, Titus va s'installer avec Magdalena sur le Singel, dans le logement d'Anna. Rembrandt reste seul dans la maison du Rozengracht avec sa fille Cornélia, quatorze ans.

Aussi bien chez la veuve du bijoutier van Loo que chez le peintre, on vit de plus en plus modestement, on compte l'argent au florin près. Rembrandt et Titus ont encore emprunté, le 23 juillet 1668, 600 florins que leur a prêtés le peintre Christiaen Dusart, un ami qui leur survivra et deviendra le tuteur de Cornélia.

Les seules valeurs sûres que possède l'entourage du peintre sont ses œuvres, valeurs plus affectives que monnayables. Anna Huybrechts est allée le 16 mai chez un notaire, Me Meerhout, faire son testament. Elle lègue son portrait par Rembrandt à sa fille, un tableau qu'il a peint vraisemblablement pour la remercier d'avoir témoigné en sa faveur au moment de sa débâcle financière. On en est aux reliques qu'il faut sauver. Il y a de la grandeur dans cette petite bourgeoisie d'Amsterdam qui, réduite au minimum vital, lègue un tableau qu'on ne veut pas vendre, et qui, vivant dans un univers sans argent, choisit les seules décisions qu'elle puisse encore prendre. Ce sont autant des gestes d'affection que des actes de sauvegarde pour des œuvres qui sont les plus hardies et les plus déconcertantes. Les plus hardies, car dans des rythmes amples Rembrandt parvient à une matière de plus en plus riche, où les couleurs montent en intensité. Les plus déconcertantes aussi, car ces couleurs très vives y sont réparties en plages qui débordent les

contours. Le dessin est aboli, les êtres ne sont pas circonscrits par une ligne. Ils surgissent dans une lumière qui les révèle, mais qui n'est pas celle du soleil dont l'optique connaît désormais les lois de diffusion. L'éclairage n'obéit plus chez Rembrandt qu'à une logique, celle du tableau. Le soleil est celui du peintre. D'où ces œuvres déconcertantes par l'intensité des couleurs et par la volonté de mettre en plein jour telles parties, d'accorder telles autres au demi-jour ou à la presque nuit. Que le tableau se trouve ainsi dans des heures différentes et dans des contrastes d'une violence jamais vue, voilà une indépendance vis-à-vis des règles scientifiques du réel qui ne peut que surprendre.

Rembrandt est désormais tout aussi indépendant dans la façon dont il habille ses personnages. On se souvient, au temps de sa maturité, de son goût pour les étranges costumes dont il revêtait Saskia. Il n'y a pas renoncé. Que ce soit pour son *Aristote*, pour sa *Junon* et maintenant pour le couple de *la Fiancée juive* qu'il est en train de peindre, il a toujours aimé inventer des habits que leur ampleur désignait pour une scène de théâtre et qui convenait bien à l'espace de ses tableaux. Costumes de l'imaginaire, costumes pour la couleur et la peinture, il les réservait jadis aux domaines des thèmes mythiques et historiques. Alors que désormais les rouges et les ors transfigurent en personnages d'exception, relevant de ses seuls rêves, hors des légendes constituées, les êtres qui au quotidien continuent à vivre dans la rigueur du noir et du blanc. Ceux-là, il excelle toujours à les peindre. Cette année, ses deux derniers clients ont frappé à sa porte. Ils voulaient leur portrait en pendants. Rembrandt les a vus dans leur jeune puissance, personnalités de la haute société, riches, sûrs d'eux-mêmes, possédant cette aisance à vivre qui ne s'acquiert que dès l'enfance. On sent que les domestiques attendent à la porte de l'atelier avec la voiture. L'homme tient ses gants qu'il vient d'ôter, la femme, un éventail en plume d'autruche. Elle porte peu de bijoux, mais beaux : une broche de diamants, un précieux bracelet d'or. Ce sont deux portraits que Rembrandt mène jusqu'à leur parachèvement, jusqu'au reflet sur les ongles, en même temps qu'il parvient à tenir ses modèles dans des volumes simplifiés, cylindres des manches de la femme, cône du mantelet de soie blanche posé sur les épaules. Du noir, du blanc, mais des noirs et des blancs somptueux dans une construction sévère.

A la même époque, il peint le tableau qu'on appellera *la Fiancée juive.* Un titre étrange quand on sait qu'il s'agit d'un couple et que la femme est enceinte. Mais Rembrandt a toujours eu le don de créer des œuvres qui deviennent célèbres sous des intitulés pour le moins inattendus : *la Ronde de nuit, la Pièce aux cent florins,* des titres qui ne correspondent pas réellement à ce que l'on voit, même s'il est vrai qu'on trouve de l'ombre et de la lumière dans le rassemblement des miliciens, que *le Christ guérissant les malades* a été estimé cent florins, et qu'il y eut sans doute aux côtés de Rembrandt plus de juifs qu'autour des autres peintres de son temps, encore que plusieurs artistes aient fait le portrait du même rabbin Menasseh ben Israël.

Ce titre de *Fiancée juive* donnera des idées aux historiens, qui, allant chercher dans les archives, y découvriront deux jeunes gens de la communauté juive d'Amsterdam, Miguel de Barrios et Abigaël de Pina, mariés à cette date de 1668 et qui seraient venus demander leur portrait de couple à Rembrandt. D'autres historiens pensèrent qu'il s'agissait plutôt du portrait de Titus et Magdalena, que Rembrandt aurait voulu voir en couple après les avoir peints séparément, Titus avec une loupe à la main et Magdalena tenant un œillet. Tout cela s'enchaînant au-delà de *la Fiancée juive* avec le *Portrait de famille,* représentant Magdalena veuve, après la mort de Titus, portant sur son visage une expression d'immense tristesse et tenant dans ses bras l'enfant qui vient de naître et que Titus n'a pas connu. Près d'elle se placerait Cornélia, puis François van Bijlert, le parrain de sa fille, venu avec son jeune fils qui se prénomme aussi François et qui, plus tard, épousera la petite Titia. Ainsi la chronique continuerait-elle de tableau en tableau, soulignant, après tant de désastres, la fragilité du groupe qui tente de se reconstituer. On est loin des abondantes lignées généalogiques, des portraits de vraies familles. Ici on trouverait davantage des rescapés qui se réconfortent de leur présence. Cornélia porte une corbeille de fleurs et de feuillages, François van Bijlert a une fleur rouge à la main et les boucles d'oreilles de la veuve ressemblent étrangement à celles de *la Fiancée juive*. Ce qui indiquerait que les deux tableaux (*la Fiancée juive* et *Portrait de famille)* racontent les deux faces de la même histoire : l'heureux moment du mariage du fils et la dure épreuve du veuvage de la belle-fille. Rembrandt les a voulus du même format : d'un tableau à l'autre, il continue son récit.

Cependant, certains historiens jugèrent ces deux hypothèses inacceptables, dans la mesure où les visages ne se ressembleraient pas d'un tableau à l'autre, et où dans *la Fiancée juive* il s'agirait d'une composition de Rembrandt sur le thème biblique de l'amour d'Isaac et de Rébecca, à moins que ce fût celui de Juda et de Thamar.

Peu nous importe, puisque finalement rien n'interdit de penser que les trois versions se superposent, même si à comparer les deux couples révélés dans le même atelier, à la même époque, celui des deux riches inconnus sobrement vêtus et celui rutilant de *la Fiancée juive*, on a tendance à penser que ce dernier n'est pas le portrait de modèles ayant posé à l'atelier, mais un tableau sur le thème de l'entente de l'homme et de la femme.

Toutefois, passer d'une hypothèse à l'autre donne le sentiment d'amputer le sens du tableau, d'y découper un seul fragment de signification. Il faut donc revenir vers l'œuvre. Dans un paysage de verdures confuses, on devine quelque chose d'un grand mur et de la structure d'une ville. Le couple rouge et or est debout devant un pilastre. Deux visages et quatre mains. L'homme se penche vers la femme qui se laisse regarder, les yeux ouverts sur rien d'autre que ses propres pensées. Sa main droite qui tient une fleur repose sur son ventre. Elle a la gravité confiante de l'épouse qui se sait porteuse d'un enfant et n'est occupée que de cette présence en elle. Lui l'entoure de son bras gauche. On ne voit que sa main qui apparaît en haut de l'épaule. La main droite est sur la robe à hauteur des seins, où la main gauche de la femme l'a rejointe. Les doigts s'effleurent. Contact léger. Rien ne pèse. L'homme regarde la main de la femme venue toucher la sienne sur la poitrine.

Trois mains, sur la poitrine et le ventre, au centre du tableau, et loin au-dessus, les deux visages, l'un qui s'incline vers l'autre. Trois mains suspendant leurs gestes, créant une verticale dont les mouvements doux répondent à la verticale rigide des piliers de l'architecture. Fondation de pierres, fondation d'un être à venir. Autour des mains et des visages : or, soie blanche, soie rouge; les couleurs règnent.

Les corps sont invisibles sous les vêtements. Le couple porte les couleurs qui le révèlent. Cela ne signifie pas que Rembrandt redoute la nudité. Avec *Danaé*, avec *Bethsabée*, avec la *Femme entrant dans la rivière*, il a prouvé qu'il aimait peindre le nu dans la pénombre d'une chambre, le crépuscule de la cour d'un palais, la lumière du plein air. Réconcilié avec les corps après les avoir, à ses débuts, montrés dans leurs défauts, il préfère maintenant les revêtir de ses couleurs et insérer leur présence dans les énormes structures des vêtements qui les habillent. Sur les corps, il place désormais ce qu'il aime peindre par-dessus tout : les modulations de la couleur en vastes surfaces. Quel souvenir des peintres de retables à la feuille d'or se manifeste en lui ? Peut-être pense-t-il au tableau d'Aert van Leyden qu'il posséda, retable où l'orfèvre et le peintre travaillèrent ensemble. Surtout revient son goût pour les robes lourdes et longues de la Renaissance, les vêtements chers à Cosimo Tura, Véronèse, Memling, Cranach, où la broderie et la joaillerie, courant entre les perles sur la peau, en faisaient valoir la finesse. Ici Rembrandt donne au portrait la matière de la légende.

La Fiancée juive est pour lui l'occasion de mêler l'union de Titus et de Magdalena avec les formes et les couleurs qui lui semblent exprimer le mieux ce qu'il pense de l'amour humain. Car s'il a souvent peint la traîtrise de Dalila, la fureur d'Assuérus, l'éclatement des couples, il se souvient d'avoir dessiné Saskia à la pointe d'argent, le troisième jour après leurs fiançailles, et de la confiance de son regard, il se souvient des souffrances des femmes, de Saskia mourant de l'épuisement de grossesses successives endeuillées, d'Hendrickje traitée de prostituée par les Frères du quartier. Or voici que Magdalena vient dans les bras de son fils. Il peint l'obstination des hommes et des femmes à s'aimer, à engendrer des enfants, à entreprendre à deux une existence qui sera difficile, traversée de dangers et de morts, lui dont les trois unions successives ont été brisées, il fait, en peignant ce tableau, l'éloge de cet engagement.

Qu'il se réfère à certains couples de la Bible, c'est normal, il connaît par cœur les textes où l'enfantement est accueilli comme un signe favorable de Dieu. Mais lui qui ne s'est jamais privé de faire apparaître les signes distinctifs, qui a placé une harpe près de David, un paon près de Junon, ne ressent plus le besoin d'expliquer ce qu'il peint par un accessoire ou un costume. Pas de turban oriental, pas de sabre recourbé. La Bible ? Il la vit dans le quotidien à Amsterdam. L'homme portera donc un chapeau de feutre noir et la femme, tête nue, aura les cheveux coiffés. S'étant débarrassé de toutes les obligations qu'il lui arrivait de respecter encore, il place dans ce tableau à la fois ceux qu'il aime et ce qu'il aime peindre. Son inquiétude se perçoit cependant. Le couple n'a rien de triomphant. Il le montre confiant et timide, volontaire et conscient de sa fragilité. Pas de sourire sur les deux visages. Seulement la douceur des gestes. Cela produit une œuvre déconcertante. Car que viennent faire ici, pour un mariage en 1668, ou pour une noce biblique, ce souvenir du costume à larges manches que porta l'Arétin dans son portrait par Titien ou cet autre souvenir de corselet brodé, de cette abondance de bijoux dont Hans Holbein avait montré l'éclat dans son portrait de la reine Anne de Clèves ? Sans doute de simples références à des œuvres chères où il trouvait les formes qui lui permettaient de construire ses volumes par la matière colorée : épaulette dorée tombant sur les plis d'une cascade de soie, énorme mouvement de tentacule d'où sortira la main de l'homme qui ira doucement se poser sur la poitrine de la femme. Le couple émerge en gestes légers d'un agencement souple de volumes géants qui renvoient dans l'ombre un décor imprécis. Son éclat est si grand qu'il fallait bien donner à la puissance de la rencontre un espace qui n'en comprimât pas l'explosion calme.

De loin, le tableau paraît construit à partir d'une vaste surface rouge, tache qui déborde, tache chaude, cellule majeure de l'œuvre. Trois mains y convergent pour souligner son importance.

De près, l'œil monte depuis le bas au long d'une paroi rouge où se creusent quelques ravins à pic. Montagne ? Non, mur textile cousu où se marquent des pans et quelques plis. A son côté s'élèvent les grands lais d'une carapace métallique, or sombre, cousus aussi.

La femme porte le rouge et l'homme porte l'or. Chacun son emblème. Ce ne sont pas des vêtements, mais des couleurs qu'ils habitent, et chaque couleur s'organise en bandes horizontales, verticales, obliques qui établissent les rythmes de ces étoffes monumentales à l'intérieur desquelles ils sont dissimulés. Deux massifs, l'un d'or, l'autre rouge, qui commencent au sol en plans obliques, puis se dressent graduellement vers le haut. Ainsi, dans les vallées, assiste-t-on au commencement des montagnes.

On connaît cette pâte colorée qui construit en touches le volume. Dans *Bethsabée*, elle apparaissait comme un grand enroulement se tordant sur lui-même, présence animale mystérieuse contrastant avec la nudité de la femme. Ici les êtres sont à l'intérieur. Rembrandt a placé ceux qu'il aime au creux de la peinture qu'il aime, il a placé deux portraits dans deux massifs de peinture.

C'est ainsi que cette *Fiancée juive* peut être comprise dans l'ambiguïté d'un double portrait attentif à la ressemblance des modèles et d'une composition où le peintre expose sa conception de l'amour humain, fusion de deux genres par ailleurs distincts, mais Rembrandt est le peintre de toutes les transgressions.

En réalité, *la Fiancée juive* nous renvoie à un autre tableau de couple peint, plus de deux siècles auparavant, par Jan van Eyck. Le peintre, au-dessus d'un miroir concave, y a inscrit dans une admirable calligraphie de lettres ornées : « Johannes de Eyck fuit hic 1434. » Devant nous, les époux debout dans des costumes somptueux. La robe de la femme ruisselle en longue traîne sur le sol, quatre mains, deux visages. Deux mains qui se joignent, paumes ouvertes. La femme protège son ventre de sa main gauche et l'homme lève sa main droite dans un geste de bénédiction. Les deux œuvres ont en commun le silence et la gravité des visages. Et pourtant si l'on perçoit les affinités qui s'établissent entre elles, on ressent aussi les changements intervenus dans les mentalités au cours des deux siècles qui les séparent et on distingue mieux l'originalité de Rembrandt. Le tableau de Jan van Eyck est plein d'objets : socques, petit chien, miroir, chapelet, tapis, lustre, fruit, courtines autour du lit, qui tiennent leur rôle dans la vie quotidienne du couple. Van Eyck ne les a pas choisis pour établir un inventaire, mais pour leur sens de symboles : la lumière des chandelles en plein jour, le lit amoureux, la pomme près de la fenêtre ou le luxueux petit animal à la mode. Il a placé les époux dans l'espace clos de leur chambre dont il a multiplié les dimensions, grâce à son miroir. Car les mariés vivent dans une boîte optique où l'espace s'étire et, en même temps, ils sont placés au cœur du monde.

Plus de deux cents ans après, dans un projet semblable, Rembrandt supprime tous les objets. Il rejette les beaux fauteuils, les tables, les instruments de musique, les livres, les écritoires, les vases de fleurs, les tapis, les bibelots rares que les peintres des couples ne cesseront jamais de répertorier. Pour lui qui a tant acheté, vendu, collectionné, l'objet n'a plus de sens. Le vivant de la matière picturale lui tient lieu désormais de possession. Rien d'autre n'a de valeur que la pâte colorée, son vrai domaine. Débarrassé des devoirs de la vision perspective, ayant jeté par-dessus bord tous les attirails et les vieilles règles, chères à ceux qui, comme Lairesse, ont approfondi les « lois éternelles de leur art », le réel est au bout de son pinceau, dans les enchaînements merveilleux des éclats de lumière. Le monde est plat, il ne mesure pas plus que l'épaisseur d'un corps humain. L'image est à regarder de face. Dans une seule perle du collier de Magdalena se trouve la perfection de la mécanique céleste. Dans ce microcosme, le macrocosme reconnaîtrait ses lois.

Rembrandt n'a plus qu'une année à vivre. En cette année 1668, il a beaucoup peint : *la Fiancée juive*, les portraits des deux riches inconnus, un portrait d'homme tenant une loupe (vraisemblablement Titus), le portrait de la femme à l'œillet (vraisemblablement Magdalena), et cela dans un rythme de création supérieur à celui des deux années précédentes.

Autour des siens, et pour eux, il a dressé le monument le plus hardi (et le plus troublant aussi, si l'on pense à ce qui se fait dans les autres ateliers). Cette *Fiancée juive* est vraiment un sommet d'audace. Ce qu'il a acquis en la peignant, il ne le mettra plus jamais en doute : demander à l'éclairage de créer un espace où insérer les volumes.

2

RETOUR DU FILS PRODIGUE

4 septembre 1668. Titus meurt. Né en septembre. Mort en septembre. Il n'a pas accompli ses vingt-sept ans. Quelle fut sa maladie ? Aucun document ne le dit. Ses portraits l'ont montré amaigri. Maladie pulmonaire comme celle qui aurait emporté Saskia ? L'a-t-il communiquée à Magdalena qui mourra un an plus tard ? Les documents se taisent.

Le cortège funèbre partit le vendredi 7 du logement sur le Singel, à l'enseigne La Balance d'Or qui signale la boutique de bijouterie-orfèvrerie d'Anna Huybrechts et son mari. Rembrandt suit le cercueil, la main de Cornélia dans la sienne.

Les portraits qu'il avait faits de Titus et récemment encore de Magdalena dans *la Fiancée juive* n'avaient donc servi à rien qu'à conserver des images. Pourtant, il y a dans sa peinture une telle charge de bonté, une telle puissance de sauvegarde de la vie... L'art décidément ne protège pas les êtres. Que dire à Magdalena, veuve après sept mois de mariage et enceinte ? Elle suit les porteurs du cercueil jusqu'à la Westerkerk, là même où cinq ans auparavant Rembrandt avait accompagné le convoi d'Hendrickje. C'est un bel édifice classique, la première église protestante de la ville conçue par l'architecte Hendrick de Keyser pour être un monument de la Réforme. Toutes les autres avaient été construites par les catholiques. Beauté des architectures sacrées. Cette beauté-là a-t-elle un sens quand on enterre son fils ?

En mars 1669 naissait l'enfant de Titus et Magdalena. C'était une fille. On l'appela Titia. Le baptême fut célébré le 22 mars dans une église très ancienne « Heilige Stede », le lieu saint, où l'on se souvenait d'un miracle autour d'une hostie. L'église était devenue ensuite celle des Allemands réformés, les luthériens, à laquelle appartenaient les Van Loo. Rembrandt vit que les volets de l'orgue avaient été peints par son ami Jan Asselyn. Un décor et rien de plus. A quoi sert l'art ?

Le parrain, François van Bijlert, signa le registre de la paroisse ainsi qu'Anna Huybrechts, et Rembrandt enfin. Le pasteur inscrivit le nom de l'enfant, Titia (qu'il écrivit Titie), fille de Titus van Rijn et de Magdalena van Loo.

Cette année 1669 est celle du *Retour du fils prodigue*, un grand tableau de 2,62 mètres de hauteur. Un espace très simple : au premier plan, un sol de dalles. Au fond, une arcade où s'accroche une treille. Cela est indiqué le plus discrètement possible comme dans l'espace de *la Fiancée juive*, juste quelques lignes pour suggérer quatre visages, l'un tout au fond, à peine visible, une jeune femme. Un autre plus proche qui paraît flotter dans l'air, une femme âgée et, plus proches encore, deux hommes vus en pied cette fois, l'un assis, l'autre debout. Quatre présences qui regardent, plus ou moins fortes, comme des êtres qui surgiraient du souvenir, qu'on distinguerait et reconnaîtrait plus ou moins. Ces êtres semblent perdus dans un passé lointain, mais commencent à en émerger. Le temps prend ici les dimensions de la profondeur du champ visuel, le passé le plus éloigné se perdant dans le brun sombre, le passé plus proche se distinguant par quelques lueurs d'un brun plus clair. Un peu plus près, l'homme assis se détache du fond par ses vêtements et son visage, par le rythme de ses bras et de ses jambes bien visible, par le noir puissant de son béret qui met en valeur ses moustaches blondes, son curieux visage aux orbites creuses et aux yeux sombres, impassible. Enfin voici l'homme debout, âgé, barbu, chemise d'un blanc jauni et manteau rouge, les deux mains appuyées sur sa canne, attentif lui aussi, mais le visage également inexpressif. La peinture le décrit avec assez de précision pour que, surgissant de l'oubli, il retrouve son nom.

Et qui va le nommer ? Un garçon, qui vient d'entrer dans la cour de la demeure et qui redécouvre les êtres de son passé. Comme ils ont vieilli ! On les croirait d'un autre monde. Fantômes ? Non, vivants, mais figés dans l'attente, comme hésitants encore à revivre devant lui, qui est, pour eux, un homme qu'ils croyaient perdu, qui s'était effacé progressivement de leur souvenir. Deux temps s'étaient séparés qui se rejoignent, deux cours de vie qui n'en forment plus qu'un, comme autrefois. Il y avait du silence, sur les hommes, sur les dalles lisses. Soudain, c'est comme un cri.

Le garçon s'est jeté à genoux sur les dalles. On le voit de dos, ses pieds nus sortis des sabots, dans sa robe couleur de boue séchée et de poussière, il est le brun le plus clair de la composition. Sa robe porte les plis d'un voyage infini, tous les accrocs, toutes les déformations d'une marche interminable. Il a le crâne rasé. Il cache sa tête sur le ventre du très vieil homme penché vers lui, dont le manteau rouge retombe comme les parois d'un abri, tandis que ses mains ouvertes pressent ses épaules.

A peine si le vieillard tient debout. Il était à l'instant de sa mort. Cela se voit au nez pincé, à la pâleur du visage, aux yeux baissés, pas tout à fait, presque comme ceux des défunts qu'une main a fermés.

Ce tableau, c'est quatre regards fixés sur l'entrée d'une jeunesse couverte de boue, tendue vers l'accueil fragile d'une vieillesse vêtue de rouge à qui la mort a accordé un ultime délai.

Ces deux êtres sont chacun au bout de leur route et le tableau est leur rencontre. En même temps, il explore les strates du souvenir. Plus on s'approche du fond, plus elles s'assombrissent. On va du précis vers l'indistinct, en traversant toute la gamme des bruns : d'abord le sable blond, puis le brun chauffé au rouge. Car le brun est la note de base, la valeur d'où naissent les autres valeurs. Seules, deux couleurs étrangères s'insèrent dans ce camaïeu, un vert sur le bonnet du vieillard et le noir du béret de l'homme assis. Le spectacle est organisé sur le contraste de surfaces lisses et de volumes froissés. La sinuosité de la treille sur le mur en donne un écho affaibli.

Tableau biblique que ce *Retour du fils prodigue.* Mais chez Rembrandt, pas de veau gras, seulement la puissance d'un amour qui se croyait éteint et qui flambe à nouveau entre un fils qui a échappé à la faim et à l'esclavage et un père tout à la joie de le retrouver.

Tel est le sens que Rembrandt lit dans la parabole. Excluant l'idée de la fête, il va à l'essentiel, la réunion de deux êtres séparés. Le tableau rend un son grave. S'il exprime un grand bonheur, il le place

chez deux hommes à la limite de l'épuisement, par une tête qui s'enfonce vers l'abri, deux mains qui pressent des épaules. Rembrandt fait de moins en moins parler ses personnages. Leurs gestes sont devenus de plus en plus rares : sur la poitrine de la *Fiancée juive*, la main de l'homme. Sur le dos du *Fils prodigue* les mains du vieillard. Toucher pour comprendre, avec des doigts d'aveugle.

On le sait si fortement impliqué dans son œuvre qu'on est toujours tenté d'y lire un reflet de sa vie propre, parfois comme un remède à ses angoisses. Il est vraisemblable qu'en peignant ce *Retour* il ait pensé à la mort de Titus, qui l'a privé de tout espoir de transmettre à son fils ce qu'il voulait lui dire.

Ainsi l'étreinte des deux hommes lui est-elle apparue comme le geste qu'il n'a pu faire. Chaque mort est une interruption. Mais, entre Titus et Rembrandt, on devine que bien des paroles manquèrent. Le père fut-il l'éducateur qu'il devait être? Le fils fut-il heureux, à la fin, de pouvoir aider celui qu'il jugeait trop grand pour oser le prendre pour modèle? En tout cas, dans ses œuvres, le peintre exprime que rien ne compte autant que l'entente primordiale : l'homme et la femme dans *la Fiancée juive*, le père et le fils dans *le Fils prodigue*.

Sans doute l'intérêt de ce tableau réside-t-il aussi dans l'espace que Rembrandt invente. On a vu comment s'y superposent les images floues de la mémoire et les présences bien distinctes de la vie. Une autre profondeur est là, celle qu'il avait négligé d'explorer aussi bien dans le *Claudius Civilis* que dans *la Fiancée juive*, tout occupé qu'il était alors de la luminosité modulant ses personnages. Or, avec *le Fils prodigue*, loin de percer les couloirs perspectifs qui satisfont la raison au détriment de l'émotion, il a peuplé l'espace de figures de moins en moins perceptibles au fur et à mesure que le regard s'approche du mur du fond. Il a créé une perspective émotionnelle, un espace affectif par lequel, une fois encore, il rejoint les Primitifs et leur façon de disposer les personnages, non pas selon la logique du point de vue, mais selon les tensions d'une action mise en surface. Rembrandt creuse son tableau, y dresse des apparitions plus ou moins nettes. En vérité, l'espace ne l'intéresse qu'imaginaire, quand il appartient à son invention. Il n'est plus régi par les mesures communes, mais par sa seule fantaisie. Cela ajoute à sa singularité.

3

PORTRAIT DE FAMILLE

Un peintre si fort! Rembrandt fut parfait dans *les Syndics des drapiers.* Mais il y eut cette histoire du *Claudius Civilis* exposé, puis escamoté. Cela a fait parler. On a dit qu'il divaguait, qu'il devenait vieux. L'opinion s'est partagée : si sa peinture faisait de moins en moins de gestes, pour les uns c'était faiblesse, pour les autres, il avait choisi de peindre des compositions calmes. Si ses tableaux n'avaient plus de profondeur visuelle, on pensait qu'il y voyait moins clair ou bien qu'il avait découvert un nouveau domaine, la couleur, qui le ramenait à la surface du tableau.

En fait, depuis des années, Rembrandt n'est plus dans la course. Il peut s'amuser encore à des exercices de virtuosité comme avec le verre sur la table du *Claudius Civilis* quasiment cimenté à la truelle et merveilleusement transparent, de toute façon il a cessé d'être comparable. L'opinion doit faire l'effort de l'apprécier au-delà des qualités de ressemblance, de véracité et d'expression sur lesquelles elle a coutume d'appuyer son jugement. Elle doit abandonner le vocabulaire comparatif qu'elle emploie, admettre qu'elle n'a plus de références pour l'estimer. Car désormais il faut choisir : accepter de voir Rembrandt s'éloigner sur son chemin en pensant que sa différence est celle de la sénilité, ou bien l'accompagner avec le sentiment d'assister à une aventure toute nouvelle. Ainsi ceux qui l'ont suivi dans l'éclat de *la Fiancée juive* et dans la complexité du *Fils prodigue* seront-ils attentifs au *Portrait de famille,* un tableau de groupe, typiquement hollandais et, selon le goût de Rembrandt d'alors, sans aucun décor flatteur. C'est une composition qu'il a voulue, qui, dans le même format, continue la volonté de *la Fiancée juive* de rassembler ceux qui lui sont chers : sa fille, sa belle-fille, sa petite-fille, le parrain du nouveau-né et son fils. Portrait imaginé. Jamais les cinq personnages ne se sont rassemblés ainsi devant lui. Il faut regarder ce tableau, qu'il a peint pour lui-même, comme la peinture de ses espoirs.

Religieux comme nous le connaissons, on aurait pu croire qu'il peindrait une Vierge à l'Enfant, une Sainte Famille. Non, il ramène tout vers les siens. Son univers tient à l'intérieur de la petite maison sur le Rozengracht. Seulement, cette famille, il la projette dans le monde fastueux qui est celui de sa peinture. L'extrayant de sa médiocrité quotidienne, il la revêt de ses couleurs, l'introduit dans sa matière, or, fourrure, argent, brocart, bijoux, soie, lui donne les plus belles parures, comme dans *la Fiancée juive*. Les voici donc tous les cinq, devenus des personnages de Rembrandt, habillés de Rembrandt, les visages et les mains émergeant des épaisses structures de lais cousus ensemble, s'articulant en bandes parallèles et construisant le mouvement de matières et de couleurs qui compose le rythme du tableau. Ici encore le rouge domine : immense tache de la robe de Magdalena, organisation de sa manche, robe, escarpin de l'enfant, tout est d'un rouge qui passe par toutes les nuances et s'éclaire de reflets blanc doré. Magdalena assise, Titia sur ses genoux, occupe la moitié du tableau. Sur l'autre moitié, Rembrandt a choisi de donner une couleur d'argent cuivré à Cornélia, d'argent bleuté au petit garçon.

François van Bijlert le parrain n'a pas encore sa couleur. Nous ne connaîtrons de lui que le bon visage rond de l'homme debout dont la stature solide se confond avec la couleur générale du tableau. La peinture ne fut pas achevée. Rembrandt l'a laissée dans un état comparable à celui de la *Junon*, nous donnant ici encore l'occasion de découvrir le processus de sa création. Comme dans la *Junon*, toutes les valeurs sont indiquées. Les lumières et les ombres ont structuré les couleurs. Le tableau semble se former simultanément en tous les points de sa surface. Certains sont plus avancés que d'autres, mais d'emblée il a fallu que les couleurs montent ensemble à l'intensité qu'elles conserveront jusqu'à l'achèvement.

Trois visages ont été menés jusqu'à l'accomplissement, ceux de Magdalena, François van Bijlert et de son fils. De Cornélia, Rembrandt a parachevé le costume et la corbeille qu'elle porte, mais nous n'avons de sa tête que le volume, la coiffure et les boucles qui encadrent le visage et retombent sur le cou, soulignant un profil grave face au garçonnet souriant. Quant à Titia, ce n'est pas le bébé de quelques mois qu'il a vu. Il l'a peinte dans un costume somptueux, collerette blanche, avec un béret de velours brillant qu'on a posé sur sa coiffe, en fillette gaie, qui tient un hochet dans une main et pose l'autre sur la poitrine de sa mère, geste reprenant celui de son père dans *la Fiancée juive.*

La robe de Magdalena n'est encore qu'une ébauche, une vaste surface rouge, dans laquelle il n'a indiqué qu'un pli pour répondre à d'autres obliques du vêtement, suggérer une force ascendante et cadrer ainsi le personnage. Il a commencé déjà la construction de la vaste manche. Il la dégage du fond en plaçant les accents dorés qui la séparent du corsage, puis il souligne la forme de l'épaule en y faisant retomber des pampilles. Ensuite, par des alternances de touches sombres et de touches claires, il marque l'arrondi du bras, descend le long de celui-ci jusqu'à la main qui va surgir d'une dizaine de touches claires formant la manchette blanche. C'est presque un travail de tailleur. Il la peint comme s'il en cousait les bandes de tissu parallèles. Elle deviendra l'équivalent de l'organisation métallique du bras de Titus dans *la Fiancée juive.* Quand les tableaux seront placés côte à côte, on aura ainsi, sur l'extrême gauche, la grande forme dorée du bras de Titus et, sur l'extrême droite, la puissance rouge du bras de Magdalena, les deux rouges des deux robes se répondant en écho rutilant, dialogue de deux taches mouvantes dans l'ombre. L'ensemble sera d'un éclat jamais vu.

Le *Portrait de famille* fut donc interrompu. Titia était née fin mars 1669. Rembrandt mourut début octobre. Quand on voit dans cette œuvre en cours par quelles préparations le peintre passe pour obtenir un accomplissement parfait comme celui du costume de Cornélia, qui donne aux yeux la sensation même du velours cousu en bandes, avec plus de force qu'il n'y en a dans les détails des maîtres de Leyde comme Gerrit Dou et Gabriel Metsu renommés à l'époque pour leur capacité à faire illusion, on comprend qu'il travaille toujours très vite, que, même dans les exercices de virtuosité, il demeure insurpassable.

Le tableau est interrompu et cependant signé sur le côté de la corbeille que porte Cornélia. La signature, dans une œuvre aussi inachevée, est inhabituelle. Il faut y voir la volonté du peintre. S'il a écrit son nom sur ce tableau invendable, estimant qu'il a fait l'essentiel de l'œuvre et qu'il n'en reste à accomplir que la finition qui n'est guère plus que la formule de politesse à la fin d'une lettre, c'est qu'il le destine à demeurer dans la famille. S'il pose sa marque, c'est aussi qu'il se veut présent dans le groupe et qu'il juge l'œuvre digne de son nom. Les témoins qui viendront chez lui en septembre rapporteront qu'ils n'ont vu qu'une toile en cours et que ce n'était pas celle-ci. A croire que ce *Portrait de famille* était trop du ressort intime pour qu'il ait accepté de le laisser voir.

En tout cas, la signature s'apparente à celle que Jan van Eyck avait inscrite au centre du portrait des époux Arnolfini, elle voulait bien dire : Rembrandt a été ici parmi les siens.

Hans Hartung, jeune peintre, cherchait sur des feuilles de papier quelque chose qui deviendrait, longtemps après, la peinture gestuelle. Quand il vit le *Portrait de famille* de Rembrandt au musée de Brunswick, le choc fut trop fort : il tomba évanoui devant le tableau.

4

LE VERSANT FROID DE LA PEINTURE

Si la maison sur le Singel est animée, avec l'enfant Titia, Magdalena et Anna qui, dans la boutique des Van Loo « Bijouterie-Orfèvrerie », accueille quelques clients, chez Rembrandt tout est silencieux. La vie est réglée. Cornélia s'occupe de tout. Trois chambres ont été fermées à clé. On y a mis les affaires d'Hendrickje et celles que Titus n'a pas emportées quand il s'est marié. Surtout on y a déposé les objets de leur commerce, les peintures, les sculptures, les cartons de dessins et d'estampes, les curiosités. La Société d'exploitation des œuvres de Rembrandt n'a pas été dissoute. Certes, son négoce est peu connu, mais quelques marchands amis, comme Abraham Francen, y envoient de rares clients, en quête de petits achats.

Parfois, un amateur se présente, comme ce Dirck van Cattenburch, que Rembrandt fréquente depuis bientôt quinze ans ; quinze ans qu'ils font des affaires ensemble, depuis le temps de la grande maison de la Sint-Anthoniesbreestraat, alors que Cattenburch avait signé à Rembrandt une traite de 1 000 florins. Vers la même époque, Rembrandt – qui n'avait pas fini de payer celle où il vivait – avait voulu lui acheter une maison, le paiement devant se faire moyennant 4 000 florins en liquide et 3 000 florins en estampes et tableaux. Outre des Brouwer et des paysages de Porcellis qu'il lui avait remis, Rembrandt s'était engagé à graver le portrait de son frère, le contrat mentionnant que l'estampe devait être aussi soignée que le portrait de Jan Six.

Les affaires ratées n'empêchent pas l'estime. En cette année 1669, Dirck van Cattenburch est revenu voir Rembrandt. Il lui a passé commande d'un tableau. On ne sait qui a proposé le thème, mais désormais, dans sa chambre, Rembrandt travaille à un *Siméon* qui lui est destiné.

Selon saint Luc, Siméon avait été averti par le Saint Esprit qu'il ne mourrait pas sans avoir vu le Seigneur. L'enfant Jésus, mené au Temple, avait été déposé par Marie entre les bras du vieil homme qui avait reconnu en lui le salut de Dieu.

Rembrandt, qui avait choisi une toile moins grande que pour *la Fiancée juive*, 92,5 cm de haut, était en train d'y travailler quand deux peintres vinrent le visiter. D'une famille de peintres, approchant de la cinquantaine, Allaert van Everdingen, était paysagiste. En Suède et en Norvège où il séjourna quatre ans, il était allé chercher les thèmes d'une nature terrible : montagnes tombant dans la mer, cascades, ravins profonds. Ainsi avait-il suivi l'exemple de son maître Roelandt Savery, qui avait rapporté du Tyrol des paysages effrayants.

Avec lui, il amenait son fils Cornelis. On ne manque pas l'occasion de pénétrer dans la maison d'une gloire nationale, même passée de mode. Sans doute les Everdingen avaient-ils une affaire à régler, peut-être voulaient-ils vendre ou acquérir quelque chose. Un Savery ? Rembrandt aimait ce peintre. En tout cas, ils virent chez lui le tableau en cours, ce *Siméon* qui prouvait que Rembrandt n'avait pas renoncé. Il ne céderait jamais au désespoir tant qu'il aurait la force de peindre. Et il était à quelques jours de sa mort.

Pourtant, il était fatigué. Le tableau nous le dit. Le thème de Siméon lui convenait, qui faisait se rejoindre un vieillard et un nourrisson, les deux extrémités de la vie, une rencontre qui reprenait la tendresse du *Retour du fils prodigue*, bien qu'ici la notion fût plus subtile. Ce n'était plus le contact de deux êtres qui s'étaient crus morts et se retrouvaient, mais la coexistence de deux concepts : d'un côté le très vieil homme qui sait qu'il mourra quand il verra la preuve vivante de l'avenir de sa foi, de l'autre un enfant dont le destin sera, trente ans plus tard, de changer le sens du monde. C'est un tableau charnière entre l'Ancien Testament et le Nouveau Testament, mais Rembrandt n'y embouche pas les trompettes de l'allégorie, il ne réinvente pas les colonnes du Temple et ses obscurités qu'il avait eu plaisir à peindre autrefois, il montre un être dans les derniers instants de sa vie, un être qui vient du fond des âges pour côtoyer la faiblesse d'un nouveau-né emmailloté dans ses couvertures, petite face ronde où il reconnaît la voix de l'Esprit saint qui affirme à travers les millénaires la continuité de l'idée qui sauve le monde.

Faiblesses réunies, le vieillard reçoit sur ses avant-bras le petit corps, mais il ne l'a pas serré contre lui. Il n'a pas besoin de vérifier en le tenant le plus près possible que cet être est celui qu'il attendait. Il sait, il sait dans sa pensée, sans qu'il soit nécessaire que le contact des corps le confirme. Le tableau est fait d'éloignements physiques pour mieux révéler l'enchaînement spirituel qu'il représente. Rembrandt, qui dans le *Portrait de famille* avait choisi la chaleur du rouge, l'éclat de l'argent, passe cette fois sur le versant froid de la peinture, du côté de la mort : peau parcheminée, froissée, os sans muscle, bouche entrouverte sur le dernier souffle des agonisants, yeux aveugles. La peau colle comme une feuille de papier aux pommettes, au nez, aux orbites, elle jaunit ; les rides semblent avoir creusé jusqu'à l'os du front. Couleurs froides : un brun comme un tissu de bure, des blancs qui varient du jaune cadavérique à l'argenté. La couleur de l'hiver. Mais la sérénité est si grande que la scène n'a rien de désespéré. Sous la fragilité des formes humaines, on passe d'une fin à un début, d'un oméga à un alpha, avec le sentiment que la continuité est assurée, que les combats seront sans fin, mais que la nuit ne viendra jamais, qu'il y aura toujours la lumière qui émane de quelques êtres.

La lumière n'est plus le rayonnement éblouissant, les gloires du soleil que Rembrandt a peintes et gravées. Il n'y a plus de source unique vers quoi tourner les yeux. Les lueurs circulent d'un être à l'autre. La clarté est faible, mais elle clignote ici et là. Et d'abord sur l'Enfant. Puis sur cette troisième figure qui se dégage de l'ombre, la Vierge qui baisse les yeux sur lui, et à qui Siméon a prédit que son âme serait transpercée.

Siméon est le tableau de la séparation physique, l'envers du *Retour du fils prodigue*, de *la Fiancée juive*, du *Portrait de famille*, autant d'œuvres qui parlaient de rapprochement des êtres. Ici, il ne peut s'agir que d'un dernier message avant le départ. Sans regret, sans déchirement, dans une sorte d'éloignement progressif, car la dispersion n'a aucune importance pour qui croit qu'on se rassemblera dans l'Esprit. Un dernier instant encore, le vieillard, l'enfant, la femme sont ensemble. Ils composent un même bloc, une forme rassurante en demi-cercle, mais on sent que bientôt ce dernier abri va se défaire dans le froid qui augmente. Le sujet exténue la peinture comme le jeûne le corps.

Rembrandt a commencé le tableau comme naguère avec des surfaces de couleur auxquelles il a donné un premier frémissement. Avec le pinceau, le couteau à palette, les doigts, il a créé des matières grenues, des froissements, des contrastes de pointes dressées et de plans lisses. Il a doucement organisé la clarté sur la robe de l'Enfant, blanc, vert-de-gris, taches sombres, creux, gonflements, la matière est vive comme avant, mais ralentie par le froid. Cela est conforme au thème, mais s'il regarde ses tableaux précédents, il comprend que leur silence, l'immobilité des personnages, la profondeur de champ réduite, préparaient progressivement son arrêt. Il suffisait de passer de la chaleur à la froideur des couleurs. La nouveauté révélait l'usure. La fin rattrapait ce qu'il prenait pour un début. La mort n'était que l'autre face de la création.

Quand un art abandonne le mouvement, on peut croire qu'il approche de la sérénité. Mais le sens est toujours multiple. Le calme est aussi le symptôme d'une baisse des énergies, du blocage des articulations. Apaisement et épuisement font une rime riche. Ce tableau-là aussi, il ne le terminera pas.

Rembrandt est vieux et, cette fois, il le sait. Le ralentissement du rythme de ses compositions, leur frontalité, leur indifférence croissante envers les profondeurs perspectives, en témoignent d'un côté. De l'autre, les couleurs ont monté leur intensité, l'espace est selon son gré, les matières ont accru leur richesse. Rembrandt a fait une peinture aussi dense, peut-être plus dense que le réel. Sur le plateau de la balance, il y a ici des signes de vieillesse, là une innovation totale. Fin et renouvellement sont indissociables. Au moment de peindre *Siméon*, quand il a mis le froid sur sa palette, il a compris qu'il allait s'arrêter. En menant sa peinture à un degré qu'elle n'avait pas connu auparavant, il a découvert soudain qu'il l'avait, sans savoir, conduite au seuil de la mort, exactement comme Siméon sur les bras duquel on a posé l'Enfant.

Dans ce tableau de l'avant-dernier souffle, il a réuni deux morts prochaines, celle du vieillard et celle de sa peinture. Conjonction exceptionnelle du thème et de l'art. Conjonction exceptionnelle aussi dans l'histoire. Goya brossera à grands traits raides sa jeune *Laitière de Bordeaux*, Pierre Bonnard éparpillera ses dernières lueurs sur le printemps d'un arbre en fleur, Hans Hartung, armé d'une sulfateuse, libérera sur les toiles les dernières éjaculations de la couleur, tous appréhendant avidement la gaieté de l'avenir. Rembrandt s'accorde mieux avec l'ultime toile de Titien, une *Pietà* où le peintre presque centenaire, insoucieux lui aussi de finition, attentif seulement à l'essentiel, allume dans la niche, devant laquelle s'effondre le Christ mort, les lumières du soleil sur la mer. Chez Titien, le mort est entouré de vivant. Chez Rembrandt, la peinture tout entière devient lumière blafarde du tombeau, faiblissant sans cesse. Sa peinture se regarde mourir.

Et lui se regarde dans son miroir, pour s'y interroger. Il n'est pas de ceux qui se désespèrent de mourir. Sa foi le soutient. Et puis, il y a tant de morts autour de lui, il ne fait plus qu'attendre l'heure du passage avec détachement.

En cette année 1669, il se peint deux fois calmement, en deux portraits où il ne fait pas étalage de sa puissance créatrice, et qui sont vraiment des études cliniques de ce qu'il est devenu, un petit vieux au gros nez dont les cheveux gris bouffent sous le bonnet. Sur l'un des portraits, il porte moustache ou ce qui en subsiste ; sur l'autre, il est rasé et, à nouveau, on voit la verrue qu'il a au-dessus de la lèvre. De l'un à l'autre, il ne suit pas sa dégradation, ne recherche pas le constat dramatique des progrès d'une déchéance. Non, dans l'un et l'autre, il se peint dans le même état.

Dans la chambre où il travaille, il a juste le nécessaire pour vivre : un lit dont il tire les courtines pour se protéger du froid et de la lumière, une couverture, un traversin, cinq oreillers, une table de chêne et son tapis, une chaise, les tableaux auxquels il travaille. Aux fenêtres, quatre rideaux verts et, sur le mur, le miroir dans lequel il se regarde. Il va du lit à la table, de la table aux fenêtres, des fenêtres au miroir et ainsi reprend le va-et-vient jusqu'au moment où il s'arrête devant son chevalet et se met à peindre. Est-ce par ennui qu'il se peint ? Par inquiétude ? Pour y voir clair ?

Sur un de ses portraits, il s'était d'abord représenté avec ses armes, pinceau et appuie-main. Puis il les a enlevées et il s'est croisé les mains, comme quelqu'un qui est dans l'attente. Mais il a vu dans ses yeux une vivacité, une de ces lueurs légères qui accompagnent le sourire, juste avant ou juste après le sourire. Quelque chose l'amusait. Il venait de plaisanter, ou allait plaisanter, il a saisi ce moment fugitif, pas mécontent de montrer que la peinture peut prendre au vol une nuance si fine, rien qu'avec l'accent mis au-dessous et au-dessus de la bouche sur quelques poils blancs. Du coup, il a signé le tableau.

Sur l'autre portrait, la même année, il se montre inexpressif. L'œil qu'il scrute est bien éclairé par le jour de la fenêtre, mais comme indifférent. Rembrandt est toujours là, massif, vivant, mais il a cessé d'être concerné. Grossi, le double menton est de plus en plus évident. Lui qui s'est dessiné, gravé, peint une centaine de fois depuis plus de quarante ans, d'abord spectateur de scènes dramatiques, puis tête d'étude pour toutes les expressions qu'il pouvait prendre devant le miroir, surpris, hautain, ricanant, gueux criant seul dans le désert de la rue, noble jeune homme, débauché, ivre, inquisiteur, somptueusement vêtu ou dans ses habits de travail, et même en roi trônant au milieu de sa famille, qui s'est recherché dans tous ses aspects, grimaces, états imaginables, qui a été le premier sujet de sa peinture dans toutes les étapes de sa vie et de son art, il ne peut, au moment qu'on dit le plus difficile de l'existence, l'approche de la fin, abandonner cette analyse. Mais il a perdu toute envie de dramatiser sa figure. Puisqu'il se dispose à l'absence définitive, il faut y préparer les autres aussi et faire silence. Ainsi, le jour du silence définitif, les autres croiront-ils qu'il est toujours dans sa chambre, à peindre.

A-t-il mis ses affaires en ordre ? Quelles affaires ? Il ne possède plus rien. Tout appartient à la Société de Titus et d'Hendrickje, morts tous deux. Cornélia héritera de ses hardes. Les tableaux qui sont dans la maison appartiendront à sa fille, héritière d'Hendrickje, et à sa belle-fille, héritière de Titus. Il n'est pas nécessaire de dicter un testament.

La connaissance qu'il a des œuvres du passé l'a persuadé que, le temps dispersant les œuvres, personne ne peut reconstituer les étapes d'une création. Les *Vies* de peintres qui commencent à se multiplier sont pleines d'erreurs. Alors pour qui, sinon pour lui-même et la peinture, peint-il les étapes de sa disparition personnelle ?

Conteur d'une aventure dont il présume que personne ne l'écoutera, il mène son récit jusqu'au bout. Aucun peintre n'a encore tenu avec autant de persévérance une telle chronique. Sans doute pense-t-il que c'est par elle qu'il se distinguera le plus nettement des autres. Le peintre aura été le sujet de sa peinture, c'est sa réplique à Rubens et Velázquez, portraitistes des empereurs et des rois, des princes et des grands de ce monde. Rembrandt a peint Rembrandt. Et jusqu'au bout.

Il mourut le 4 octobre 1669 dans sa petite maison sur le Rozengracht. Cornélia alla prévenir d'abord Rébecca Willems, la voisine qui était une amie de sa mère, puis Anna et Magdalena sur le Singel. Elle ne voulait pas rester seule avec son père mort dans la maison.

Désormais nous n'entendrons plus que la plume des greffiers courir sur le papier.

5

CHEZ LES NOTAIRES

Le 5 octobre, on fit l'inventaire des biens. Le corps était là. Les obsèques n'auraient lieu que le 8. On se pressait parce qu'il fallait éviter que les créanciers, apprenant le décès, ne dressent l'oreille et ne viennent faire valoir leurs droits. Il fallait établir très vite, devant notaire, que le failli Rembrandt ne possédait rien et que les objets de valeur de la maison ne lui appartenaient pas, qu'ils étaient la propriété de la Société d'exploitation fondée en 1660 par Hendrickje et Titus, dont les héritières étaient Magdalena, veuve, et Cornélia, mineure. Cornélia devait être représentée par son tuteur, ce qui fut fait. Magdalena et Christiaen Dusart, le peintre, accompagnèrent le notaire pendant tout l'inventaire.

D'abord, ils lui demandèrent d'apposer les scellés sur les portes de trois chambres de la maison. Tout ce qui s'y trouvait, peintures, estampes, antiquités, objets de curiosité, appartenait à la Société qui, pour endormie qu'elle semblât, n'en existait pas moins. Il restait à inventorier le vestibule (plus exactement la pièce d'entrée), la cuisine et deux chambres, celle du devant et celle de derrière. Ce fut vite fait. Car, si lors de l'exploration de la grande demeure de la Sint-Anthoniesbreestraat, les huissiers avaient dénombré trois cents items sur leur registre, ici on n'en fit apparaître que cinquante. Au contraire de ce que Rembrandt avait fait dans l'espoir de valoriser ses biens lors de l'inventaire de la grande maison, Christiaen Dusart et Magdalena évitèrent les précisions. Il fallait que la succession fût considérée comme pauvre. Ce qu'elle était. Le dénuement apparut, chaque pièce ne contenant que le strict nécessaire pour vivre, le minimum utilitaire. Quant aux tableaux, aucun détail ne précise ce qu'ils étaient. Par exemple, dans la chambre de Rembrandt où il y avait le lit, la table, la chaise, le miroir, les rideaux verts de fenêtre et quatre tableaux inachevés, on ne mentionne pas leur sujet.

Même sécheresse de description pour ce qui se trouve dans le vestibule : une presse et son escabeau, une Bible, quatre chaises espagnoles et vingt-deux tableaux, les uns achevés, les autres pas. Or c'est là que Rembrandt accrochait ses propres peintures ! Magdalena et Christiaen y firent passer rapidement le notaire, à moins que celui-ci n'ait volontairement fermé les yeux pour ne noter qu'une quantité. Ainsi on ne saura pas ce qui était vendable (achevé) et ce qui ne l'était pas (inachevé).

Dans le cabinet, il y avait une armoire dont on précisa qu'elle était en sapin, de bois pauvre donc. C'est là qu'on serrait les objets de valeur, dit l'inventaire, mais cette armoire, on ne l'ouvrit pas. Par contre, on dénombra deux plats en étain, des chandeliers, six chopes à couvercle, les rideaux des fenêtres, d'autres chandeliers, la grosse lanterne pour sortir la nuit, une bassine en cuivre, un mortier en cuivre, un plat en fer, cinq mauvaises chaises et trois pauvres petites peintures. Le notaire précise bien « trois pauvres petites peintures ».

Dans la chambre de derrière, vraisemblablement celle où dormait Cornélia, on répertoria deux lits, quatre couvertures, un traversin, des coussins, des draps neufs, des draps usagés, des chemises, de vieilles cravates (et des neuves), des manchettes, une dizaine de bonnets, huit mouchoirs, une penderie et un vieux miroir. Où était passé le luxe d'antan ?

Dans la cuisine, il y avait deux tables, une grande pour y manger et une petite, quatre chaises en mauvais état, ainsi que les accessoires de la cheminée, crémaillère, pelle à cendres, sept plats en terre, une marmite en fer, trois grils et quelques vieux ustensiles que le notaire n'estima pas nécessaire de dénombrer.

Ainsi Me Meerhout avait-il achevé le tour de la maison, faisant ce qu'on lui demandait, jouant à celui qui n'avait jamais entendu parler du célèbre Rembrandt. Mais sur un point son inventaire ne trompe pas : dans cette demeure, on vivait au plus juste. Les chroniqueurs qui recueilleront les témoignages des contemporains noteront que le peintre vivait frugalement : un hareng et du pain lui suffisaient. Mais si la fin de sa vie fut austère, il fallait bien qu'il y fût obligé. Dans ses peintures, au contraire, il donnait aux siens et au monde les couleurs les plus riches.

En Europe, certains connaissaient la force de son œuvre. Pour la collection du roi Louis XIV, on achetait des recueils où se trouvaient plusieurs centaines de ses estampes. A Paris, en 1655, on avait payé plus de 800 livres le premier état de son portrait de Jan Six. Mais lui l'ignorait et ces amateurs-là se souciaient peu qu'il fût vivant ou mort.

8 octobre. Amsterdam est parcourue de vents brefs et de giboulées fraîches. Les amis et les parents se sont réunis au domicile mortuaire. Les funérailles ne seront pas luxueuses, pas non plus misérables. Le pasteur est monté jusqu'à la chambre. Devant le corps, il a lu quelques versets de la Bible. Puis on a vissé le couvercle du cercueil et on l'a recouvert d'un drap noir aux armes de la Guilde des peintres de la ville. Le mort est abandonné aux hommages, la réconciliation s'opère. Tout rentre apparemment dans l'ordre.

On a entendu les cloches de la Westerkerk toute proche. Les porteurs ont placé le cercueil sur un brancard et le cortège s'est formé derrière eux. On longe le canal, on tourne à gauche sur le Prinsengracht et on est aussitôt sur la place. Il y a là Cornélia qui donne la main à Christiaen Dusart, puis Magdalena avec sa mère Anna. Il y a aussi Louis Crayers qui fut le tuteur de Titus et parvint à lui faire percevoir quelque argent de l'héritage de sa mère, François van Bijlert, Abraham Francen, pharmacien, marchand, collectionneur qui habite le quartier. Et aussi le peintre Roelant Roghman, ainsi que le jeune peintre Cornelis Suythof qui épousera Cornélia, et encore quelques anciens élèves qui ne se sont pas dispersés dans le pays : Salomon Koninck, Grebrand van den Eeckhout, et des voisines liées à Hendrickje : Meycken Christoffels et Rebecca Willems qui ont vu grandir Cornélia.

Les Everdingen sont-ils venus ? Et Jan Six ? Et Dirck van Cattenburch ? Et Jan Lievens qui, dans sa jeunesse, avait tant compté pour Rembrandt ? Il avait habité sur le même canal, le Rozengracht. Aujourd'hui, il travaille à Leyde, à La Haye. On sait qu'il a perdu l'année précédente sa seconde épouse et qu'il a, lui aussi, connu de graves soucis d'argent puisque ses biens ont été saisis. Mais tout un pan de la vie de Rembrandt a disparu des mémoires. Jan Lievens mourra dans cinq ans. On l'enterrera dans une autre église d'Amsterdam, la Nieuwekerk.

Les hommes sont revêtus des longues capes noires qu'il convient de porter dans les enterrements. Leurs silhouettes anonymes entrent dans l'église, écoutent le service funèbre, accompagnent le cercueil jusqu'à la dalle qu'on vient de soulever sous une des colonnes de la façade nord. On l'y descend. Attente en file pour le dernier regard. La cérémonie est terminée.

Sur le Begraafboek, le Livre des sépultures de la Westerkerk, le pasteur a écrit à la date du 8 octobre 1669, « *Rembrandt van Rijn, schilder, op de Roosegraft, tegenouer het Doolhof, laet na 2 kynder,* laisse deux enfants mineurs ». Et le prix de la cérémonie : 20 florins. Pour ce prix, on a fourni la bière, le linceul, les tréteaux et les porteurs qui furent seize. Magdalena et Christiaen Dusart avaient dit au notaire qu'ils donneraient l'argent, en avance sur la succession. Les obsèques de Titus avaient coûté deux fois moins cher.

Sur le Rozengracht, les voisins ne s'attendaient guère à ce que la maison demeurât ouverte comme le voulait la tradition et que les amis, les relations, les gens du quartier, vinssent après le service présenter leurs condoléances à la famille et se faire offrir à boire. Qui, parmi eux, pouvait penser que, dans cette maison, parmi des tableaux inachevés, se trouvait un portrait de cette famille et que cette toile deviendrait précieuse pour des milliers de personnes ? Ils ne connaissaient que les deux enfants vivants que laissait le défunt. La maison demeura fermée. Silence des tombes. Hendrickje, Titus, Rembrandt à la Westerkerk et bientôt Magdalena, pour que le destin soit accompli.

Les chroniqueurs arrivèrent trop tard. Ils vinrent voir les tableaux et interrogèrent ceux qui avaient connu le peintre. Le seul des témoins oculaires qui écrira sur lui sera Gérard de Lairesse, et nous savons ce qu'il en fut. Les autres ne furent pas si méprisants, mais répandront cette idée que Rembrandt était un créateur à part, ce qui était jeter une suspicion sur son œuvre. La peinture suivait un cours qui l'éloignait de lui et, dans ces conditions, nul, par la suite, ne trouva indécent que le Conseil de l'église de la Westerkerk confiât la décoration des volets des grandes orgues à Gérard de Lairesse.

Cela se fera en 1686. Ces volets, on les ouvrira et on les fermera au-dessus de la dalle mortuaire. Dix-sept ans après sa mort : Rembrandt, os blanchis.

Nul ne s'apercevra que son autoportrait doré où il confrontait son rire avec la gravité d'un masque de philosophe antique se mettra alors à rire un peu plus fort. Ça ne durera qu'un instant, au moment où il recevra le rayon d'une lumière étrange, celle de l'incendie qui, en 1906, détruisit l'orgue et ses volets.

Encore un grattement sur le papier. L'administration hollandaise fonctionne très bien. Quoi qu'il arrive, il y a toujours un bureau qui enregistre. Aucun événement ou débat qui n'y aboutisse. Les Hollandais fréquentent leurs notaires avec exactitude. Ainsi pendant un an au moins, on verra au fil de leurs registres se prolonger une histoire d'armoire, l'armoire d'Hendrickje dont ils avaient déjà fait mention lors de l'inventaire de la maison de la Sint-Anthoniesbreestraat, en 1656. Cette armoire était maintenant celle de Cornélia. Il fallait le certifier devant notaire. Rébecca Willems vint donc affirmer qu'il y avait dans cette armoire de l'argent que Hendrickje destinait à sa fille. On peut parier qu'il s'agit de cette armoire en sapin qui se trouvait dans le cabinet de Rembrandt, dite « armoire pour des objets de valeur ».

Finalement on fit les comptes. On régla les dernières dettes de Rembrandt et de Titus à l'amiable, entre François van Bijlert et Christiaen Dusart : de l'argent contre des gravures et des dessins de Lucas de Leyde. Et la Chambre des orphelins s'occupa de Titia, à qui le 11 octobre 1669 elle donna pour tuteur François van Bijlert. C'était une façon de régulariser le *Portrait de famille*, portrait dont un personnage ne pourra plus témoigner : Magdalena van Rijn, née Van Loo, qui meurt deux semaines après Rembrandt et qu'à nouveau un cortège conduit depuis la maison du Singel près du Marché aux pommes vers la Westerkerk. Magdalena avait vingt-huit ans. Son mari, Titus, avait été conduit vers la même église en septembre de l'année précédente. Cette fois, le coût de la cérémonie fut de 10 florins.

Le jour même de ses obsèques, le 21 octobre 1669, Me Meerhout qui avait répertorié les biens de Rembrandt visita sa demeure. Pour le guider il y eut cette fois Anna, la mère de Magdalena avec Titia dans les bras. La visite du notaire prit une allure bien différente de celle qui s'était faite sur le Rozengracht. Cette fois, les tableaux furent décrits avec précision. L'inventaire les présente en deux catégories : d'une part, quatre scènes populaires d'Adriaen Brouwer, une figure de prêtre et un paysage de Jan Lievens, une marine de Porcellis, deux portraits de Ferdinand Bol ; de l'autre, trois recueils d'estampes rares de Rembrandt et les portraits de famille : Rembrandt, Saskia, Titus, qui sont présentés sous leur titre : beau-père, belle-mère, mari. L'inventaire ne mentionne pas le nom d'Hendrickje qui n'était pas épouse légitime, ni le portrait d'Anna. Mais peut-être la veuve avait-elle repris le tableau pour elle. Voilà, tout semble enfin être entré dans le bel ordre des comptabilités exactes.

Mais si nous rangeons ce registre, nous pouvons en ouvrir un autre, le dernier, concernant les deux enfants mineurs. Titia épousera le fils de François van Bijlert. C'était dit dans le *Portrait de famille.* Quant à Cornélia, pendant qu'il y a contestation au sujet de la pauvre succession de Rembrandt, car François van Bijlert tente de savoir à combien se monte l'héritage de sa pupille, elle va commencer une nouvelle vie. Avec l'accord de son tuteur Abraham Francen, elle va, orpheline, épouser un orphelin. Les promesses de mariage seront échangées le 3 mai 1670 entre Cornélis Suythof, peintre, vingt-quatre ans, et Cornélia van Rijn, dix-huit ans. On lit au bas de l'acte les deux signatures, Cornélis et Cornélia. Le 5 octobre, les deux époux viennent chez le notaire dicter leur testament. Comme ils disent qu'ils ne possèdent rien, cela ira très vite. Leurs biens futurs iront à leurs enfants, quand ils en auront. Cependant le notaire note encore qu'ils sont sur le départ pour les Indes néerlandaises, très précisément pour Batavia et qu'ils embarqueront sur le *Tulpenburgh.* Cornélis signe d'une écriture compliquée et mal assurée, Cornélia avec les pleins et les déliés d'une jeune femme organisée, qui rappellent son profil volontaire du *Portrait de famille.* Au notaire elle déclare quitter la Hollande sans rien emporter. Elle abandonne un univers compliqué, les splendeurs déconcertantes de la peinture de son père et les difficultés de la vie. Cherche-t-elle à oublier tout cela ? Cherche-t-elle à oublier tous ces morts autour d'elle ? Sans doute.

Et pourtant les archives, auxquelles il arrive d'être émouvantes, nous diront la fidélité qu'elle garda à ses parents, preuve qu'elle les aimait sans détour : ce sont simplement deux noms de baptême enregistrés à Batavia, au bout du monde, un petit garçon baptisé le 5 décembre 1673 et prénommé Rembrandt, une petite fille déclarée le 14 juillet 1678 et portant le prénom d'Hendrickje.

Sur ces derniers crissements de plume d'un notaire hollandais qui, sous les palmiers des Oost-Indies, fit une faute d'orthographe en écrivant le nom de Rembrandt, nous refermons ce registre.

Chercher Rembrandt. Un squelette, une armoire, un catalogue.

A l'automne 1989, les étudiants en archéologie de l'université de Leyde furent autorisés à faire des fouilles dans les sépultures de la Westerkerk à Amsterdam. Ils espéraient trouver et identifier le squelette de Rembrandt. La télévision néerlandaise les a montrés tout émus de brandir un fémur, un tibia, un crâne. Le crâne de Rembrandt ? Un étudiant le laissa choir sur les dalles de l'église où il se brisa en cent morceaux.

En 1980 à Amsterdam, sur le Waterlooplein, au marché aux puces, j'ai vu une armoire de sapin très sale, très déglinguée. L'armoire d'Hendrickje ? Le pauvre meuble dont personne ne vit jamais ce qu'il renfermait et qu'on a suivi cependant d'inventaire en inventaire pendant treize années ? Qui fut le cœur du secret, la réserve cachée où Rembrandt plaça les florins qui lui permirent de survivre, déguisé en vieux pauvre, irresponsable, sous tutelle, dans la maison mystérieuse du Rozengracht ? J'aurais dû l'acheter. Mais ce genre d'objet, même s'il nous parle du dévouement d'Hendrickje, ne peut apparaître que chez des brocanteurs du rêve. Son destin est d'être invisible.

A La Haye, en 1982, les plus savants connaisseurs rassemblés sous l'enseigne du « Rembrandt Research Project » ont publié le premier tome de leur catalogue raisonné de l'œuvre peint, un travail scientifique dont l'exigence réduit toujours le nombre des œuvres d'un artiste. Pourtant ôter à Rembrandt *l'Homme au casque d'or* ou le

Cavalier polonais produisit, même au-delà des cercles d'érudits, des réactions douloureuses. On lut dans la presse que refuser *l'Homme au casque d'or*, c'était toucher aux profondeurs de la culture occidentale. L'image était si essentielle que nous en avions fait le décor d'un briquet jetable.

Mais le mal était fait. Quand j'ai vu *l'Homme au casque d'or* à Berlin, j'ai été déçu. Je suis sûr que je ne l'aurais pas été si l'on n'avait pas mis en doute ce tableau. Et j'en ai voulu aux experts de m'avoir abîmé cette œuvre. Quant au *Cavalier polonais*, les experts se sont ravisés et il est redevenu un authentique Rembrandt. Chercher Rembrandt ne finira jamais.

J'ai peut-être donné l'impression que Rembrandt, mis en faillite, ruiné, pas toujours reconnu par l'opinion pour le génie qu'il fut, n'avait pas été aimé dans son pays. On ne peut pour autant en faire un artiste maudit. La preuve du contraire est dans le nombre de musées des Pays-Bas qui conservent ses œuvres. Elles ont été acquises de son vivant par les institutions officielles (médecins, milices, syndics), par le souverain, et conservées par la République. Certes, les particuliers n'ont pas résisté au prix qu'on leur offrit des portraits de leurs ancêtres. Mais la fidélité hollandaise à ses peintres ne fait que mieux mesurer l'indifférence française envers des artistes comme Georges Seurat ou Paul Cézanne. Et aujourd'hui, à quels artistes sommes-nous indifférents ? Jean Arp ? Hans Hartung ?

Quant aux mises en doute posthumes, elles tiennent à l'évolution du goût comme aux informations que les investigations scientifiques nouvelles nous fournissent. Rembrandt attire toujours une interrogation passionnée. Il exerce aussi une fascination sur les malades mentaux, puisque ses tableaux sont agressés plus souvent que d'autres. Ainsi *la Ronde de nuit*, attaquée au couteau le 14 septembre 1975, reçut-elle un jet de vitriol le 6 avril 1990, à Amsterdam. A Kassel, le 7 octobre 1978, vitriol déjà sur *la Bénédiction de Jacob*. Les aliénés s'intéressent à ses œuvres. Pourtant, les psychanalystes les ont moins étudiées que celles de Léonard de Vinci. Il est vrai que *la Joconde* a circulé encore plus dans les magazines, sur les boîtes de dragées et les couvercles de camembert. Mais il y a aussi une saturation Rembrandt dans les médias, puisque la

Californie nous a envoyé un dentifrice et un rince-bouche (sans alcool) portant le nom de Rembrandt. Le slogan de la marque était : « Souriez plus blanc avec Rembrandt, le dentifrice à blanchir. »

Quand le nom d'un peintre se répand dans le commerce universel (on a vu récemment Picasso devenir une automobile), il reçoit une charge magnétique nouvelle qui lui vaut des glissements de sens, des changements de valeur. Le son du nom déborde la signification de l'œuvre. Démence et dentifrice peuvent alors devenir son lot.

Est-ce là ce qu'on appelle la gloire ?

La célébrité est destructrice. Elle oblige le tableau à ressembler à l'image que des millions d'êtres s'en sont fait, souvent d'après des images qui ne se présentent pas comme des transpositions, mais comme leur reproduction exacte. Les conservateurs qui ont la charge de ces œuvres se sentent dans l'obligation de les garder en l'état que l'opinion publique leur attribue. Il faut donc les maintenir dans leur fonctionnement maximal. Car le tableau n'est pas différent de l'être humain, il prend des rides, il perd ses couleurs, il vieillit. La restauration ne fait pas mieux que la chirurgie esthétique. Il y a, dans les laboratoires des musées, un acharnement esthétique qui ressemble à l'acharnement thérapeutique enfin dénoncé dans les hôpitaux.

Chercher Rembrandt, Rembrandt s'éloigne sous la charge des commentaires, sous les jets d'acide, sous l'usure de l'âge, sous les interventions des spécialistes qui, à travers les siècles, ont enlevé un ciel, ajouté un personnage, coupé la toile ici ou là. La merveille est que l'œuvre a résisté, qu'elle nous interpelle encore, alors que tant de tableaux ne donnent pas envie de les interroger.

TABLEAUX CITÉS

(Dimensions en centimètres. Hauteur x Longueur.)

Chapitre I

Autoportrait au butor. 121 x 89. 1639. Dresde. Staatliche Kunstsammlungen. Gemäldegalerie.
La Clémence de Titus. 89,8 x 121. 1626. Leyde. Musée De Lakenhal.

Chapitre II

La Lapidation de saint Étienne. 89,5 x 123,5. 1625. Lyon. Musée des Beaux-Arts.
Jésus chassant les marchands du Temple. 43 x 33. Moscou. Musée Pouchkine.
L'Anesse de Balaam. 63 x 46,5. 1626. Paris. Musée Cognacq-Jay.
Tobie et Anna. 39,5 x 30.1626. Amsterdam. Rijksmuseum.
La Fuite en Égypte. 26,4 x 24,2. 1627. Tours. Musée des Beaux-Arts.
Le Changeur. 32 x 42. 1627. Berlin. Staatliche Museum. Gemäldegalerie.
Saint Paul en prière. 72,8 x 60,3. 1627. Stuttgart. Staatgalerie.
Samson et Dalila. 59,5 x 49,5. 1626. Berlin. Staatliche Museen. Gemäldegalerie.
Le Peintre dans son atelier. 25 x 31,5. 1628. Boston. Museum of Fine Arts.
Judas rendant les trente deniers. 80 x 102. 1629. Yorkshire. Collection particulière.

Les Pèlerins d'Emmaüs. 39 x 42. Paris. Musée Jacquemart-André.
La Résurrection de Lazare. 93,5 x 81. Paris. Musée Jacquemart-André.
Le Christ en croix. 100 x 73. 1631. Le Mas d'Agenais, Lot-et-Garonne. Église paroissiale.
Autoportrait. 23,4 x 12,2. Kassel. Staatliche Kunstsammlungen. Gemäldegalerie.
Autoportrait. 15,5 x 12,7. 1629. Munich. Alte Pinakothek.
Autoportrait. 37,5 x 29. La Haye. Mauritshuis.
Autoportrait. 22 x 16,5. New York. Metropolitan Museum.
Autoportrait. 89 x 73,5. Boston. Isabella Gardner Museum.

CHAPITRE III

Andromède. 34,5 x 25. La Haye. Mauritshuis.
L'Enlèvement de Proserpine. 83 x 78. Berlin. Staatliche Museen. Gemäldegalerie.
Diane et Actéon. 73,5 x 93,5. Rhede (Allemagne) Collection Salm Salm.
L'Enlèvement d'Europe. 60 x 77,5. New York. Collection Klotz.
Portrait de Maurits Huygens. 31,2 x 24,6. 1632. Hambourg. Kunsthalle.
Portrait de Jacob III de Gheyn. 29,5 x 24,5. 1632. Londres. Dulwich College.
Portrait d'Amalia van Solms. 78,5 x 55,5. 1632. Paris. Musée Jacquemart-André.
La Leçon d'anatomie du docteur Tulp. 169,5 x 216,6. 1632. La Haye. Mauritshuis.
Portrait de jeune fille. 63 x 48. Allentown (Pennsylvanie). Art Museum.
Portrait de jeune fille. 69 x 53. 1632. Boston. Art Museum.
Portrait de Saskia. Dessin. 18,5 x 10,7. 1633. Berlin. Kupferstichkabinett.
Portrait de Jan Uytenbogaert. 132 x 102. 1633. Buckinghamshire (G. B.). Collection particulière.
Portrait d'un couple. 131 x 107. 1633. Boston. Isabella Gardner Museum.
Portrait d'un constructeur de navires. 114,5 x 169. 1633. Londres. Buckingham Palace.
Portrait de Jan Krul. 128,5 x 100,5. Kassel. Staatliche Kunstsammlungen Gemäldegalerie.
Portrait de John Elison. 173 x 124. 1634. Boston. Museum of Fine Arts.
Portrait de Mary Bockenholle, épouse Elison. 174,5 x 124. Boston. Museum of Fine Arts.

CHAPITRE IV

L'Érection de la croix. 96,2 x 72,2. Munich. Alte Pinakothek.
Descente de croix. 80,4 x 65,2. Munich. Alte Pinakothek.
L'Ascension. 92,7 x 86,3. 1636. Munich. Alte Pinakothek.
La Mise au tombeau. 92,5 x 68,9. 1639. Munich. Alte Pinakothek.
La Résurrection. 91,9 x 67. 1639. Munich. Alte Pinakothek.
L'Adoration des bergers. 97 x 71,3. 1646. Munich. Alte Pinakothek.
La Circoncision. Tableau perdu. Copie : Brunswick. Herzog Anton-Ulrich Museum.
Saskia au collier de perles. 66,5 x 49,5. 1633. Amsterdam. Rijksmuseum.
Saskia riant. 52,5 x 44,5. 1633. Dresde. Staatliche Kunstsammlungen. Gemäldegalerie.
Autoportrait. 55 x 46. 1634. Berlin. Staatliche Museen. Gemäldegalerie.
Saskia au chapeau rouge. 99,5 x 78,8. Kassel. Kunstsammlungen. Gemäldegalerie.
Saskia en Flore. 125 x 101. 1636. Saint-Pétersbourg. Musée de l'Ermitage.
Saskia en Flore. 123,5 x 97,5. Londres. National Gallery.
Saskia en Artémis (ou Sophosnibe). 142 x 153. 1634. Madrid. Musée du Prado.
Saskia en Minerve. 137 x 116. 1635.
Saskia et Rembrandt (le Fils prodigue). 161 x 131. Dresde. Staatliche Kunstsammlungen. Gemäldegalerie.
Portrait de la mère de Rembrandt. 79,5 x 61,7. 1639. Vienne. Kunsthistorisches Museum. Gemäldegalerie.
Saskia à l'œillet. 98,5 x 82,5. 1641. Dresde. Staatliche Kunstsammlungen. Gemäldegalerie.
Danaé. 185 x 203. Saint-Pétersbourg. Musée de l'Ermitage.

CHAPITRE V

Le Sacrifice d'Abraham. 193 x 133. 1635. Saint-Pétersbourg. Musée de l'Ermitage.
L'Enlèvement de Ganymède. 71 x 130. 1635. Dresde. Staatliche Kunstsammlungen. Gemäldegalerie.
Samson menaçant son beau-père. 158 x 129. 1635. Berlin. Staatliche Museen. Gemäldegalerie.

Samson aveuglé par les Philistins. 236 x 302. 1635. Berlin. Stadelsches Kunst Institut.

Le Mariage de Samson. 126 x 175. 1638. Dresde Staatliche Kunstsammlungen. Gemäldegalerie.

La Prière de Manoah. 242 x 263. Dresde. Staatliche Kunstsammlungen. Gemäldegalerie.

Le Festin de Balthazar. 167,5 x 209. Londres. National Gallery.

La Ronde de nuit. 359 x 438. 1642. Amsterdam. Rijksmuseum.

Paysage avec le bon Samaritain. 46,5 x 66. 1638. Cracovie. Musée Czartoryski.

Paysage avec le pont de pierre. 29,5 x 42,5. Amsterdam. Rijksmuseum.

Paysage avec l'obélisque. 55 x 71,5. Boston. Isabella Gardner Museum.

Paysage d'orage. 52 x 72. Brunswick. Staatliche Herzog Anton-Ulrich Museum.

Paysage avec un coche. 47 x 67. Londres. Wallace Collection.

Paysage au château. 44,5 x 70. Paris. Musée du Louvre.

Le Christ apparaissant à Marie Madeleine. 61 x 49,5. Londres. Buckingham Palace.

CHAPITRE VI

La Réconciliation de David et d'Absalon. 73 x 61,5. 1642. Saint-Pétersbourg. Musée de l'Ermitage.

La Sainte Famille. 117 x 91. 1645. Saint-Pétersbourg. Musée de l'Ermitage.

La Sainte Famille. 46,5 x 68,8. Kassel. Staatliche Kunstsammlungen Gemäldegalerie.

Paysage d'hiver. 17 x 23. 1646. Kassel. Staatliche Kunstsammlungen Gemäldegalerie.

Femme nue au lit. 81 x 67. Édimbourg. National Gallery of Scotland.

Les Pèlerins d'Emmaüs. 68 x 65. Paris. Musée du Louvre.

CHAPITRE VII

Le Festin de Balthazar. 167,5 x 209. Londres. National Gallery.

Aristote contemplant le buste d'Homère. 143,5 x 131,5. 1653. New York. Metropolitan Museum.

Bethsabée. 142 x 142. 1654. Paris. Musée du Louvre.
Hendrickje se baignant. 61,8 x 47. 1655. Londres. National Gallery.
Titus à son pupitre. 77 x 63. 1655. Rotterdam. Musée Boymans-Van Beuningen.
Titus lisant. 70,5 x 64. Vienne. Kunsthistorisches Museum. Gemäldegalerie.
Le Cavalier polonais. 116,8 x 134,9. New York. Frick Collection.
Le Bœuf écorché. 94 x 67. 1655. Paris. Musée du Louvre.
La Leçon d'anatomie du docteur Deyman. 100 x 134. 1656. Amsterdam Rijksmuseum.
Portrait du docteur Tholinx. 76 x 61. 1656. Paris. Musée Jacquemart-André.
Autoportrait. 53 x 43,5. 1657. Édimbourg. National Gallery of Scotland.
Autoportrait. 49,2 x 41. 1657. Vienne. Kunsthistorisches Museum. Gemäldegalerie.
Autoportrait. 133 x 103,8. 1658. New York. Frick Collection.
Philémon et Baucis. 54,5 x 68,5. 1658. Washington. National Gallery of Art.

CHAPITRE VIII

La Conjuration de Claudius Civilis. 196 x 309. 1661. Stockholm. National Museum.
Les Syndics des drapiers. 191 x 279. 1662. Amsterdam. Rijksmuseum.
Portrait équestre de Frédéric Rihel. 294,5 x 241. 1663. Londres. National Gallery.
Junon. 127 x 107,3. Los Angeles. County Museum.
Lucrèce. 120 x 101. 1664. Washington. National Gallery of Art.
Lucrèce. 105 x 92,5. 1666. Minneapolis Institute of Art.
Portrait de Gérard de Lairesse. 112,4 x 87,6. New York. Metropolitan Museum.

CHAPITRE IX

La Fiancée juive. 121,5 x 166,5. Amsterdam. Rijksmuseum.
Portrait de l'homme aux gants. 99,5 x 82,5. Washington. National Gallery of Art.

Portrait de la femme à l'éventail. 99,5 x 83. Washington. National Gallery of Art.
Portrait d'homme à la loupe. 91,5 x 74,5. New York. Metropolitan Museum.
Portrait de femme à l'œillet. 92 x 74,5. New York. Metropolitan Museum.
Portrait de famille. 126 x 167. Brunswick. Staatliche Herzog Anton-Ulrich Museum.
Le Retour du fils prodigue. 262 x 206 Saint-Pétersbourg. Musée de l'Ermitage.
Siméon et l'enfant Jésus. 98 x 79. Stockholm. National Museum.
Autoportrait. 86 x 70,5. 1669. Londres. National Gallery.
Autoportrait. 59 x 51. 1669. La Haye. Mauritshuis.

BIBLIOGRAPHIE

DOCUMENTS :

Hofstede de Groot, *Die Urkunden über Rembrandt,* La Haye, 1906.

W. Strauss et M. van der Meulen, *The Rembrandt Documents,* New York, 1979.

PEINTURE :

Catalogues raisonnés : Adolf Rosenberg, *Klassiker der Kunst,* Stuttgart, 1909.

Hofstede de Groot, 1915.

K. Bauch, 1966.

A. Bredius, révisé par Horst Gerson, 1969.

Horst Gerson, Paris, 1969.

Paolo Lecaldano, préface de Jacques Foucart, Paris, 1971.

Rembrandt Research Project, La Haye, Londres, Boston, depuis 1982.

GRAVURE :

Catalogues raisonnés : Ludwig Munz, 1952.

Christopher Wright et Karel G. Boon, Amsterdam, 1969.

Karel G. Boon, Paris, 1989.

Sophie de Bussière, *La Collection Dutuit,* Musée du Petit-Palais, Paris, 1986.

DESSIN :

Catalogues raisonnés :

Otto Benesch, 1973.

Bob Haak, 1974.
Seymour Slive, New York, 1965.

ÉLÈVES :

Sumowski : *Gemälde der Rembrandt Schüler,* Landau, *et Drawings of the Rembrandt School,* New York, 1979. Derniers volumes parus à Landau en 1990 et 1994.
Bij Rembrandt in de Leer, Museum Het Rembrandt Huis, Amsterdam, 1984.
Jacques Foucart, *Peintres rembranesques au Louvre,* Paris, 1988.
Emmanuel Starcky, *Rembrandt et son école,* Cabinet des dessins, Musée du Louvre, Paris, 1988.

JAN LIEVENS :

Museum Anton-Ulrich, Brunswick, 1979.
Prenten en Tekeningen, Museum Het Rembrandt Huis, *Peter Schat born,* Amsterdam, 1988.

AERT DE GELDER :

Rembrandt laatste leerling, D. Bijker, Dordrecht et Cologne, 1998.
Exposition Walraf, Richartz Museum, Cologne, 1999.

ET AUSSI :

D'Ailly's Historische Gids van Amsterdam, mis à jour par H. Wijnman, Amsterdam, 1963.
Frits Lugt, *Mit Rembrandt in Amsterdam,* Berlin, 1920.
Boudewijn Bakker et Maria van Berge-Gerbaud, *Rembrandt et Amsterdam,* Fondation Custodia, Paris, 1998.
Roger Avermaete, *Rembrandt et son temps,* Paris, 1952.
Paul Zumthor, *La Vie quotidienne aux Pays-Bas au temps de Rembrandt,* Paris, 1959.
Les Autoportraits de Rembrandt, expositions à Londres et La Haye, 1999. Catalogue par Christopher Wright et Ernest Van de Wetering.
Pascal Bonafoux, *Rembrandt, autoportrait,* Genève, 1985.
Jeroen Gitaij, *Ruffo en Rembrandt,* over een Siciliaanse verzamelaar in de 17° eeuw, Rotterdam, 1997.
Svetlana Alpers, *L'Atelier de Rembrandt,* Paris, 1991.
Christopher Brown, Jan Kelch, Pieter van Thiel, *Rembrandt et son atelier,* Paris, 1991.

Rembrandt not Rembrandt, exposition du Metropolitan Museum, New York.
Ernest van de Wetering, *Rembrandt, the Painter at Work,* Amsterdam, 1997.
W. A. P. Smit et P. Brachin, *Vondel,* Paris, 1964 ; et aussi : Otto Benesch, *Collected Writings,* Londres 1970. Christopher Wright, *Rembrandt,* Londres, 1984.
On trouvera la documentation la plus complète sur Rembrandt et son époque au Rijksbureau voor Konstarchief, à La Haye. A Paris : Institut néerlandais, Fondation Custodia et à la Bibliothèque Jacques-Doucet, Institut d'art et d'archéologie. Bibliothèque nationale de France.

INDEX

TABLE

Cet ouvrage composé
par EDITEC à Paris
a été achevé d'imprimer sur presse Cameron
dans les ateliers de Brodard et Taupin
à la Flèche (Sarthe)
en juillet 1999
pour le compte des Éditions de l'Archipel
département éditorial
de la S.A.R.L. Écriture-Communication.

Imprimé en France
N° d'édition : 292 – N° d'impression : 6341W
Dépôt légal : août 1999

Prais

A SPY

"A **breakneck** thriller." —*The Plain Dealer*

"**Razor-sharp writing, laugh-out-loud humor.** . . . A real treat for thriller fans tired of more of the same old same old." —*Publishers Weekly*

"Thomson again hits a sweet spot in this **highly original thriller**, balancing **gripping action** sequences with humor. . . . Buoyant, fast and fun."

—*Kirkus Reviews*

"It really, **really IS like Ludlum.**" —*Daily Record*

"Thomson is now on my shortlist of authors **I will drop whatever I'm doing to read.**"

—Jon Jordan, *Crimespree Magazine*

"**James Bond**, take a number."

—*The Birmingham News*

"Couple the cheddar-sharp wit of Carl Hiaasen with the **action-packed** styling of Robert Ludlum and you get Keith Thomson's *Twice a Spy*."

—*Fredericksburg News*

"Fast, furious and entertaining."

—*The Sudbury Star*

"A **fast-moving** plot with lots of twists and lots of chases—car, ambulance, and even amphibious vehicle." —*Mystery Scene Magazine*

"Explosive." —*The Examiner*

Keith Thomson

TWICE A SPY

Keith Thomson is a former semipro baseball player in France, an editorial cartoonist for *Newsday*, a filmmaker with a short film shown at Sundance, and a screenwriter who currently lives in Alabama. He writes on intelligence and other matters for *The Huffington Post*.

www.keiththomsonbooks.com

Also by Keith Thomson

Once a Spy

TWICE A SPY

TWICE A SPY

Keith Thomson

Anchor Books
A Division of Random House, Inc.
New York

FIRST ANCHOR BOOKS MASS MARKET EDITION,
FEBRUARY 2012

Originally published in hardcover in the United States by Doubleday,
a division of Random House, Inc., New York, in 2011.

Anchor Books and colophon are registered trademarks
of Random House, Inc.

This is a work of fiction. Names, characters, places, and incidents
are either the product of the author's imagination
or are used fictitiously. Any resemblance to actual persons,
living or dead, events, or locales is entirely coincidental.

The Library of Congress has cataloged the Doubleday edition as follows:
Thomson, Keith
Twice a spy / by Keith Thomson. —1st ed.
p. cm.
1. Fathers and sons—Fiction. I. Title.
PS3620.H745T95 2011

Anchor ISBN: 978-0-307-47315-8

www.anchorbooks.com

Printed in the United States of America
10 9 8 7 6 5 4 3 2 1

For Richard and Winyss

All that is necessary for the triumph of evil
is for good men to do nothing.

—Edmund Burke

Part One

Ghosts in the Snow

1

"Do you see a ghost?" Alice asked.

"You'd know if I did because I'd mention it." Charlie fixated on someone or something behind her, rather than meet her eyes as he usually did. "Or faint."

"*Ghost* is trade lingo for someone you take for a surveillant, but, really, he's just an ordinary Joe. When you have to look over your shoulder as much as we have the past couple of weeks, it's only natural that everybody starts seeming suspicious. You imagine you've seen one of them before. It's hard to find *anybody* who doesn't look like he works for Interpol."

"Interpol would be an upgrade." Charlie laughed a stream of vapor into the thin Alpine air. "After the past couple of weeks, it's hard to find anybody who doesn't look like a veteran hit man."

Charlie Clark owned no Hawaiian shirts. He didn't chomp on a cigar. In no way did he match anyone's conception of a horseplayer: He was a youthful thirty with a pleasant demeanor and strong features in spite of Alice's efforts to alter them—a brown wig hid his sandy blond hair, fake sideburns and a silicone nose bridge blunted the sharp contours of his face, and oversized sunglasses veiled his intelligent blue eyes.

But—tragically, Alice thought—until being thrust on the lam two weeks ago, Charlie had spent 364 days a year at racetracks. And that number would have been 365 if tracks didn't close on Christmas Day. He lived for the thrill not merely of winning but of being right. As he'd often said: "Where else besides the track can you get that?"

So why, Alice wondered, had his attention veered from the race?

Especially this race, a "white turf" mile with thoroughbreds blazing around a course dug from sparkling snow atop the frozen Lac de Morat in Avenches, Switzerland, framed by hills that looked like they had been dispensed by a soft-serve ice cream machine, sprinkled with chalets, and surrounded by blindingly white peaks. Probably it was on an afternoon just like this in 1868 that the British adventurer Edward Whymper said of Switzerland, "However magnificent the imagination may be, it always remains inferior to reality."

And Edward Whymper didn't have a horse poised to take the lead.

Flying past four of the nine entries, Charlie's choice, Poser Le Lapin, spotted a gap between the remaining two.

Knowing almost nothing about the horses besides their names, Charlie had taken a glance at the auburn filly during the post parade and muttered that her turndowns—iron plates bent toward the ground at a forty-five-degree angle on the open end of the horseshoes—would provide better traction than the other entrants' shoes today.

Alice followed his sight line now, up from the snowy track apron where they stood and into the packed grandstand. Ten thousand heads pivoted at once as the horses thundered around the oval.

It was odd that Charlie wasn't watching the race. More than odd. Like an eight-year-old walking past a candy store without a glance.

The horses charged into the final turn. Alice saw only a cloud of kicked-up snowflakes and ice. As the cloud neared the grandstand, the jockeys came into view, their face masks bobbing above the haze. A moment later, the entire pack of thoroughbreds was visible. Cheers from the crowd drowned out the announcer's rat-a-tat call.

Poser Le Lapin crossed the wire with a lead of four lengths.

Alice looked to Charlie expecting elation. He remained focused on the grandstand behind him, via the strips of mirrored film she'd glued inside each of his lenses—an old spook trick.

"Your horse won, John!" she said, using his alias.

He shrugged. "Every once in a while, I'm right."

"Don't tell me the thrill is gone."

"At the moment, I'm hoping to be wrong."

A chill crept up her spine. "Who is it?"

"Guy in a red ski hat, top of the grandstand, just under the Mercedes banner, drinking champagne."

She shifted her stance, as if to watch the trophy

presentation like everyone else. Really she looked into the "rearview mirrors" inside her own sunglasses.

The red ski hat was like a beacon.

"I see him. What, you think it's weird that he's drinking champagne?"

"Well, yeah, because it's, like, two degrees out."

Alice usually put great stock in Charlie's observational skill. During their escape from Manhattan, in residential Morningside Heights, he'd pegged two men out of a crowd of hundreds as government agents when they slowed at a curb for a sign changing to DON'T WALK; real New Yorkers sped up. But after two harrowing weeks of being hunted by spies and misguided lawmen who shot first and asked questions later, anyone would see ghosts, even an operator with as much experience as she had.

"Sweetheart, half the people here are drinking champagne."

"Yeah, I know—the Swiss Miss commercials sure got Switzerland wrong. The thing is the red hat."

"Is there something unusual about it?"

"No. But he was wearing a green hat at lunch."

2

The man in the blood-red knitted ski cap looked as if he were in his late twenties. Gaunt and pallid, he was Central Casting's idea of a doctoral candidate. Which hardly ruled him out as an assassin. Since he had been dragged into this mess two weeks ago, the killers Charlie had eluded had been disguised as a jocular middle-aged insurance salesman, a pair of wet-behind-the-ears lawyers, and a fresh fruit vendor on the Lower East Side.

"You're sure you saw him at the café?" Alice asked.

"When I doubled back to our table to leave the tip, I noticed him in the corner, flagging the waitress all of a sudden. What's that spook saying about coincidences?"

"There are none?"

"Exactly."

"*I* never say that. The summer I was eleven, I got a Siamese cat. I named him Rockford. A few weeks later, I started a new school, and there was another girl who had a Siamese cat named Rockford. Coincidence or what?"

"I always wondered about that saying."

"In any case, why don't we go toast your win?"

One of their exit strategies commenced with a walk

to the nearest concession stand. "I would love a drink, actually," Charlie said.

Leaving the track apron, they stepped into a long corridor between the rear of the grandstand and Lac de Morat's southern bank. While his nerves verged on exploding, she retained her character's bounce. In fact, if he hadn't been in the same room this morning when she was getting dressed, he might not recognize her now. She remained a stunning woman despite a drab wig and a prosthetic nose that called to mind a plastic surgeon's "before" photo. Ordinarily she moved like a ballerina. Now the thick parka, along with the marble she'd placed in her right boot, spoiled her stride. And her sunglasses, relatives of the ski goggle family, concealed her best feature, bright green eyes that blazed with whimsy or, at times, inner demons.

No one else was in the corridor. But would anyone fall in behind them?

Charlie's heart pounded so forcefully that he could barely hear the crunching of his boots through the snow.

Sensing his unease, Alice took his hand. Or maybe there was more to it than that. Twelve days ago, caring only that he and his father were innocent, she decided to help them flee the United States in direct defiance of her superiors at the National Security Agency. "Girlfriend" was just her cover then. Their first night in Europe, however, it became reality. Since then, their hands had gravitated into each other's even without a threat of surveillance.

She steadied him now.

He recalled the fundamental guiding principle of countersurveillance, which she'd taught him: See your pursuers, but don't let them know you see them.

The spooked-up sunglasses—part mirror, and, to the uninitiated, part kaleidoscope—made it difficult to find a specific person behind him, or for that matter a specific section of grandstand. He fought the urge to peer over his shoulder. As little as a backward glance would be enough for the man in the red hat to smell blood.

"See anything?" Charlie muttered.

"Not yet." Alice laughed as if he'd just told a joke.

They came to a white cabana tent with a peaked top. Inside, a rosy and suitably effervescent middle-aged couple popped corks and filled plastic flutes with the same champagne whose logo adorned banners all around the racecourse. Falling into place at the end of the small line enabled Charlie and Alice to, quite naturally, turn and take in their environs: Thirty or forty white-turf fans wandered among the betting windows, Port-o-Lets, and a dozen other concessions tents.

No man in the red hat.

And the corridor behind the grandstand remained vacant.

Charlie felt only the smallest measure of relief. Their tail might have passed them to another watcher. Or put cameras on them. Or fired microscopic transponders into their coats. Or God knew what.

"Sorry about this," Charlie said.

"About what?" Alice seemed carefree. Part of which was her act. The rest was a childhood so harrowing and a career full of so many horrors that she rarely experienced fear now. If ever.

"Talking you into coming here."

"Knock it off. It's breathtaking."

"To a track, I mean. It was idiotic."

"Hermits are conspicuous. We have to get out some of the time."

"Just not to racetracks. Of course they'd be watching racetracks."

"Switzerland has an awful lot of racetracks, not to mention all the little grocery stores that double as offtrack betting parlors. And there's no reason to think that anyone even knows we're in Europe. Also this isn't exactly a racetrack. It's a course on a frozen lake—who knew such a thing existed?"

"*They* know. They always do."

"They" were the so-called Cavalry, the Central Intelligence Agency black ops unit pursuing Charlie and his father, Drummond Clark. Two weeks ago, after the various assassins all failed their assignments, the Cavalry framed the Clarks for the murder of U.S. national security adviser Burton Hattemer, enabling the group to request the assistance of Interpol and a multitude of other agencies. With no way to prove their innocence, the Clarks knew they wouldn't stand a chance in court. Not that it mattered. The Cavalry would avoid the hassle of due process and "neutralize" them before a gavel was raised.

Readying a twenty-franc note for two flutes of champagne, Alice advanced in line. "Look, if they're really that good, they're going to get us no matter what, so better here than a yodeling hall."

She could always be counted on for levity. It was one of the things Charlie loved about her. One of about a hundred. And he barely knew her.

He was wondering how to share the sentiment when a young blonde emerged from the corridor behind the grandstand, a Golden Age starlet throwback in a full-length mink. Breathing hard, perhaps from having raced to catch up to them. Or maybe it was the basset hound, in matching mink doggie jacket, wrenching her forward by his expensive-looking leather leash.

Clasping Charlie's shoulder, Alice pointed to the dog. "Is he the most adorable thing you've ever seen or what?"

Charlie realized that pretending not to notice the dog would look odd. Acting natural was part of Countersurveillance 101. The best he could muster was "I've always wanted a schnauzer."

"Why a schnauzer?" Alice asked.

All he knew about the breed was that it was a kind of dog.

The starlet looked at them, her interest apparently piqued.

"I just like the sound of *schnauzer*," Charlie said.

The woman continued past as a slovenly bald man stumbled out of a Port-o-Let, directly into her path. She smiled at him.

Women like her don't smile at guys like that, Charlie thought. Especially with Port-o-Lets in the picture.

Alice noticed it too. She yawned. "Well, what do you say we head back to Geneva?"

Charlie knew this really meant leave for Gstaad, sixty miles from Geneva.

Fast.

3

As he and Alice entered the parking lot—a plowed meadow across the street from the Lac de Morat—she maintained a vivacious conversation, raving first about the white-turf races and then about a new refrigerator she had her eye on.

They approached the silver-gray BMW 330 sedan she'd rented under a Norwegian alias. The 330 was one of the ten most popular models in Switzerland and number one in Gstaad, where they were renting a chalet, or, more accurately, where the fictitious CFO of her fictitious Belgian consulting firm was renting a chalet.

They intentionally bypassed their 330 in favor of another silver-gray BMW.

"Oh, wait, that's not us," Alice said.

Doubling back provided the opportunity to glimpse reactions from the twenty or so other drivers returning to the parking lot. Charlie spotted a man fumbling with his keyless remote. Probably a result of the champagne in his other hand. Or the champagnes that had preceded it. Everyone else proceeded directly to their cars.

Gstaad was a forty-five-minute drive from Avenches, or could have been if not for Alice's choice of SDR—

surveillance detection route. At the first green light they came to, she sent the BMW skidding into a looping right turn. At its apex, with Charlie clutching his armrest so that centrifugal force wouldn't dump him onto Alice, and when she ought to have tamped the brake, she crushed the accelerator, rocketing them onto a side street. She had the right combination of creativity and controlled recklessness to win a NASCAR race, he thought.

"I think we left my stomach back at the light," he said.

Her eyes darted between the mirrors. "We'll probably be able to go back and get it. I'm pretty sure we don't have a tail."

He exhaled, before she added, "But we need to be *absolutely* sure."

She took a last-second left at the next intersection, cutting across a lane of oncoming traffic and entering a shopping mall. One car swerved. A van braked sharply, the driver screaming and shaking his fist. The car directly behind the man braked and skidded, narrowly missing rear-ending his van.

Alice concerned herself just with the vehicles that had been behind the BMW. All simply continued along.

"That sure would have surprised a tail," Charlie said. "Or convinced him that you took Driving Training at the Farm."

She laughed. "Or in Rome."

Exiting the mall, she began taking left turns at

random. The odds that anyone other than a surveillant would stay behind them for three such turns were beyond astronomical.

"You do get to see more of the sights this way," she said blithely.

"People don't consider the benefits of being a fugitive."

Another quick turn and Charlie's side mirror showed only the town of Avenches shooting aft. The chalets became specks, then disappeared altogether behind a mountain of fir trees laden with snow.

As Alice drove up the rugged Bernese Oberland, Charlie scanned the sky. The Cavalry sometimes deployed unmanned aerial vehicles—UAVs, remotely piloted, miniature aircraft equipped with cameras sharp enough for their operators to view a driver's face from ten thousand feet up. Some UAVs carried laser-guided missiles capable of turning the road into a crater and the BMW into shiny gravel.

Alice smiled. "Given their small size and high altitudes, the odds of spotting a drone aren't too good."

Charlie sat back, admitting, "The odds are probably better that I'll discover a new planet." A moment later, he resumed scanning. "It's harder to just do nothing."

On their descent from the mountains, wispy, low-lying clouds dissipated, revealing a valley dotted with toylike chalets, Alpine ski slopes, and cows whose bells blended into a single mesmerizing chord. The slopes converged at Gstaad's central village, a congregation of rustic Helvetian buildings, many with bright red geranium-filled window boxes. Factor in the fairy-tale turrets and horse-drawn sleighs and Gstaad was less believable than the Disneyland version of an old-world Swiss hamlet. After just a week, Charlie dreamed that he and Alice would stay for the rest of their lives.

As she nosed the car into a parking spot behind the train station on Hauptstrasse, the sun dipped behind a pair of soaring peaks, bronzing the entire valley.

They proceeded on foot through an empty alley to the Promenade, Gstaad's main street, where the only vehicles permitted were horse-drawn. The alley was another in Alice's bag of countersurveillance tricks. Pick out the surveillants *before* leading them to the chalet.

Among the boutiques, galleries, and cafés on the Promenade was Les Frères Troisgros, a tavern whose grilled bratwurst was good enough to persuade Charlie to stay in Gstaad even without Alice. The tavern's large front windowpane reflected no one behind them in the alley.

"We good?" Charlie asked.

"We are or they are." Alice pushed open the door, surrounding them with the aromas of roasting meat and ale. She led the way inside with circumspection in place of her usual buoyancy. If she saw or sensed anything wrong, she wasn't saying, not in a barroom with a hundred eyes upon them, all aglow in candlelight—Les Frères Troisgros had no electric lights. A collection of big smoke-darkened stones held in place by ancient beams, it had changed little from the seventeenth century.

Charlie fought the compulsion to stare at the jolly and ruddy faces. He worried he'd come here once too often.

He and Alice received their takeout orders without being shot at or otherwise imperiled. But on the way out, in the smoky mirror behind the bar, he caught a glimpse of a ruddy middle-aged man wearing a black beret. The man was staring at them as he snapped open a cell phone.

"Ghost, I think," said Alice, taking Charlie's hand in hers.

"Because of the beret?"

"Yeah."

"Over-the-top for a pro, right?"

"One would hope."

The question became: Who was he calling?

Not someone who followed them to the car. At least as far as Charlie or Alice could tell.

Letting Alice ride shotgun—in point of fact, 9mm pistol—Charlie drove away from the village, managing the winding mountain road up to a secluded cream-colored chalet. In the dwindling sunlight, the structure blended in with the towering pines.

With a stern gaze at a field blanketed with a fresh snowfall, Alice said, "Hit teams love snow. With a few thermal-insulated, arctic-terrain ghillie suits and rifle wraps, you can turn a clearing like this into an excellent ambush site."

"Great."

"A euro says we're home free, though." She cracked a smile.

"I love you" almost slipped from his lips for perhaps the twentieth time that day, but all he said was, "You're on. And good luck."

Just tell her, he urged himself. Why the hell not?

As soon as they parked.

He pulled onto the mountainside ledge they called the parking deck. From here it was a two-minute walk through woods up to the chalet. While she climbed out of the car, he ratcheted the parking brake and turned off the engine. He heard and felt stuttering thuds from above the trees. A white medevac helicopter, common enough in winter resort areas.

The helicopter slowed to a hover directly overhead, plunging the clearing around the BMW into darkness.

Charlie felt an all-too-familiar icy terror.

"Blast," Alice said. "I owe you a euro."

4

Snow and twigs and pine needles swirled in the rotors' wash. In the general ruckus, it was useless for Charlie to shout to Alice.

Not that there was anything she needed to be told. Letting the takeout containers fall to the snow, she shot a hand toward the Sig Sauer tucked into the rear waistband of her jeans.

Doors on both sides of the helicopter's cabin slid open. The waning sun showed four men in silhouette, bracing themselves on taut ropes anchored within the helicopter. Gaining a foothold on the craft's skids, the men let their rope ends drop to the ground, giving the helicopter the appearance of a giant mosquito. In unison, the men jumped, arcing outward and rappelling down, ropes screaming through the carabiners on their harnesses. They wore thick white jumpsuits with red crosses, as a team of paramedics might, along with ski masks. All were built like they'd spent plenty of time in the weight room.

They converged on Alice so quickly that she barely had a chance to raise her gun. On his way down, the first man dealt her a swift, steel-toed boot to the cheekbone, costing her her hold on the Sig. The next two, still attached to their ropes, tackled her, driving her into deep snow on the passenger side of the BMW.

Charlie flung himself onto the car's hood, intent on recovering Alice's gun.

She wriggled free, regained her feet, and spun two hundred degrees, gaining force and leverage and delivering a kick to the nearest jaw. The man sagged, dangling from his rope.

For better or for worse, Alice Rutherford's nature was to fight. She would have taken on ten such men. She had her hands full with two now, one corralling her from behind, the other spraying her in the face with a tiny aerosol can. She went limp, falling into the first man's arms.

As Charlie slid off the passenger side of the BMW's hood, he caught sight of a pistol capped by a silencer, pointed at him by the fourth man, who shouted something. The chop of the rotors made it impossible to hear what. Charlie guessed, "Freeze!"

And what choice did he have?

Alice and the first three men—including the one she'd KO'd—rose into the air, as if levitating. Arms extended from the helicopter's cabin, hauling them in. The door snapped shut and the ship appeared to fall upward into the sky.

Like that, she was gone, with only a faint whir as evidence that the helicopter had been present. And then it was just the breeze whispering through the bare branches.

When Charlie looked down, the remaining man

was unclicking his harness. "Back up, against the car," he said, waving his gun. His accent was unmistakably American. "Put your hands where I can see 'em."

Charlie took two steps and hit the bumper.

"Now shrug off your jacket, one sleeve at a time, then toss it toward me." The gunman's rasp had a touch of cowboy. He looked the part too, with the build and bearing of a broncobuster. And when he pulled up his mask—revealing a combative leer, a pointed chin, and long blond locks—anyone would have been reminded of Jesse James.

Charlie shook at his parka until it fell to the ground. Having submitted to the same inspection before, he wasn't surprised when Jesse James advanced, patted him down—everywhere—and took his car keys.

"I'm guessing this isn't a carjacking," Charlie said.

"It's a rendition."

"A rendition of what?"

"In layman's terms, a kidnapping."

"You've kidnapped Wendy? Why?" Charlie feigned the shock of an ignorant vacationer, less of a stretch than he would have liked.

"It'd be a tragedy if we've kidnapped someone named Wendy," said the cowboy. "See, we're after Alice Ann Rutherford."

"Alice Ann Rutherford?" Charlie repeated as if bewildered.

"If it helps, she was born in New Britain, Connecticut,

on October 17, 1980, she's currently absent without leave from the National Security Agency, and she lives with you."

An icy gust slashed through Charlie's sweater, stinging his chest. He resisted the urge to wrap his arms around himself, afraid the movement might spur the kidnapper to precipitous use of his trigger. "Okay, okay. So what do you want?"

"An ADM. You know what that is, right?"

Charlie knew atomic demolition munitions only too well. They were portable Soviet-made bombs with a ten-kiloton yield. Under the auspices of the CIA, his father had founded the Cavalry with the objective of putting malfunctioning ADMs into the hands of terrorists who believed they were purchasing working weapons of mass destruction. The ultra-classified operation had succeeded for the better part of three decades. When Drummond fell prey to Alzheimer's, his own men decided it best to sacrifice him in order to maintain the secret and safeguard the identities of their operatives. Charlie had learned the secret just two weeks ago, while trying to figure out why assassins were preventing him from putting his father in a nursing home. Before that, he'd known the old man only by his cover as a stern and straitlaced appliance salesman.

"You can't exactly get ADMs on eBay," Charlie said.

Jesse James grinned. "So why don't you ask your dad?"

Charlie eyed his shoe tops. "There's a problem with that."

"Isn't your father Drummond Clark, Central Intelligence Agency operations officer, born in New York, New York, on July 14, 1945?"

"He was. He passed away twelve days ago."

5

If Charlie's father—who in fact was still alive—held to form this evening, he had heard the helicopter and momentarily would appear, as if out of thin air, with a gun to Jesse James's head. Alzheimer's had acted like a wrecking ball on Drummond Clark's memory retrieval mechanism and had ravaged his ability to process the present. As with most people suffering from the disease, he still experienced random episodes of lucidity, however. And danger tended to jolt him into clarity. So Charlie's plan was simply to buy time.

"Why don't we sit in the car, where it's not freezing?" Jesse James pointed at the passenger seat with his gun, making the question rhetorical.

As soon as they were inside, he turned on the ignition, sending hot air from the vents and a delicate piano concerto from the speakers. The BMW was certainly more pleasant than the bitter outdoors, but it would complicate Drummond's assault. If he were to appear out of thin air now, Jesse James could just drive away. And the car's tinted glass might veil Charlie's execution.

"I'm sure you'd like Interpol to believe your father's dead, but I don't," the cowboy said, fishing a satellite phone from inside his jumpsuit. "Not unless you can convince me that this is his twin brother."

He punched a few keys. The phone's display filled with a shaky, greenish-gray video of the chalet taken through one of the leaded glass windows. Drummond sat at the dining table, reading a newspaper.

"I can have the mosquito drone zoom in on the newspaper's date if you have any doubt this is live feed, but it might take me a while," Jesse James said.

Charlie felt a measure of relief. "So you actually do just want an ADM?"

"Yeah. Remember the to-do with the helicopter and Alice?"

Charlie could share the secret that the ADMs were duds, but Jesse James might not believe it. And even if he did, the consequences would be grave. If Cavalry customers got wind of the fact that their vaunted arsenals couldn't blow up a balloon, the identities of countless American operatives and their foreign agents would be compromised. In any event, it was doubtful that Jesse James's principals would just let Alice walk away.

"What makes you think my father can get an ADM?" Charlie asked.

"A few months ago he delivered one to Nick Fielding, an illegal arms dealer, in Martinique. A couple of weeks ago, my employers met with Fielding there. They negotiated the purchase of the ADM, pending an inspection at its hiding place, but the trip to the hiding place never happened because Fielding got himself killed in New York City the same night. Fortunately, your dad knows where the thing's hidden. My employers need it, along with a working detonation code, no later than the thirteenth of January, which is four days from today."

Jesse James, whoever he was, had excellent intelligence, except for the fact that Nick Fielding had been a Cavalry man who trafficked *fake* ADMs. "All things considered, I'd happily make the trade," Charlie said. "My father probably did know where the bomb is hidden."

The cowboy's eyes narrowed. *"Did?"*

"Once, yeah. That's the rub. You need to understand that when he finishes brushing his teeth at night, he has to hunt for the toothpaste cap, even though it's always right beside the soap dish."

Jesse James scoffed. "I do shit like that too."

"But he has Alzheimer's."

"Alzheimer's?"

"Midstage. We're here because there's a clinic with an experimental treatment—"

The cowboy's groan cut Charlie off. "The word I got was you'd trot out some spiel like this. Let's save ourselves some time, okay? Just last week, on at least three separate occasions, your daddy shut out the New York Yankees of death squads. The reason I'm talking to *you* is word had it that if I went to talk to *him*, it'd probably be the last conversation I ever had."

"He has his moments."

"Well, if you want Miss Alice to keep on being alive

four days from now, he better have one more of those moments." Jesse James tapped the steering wheel. "I'll leave your Beemer in the Hauptstrasse train station parking lot, keys under your seat. Meet me outside the general aviation terminal at the Zweisimmen airport at thirteen hundred tomorrow. I'll have a jet waiting to take us to the ADM. I know a professional like your father wouldn't be stupid enough to try any tricks, like telling anyone about this, but *you* might. And if you do, your sweetheart gets your name written across her face with a box cutter."

6

Although enveloped by toasty air, Charlie felt no comfort as he stepped into the chalet's spacious living room. Usually on entry he savored the blond wooden beams and old-fashioned Alpine-style furniture. Before coming to Gstaad, he'd never given a thought to upholstery—probably never even uttered the word *upholstery*. But he'd been taken by the sofa and chairs here, embroidered with white dots that matched those on the lace curtains, which in turn afforded privacy without sacrificing a view of the skyrocketing mountains. Now he felt as if an avalanche were carrying the chalet away.

Drummond still sat at the farmhouse dining table. Of average height and weight, he'd always fostered a nondescript appearance, which served him well as a professional cipher. He was a young sixty-four, though two weeks ago it had been easy to see the senior citizen version of him waiting around the corner: His white hair had begun to thin, gravity was winning the battle with his spine, and wrinkles and spots massed as if readying to invade his taut skin's otherwise healthy glow. In Gstaad, those trends had seemed to reverse somewhat. He sat ruler-straight now. He exuded vitality. His hair even seemed a healthier shade of white.

It was too soon into the course of the treatment

to detect an effect on his mind, but the medication could have been responsible for his general improvement. More likely, the upturn resulted from their strenuous hikes and the invigorating Alpine air. Or possibly Drummond benefited from the comforts of the chalet: When forced to go on the lam together, the previously estranged father and son managed not only to get along, against odds no bettor in his right mind would have accepted, but they also actually learned from each other, creating a force that exceeded the sum of its parts. As a result, they had survived. Once in Gstaad, Charlie savored the nascent affection, a nice change from his father's serial sermon about wasting one's life at the track.

"Where's Alice?" Drummond asked.

Sliding one of the heavy pine chairs out from the table, Charlie sat across from him. "She was kidnapped," he said. It came out matter-of-factly; if he weren't so numb, he might have shrieked it.

"*Kidnapped!* Are you certain?"

"I guess, technically, she was rendered. Or renditioned."

"What happened?"

Charlie filled him in.

"Well, that certainly is a problem." Making a steeple out of his fingers, Drummond gazed out at the dark shapes of the mountains, seemingly contemplating a solution. After a few moments, he asked, with uncharacteristic alarm, "What are we going to do about dinner?"

7

Charlie spent most of the night gazing at the empty space on the other side of the mattress. The closest he found to a diversion was watching the digits change on the clock radio.

At 5:14 Drummond banged on the door.

"You okay?" Charlie asked.

"I woke up this morning feeling as well as I have in quite some time. And I'm almost certain that Alice was kidnapped."

"Well...yeah." Last night Charlie had detailed the rendition five or six times in hopes of sparking Drummond's memory of the ADM. To no avail.

Drummond made a beeline for the clock radio, snapping on Alpine folk music and turning up the volume. "I mean it was a straight kidnapping, as in an operation offering the safe return of the captive in exchange for something."

That sounded pretty lucid. Charlie strained to hear over the accordions.

Seeing Charlie look at the radio, Drummond said, "In case of eavesdroppers. And in case of eavesdroppers who might have been able to filter out the music, I raised the heat—I hope you're not uncomfortable."

Noting the hot air whining through the registers,

Charlie shook his head. "Enough about me. Do you remember all the plot points: Jesse James from the helicopter? Hidden ADM?"

Drummond sat at the foot of the bed. His eyes glowed with much more than just the moonlight spraying through the gap in the drapes.

Hallelujah, thought Charlie. Lucidity.

"If he were smart, what Jesse James told you is—"

"Lies." Charlie had already concluded as much.

"No, fifty percent lies, but you wouldn't have any way of knowing which was which. I just need to catch up on a few things."

"Shoot."

"Had Alice been in touch with anyone?"

"Yes." During the night, this had become Charlie's leading theory as to the genesis of the rendition. "The other day she took, like, eighty-seven trains and buses to Zurich, went to a public library, and sent one of those supposedly untraceable Hushmails to the personal account of an NSA inspector general she trusts."

"What did she write?"

"Basically, that she wasn't dead, and that your old Cavalry pals had framed us for Hattemer's murder in order to get the finding." A presidential finding had waived Executive Orders 11905 and 12333 banning assassinations by U.S. government organizations, thereby enabling the Cavalry to off the Clarks with impunity. "She was hoping to open a dialogue, maybe get us off the Whack-on-Sight list. She asked the guy to reply using Hushmail."

Drummond looked at the ceiling, pondering the matter.

Or so Charlie hoped. Drummond's episodes of lucidity lasted forty minutes on average, but sometimes they were as brief as two minutes.

"I think the rendition is coincidence," Drummond said.

"So you believe in coincidences too?"

"There are coincidences and there are unbelievable coincidences. It's possible that someone 'made' her while she was in Zurich or en route, but given the extensive planning and practice a helicopter rendition of this nature requires, it seems more likely that the kidnappers were already well into preproduction. Also it's possible that Alice orchestrated the kidnapping herself. She could sell the ADM for a king's ransom—she doesn't know it's a fake, right?"

Charlie waved his dismissal. "I kept the secret from her not because I don't trust her, but because there was no reason to burden her with it."

"Jesse James leveraged your feelings for her," Drummond said. "How could he or whoever he's working for have known that you'd developed feelings for her?"

"Using a mosquito drone..." Charlie left it at that, averse to telling his sometime-puritanical father exactly what the miniature camera might have recorded.

Also Charlie was now wrestling with the fact that during his brief time in Spook City, everyone he'd met had either deceived him or tried to kill him. Even his own mother, who had faked her death when he was four—he'd believed she was dead until encountering her just two weeks ago, when she offered him and Drummond safe haven. Fifteen minutes later, she handed them over to Cavalry assassins before reversing course and getting herself killed.

And Alice herself was no innocent. When Charlie first met her, the day before he met his mother, Alice had posed as a social worker at the Brooklyn senior center that "rescued" his father. Her true goal had been—what else?—intel. In reality, she had no home, no money, and no family aside from her mother, who was currently serving the fifteenth year of a twenty-year sentence for murdering Alice's father. Alice's "rendition" might easily have been staged.

But Charlie wasn't convinced. "No one, not even the most sociopathic spook, is as good an actor as she would have had to be," he said.

"Probably so," said Drummond. "The bond between you would have been obvious even to a drone. It was obvious to me, after all. We can also rule it highly unlikely that the rendition was a government operation."

"Why?"

"They would have neutralized us. I'm a thorn in their side and too unstable to be deployed to locate a bomb, whether or not they know it's a fake. And if they do know it's fake, they certainly don't want anyone else knowing, which is all the more reason to silence me. If they meant to send me bomb-hunting regardless, they would have opted for a path of lesser resistance than a highly chancy airborne op."

"Like what?"

"They could have simply offered us immunity."

"So we're dealing with good, old-fashioned bad guys?"

"Bad guys with a window, however small, into the NSA or CIA. Maybe they have a confederate within one of those agencies." Drummond sucked at his lower lip, a measure of self-restraint in Charlie's experience.

"They're going to kill her, whatever we do, aren't they?" This was at the top of the list of questions that had kept Charlie up all night. "You never cooperate with kidnappers as a rule, right?"

"Actually, there's good reason to believe they'll let her live if we do what they want. Ninety-nine percent of kidnappers are in it just for the payout, and to get it, they have to trade their hostage."

"Is there anyone we can go to? Her NSA friend, maybe?"

"No. Too risky for us. Too risky for Alice."

"So then what are the options?"

"Just one: Cooperate."

Charlie raced to prioritize his questions. Drummond might go days before another episode of lucidity. "Do you know where the ADM is hidden?"

Drummond shrugged. "I might. Let me look at the map." He set a Swiss road atlas on the comforter and flipped it open. As Charlie was worrying about the choice of a local road atlas, Drummond whispered into his ear. "There's a self-serve Laundromat on rue Joseph Compère in the Pointe Simon area of Fort-de-France, Martinique's main city. As usual, the device is concealed within a Perriman Pristina model washing machine. This one is among a bunch of washers and dryers locked in the storeroom in the back. The manager is a cutout, which as you may know is a player who knows as little as possible. Her name is Odelette. She'll have the key. There also may be a key to the storeroom in the gap behind the detergent dispenser and the wall. If all else fails, it's not hard to detach the ventilation grate."

If not for the possibility that they were under surveillance, Charlie would have pumped a fist. "What about the code? Like last time?"

Twelve days ago in Manhattan, to escape confinement and make it appear that the two of them had died in the process, Drummond had detonated another ADM-bearing Pristina packed with a hundred pounds of plastic explosive—standard in real uranium implosion weapons in order to generate critical mass. Without critical mass, it was still enough to take out the vast underground complex serving as Cavalry headquarters. Arming the device had been a matter of entering the washing machine's serial number onto permissive action links, a trio of numeric dials like those on safes.

As long as the ADM in the Laundromat worked

the same way, Charlie was looking at a relatively simple trade.

"Yes, and just like the one in New York, dialing the numbers in reverse disarms it," Drummond said, rising. He began to pace alongside the bed, as if the motion spurred his thinking. "Of course, Jesse James can't be told any of these specifics. It's the paid cutouts in a rendition who are the least predictable. They're usually the sort you'd call to murder your wife. What we need to do is to go to Martinique, find the washer, then turn it over. We'll demonstrate the validity of the ADM code at the same time Alice is released, everything synchronized, the classic hostage exchange. They're probably expecting us to go to the Caribbean and to play it out just like that. Otherwise they wouldn't have suggested that we rendezvous at an airfield."

The mentions of "we" didn't sit right with Charlie. "I can go to Martinique myself," he said. "These days I could teach a course on fake travel documents and disguise. And once I'm there, it's a simple trade. I can handle this myself."

"I don't doubt it." Drummond's smile belied his doubt. "I wouldn't mind coming along anyway."

"I don't know, Dad. You've spent millions and risked your life more times than I can count just to get here and try the treatment. Also this is just the first time you've flickered on since we've been in Europe."

"There you go. I need you to look out for me. And to remind me to take the pills."

"You could stay at the clinic. The fee of twenty

thousand euros a month includes a private room that you haven't set foot in."

"I want to go to Martinique with you because..." Drummond's voice trailed off. He shifted his focus to the window. Outside, a silver streak of moonlight delineated the neighboring peak from the still-dark sky. He seemed to be searching for the right words. "I want to go for your son."

Charlie felt the chill that accompanied lucidity's departure. "I don't have a son."

"You ought to. Best thing you'll ever do, trust me. That's exactly what was on my mind when I woke up this morning, feeling so well."

Moved, Charlie placed his hands on his father's shoulders and drew him close. Although Drummond offered no resistance, he angled his head away. Charlie found himself doing the same. The boisterous music from the radio underscored their woodenness. Both broke free after maybe three seconds. They lacked practical experience in displays of affection, Charlie reflected. It didn't mitigate the underlying sentiment, though. No way would he needlessly place his father in harm's way.

"It's just a matter of turning three dials, right?"

"Yes, arming the device is simple." Drummond leaned against the doorframe, perhaps subconsciously blocking Charlie from going to the airfield without him. "The hard parts will be learning who these people really are, then preventing them from deploying the bomb."

"Because once they have the ADM, a hundred pounds of plastic explosive is sure to follow?"

"Ninety-seven point eight pounds of penthrite and trinitrotoluene, to be precise. If they detonate that in the heart of Fort-de-France, they could kill ten thousand people. But I would think Jesse James's people have a bigger target in mind than Martinique. The Cavalry's worst-case scenario has always been that if customers use a device, better the collateral be a few thousand people than an entire city. But in every case, the CIA or its liaison counterparts have been able to neutralize the customers before *anything* blew up. In this case, the customers will be shrouded in cover. Peeling it away will be similar to determining, say, why a promising horse is racing at odds much higher than you'd expect. How would you go about determining that?"

Drummond liked to use the horses to simplify matters for Charlie. Occasionally he did it gratuitously, in Charlie's opinion, venting dismay that his gifted son had buried himself at the track.

Charlie hesitated, wishing Drummond had chosen a baseball analogy instead. "They call a horse like that a 'lobster on the board,' meaning the tote board. Being wary of a free lobster, I'd study the horse's past races, then nose around the track to learn about his recent workouts. Maybe he's sick or injured or—"

"Good," Drummond said without a smile. "The job here will be similar, but more perilous. It's a matter of finding tracks and then following them through the jungle, back to the tiger's lair. The counterintelligence folks call that 'walking back the cat.' "

The more Charlie contemplated the "simple trade," the more foolish he felt for having imagined he could simply waltz in and out of Spook City, a place where everyone lied for a living and thought no more of hiring an assassin than people elsewhere did of calling a plumber. A place where no horseplayer with a half-decent grasp of the odds would dare set foot. At least not by himself.

8

They called him Fat Elvis because there had been so many unsubstantiated sightings of him. And because he was overweight, or at least believed to be. He was also thought to be Algerian, and to have done a brisk illegal munitions trade in France during the past year. As far as anyone in the CIA Paris station knew, his name was Ali Abdullah. The closest any of them had come to seeing him was the soft-focus headshot on the most wanted lists.

Yet terrorists had no trouble finding him. According to numerous accounts, he'd sold a group of Moroccan agitators the mass of penthrite they used to turn a waiter and a family of five into ashes at a Parisian bistro last summer.

"He's schtupping our nanny," Jerry Hill said. They were in the small, bulletproof conference room at the U.S. Embassy in Paris that the CIA used to interview walk-ins.

"That would be great," said Bill Stanley, favoring his prematurely arthritic right hip as he lowered himself into a chair on the other side of the table. "I'm speaking from the point of view of national security, of course, not your nanny."

"Hey, if she's collateral in terminating that prick, it'd be no huge loss."

If Stanley had first heard Hill over the phone, he would have taken the voice for that of an elderly woman. In fact the walk-in was a fifty-five-year-old Californian with the hollow eyes and gaunt frame of a refugee camper. He wore a linen blazer over a tennis shirt and a pair of sweatpants. His hair, too blond for a man of fifty—or a boy of fifteen, for that matter—stood on end as if he'd just stuck one of his fingers into an electrical socket.

Ninety-eight percent of walk-ins were either nut-jobs or knew nothing of value to the agency. Based on Hill's appearance, the marines stationed at the embassy's Avenue Gabriel entrance would have ordinarily bet their paychecks that he belonged in both categories. His physique was attributable to a rigorous Pilates regime, however, and his blond hair stood on end thanks to a stylist and a hair products conglomerate in which he owned a controlling interest. And the marines knew this not from any database but from *Entertainment Tonight*. Who hadn't watched either the live television broadcast or the subsequent viral YouTube footage of Hill stabbing the air with his Best Director Oscar while delivering his expletive-laden I-told-you-so speech to a list of detractors dating back to junior high?

Stanley pulled his chair closer to the table. "The marine guards said you have photographic evidence?"

"We've got a place down in Saint-Jean Cap Ferrat," Hill said, almost in apology. He glanced around the room, probably just realizing that other people were watching. "There's kind of a security camera out in the pool house, in Missy's bedroom."

"Ali Abdullah allowed himself to get caught on a home security camera?" Stanley thought the arms dealer would sooner be susceptible to the gift of a giant wooden horse.

"You're CIA, right?" Hill likely sought assurance that the prospect of capturing Abdullah negated the illegal electronic eavesdropping that had occasioned it.

"State Department," Stanley half lied. Officially he was a first assistant secretary. He was also one of the twelve Counterterrorism Branch operations officers in the CIA's Paris station.

Hill smirked. He wasn't fooled. In any case, someone of his means and reach could get the lowdown on Stanley with relative ease. The old joke was true: Anyone wanting to know who at an embassy works for the CIA just has to look in the parking garage after five o'clock. The cars still there don't belong to the diplomats.

"On the nanny's desk, which she doesn't use, along with a bunch of pens and tape and stuff like that, there's a stapler—and who ever uses a stapler anymore?" the filmmaker said. "It's really there to conceal a video camera that records up to seventy-two hours of footage—not broadcast quality, but good enough for..." He reddened.

"Good enough for evidence?" Stanley had no interest in busting a Digital Age peeping Tom.

"Yeah." Hill perked up. "Around midnight the last

few nights, he's come onto our property by the stairs up from the beach. He throws pebbles at her bedroom window, like a teenager. She lets him in, they have their token drink, then things get rated X."

"How can I see the video?" Stanley asked and just as soon realized he'd better amend the question to forestall the laughter of the marines watching through the two-way mirror. He had a collegial rapport with them, born of a mutual love of football and the fact that he'd started at tailback for Stanford. Still, they'd never let him live this down. "To know if it's Abdullah, I mean."

"Are the guys watching through the mirror going to shoot me if I reach into my pocket?" Hill asked.

"It depends what's in the pocket."

"My cell. I downloaded a couple of video files from the stapler."

Stanley nodded and Hill fished the phone from his sweatpants. A few thumbstrokes later, the tiny computer was playing astonishingly clear and vibrant footage of the nanny and her scruffy middle-aged guest. In each other's embrace, they tumbled onto a four-poster bed.

Incredible luck, thought Stanley, that the owner of the staplercam in Saint-Jean Cap Ferrat happened to be American. And on top of that, an expert with cameras. Half a dozen analysts as well as a team of techs with facial recognition software would weigh in shortly, but Stanley was certain from first glance: They'd found Fat Elvis.

. . .

It was a simple matter now to speed-dial the requisite players at the Direction Centrale du Renseignement Intérieur, or DCRI—essentially the French FBI—then go grab Abdullah. But first Stanley needed a CIA green light. This was the most difficult step in any operation. Coming to terms with that had been the greatest challenge in his career.

Seated in his spacious office in the embassy's B Section annex, which had been built in the thirties with a nod to ancient Athens, he generated both an intel report and an operational proposal for his branch chief. Once the branch chief affixed his digital signature, the documents would be forwarded to the station chief, a bright and talented man, who, like many of his peers, suffered from Umpire Syndrome—the umpire who makes the right call goes unnoticed whereas the umpire who blows a call draws the crowd's attention. The CIA's turf system burdened station chiefs with steep penalties for failure and relatively little reward for success, making them risk-averse.

Stanley suspected his station chief would elect to hand the ball off to the French. Still there was a chance that Stanley's proposed plan would fly. The French were notorious fumblers, and the station chief stood to get the blame if they screwed up the Abdullah op. So he might come on board. If so, he would have to cable headquarters for further authorizations.

Stanley dispatched a flash precedence cable to him, then sat back and reflected on how much easier his targets had it. Weapons salesmen and terrorists didn't have to check in with their own bureaucrats in each country. In Europe, such criminals barely needed to slow down as they crossed international borders. CIA officers could follow only with a ream of permissions.

For years the system had riled Stanley. But his piss and vinegar dwindled in direct proportion to his remaining service time. He'd leaped last year at the Paris hitch, not because of the city's aesthetic appeal—he ate most of his dinners at one of the better McDonald's knockoffs—but because of the ease of the job. Not only was France an ally, but it had a free press that provided better intel than most intelligence services could. There had been more targets in Detroit, Michigan, his first posting, because of the city's large immigrant community.

Back then, driven by unadulterated love for his country, the magna cum laude Stanford grad had turned down jobs that would have paid him more as a rookie than he could ever earn in a year in the CIA unless he was named director. Having now served for twenty-seven years, he had just three to go before he could retire with full benefits. Accordingly, like management, the last thing he wanted was a flap.

His thoughts were interrupted by the fusion of electronic beeps that signified the arrival of a cable.

He input his pass code and clicked open the dispatch. It had been just seven minutes since he'd sent his request. It was doubtful that anyone would have had time to type anything more than "NO." Instead he read:

> PERMISSION FOR COVERT ACTION IN CONJUCTION WITH DCRI AND DGSE: GRANTED. OBJECTIVE: CAPTURE THEN RECRUIT TARGET TO GATHER INTEL ON TARGET'S CLIENTS.

9

Pale hazel clouds around the Cessna parted, revealing the coastal city of Nice. Stanley marveled at how, even on this hoary January afternoon, the Mediterranean beat the hell out of any painting. Even he, with the aesthetic equivalent of a tin ear, could understand why the French flocked to the patches of jagged, black-rock beach here.

From the airport, he drove a rental car twenty miles west to the village of Saint-Jean Cap Ferrat, a watercolor come to life on the Côte d'Azur. The combination of natural splendor, ideal climate, and glamour had made the Cap a favorite holiday destination of the European aristocracy and, for that reason, the latest hot spot of Hollywood's elite.

Stanley first drove by Jerry Hill's house. Last summer Hill had purchased the sprawling adobe villa, which was painted a shade of yellow Stanley speculated was called canary. Its flat roof was tiled with the traditional red clay. Behind it was a swimming pool—or, possibly, a multitiered artwork in white ceramic that contained turquoise water whose far edge ran along the hundred-foot-high seawall. The property's many bushes and hedges were so smooth and symmetrical, it appeared that they were maintained with a barber's scissors and a level rather than with a hedge trimmer. The grand front lawn was as spotless as a kitchen floor; when a tiny leaf fluttered down from a lime tree, Stanley half expected a servant to come running.

The neighboring home was nearly a twin to Hill's, but painted a robin's-egg blue with a flamingo pink roof—yet, somehow, all in all, quite conservative, if not stately. It had a commanding view of vast and exquisitely manicured gardens as well as much of the Mediterranean. According to a DCRI report, Abdullah, under the name Charboneau, was renting this property for more per month than Stanley paid in rent per annum.

Stanley proceeded two miles to the staging area, a secluded elementary school whose students and faculty were on Christmas vacation. In the cafeteria, where most of the two hundred or so undersized chairs rested upside down on long tables, he conferred with his counterparts from the DCRI and the Direction Générale de la Sécurité Extérieure, the international intelligence agency, who had brought along ninety-two members of the elite special ops unit they liked to call the Secret Army of Paris.

To avoid the risk of placing the Hill family in the cross fire, Stanley decided to grab Abdullah at the Charboneau villa, despite the presence of at least five armed guards.

Shortly after sundown, a man dressed as an Électricité de France worker cut the power to Charboneau and Hill's entire road, enabling the special ops troops to advance under cover of darkness and establish a tight perimeter around Graceland—the code name du jour for Fat Elvis's digs. Additional troops sealed off potential escape routes. Any noise was masked by the waves crashing against the rocky seawall.

There was a time when Stanley would have joined the assault team. Now he watched from the safety of a comfortable leather chair inside a contractor's van parked by an empty house eight blocks away. His DCRI and DGSE counterparts occupied identical chairs on either side of him. The three men focused on the pair of large monitors relaying Graceland through miniature cameras concealed on the special ops agents.

As the troops began their covert advance, a bearded young man slid out of one of Graceland's kitchen windows, apparently making a run for it. The two agents in closest proximity swapped uncertain glances, like outfielders circling underneath the same fly ball. A third agent reached a hand from behind a topiary bush, tripping the fugitive.

Stanley wondered whether Abdullah was using the bearded man as a diversion.

A moment later, Graceland's grand, round-topped front door creaked inward. The frosted-glass transom and sidelights offered no clue as to who or what was within the cavernous foyer. As if drawn by a giant magnet, the Frenchmen's rifles swung in unison toward the opening.

Hands over his head in surrender, Abdullah stepped

out. He wore only an open terry cloth robe and sweat-pants. The hairy belly that drooped over his silk boxer shorts was a larger version of his bloated, scruffy face. Squinting out at the forest of rifle barrels, he said, in thick North African–accented French, "What the fuck, we forget to pay the electric bill?"

10

Stanley drove his rental car thirty minutes along Nice's winding coastal road to Haut-de-Cagnes, a tiny hilltop city practically unchanged since the Middle Ages. Because of the maze of narrow and precipitously sloped streets, it would have been impossible for another car to follow him. It was challenge enough to make the tight turns without first having to back up his tiny Renault two or three times. If he'd rented a midsize Renault, he would have had to park well shy of the safe house and proceed on foot.

He centered his thoughts on the evening's objective: Convince Abdullah to play ball. The strategy was simple. Stanley would say, "I just want a yes or a no, Ali. Yes, and you can be a hero, plus keep your millions. No, and you'll be neck-deep in shit for your remaining years—or days."

Stanley parked near an alleyway that he might have missed without the GPS, even in daylight. At its far end sat a stone restaurant, shuttered now. The place looked at least five hundred years old. Above it was a warren of small apartments.

Getting to the third-floor safe house required climbing such a narrow spiral stairway that Stanley wondered if the portly Abdullah would have to be brought up some other way. In which case, Stanley would be envious. Half a flight and his hip was on fire.

He braved the remainder of the stairs, reaching the apartment at 1900 hours. For the first time since 0700, he realized he was hungry. It had been years since the events of a day made him forget to eat.

He liked that.

Safe houses were generally stocked with little more than instant coffee, mixed nuts, and potato chips, stale often as not. Salivating at the prospect of chips regardless, he headed directly into the sagging flat's kitchen. Although not much larger than a closet, it had two sinks—one a ceramic bathroom model, the other a steel basin suitable for washing dishes. The room also had a corner shower stall so cramped that a person could wash only half of himself at a time.

Before he could open the cupboard, Stanley heard a pair of staccato knocks at the front door.

"*Qui est là?*" he asked with a mix of wariness and grumble befitting the late hour.

"*Thierry?*" came a man's voice.

"*Qu'est-ce que tu veux?*"

"*On est là avec ton copain.*"

"*Ah, bon.*" Stanley opened the door, admitting two DCRI men who prodded in their captive, his hands bound at the wrists behind his back.

Abdullah looked younger than the forty-five years he was believed to be, due perhaps to his plumpness and the sort of golden tan indigenous to yachting.

Walking appeared to strain him, probably due to "accidental" run-ins with elbows and fists belonging to members of the Secret Army of Paris—kidney shots, because they didn't leave a mark. Or maybe it was just the pain of his defeat. The Frenchmen dumped him onto the sofa and hurried back downstairs.

The plastic cuffs prevented the arms dealer from sitting up. Regarding them, he said in English, "Please take them off?"

Deciding to save this as a carrot, Stanley lowered himself into a creaky armchair directly across from the sofa and said tersely, *"Ali, je veux simplement un 'oui' ou un 'non'—"*

"Do us both a favor and skip the high school French," Abdullah said. The fire had returned to his eyes. And the rapid English was spoken with a distinctly Midwestern accent.

Stanley hid his astonishment. "I guess your high school taught you to speak English pretty well."

"Didn't have to, 'cause it was in Cleveland. Knowing that, does the name Charboneau have any significance to you now, apart from my use of it as an alias?"

"Is that the name of your high school?"

"No, Marshfield. I went to Marshfield High. While I was there, Joltin' Joe Charboneau went from being a bare-knuckle boxer down at the local railyard to starting right fielder for the Cleveland Indians. Sonofabitch not only could knock the cover off the ball; he could open a bottle of beer with his eye socket and drink it through his nose, and he did his own dental work with a pair of pliers. We would have fucking loved it if they renamed the school after him."

"I remember him, American League Rookie of the Year in 1979, right?" Stanley said. By it he meant, "What in the name of God is going on here?"

"1980, actually. Listen, there's a little matter I need your help with." Abdullah hauled himself up, bringing his eyes even with Stanley's. "I just got wind of the fact that an old colleague of ours, Drummond Clark, is about to sell a low-yield nuke to a Muslim separatist group."

11

"What time is the meet-up?" Drummond asked for the third time since they had found the BMW in the Hauptstrasse parking lot.

"One." Charlie pulled the car into a space among the smattering of vehicles in the Zweisimmen airfield's small lot. "Two minutes from now."

"Thirteen hundred, you mean?"

"Yes."

"I want you to get in the practice of using military time." Alzheimer's sufferers often labored to maintain the perception that they were on top of their game. Drummond in this fuzzy state was a 5 on Charlie's lucidity scale of 1 to 10—1 being a zombie, 10 being laser-sharp, or his old self.

In Alice fashion, Charlie reversed in favor of another spot—one more attempt at detecting surveillance.

Nobody, at least as far as he could tell.

The sleepy Zweisimmen airfield consisted of a few planes and a tiny air traffic control tower atop a proportionate general aviation building constructed of logs and painted mustard yellow; it looked more like a ski lodge.

Drummond's eyes darted about. In the throes of

dementia, Alzheimer's sufferers retained the ability to bake a cake or drive a car, even create a Web site. After four decades of clandestine operations, Drummond's faculty for circumventing danger was hardwired.

"Everything okay?" Charlie asked.

"I'm fine, thank you."

Unfortunately, taking advantage of Drummond's intuition was often like straining to hear a radio with patchy reception. "I mean, are we safe here?"

"What about our escape route?" Drummond asked.

"You said that if we were going to be in a situation where we required one, it would either be at the chalet, during our walk down to the Hauptstrasse, or when I turned the car on and it started to explode."

"Oh, right." Drummond acted as if he remembered. "And just so we're on the same page: Objective?"

"Find out if Alice is okay."

"Yes, good. And then—and only then—do we get on the plane to Mexico."

Seeing no point in correcting him, Charlie turned off the engine and popped his safety belt. Drummond made no move to exit the car.

"Everything okay?" Charlie asked again.

"What time is the meet-up?"

The parking lot swirled with bitter gusts of sleet and the waxy fumes of aircraft hydraulic fluid. As the

Clarks made their way to the general aviation building, Drummond reminisced—apropos of nothing, Charlie hoped—about a stealth fighter plane that had crashed in the Nevada desert during a 1979 test flight.

Jesse James bounded from the cabin of a small jet and intercepted them. Elevated to perhaps six-four by cowboy boots, he cut an imposing figure, his blue jeans and even his ski jacket conforming to muscles that were rocks. He walked with a rolling gait, arms swinging and beefy hands half open, as if poised to toss aside anyone who got in his way.

"Mr. McDonough, great to see you again," he said to Charlie, and before Charlie could respond, he reached out to Drummond. "I'm J. T. Bream. And pleased to meet you."

Drummond shook Bream's hand. "Likewise," he said with too much affection. "What's your role in this?"

"Just a glorified courier."

"Well, very nice to meet you, sir."

Bream pivoted so that his back was to the terminal, his smile fading. "Now, I need you boys to follow me over to the jet and act like you're looking the thing over. We want Jacques and Pierre inside to believe that you're a couple of suits deciding on whether or not to hire me to give you a lift to Zurich."

Charlie looked to Drummond for reassurance.

He caught his father bounding toward the jet with the zeal of a child about to take his first flight.

"So you weren't kidding about him, were you?" Bream said to Charlie.

"Wish I had been. Please don't tell me he needs to fly the plane."

"I've got that. Please tell me he knows where the thing is hidden."

"We can talk about that when we have proof Alice is okay."

"Relax, Chuck. We want the same thing here. I don't see a dime until my people get their device." Bream unpocketed his satellite phone and clicked a button at the base of its oversized display panel. A video of a small room popped up. It had pale blue walls but otherwise was so featureless that it could be in a motel on the Jersey Turnpike or a budget flat in Bangkok. Alice sat on the only piece of furniture in sight, a plain sofa that possibly doubled as her bed. She was reading a magazine.

Charlie felt a swirl of joy tempered by fear that this was old video.

"Can I talk to her?" he asked.

"You are," Bream said.

As if alerted to a new entry to the room, Alice turned, then rose and hurried toward the camera, beaming, apparently, at an image of Charlie.

A potent mix of joy and guilt left him speechless. He managed, "Are you okay?"

"Wonderful," she said, "with a bow on top"—one of her codes signifying that the "wonderful" had in no way been coerced.

Charlie tried to sort through his jumble of thoughts, not least of which was their predicament. "I forget what my there's-no-gun-to-my-head code is," he said. "But there's no gun being held to anybody's head on this end. Where are you?"

"For some reason they won't tell me—"

Bream pressed a button on his phone. The display went black. "Okay, obviously, she's fine. For now. So where to?"

Charlie needed to be cautious. "Martinique."

"I already knew that. Can we be any more specific?"

"Dad said the city of Fort-de-France. The way it usually works is, once he gets to a place, things become familiar to him. Don't worry, we'll find the thing."

Wariness slitted Bream's eyes. "Wonderful."

12

Now that the satphone call was over, Alice expected that her captors would again secure her wrists and ankles and duct tape shut her mouth. The tape came off only when they fed her pieces of nutrition bar or let her sip water through a long rubber tube—a precautionary measure, she thought, which they were wise to use.

Her mastery of Shaolin kung fu included the ability to sling objects with extraordinary speed and accuracy. She could toss a playing card at forty miles per hour, creating force sufficient to stab an adversary and even, if she struck certain minute pressure points, put him into a coma. If she could get her hands on the satphone, she could throw it at the man she thought of as Frank—he had the Frankenstein monster's broad shoulders and lumbering gait. His face was hidden by a novelty-store black cotton mask with reflective bulbs over the eyes. He'd yet to say anything within her earshot.

She knew less about her other captor. She called him Walt for his gleaming blowback-operated semiautomatic Walther PPK. By waving the pistol one way or another, he indicated *Get up from the sofa* or *Sit back down on the sofa and let Frank tie you up again.*

Once she took out the two of them, she would take her chances with the helicopter pilot, who in all likelihood was spending his break time in an adjacent room. Since being chloroformed in Gstaad, she could remember only this room, which might well be a cell in an upscale gulag. A better guess was an apartment in Geneva, rented under an alias. Or an isolated Swiss country house, in which case the duct tape over her mouth was a small bit of deception: She could scream her lungs out here and no one would hear. The blacked-out windows, unrelenting Muzak from unseen speakers, and an electric air freshener that sprayed a sickly sweet vanilla scent were all intended to keep her from picking up clues.

Still, she had some hints. Her old NSA-sponsored black ops unit had developed something of a niche in renditions. For discretion's sake, the number of captors was usually kept to three, all mercenaries with allegiance only to their numbered offshore bank accounts. They were fed a cover story regarding the operation. The duct tape over their captive's mouth was meant to keep the *captors* from hearing the truth.

Alice hungrily eyed the satphone. "I don't suppose there's any way you'll let me check my e-mail?" she said to Frank.

He shook his head.

So he understood English.

"How about just letting me know the score of the Patriots game?" she tried.

If he were to check the Web, she might snare the phone and launch it toward Walt.

Frank stayed mum.

Walt made one of his usual series of gestures: *Sit back down on the sofa. Let Frank tie you up again. Let him reapply the duct tape.* He punctuated each with a shake of the Walther as if to add, *Or you know what.*

She complied.

For now.

Part Two

Trade School

1

What the *hell have you stepped in?* Stanley asked himself again and again during the nightlong flight from Nice to Washington. The cable he'd received, minutes after spiriting Ali Abdullah over the border to Italy, said little more than REPORT TO HQS ASAP.

The sun had yet to appear over McLean, Virginia, when Stanley swung his rental car off a still-quiet George Washington Memorial Parkway onto the heavily tree-lined Route 123. In the darkness he nearly mistook the agency's driveway for the look-alike service road. A sign that was *not* obscured by a low-hanging bough might have helped. The location of the Central Intelligence Agency wasn't secret after all; tour bus guides pointed the place out. In many ways, he thought, this was a metaphor for the system. A second cup of coffee and he might stand a chance of puzzling out how exactly. But for now, exhaustion made it feel as if poured cement were hardening in his eye sockets.

When he had stepped into the headquarters building as a rookie, he was dazzled by the grand, white marble lobby with its famous eagle seal spanning the floor. He was stirred by the stars, carved into the marble wall on the right, anonymously commemorating the men and women who'd given their lives in the service of the agency. As he proceeded from the security portals to the elevators, there was a bit of march in his gait.

This morning, the same lobby conjured an aging bus terminal, over-polished to compensate for wear. He shuffled to the elevators; the ten-minute trek from the parking lot against a gelid southeaster had left the hip feeling full of icicles.

Stepping out of the Europe division's hallmark Union Jack–blue elevator doors on the fourth floor, he was met by Caldwell "Chip" Eskridge. The Europe division chief engulfed Stanley's right hand with both of his own. "Welcome home, tiger."

"Good to see you," Stanley lied.

Fifty-one years old, the sinewy Eskridge tipped the scale at a pound or two more than he had as the Yale crew team's heavyweight stroke. With his crisp woolen suit, power suspenders, and slicked-back hair, he was the portrait of a bank chairman. His dynamic presentations on the Hill were videotaped and shown within the agency for instructional purposes. Although he had a battalion of deputies and administrative assistants, he did things like this, coming to greet guests of lesser rank. In conversation, he never failed to look people in the eyes, appearing to hang on their every word. If any one quality had accounted for his rise through the ranks, though, it was his ability to avoid flaps, or, better, to defuse them.

For exactly that reason, acid had been bubbling in

Stanley's stomach for the past ten hours. He feared that Eskridge, acting to preempt the Cap Ferrat Flap of 2010, would dispatch him to the CIA's Anchorage bureau for the remainder of his career. Or fire him, a worse punishment since it would deny him his retirement benefits.

"How about we go to the conference room?" Eskridge asked.

As if Stanley could disagree.

Before he could reply at all, Eskridge had shifted into high gear. Trying to ignore the stabbing in his hip, Stanley hurried after him. The long corridor was like that of any white-shoe office suite and wouldn't rate comment except by someone desperate to break the silence.

"Everything looks the same," Stanley said.

Eskridge waved him to a conference room.

As Stanley hobbled through the door, applause washed over him.

He took in ten men and women standing around the conference table, all longtime colleagues of his. Eighty-something-year-old Archie Snow, Eskridge's predecessor as Europe division chief, stepped forward, handing Stanley a framed document and an envelope.

"Congrats, kid," Snow said.

The frame contained a certificate of distinction awarded to William Christopher Stanley Jr., "In recognition of outstanding performance of duty in the service of the United States of America." Which was as much specificity as Stanley had ever seen on a CIA award. The envelope contained a cashier's check for $2,500.

Stanley would have been elated if not for his certainty that the meeting was about something else. Convincing him that crucial business mandated an all-night flight just so his old cronies could throw him a surprise party definitely wasn't company style.

Each of the cronies congratulated him, meanwhile demolishing a tray of breakfast pastries. Then they filed out, leaving just Eskridge, who said, "As you've likely surmised, the award presentation was cover."

Stanley's stomach acid erupted. "I guess I won't be buying that new stationary bike."

Eskridge smiled. "Actually, the award itself is real. The certificate will have to be vaulted here, of course, but the check ought to clear, so buy away."

"To perpetuate the cover?"

"You made the right call in France. A commendable job, really. Also I needed an excuse to get you *here*." He waved at the ceiling, where tiles were suspended from a sheet of Plexiglas that continued down the wall, disappearing behind mahogany wall paneling and continuing under the floor, forming a Plexiglas room within the room, capable of locking in sound waves. "Wondering why, by any chance?"

"It crossed my mind."

"There's going to be a senior operations officer opening in London next year. It's yours if you want it."

The only post superior to Paris was London, where,

in deference to the British intelligence agencies MI5 and MI6, the CIA's mantra was "Stand bloody down!" Over the past few months Stanley had lobbied for a two-year Blighty hitch to wind up his service. Now he braced for the price.

"There's a temp job I'm hoping you'll accept first," Eskridge said.

The agency wasn't the military; Stanley could turn down a dangerous assignment. The consequence of doing so, however, could be three years in Antarctica. Which beat death. So he was left to determine how risky the "temp job" was.

Eskridge sat down heavily at the far side of the conference table. "This is the part where you promise not to breathe a word of what I'm about to tell you, so help you Godhra."

Godhra, a small city in northwestern India, was home to a secret CIA prison. Time there would be worse than any of the scenarios Stanley had considered, death included.

Two hours into the seven-hour flight, the Gulfstream roared—presumably—above a glossy navy-blue Atlantic. Exceptional insulation made it a toss-up as to which was louder, Charlie thought, the jet engines or Drummond's light snoring from across the aisle. Their seats, like the three others, were not mere seats, but overstuffed leather recliners. Compared with this, commercial airline first class was the F train.

Charlie read a sports magazine. Or, more accurately, he held a sports magazine. He kept wondering what would become of Alice should he fail to deliver the ADM.

For the first time since takeoff, Bream glanced back from the cockpit, taking in the sleeping Drummond. "Sorry there's no in-flight movie," the pilot said to Charlie. "Heckuva bar, though." He aimed a thumb at the rear of the cabin.

He seemed bored, or at least inclined to chat, which dovetailed nicely with Charlie's hope of learning whatever he could about him.

"This is a sweet ride," Charlie said.

"It's just a rent-a-plane, of course." Bream flashed a smile. "You know how it is, when you're flying highly wanted fugitives across international borders to go fetch a nuclear bomb. It's usually a good idea to rent, under an alias."

"Oh." In fact, Charlie would have bet the chalet that the Gulfstream was a rental. But he hoped that by playing the naïf, he might lower Bream's guard. "So how does one get into flying highly wanted fugitives across international borders to fetch nuclear bombs?"

Bream laughed. "Thinking of a career move?"

"Should I?"

Nudging a lever beneath the instrument panel, Bream pivoted to face Charlie. "I can only tell you one man's experience."

"Okay." Charlie glanced at Drummond. Still in dreamland.

"When I was in my twenties, I signed on with the Skunk Works," Bream said. "Know it?"

"Vaguely." Once upon a time, like many American boys with an aptitude for numbers and a hankering for glory, Charlie had dreamed of working at the Skunk Works, Lockheed's legendary advanced aircraft division in Palmdale, California. The closest he ever got was Arcadia, California, an hour away, to watch the Santa Anita Derby.

"I was a test pilot on an experimental stealth fighter," Bream said.

"Wow." Charlie's wariness gave way to intrigue.

"I figured I'd put in five years or so there. Then, just north of thirty, I'd be able to transition to cushy corporate jets—play that right, you can make near as much as a ballplayer and get yourself a mansion and all that. The problem was, our client was an Air Force bureaucrat in real bad need of a punch in the face. And one day I gave it to him. He saw to it that I wasn't just shit-canned but kept from flying so much as a paper plane again for a U.S.-based outfit. Then he had me thrown to the cops."

Charlie almost sympathized. "Did you have to do time?"

Bream chuckled. "Only if you count my marriages."

Lately when Charlie met men close to his age and learned that they had already been divorced several times—there was no shortage of them in horseplayer circles—he felt he'd frittered away his youth, never even marrying once. But he didn't feel that way with Bream.

Charlie suspected he had been listening to a cover story. And why would Bream tell him the truth? Charlie cursed his naïveté in thinking that, like some sort of seasoned covert operations officer, he might "elicit" here.

"I appreciate the in-flight entertainment," he said, rising and wandering back to the bar, which held far greater appeal than it had a minute ago.

"My pleasure," Bream said, turning back to the controls.

On a crystal decanter, Charlie caught a reflection of the pilot biting back a grin. It revealed an extra helping of ego, Charlie thought.

Now he had something to work with.

3

"Ever heard of Perriman Appliances?" Eskridge asked.

"Rings a bell." Stanley had lived in Madrid for more than a year before he noticed that his kitchenette had no oven.

"It's basically junk that runs on electrical current. I made the mistake of buying one of their 'affordable' refrigerators *and* one of their dishwashers, back in the days when I, too, thought you could have a family in our trade."

So Eskridge had read deep into Stanley's file—or one of the division chief's adjutants had and distilled it for him. Stanley traced the disintegration of his brief marriage to the day he left for the Farm.

"You know what they say about the third generation losing the money?" Eskridge asked, rhetorically. "In the mid-eighties, one of the agency's geographical analysis subcommittees bought Perriman Appliances from the Perriman grandkids for practically nothing."

"For the usual reasons that a geographical analysis subcommittee needs a second-rate appliance manufacturer?"

"Third-rate would be kind." Eskridge glanced

around, as if wary that, even here, someone might be watching or listening. "Geographical Analysis Subcommittee is how the Cavalry is listed on the books. I take it you're familiar with the Cavalry."

"Just the water cooler intel." Stanley had a nagging feeling that there was an important cable he'd neglected. Rumint—the intelligence community's brand of rumor—had it that the Cavalry was a special ops unit that recruited the gutsiest of the best and the brightest and pulled off covert operations that no one else would dare. It was hard to know, though, what was apocryphal and what was true.

"At the moment, they're an off-the-books joint project of this division, Counterproliferation, and Counterterrorism. They administer the secret side of the Perriman worldwide network, trafficking weapons. To terrorists, principally. Or any other nutjob whose check won't bounce. The Cavalry's best seller is a non-detonative version of a ten-kiloton Russian ADM from the seventies. The device looks like the inner workings of a washing machine, and its weight is only a pound or two greater. So the Perriman washer makes an excellent concealment. On top of that, the Cavalry created special insulation to veil the bomb's radiation. What the buyers don't know is that the ADM is a complete dud—even less useful than an actual Perriman washer. Once a purchase is made, the buyers are monitored by the Cavalry and taken out of play before they can use the weapon. In sum, we found that the way to beat the illegal arms dealers was to join 'em."

For the first time in twelve hours, Stanley breathed free of the worry that he'd been hoodwinked by Ali Abdullah. He'd sent Abdullah to a covert American detention facility in Genoa, purportedly to protect him from reprisal by the French but, really, to protect the arms dealer's secret identity.

"So Abdullah checked out?"

"There was no need. His real name's Austin Floyd Bellinger. I was in his wedding, in Cleveland. Your decision to keep DCRI and DGSE out of the loop was spot on. A few weeks in the detention facility will bolster Bellinger's cover. Then the special effects department will make it look like he killed some guards and escaped. Or maybe they'll just let him buy his way out. The point is, you really did earn that stationary bike. And in so doing, you've earned yourself a role in the best show on the Great Dark Way."

"What sort of role?" Stanley exhibited less detachment than he would have liked.

"Do you know anything about Nick Fielding?"

"The Ali Abdullah of the Caribbean. Is *he* Cavalry too?"

"Yes. *Was.* Died recently in an electrical fire in the New York City subway—you hear about it?"

"I don't think so." If it was something Stanley should have known, he could attribute the memory lapse to fatigue.

"Good. There was no electrical fire. What happened was, one of the Cavalry ADMs detonated in the sub-basement of the Perriman Manhattan offices, which happens to be close to a subway tunnel. As far as I know, the extent of the coverage was just a paragraph or two, buried deep in New York's *Daily News*, decrying the city's dangerously outmoded subway system."

"I thought the ADMs were duds."

"Their uranium components are essentially fake, but that sort of weapon also packs a hundred pounds of plastic explosive, supposedly to generate critical mass, and that part we can't fake, though the boys in the white coats are working on it."

"I imagine a device of that nature doesn't go off accidentally?"

"No. In an actual deployment, it would've been armed by three different Ivans, each man knowing only one-third of the code, for security's sake. In this case, one man had all the codes. Drummond Clark. Now, what do you know about him?"

"Again, only rumint, but enough that I'd bet he's a shoo-in for a Trailblazer medal."

"Stood a chance at being the first guy to win two. But he's the one who triggered the ADM that took out Fielding, along with the Cavalry's entire Manhattan office. So now he won't win anything. Originally, though, the Perriman op was his idea. He founded the Cavalry, staffed it—he plucked Bellinger out of a USO show. Thanks to Drummond Clark, lunatics who might have gotten their hands on a real nuke instead blow up the equivalent of a few sticks of dynamite."

"So why in his right mind would he blow up the Manhattan office?"

Eskridge stiffened. "He wasn't in his right mind. A few months ago he was placed on medical leave, suffering from a voracious case of early-onset Alzheimer's. More recently he developed acute paranoia, which led to an Appalachian-length trail of bodies, not least of whom was the national security adviser."

"So I take it Burton Hattemer didn't really die in a fall."

"The media weren't informed about the bullet that preceded the fall. The good news is that, as a result of it, the Cavalry obtained a presidential finding waiving Executive Order 11905, allowing them to neutralize Clark. As well as his son, Charlie, which probably isn't a bad idea regardless of the Hattemer incident. In a nutshell, the apple didn't fall far from the tree, but it bounced bloody far out of the orchard. The kid's math genius got him into Brown. He dropped out, though, and wound up an inveterate gambler. He now knows and would likely trade what is perhaps our most closely guarded secret for a good tip on the third race at Hialeah. Initially we thought that Clark and Son had done the wet work for us and detonated themselves in the 'electrical fire' along with Fielding. To say the least, this would have simplified matters. However..."

Eskridge hit a button on what looked to be a length of garden hose running along the end of the conference table. "This is a little something the Toy Makers have been working on," he said. Like humidifier mist, particles of light rose from a thin vent running the length of the hose. "Puts pictures on the same basic metamaterial that will soon enable us to be first to have invisibility camouflaging." He looked around the room, in an exaggerated show of paranoia. "Unless the other team has beaten us to it."

Taking on different hues, the particles formed a screen that stood at a right angle to the table and showed video of a young woman crossing a crowded city street at night.

"This is surveillance footage from a kabob place across Broadway from the Perriman offices," Eskridge said. "You're looking at former No Such Agency black ops starlet Alice Rutherford, on the night in question, going into the burning building."

Despite the dark and grainy image, the woman was stunning. Entering the drab postwar office building, she drew a gun as calmly as if it were a cell phone.

Eskridge pressed the screen. Alice's image slid to his right, the video fast-forwarding to a magnified, infrared-filter-enhanced view of her in the vestibule, blasting apart the inner glass wall.

"She was in deep cover on an intelligence gathering op in Martinique," Eskridge said. "Fielding was her target. Like the rest of the world, the NSA bought into his bad-guy cover story. The problem with Miss Alice Rutherford was, when push came to shove, she couldn't be convinced that Fielding was actually on our side, not even by the man upstairs." He pointed to the ceiling, signifying the director, whose office was on the seventh floor. "So now we're watching her gunning down Fielding and, at least in her mind, coming to the rescue of..."

On the display, Alice climbed through the cavity she'd created in the glass. Eskridge tapped at the scene, fast-forwarding through about two minutes of footage of empty vestibule. Then Alice reappeared from an alley next to the office building, with a young man and an older one in tow.

"Drummond and Rotten Apple Clark?" Stanley asked.

"None other." Eskridge paused to watch the threesome disappear from the frame. "And that's the last anyone's seen of them: Alice has gone totally off the reservation."

"Any idea why?"

"She maintained that *Fielding* was off the reservation, that he and the Cavalry zapped Burt Hattemer in order to get the presidential finding against the Clarks. She also insisted that the Cavalry did this to keep a lid on their own misdoings. Under Fielding's direction, the Cavalry 'went *Lord of the Flies*,' as she put it—and to some extent, she's right. One problem with her murder theory, though, is the utter lack of any evidence. Three days ago she sent a Hushmail from points unknown to an inspector general at NSA requesting an investigation. NSA wrote her back saying basically, 'Great, tell us more,' but she never responded. It now appears as though she was just trying to smoke screen her real activity, which is putting one of Drummond's old ADMs up for sale, possibly to the United Liberation Front of the Punjab, an Islamic separatist group who are violent psychopaths when they're on their best behavior. According to our man Bellinger, their sugar daddy had his checkbook out and was waiting near Fielding's place in Martinique the day Fielding was killed. Unfortunately, everyone who knew the device's location died with Fielding. Everyone except Drummond Clark, that is. So if Bellinger is right about the new weapons deal, Alice and her companions stand to clear several hundred million clams. Which means one of those bombs could blow in the heart of New York or DC. And worse still..."

"The Perriman Appliances op would be blown?"

"Exactly." Eskridge stared over the screen, his laid-back manner hardening. "If you can find them, and if we can learn what they've told to whom, great. But first and foremost, we need to stop them."

The assignment was far more dangerous than Stanley had imagined. He wanted it anyway. He'd wanted an assignment like this since he first applied to the CIA.

4

Stanley sat in a temporary Europe division office with one of the unit's signature Union Jack–blue doors but otherwise as charismatic as a budget motel room minus the requisite nature print. His dream job commenced with gumshoe work about as rudimentary as it gets.

He spent much of the morning investigating PM00543MH4/7, the Science and Technology search system's designation for one of the 29,655 groups of travelers matching his criteria. This group consisted of sixty-three-year-old investor Duncan Calloway, who five nights ago had taken his Learjet 45XR from Palm Beach to Paris, along with two of his junior associates—one male, one female, both purportedly twenty-eight. Their excursion employed no small amount of subterfuge, including an 0100 departure and a layover at New York's Kennedy Airport for twenty minutes, though such a stop was unnecessary for refueling.

The subterfuge, Stanley learned, was intended to throw off a rival investment firm that had hired a Palm Beach–based private espionage outfit to track Calloway in order to determine whether he was negotiating the purchase of a French electronics conglomerate.

Stanley anticipated sitting in the temporary office for two or three more days just to wade through the computer-generated leads.

Then PM11304ZH4/9 caught his eye.

At 6:52 a.m. on December 29, thirteen days ago, a thirty-two-year-old Manhattan hedge fund manager named Roger Norton Traynor departed Newark airport for Innsbruck, Austria, aboard another Learjet 45XR, a seven-seater owned and operated by Newark-based Absolute Air Charter, LLC. Accompanying Traynor was his wife of three days, April Gail Hellinger, twenty-eight. The honeymooners checked into Innsbruck's five-star Hotel Europa late that night.

Stanley telephoned the Hotel Europa, posing as one of the groom's colleagues, needing to reach him on an urgent business matter. With even the most discreet hotels, striking the appropriate tone usually sufficed to elicit all information save the guest's credit card number. And that, if needed, was available on Intelnet with a few clicks of a mouse.

"He was a, how you say, a *Liebling der Götter*—a lucky guy," night reception desk attendant Heinz Albrecht said of Traynor. Albrecht remembered April as a "*schöne junge Frau.*"

At check-in, Albrecht recalled, Traynor paid for the entire stay in cash, which was not atypical of honeymooners, having been handed envelope after envelope of the stuff on their wedding night and eager to put it toward their hotel bill before it was lost or stolen. In the ensuing three days, Herr and Frau

Traynor rarely left their mountain-view suite if at all, the *Bitte Nicht Stören* hanger fixed on their doorknob. Again, hardly unusual for honeymooners, according to Albrecht.

The rest of the staff had altogether forgotten the Traynors, although only a little over a week had passed since the couple checked out.

Stanley might have forgotten them too. But a 6:52 a.m. departure on December 29, 2009, would have allowed the Clarks and Alice Rutherford to bolt the United States shortly after blowing up much of the Cavalry and its Manhattan headquarters.

When a thorough search yielded no record of the Traynors' departure from Austria, Stanley felt his pulse quicken. Sure, they might be legitimate Americans on an extended honeymoon in Innsbruck. Or they might have left the city, taken a cozy room in a country bed-and-breakfast, and were now currently playing gin rummy by the fire. There were oddities, though. First, records showed that Absolute Air's proprietor and pilot, Richard Falzone, flew back from Austria to Newark, solo, the same day he'd deposited the Traynors. His copilot, sixty-seven-year-old Alvin Landsman of Jersey City, New Jersey, had remained in Innsbruck. Which might easily be explained. Or might not. Landsman's pilot's license had expired. Probably because a July 2008 traffic accident had left him an institutionalized quadriplegic.

The names Roger Norton Traynor and April Gail Hellinger Traynor proved equally bogus.

Stanley guessed that "Roger Traynor" had paid cash for the Hotel Europa honeymoon suite upon check-in, gone up with Alice Rutherford, and torn up the rooms so it would appear they'd enjoyed three days of romantic wildness. Then, or at least early the next morning, the couple had covertly departed the hotel. At some juncture they were joined by Drummond Clark, perhaps with a car rented under yet another alias. All three probably fled Austria after destroying their false documents, bringing Stanley's trail to a dead end.

Unless Richard Falzone knew something.

Stanley could call the charter pilot and identify himself as a CIA officer. That could spook him, which might lead him to alert Alice and the Clarks. On the other hand, if Stanley phoned and said he was anything other than law enforcement, he impeded his chances of an immediate meeting. Posing as a Homeland Security agent, for example, he stood to gain access right away and, better, leverage. An offer to cut Falzone some slack in exchange for information ought to do the trick. However, it was illegal for a CIA officer to impersonate a law enforcement official. Even pretending to be a parking cop could mean the loss of his pension.

But Stanley was permitted to pose as a Treasury official. The title encompassed coin press workers in the mint, yet carried as much clout with civilians as did Homeland Security, maybe more, as everyone who watched prime-time television knew that Treasury also encompassed the Secret Service.

5

Stanley thought little of the three-and-a-half-hour drive through sleet and rain. The thrill of the hunt made him feel twenty years younger. He sang along with the oldies on the radio, something he hadn't done since they were released on LP.

He stopped his rental car across the street from Falzone's Teaneck, New Jersey, home, a recently constructed four-thousand-square-foot Tudor crammed into a quarter-acre suburban lot. Parked prominently in front was a candy-apple-red late-sixties Corvette that had been restored to look newer than it did the day it rolled out of the plant.

Falzone, whose greatest recorded transgression was a 1994 citation for failure to heed a stop sign, opened the castle-style front door seconds after Stanley pressed the bell. The charter pilot was a boyish fifty-three in spite of a lineman's body, dark bags under owlish eyes, and a gray mustache and goatee that matched his thick hair. He had on designer chinos and a crisp oxford shirt.

"Hey," he said, as if happy to see Stanley. "How are you?"

"Fine. Thank you."

Stanley followed Falzone through the vaulted

foyer to a family room that had three walls of built-in faux-teak shelves all loaded with athletic trophies and diplomas along with framed photos of the pilot, his wife, and five children, all of whom had the misfortune of inheriting his eyes.

"Sorry my wife isn't here," he said. "She does a lot of volunteer stuff at our church." Which didn't necessarily mean she was at the church now. "Can I get you a Coke or something, single-malt Scotch maybe?"

"I'm good, thanks," Stanley said.

The pilot issued an outsized smile. Calmly—maybe too calmly, given the circumstances—he lowered himself into a leather lounge chair and gestured Stanley into a seat on the matching cream-colored sofa. "So how can I be of assistance?"

"Do you recognize this man?" Stanley handed over an eight-by-ten photograph labeled "Charles Clark." He could have flashed half a dozen images of Charlie using his BlackBerry, but blowups, printed on thick card stock, added gravity.

It was obvious Falzone recognized Charlie at first glance. Yet he made an appearance of studying the photo. "Yeah, I think so. He gave me a different name."

"That figures. He's a federally wanted fugitive."

"Holy shit." Falzone did a poor job of acting surprised.

Stanley saw no reason to go through the motions. "Mr. Falzone, how much extra did you get paid to list his associate as the copilot?"

Falzone lowered his head in an appearance of penitence. "Listen, man, please, if I'd'a had any idea—"

"Would you like immunity?"

Falzone opened his eyes altar-boy wide. "Sure, but mostly I want to do whatever I can to help."

Stanley swallowed a laugh. "Where are they?"

"Far as I know, Innsbruck, Austria." The statement was perhaps Falzone's first devoid of artifice since Stanley's arrival.

"Good. How did they come to you?"

"There's a thousand ways I get clients. I chose 'Absolute' for the company's name so I'd be at the top of the listings—that's one of the best ways, believe it or not."

Falzone might still give up the name of the person who referred the Clarks and Rutherford to him, Stanley thought. If the pilot didn't know, he would have said so to begin with.

Stanley sighed. "Look, I'm trying to help you out here. You pocketed a few extra bucks at Christmastime for fudging a manifest. I know, I know, everybody does it. But you're the one who stands to lose everything." With a wave, he indicated the lavish home. "Maybe even do time."

Perspiration darkened Falzone's sideburns. "If I give you a name, we're good?"

"It depends a lot on what name you give me."

"Is there a way you can work it that the person doesn't find out I told you?"

"Sounds exactly like the kind of person I'm looking for. And yes."

Falzone dug at a cuticle, saying nothing.

"I've never met him," he said finally, at a whisper. "I'd never even heard of him until he called me that night, the twenty-ninth."

"Good." Stanley meant to coax him.

"The girl, April, her company had used him in the Caribbean—Martinique, I think. He does air charter down there under the name J. T. Bream."

6

"That volcano erupted, killing all of the town's thirty thousand inhabitants but one," Drummond said, extracting Charlie from much-needed slumber.

"*Volcano?*" Charlie blinked the sleep from his eyes. He could do nothing about the whiskey-induced headache.

The interior of the jet, like the sky, was copper in the setting sun. Drummond stabbed an index finger against Charlie's window, pointing at what appeared to be a greenish cloud rising from the ocean.

"You think that's a volcano?" Charlie said.

Drummond chewed it over. Or he was focusing intently on refastening his seat belt. Charlie couldn't tell which. He figured the old man was a 4, tops.

The plane dipped, revealing the green cloud to be a round-topped mountain, coated with lush jungle. Soon Charlie distinguished individual trees, standing almost as close together as carpet fibers, their leaves shimmering in the last of the day's light.

"Mount Pelée, yes." Drummond seemed pleased to have recaptured his train of thought. "It virtually split in half on May 8, 1902. An interesting piece of information is that the lava traveled into the town of Saint-Pierre at two hundred and fifty miles per hour, thwarting all of the citizens' attempts to escape it."

Charlie reckoned that his father might be correct about the volcano. Drummond had always had an uncanny ability to retain volumes of what he—and usually he alone—considered interesting pieces of information. Upon learning that Drummond had spent his life as a spy rather than an appliance salesman, Charlie recognized that the Interesting Pieces of Information functioned like Clark Kent's plain business suit and thick eyeglasses, hiding the hero beneath. Sometimes the information offered Charlie critical glimpses of Drummond's unconscious. Other times it was drivel.

"But you said there was one survivor."

"Right," said Drummond. "Cyparis was his name, as I recall, and he was protected from the thirty-six-hundred-degree Fahrenheit ash and poisonous gas because he was underground at the time, in a stone-walled cell in the town jail, awaiting hanging. After the lava cooled, he became a star attraction in P. T. Barnum's traveling circus."

Charlie was given hope in his own predicament. "The only sure thing about luck is that it will change," he said. An old track adage.

Drummond regarded him strangely. "Where are we?"

Make that a 3 on the lucidity scale, Charlie thought. "A guess is over whatever country has Mount Pelée in it."

"Mount Pelée? That's at the northern tip of Martinique, the eastern Caribbean island that's an overseas department of France."

Charlie hadn't imagined Martinique being so expansive but, rather, a beach-rimmed dot of an island. Like Drummond, he gazed out the window. Red adobe roofs began to show through the forest. As the jet descended, the roofs grew closer together, soon outnumbering the trees. Lights from other buildings, streetlamps, and streams of vehicles created a glowing dome. Such a vast and populous metropolis would exponentially complicate their task.

"Fort-de-France," said Drummond, as if encountering a long-lost friend.

"Not the one-washer town I had in mind," Charlie said.

7

"Did you know that you're my sixth wife?" Stanley asked as their DC-8 heaved into the clouds above San Juan's Luis Muñoz Marin International Airport.

"Fancy that, you're my sixth too," Hilary Hadley said. "Husband. Plus I had a wife once for an op at the Carnaval in Rio."

In signing off on the covert action, Eskridge had suggested Stanley "honeymoon" in Martinique for the usual reasons: A "wife" would augment Stanley's tourist cover. In fact, any companion adds credibility—a mere nod of corroboration by a second party almost always causes the target's trust-governing synapse to fire. In addition, women are better able to elicit information from the Breams of the world, which is to say men.

Hadley had the sort of good looks that were accentuated by a charcoal suit, perfect for the part of a businesswoman, though Stanley sensed a free spirit beneath the Armani. He knew that some of the most gifted actors were drawn to clandestine service for the opportunity to lose themselves in roles for months at a time.

Not everyone who could act could deceive, however.

"So what do you know about us?" he asked.

"My passport, driver's license, business cards, and all of the charge cards weighing down my insanely expensive Italian handbag say I'm Eleanor Parker Atchison, forty-seven and proud to admit it, a partner at Lerner, Marks and Hopkins, the law firm about which I'll go on ad nauseam before it occurs to me to mention that I also have been married for seven years, to you, dear, Colin Wesley Atchison, CFO of GleamCo, an industrial cleaning products conglomerate and a topic that gets your juices flowing much more readily than any aspect of *your* personal life, save golf. It is for your beloved pastime that we are currently en route to shop for a condo within a chip shot of Les Trois-Îlets' Empress Joséphine course, designed by the incomparable Robert Trent Jones. We already own an adorable hundred-and-twenty-eight-year-old farmhouse in Litchfield, Connecticut, like every Tom, Dick, and Harriet in our Park Avenue social set, but we rarely use it because we prefer the office on Saturdays, when the phones are quiet, people don't stick their heads through our doorways, and we can get things done."

Stanley was impressed with her command of her cover. Even better was her ability to act the part: During the remaining hour of the flight, as they wove additional legend to fit their operational goals, Hadley turned into Eleanor Atchison before his eyes. He particularly liked the way her speech became clipped the moment conversation shifted to their domestic life—this was a woman with more important things on her mind. Yet when it came to the circumvention of Internal Revenue property tax codes, she was effusive, as if narrating a grand adventure.

As the DC-8 began its descent to Martinique, she argued that the quality of the material and the stitching made her handbag worth the extra nine hundred dollars. Although the argument was preposterous, her conviction left Stanley convinced.

He found himself admiring the play of the silk suit pants on her long legs, like gift wrap. Glimpsing her diamond ring and her wedding band, he felt a twinge of disappointment, before realizing that, like his own gold band, it was just cover.

8

"Not exactly an ideal airport for fugitives," Charlie said.

Night had settled over Martinique as Bream dropped the Gulfstream onto the runway. Ahead blazed a seaside airport as large as those in most American cities, or about a hundred times larger than Charlie had originally expected.

"The area for private jets is actually damn-near perfect," Bream said, taxiing away from the main airport. "Otherwise we would've just hit Dominica or Saint Lucia and gotten a boat."

They rolled perhaps a mile to the dimly lit "Executive Airport," as the general aviation area was called. It included four single-aircraft hangars, a handful of charter service offices, and a red-roofed terminal that if it were any tinier wouldn't qualify as a building. Beside the little terminal was a bar, where undulating pink lights revealed two people at the tables. On the tarmac, among the three dozen parked propeller planes, there was no sign of life.

Using a small motorized platform, Bream towed the Gulfstream into a rickety hangar that was equal parts rust and peeling silver paint. Once the jet was parked, he leaped off and lowered the hangar's garage door, the cue that it was safe for Charlie and Drummond to come out of the cabin.

As they descended the stairs, Charlie was enveloped by air seemingly composed of droplets of hot water. Despite hard strains of jet fuel and exhaust, a light breeze carried a pleasing tropical scent.

Behind him, Drummond inhaled deeply and smiled. "Lily of the Valley."

"It's nice."

"An interesting piece of information is that it's poisonous."

"Great."

"I just got a text message," said Bream, peering out the door's grease-smeared plastic porthole. "There's a coupla folks paying me a drop-by visit right now, so I'm gonna call an audible." He tilted his head to a dark corner at the back of the hangar, his eyes flashing urgency. "You'd best get to know that storage closet in case they wanna come inside here."

Charlie resisted an urge to run to the door, plant his face against the porthole, and see whoever had caused Bream's reaction. Trying to maintain the appearance of normalcy, he took the remaining steps at a leisurely pace and merely glanced at the porthole. It offered a broad view of the tarmac between the hangar and the tiny terminal. He saw no one.

Drummond stood at the base of the stairway and stared outside, something that a new arrival who was not a fugitive would do.

"They're waiting for me over in the bar," Bream

said. "American couple, name of Atchison, sent by a guy I know at Air France. Supposedly just tourists wallowing in cash, looking for a flying chauffeur."

Charlie's body temperature dropped. "But they're not really just American tourists, are they?"

"Probably they really are. Probably this is just a case of bad timing. There are almost as many rich tourists on this island as there are palm trees. And I do pay the bills as a charter pilot here, so it'd attract attention if I ducked them."

Chance, Charlie realized, had presented him with his first hard fact about Bream: The pilot was based in Martinique. He hadn't mentioned it, but if he was local, it might mean that he was more involved in the operation than a mercenary parachuting in for the op, or "just a glorified courier," as he'd claimed. Of course the text message—*alleged* text message—might just be a ruse to make Charlie think Bream was based in Martinique.

Either way, information about the pilot wouldn't be worth much if CIA operatives were outside now.

Bream closed the cabin door and hurried to the tail of the plane. "To be on the safe side, wait here till they're gone," he said to Charlie. "Then you two will need to get a place to lay low for the night." He flung open the luggage compartment door, revealing a pair of overnight bags. "Between the light disguises and the new travel documents you'll find in here, you shouldn't have any trouble getting through customs, what there is of it. Especially 'cause 'Capitain' du Frongipanier is on duty. The guy got the job when he bombed as a crossing guard, and in ten years he hasn't made it off the late shift."

"I don't get it," Charlie said. "Are they trying to encourage people to sneak into Martinique?"

"Anybody who wants to sneak onto this rock can pull up at any one of a million places in a boat." Bream slid the overnight bags out of the plane, dropped one before Charlie and the other by Drummond, then inched the luggage compartment door shut to avoid noise. "From this neck of the island, which is Lamentin, it's a ten-minute cab ride up to Fort-de-France. Crash just for the night at someplace that looks like enough of a fleabag that it's not on Interpol's Fax Blast list, then tomorrow, find the goddamned bomb. And as soon as you've got it, give me a holler. Also if you run into any trouble, holler. And by holler I mean text me with the BirdBook that's in your bag."

Charlie assumed he'd misheard. "A bird book?"

Drummond said, "Encrypted communication system."

"Pop's pretty much on the money," Bream said, hurrying out. "The BirdBook y'all've got's really nothing more than a pimped-up BlackBerry—in fact, it'll pass for a BlackBerry. What you do is, type the message to me straight, though a pinch of discretion won't hurt, and the BirdBook will encrypt it."

He exited through a side door, shutting it behind him, causing the entire hangar to quiver.

In spite of the enclosure and the darkness, Charlie had a sensation of being exposed. "What does it say that I feel less secure without Alice's kidnapper around?"

"I was just going to ask you who he was," Drummond said.

9

"Yep, the Big Apple," Stanley said, finishing off his pint of Stella lager. "Helluva town."

His game plan was to lull Bream, who'd joined them at the little airport bar, into believing that he and Hadley were urban philistines. Then blindside him with a mention of one of the fugitives. Bream's reaction could provide more insight than three hours on a polygraph.

"You know, it's funny," said Hadley, who was lit by the blinking Christmas lights atop the wire fence separating the bar from the edge of the tarmac. "Eighteen years I've been living there, and I've never learned why it's called the Big Apple. I mean, no clue whatsoever."

"I've never seen any apple trees there," Stanley added, the first thing he'd said so far that was true.

"Probably not a lot of golf courses either, I'm guessing," said Bream.

Stanley sighed. "I belong to a really nice *virtual reality* golf course. One eleven-degree morning last month, when I was playing the digital version of the twelfth hole of Empress Joséphine Golf Course, the par five that doglegs along the sea, I said to myself, 'You know, that's the place to be.' "

"We're also looking on Nevis and Saint Lucia," Hadley told Bream.

"There's no comparison." The pilot drank most of his beer in one gulp. "Folks think the Caribbean islands are all the same till they come here." His laconic speech accelerated. His lips tightened. And he ground his heel against the tile floor. All of which were indicators of dishonesty. But that didn't make him more than a jet jockey hoping to get business by pretending to agree with prospective clients.

"The issue is getting back up to Newark if I need to," Stanley said.

"For some reason, they need him all the time." Giggling, Hadley placed a warm hand on Stanley's forearm.

Bream raised his nearly empty glass. "Well, here's hoping you have lots of work crises that don't hit till you've gotten in a full eighteen on Empress Joséphine."

"How much advance notice do you require?" Hadley asked him.

Perfect setup for a boast, Stanley thought.

"Ma'am, if I'm not already booked, I'm like pizza delivery: I meet you at the airport in forty-five minutes or your flight is free."

Stanley laughed. "I believe it. A friend of a friend speaks very highly of you: Drummond Clark."

Bream didn't blink. "Oh, well, I owe Mr. Clark a beverage then," he said after a pause. "How is he?"

The pause felt half a beat too long to Stanley. "Okay as far as I know."

There was no reason to let the pilot suspect they were on to him. Not yet. Better just put a little scare into him and have Langley's Caribbean Desk deploy a surveillance unit. Stanley had written a dozen cables before taking off to set this up. They now seemed worth the trouble.

10

"I'M BACK ON ISLAND. HAPPY HOUR@LE SQUASH TOMORROW?" read Bream's text.

With a double-click of the *T* key, Charlie's Bird-Book translated the incoming message to "ALL'S CLEAR." Bream and the American couple were gone.

Charlie preceded Drummond out of the hangar and across the tarmac to customs, trying to appear without a care, particularly about computerized facial recognition software. He wondered, though: Wouldn't it enable the airport surveillance cameras to disregard his fake sideburns, horn-rimmed glasses, and blond wig?

Stepping into the small terminal, Charlie took a slow tour of the customs waiting area, a study in too-bright linoleum, the floor tiles a pale green not found in nature. The walls were banana-colored panels that appeared to sweat in the glare of the fluorescent tubes overhead. And best of all, there were no cameras.

Taking a seat beside Drummond, Charlie realized his khaki suit had darkened from perspiration. Although the ceiling fan's tinny rattle was audible halfway across the tarmac, he felt no movement in the air five feet beneath its bamboo blades. His mind was a feverish montage of dangerous scenarios that would play out once he and Drummond were admitted to the customs office. In more than one, their mug shots served as the customs agent's screen saver. There was just no getting around the fact that they had arrived here together. The ages listed on their documents were off by a few years, but the pairing, when keyed into the customs database, would be a bucket of blood to the sharks searching for them.

Charlie whispered, "Remember what you're going to say if the customs guy asks what brings us to Martinique?"

"I think so." Drummond smiled, as if at a customs official. "I'm John Larsen of Greenwich, Connecticut—that's Larsen with an *e*—and this young scalawag is Brad McDonough, who works for me, when the mood strikes him. I'd tell you we're here for business—we're with New England Capital Management—but even three days of PowerPoint presentations on your fair island counts as pleasure."

Drummond waited for the imaginary official's response, a trace of worry tightening his mouth—the exact amount of anxiety an innocent man would display in this situation, thought Charlie. Incredible. Although far from lucid, Drummond could assume cover with the virtuosity of a Royal Shakespeare player.

Drummond looked to Charlie, eyes full of uncertainty. "Any good?"

The door to the customs office groaned inward,

followed by "You may come in now." The voice was an authoritarian tenor, the accent French with a hint of Creole.

Willing his knees to remain steady, Charlie rose and entered the customs office, which felt like a refrigerator, more a consequence of the room's diminutive size than the throaty air conditioner crammed in the window. Charlie found the cold bracing.

The space was dominated by a vast Louis XIV knockoff desk that had to be fourth-hand and not worth the cost of hauling off. On a side table sat a computer almost as old as the desk. Its display was dark. Save a dog-eared magazine, the desktop was empty. Behind the desk sat a dark-skinned, mustachioed man of about fifty, Maurice du Frongipanier, according to the placard. His wiry features were fixed in a content expression despite a stiff pea green uniform woven from a polyester fiber that resembled plastic.

"*Bonsoir, monsieur*," he said to Charlie with too broad a smile for someone stuck on the late shift. "Welcome to Martinique."

"*Bonsoir*." Charlie approached the desk.

The official gave him a quick once-over and slid open a drawer, fishing a passport stamper and ink pad from a sea of pornographic magazines—the reason perhaps that he was eager to get Charlie on his way.

The door groaned again as Drummond shuffled in.

The ink pad clattered to the floor. Du Frongipanier's eyes bulged as if he were seeing a ghost. "Marvin Lesser, you must be crazy coming here," he exclaimed.

Charlie felt as if he'd been pushed off a cliff.

Drummond's eyebrows bunched toward his nose, as if he were straining to fathom the official's words.

Not pretense, Charlie suspected. Trying to appear unruffled, he said to the customs man, "Begging your pardon, sir, this is my colleague—"

Turning to Charlie, du Frongipanier thrust an accusatory finger. "So Lesser has a new accomplice."

He lunged for the small metal box beside the telephone, smacking a red button atop it. The result was a hollow click, but surely, somewhere close by, an alarm was ringing.

With a new upsurge of dread, Charlie said, "Sir, this is some sort of mistake."

"Yes, yours."

The far door burst open, admitting a brown-skinned young man who wore an Airport Security uniform. Easily six-six, he had massive shoulders and tree trunks for legs. If that weren't enough, he brandished a black baton nearly as big as a baseball bat.

Exhibiting no intimidation, and perhaps unaware that intimidation was in order, Drummond set down his overnight bag and wandered over for a closer look at the baton. He chuckled. "That a Louisville Slugger?"

With a shrug, the security guard glanced down at the baton.

Drummond's right hand blurred into a karate slash, striking the underside of the man's jaw with so much force that his boots left the floor. He sank to the linoleum tiles and lay motionless.

To the customs official, who looked on in horror, Drummond said, "When he comes to, please pass along my apologies." Turning to Charlie, he added, "It was necessary, right?"

"I don't know." Charlie speculated that Marvin Lesser was Drummond. Or Drummond had been Marvin Lesser at some juncture. It was enough to process that du Frongipanier would almost certainly send them to prison now.

The customs official opened another drawer and jerked out a gun in a dusty leather holster. The revulsion twisting his face left little doubt about his intentions.

He needed to unsnap the holster in order to draw the gun. Trembling hands slowed him.

"Lights!" Charlie shouted, hoping his father had noticed the wall plate behind him and would understand.

Without glancing at the wall plate, Drummond reached behind his back and swatted the switch, plunging the room into what would have been complete blackness if not for the trickle of runway light through the air conditioner grate.

Hearing Drummond drop to the floor, Charlie did the same.

A gunshot thundered in the tiny chamber as a plume of flame revealed the customs official wielding a big revolver in two shaky hands.

The bullet bored through the wall to the left of

where Drummond had been standing. Exterior light shone through the hole, illuminating a cloud of sawdust.

Du Frongipanier leaned forward, placing both elbows on the desk to brace the revolver, then aimed at Charlie. From less than ten feet away a miss seemed an impossibility.

With a heavy metallic clank, the thrown baton struck the barrel of the gun, evidently snaring the official's gun hand as well. He screamed in pain as the gun dropped from his grip and banged against the floor.

While Charlie looked on, incredulous, Drummond whisked him out the far door.

11

Charlie ran after Drummond across a broad expanse of crumbling tarmac, a patchwork of shadows and spill of runway and instrument lights. In contrast to the jumbo jets screaming overhead toward the main airport, the little executive airport was dark and still, so still that it seemed possible that the unconscious guard and the customs official were the only other people present.

"Who's Marvin Lesser?" Charlie asked.

"How should I know?" Drummond said defensively.

He was not *on*, yet his evasion software continued to fire: He distanced himself from the terminal, hugging the razor-wire fence separating the airport from the parking strip.

On his heels, Charlie made out an opening in the fence about a hundred feet ahead, near the charter company offices. Just then he heard a staticky version of du Frongipanier's shout, "*Ils visent le parking!*" The sound emanated from Drummond's suit pants.

Surprised, Drummond shot a hand into his pocket, withdrew a walkie-talkie, and eyed it oddly. Its provenance was less of a mystery to Charlie: Relieving an unconscious security guard of his communication device was probably second nature to the lifelong spy.

"They're headed for the parking lot," Drummond said.

"Who?" asked Charlie.

"Us." Drummond tapped the radio. He understood French—who knew?

"Well, good, we can get a car," Charlie said. "Right?" Even at his murkiest, Drummond could, in seconds, snap open the ignition barrel on the underside of a steering column, pluck the proper two from the tangle of wires, touch them together, and bring an engine roaring to life.

Drummond pressed the walkie-talkie to an ear and relayed, "They've sent men to lock the gate leading to the parking lot, and all of the exits from the airport."

Sirens erupted with the distinctive hee-haw of European emergency vehicles.

A pair of police cars were racing from the main terminal. Parked planes popped out of the darkness, alternately red and blue, reflecting the cars' light bars.

"It sort of begs mentioning that there are planes everywhere," Charlie shouted through the chaos. Last week Drummond had demonstrated that he could fly a helicopter. "Can you get a plane started?"

"Simple as flipping a toggle switch or two. But I'm not a licensed pilot."

"Whatever. I'll spring for the fine."

"I mean, I barely know how to fly planes like these."

"*Barely* sounds pretty good right now."

"I'm...I'm sorry, son..." As if to hide his shame,

he looked away, fixing his gaze on the dark alley between two hangars.

Just as well, Charlie thought. Suffering a precipitous drop in lucidity, Drummond had crashed the helicopter last week.

Drummond perked up. "Now *that* is perfect!"

He pointed to a big vehicle parked in an alley. It looked part fire engine and part tugboat, or something a mad scientist might have created in an automotive junkyard. Its rectangular cargo hold flashed olive green in the bright light cast by a third police car rolling along the far side of the fence.

"Perfect for what?" Charlie asked. "Ramming the gate?"

"I think you'd need a tank to do that." Drummond hurried toward the vehicle.

Charlie trailed him, thinking this was no kind of exit plan: If they managed to start the behemoth, the police cars would catch them in seconds.

Drummond darted to the front of the vehicle, which was shaped like a ship's prow. Bold metallic letters on the grille proclaimed AMPHIBUS. Charlie guessed it was used for rescues when planes landed in the water, short of the runway.

Drummond grasped the driver's door handle and tried to get into the cabin. The door didn't budge. Charlie added his weight to the footlong handle. The creak of the hinges was masked by the sirens, fortunately.

Drummond dove upward, landing prone on the

driver's seat. He flipped onto his back, reached under the control panel, and went to work on the ignition barrel.

Usually he needed to find a way to pry loose the panel. With a nothing tap, this one clunked to the floor. A mass of wires spilled onto his face. Although they all appeared black in the dark alley, he somehow knew which two were the reds—or at least he appeared confident as he touched two ends together.

The engine hiccupped.

Then fell silent.

Maybe for the best, Charlie thought.

A patrol car crept even with the mouth of the alley.

Charlie resisted an impulse to dive out of sight. Even in the shadows, his sudden movement would have the effect of a signal flare on the policemen's peripheral vision. So too would the contour of a man pressed flat against the side of a vehicle, but the Amphibus had a wild outcropping of tires, life rafts, and rescue devices. Charlie blended in.

The patrol car continued past.

A moment later Drummond tried the wires again, this time pressing the accelerator with his palm. The engine coughed, six or seven bursts, the intervals between them decreasing in duration and culminating in one pleasing grumble.

Drummond scrambled to the passenger side of a front bench larger than most couches. Charlie jumped in, taking the wheel. Despite the obvious antiquity of the vehicle and the sour stench of old seawater, the cabin was in pristine condition. Evidently the Amphibus hadn't seen much action.

Perched at the edge of the bench, Charlie needed to stretch to keep hold of both the gear shift and the steering wheel. "So do you think we should try for a diversionary tactic? Or just gun it for the water—assuming this thing guns?"

Drummond made no reply.

Charlie looked over to find his father shaking his head as if to stave off sleep. Over the past week the experimental medication had slowed Drummond down in general, a function of the p25 protein booster's beta-blocker component, which brought his metabolism to a crawl. The brief flight from the customs official seemed to have drained him.

"Any thoughts, Dad?"

With a forearm that seemed to weigh a hundred pounds, Drummond pointed ahead.

Customs official Maurice du Frongipanier strode around the corner and into the alley, eyes blazing with fury, revolver locked on Charlie.

12

The customs man took a deep breath and squeezed the trigger.

Charlie imagined that he heard the click over the clamor of sirens. A white muzzle flash lit the alley and the report drowned out all other sounds.

Like Drummond, Charlie ducked, not just beneath the window line but to the nonskid metal floor, his instincts overriding his awareness that even the monster's metal plating offered little protection against a bullet traveling near the speed of sound.

The bullet drilled through the windshield, spiderwebbing much of the surrounding glass and blasting shards against Charlie's hands, which he was using to shield his head. The round continued its course through the vinyl seat just above Drummond's head, disappearing through the door to the cargo hold.

With his raw left hand, Charlie punched the clutch, meanwhile ramming the gearshift into first and pressing the accelerator, sending the Amphibus lurching forward. He pounded the horn.

The customs official jumped, sending his subsequent shot high. It struck one of the spotlights on the vehicle's roof. Orange fragments of glass bounced down Charlie's window.

Emboldened by the sight of the official scurrying out of the way, Charlie sat up so that he was even with the wheel and stomped on the accelerator. The Amphibus chugged to seven or eight kilometers per hour.

Drummond rose too, heavy-lidded and irritable, as if he'd been rudely awoken.

"You okay?" Charlie asked.

Drummond grumbled. "Why wouldn't I be?"

"No reason."

As the truck reached the end of the alley, something thudded against the passenger side of the cargo hold.

"I was afraid of that," Drummond said, eyeing his side mirror.

Checking the mirror, Charlie saw du Frongipanier improbably clinging to one of the flotation devices dangling from the Amphibus.

"Hang on," Charlie said. "Tight."

Drummond braced himself against the control panel. Charlie crushed the brake pedal. The tires shrieked to a halt while the chassis and Charlie's stomach hurtled onward.

The customs man ought to have been flung thirty feet ahead.

But he hung on and, what's more, managed to point his revolver at the passenger window and line up Drummond's head in his sights.

Charlie shifted back into gear, costing du Frongipanier his aim. Mashing the gas pedal, Charlie hoped to gain enough speed to shed the unwanted passenger.

Rapid acceleration was not one of the Amphibus's features.

Three successive rounds pounded through the wall behind Charlie and Drummond. The air filled with particles of seat-cushion foam. More shattered windshield fell inward, scraping Charlie's face and sticking in his wig. Rolling out of the alley, he saw no choice but to duck again and hope that no planes or fuel trucks were in his path.

Shielding his eyes from the continuing influx of glass, Drummond sat up and jerked one of the levers beneath the control panel. With a rush of air, a pontoon shot away from the Amphibus—a horrified du Frongipanier aboard.

The flotation device thumped against the tarmac then reversed course, the rope tethering it to the Amphibus snapping back to the vehicle. Despite repeated bumps and asphalt burns, the customs official not only hung on but also raised his revolver.

Another glaring muzzle flash and a bullet penetrated the steel door dividing the cab and the cargo hold, ricocheting around like a mad bee.

"Any chance there's another lever you can use?" Charlie asked.

Drummond brightened. "Yes, thank you! *That* is what I was trying to remember."

He leaned forward, jerking another handle.

A red life ring disengaged with a feeble click and floated backward, like a frisbee.

It clipped du Frongipanier in the shoulder with a

disheartening *pffft.* But enough force still to knock him off the pontoon. He tumbled backward along the tarmac, his revolver bouncing along with him. Right into his hand. As he slid to a stop, he fired again.

The bullet sparked the tarmac well wide of Charlie's door. The Amphibus bounced, Charlie along with it, his head striking the roof liner. "What the hell?"

"Grass," Drummond said.

Now Charlie saw it. The Amphibus was crossing the strip of lawn that paralleled the runway. A moment later the heavy vehicle clomped onto the runway itself.

Charlie looked up, bracing for impact with a descending 747.

The sky was empty, but a trio of police cars was converging on the Amphibus.

Extraordinarily composed, or perhaps just drained of panic, Charlie focused on the Caribbean, outlined by the moonlight, a mile up the runway. He tried to turn the Amphibus, wrestling gravity for control of the wheel. The tires howled. Whines and groans suggested the vehicle was about to collapse into a mass of spent automotive parts. It careened toward the water with the exception of a cylindrical tank—*a fire extinguisher?*—which burst through the rear door and bounced down the runway, leaving a comet trail of sparks.

The first police car slalomed to avoid being struck, then accelerated, closing to within a city block of the

Amphibus. The two other police cars fell behind the first, forming a triangular formation, suggesting to Charlie that they intended to "T-bone" the truck, or disable it by ramming its flanks.

Although the engine roared like a blast furnace, the Amphibus seemed to have maxed at seventy kilometers per hour.

The police cars closed to within striking range.

The water was half a mile ahead.

"Now would probably be a decent time to figure out how to turn this thing into a boat," Charlie said.

Drummond stared across the cabin as if Charlie were the one with lucidity issues. "Turn this into a boat?"

13

One of the police cars was now close enough that Charlie could make out the driver's mustache—the traditional Burt Reynolds model. He also saw the gun that the man's partner braced on the passenger side window. Getting closer. The options were to get rammed, get shot, both, or to stay the course to the Caribbean at the runway's end.

"Dad, this thing is an *Amphibus*," he said. "If we can't make it live up to its name, when we reach the water"—seconds away—"we're literally sunk."

"Oh, that. We could always retract the wheels. The power train will shift from driving the wheels to driving the jet propulsion system."

Charlie exhaled. "You've been in one of these things before."

"I don't recall. On the other hand, once, back in the early seventies—"

"How do you retract the wheels?"

"Push this." Drummond pointed at a big button on the console. Pictured on the peeling decal directly above it were a tire and an arrow that curved upward.

The police car closest to Drummond slammed into his side of the Amphibus. Charlie felt the crunch of metal in his teeth. Impact with any more force would knock the ungainly vehicle onto its side.

His eyes went to the blur outside his window. The second police car was charging straight at his door. He clenched head to toe in anticipation of the blow.

The police car suddenly slowed, braking close enough that Charlie could read the lips of the man at the wheel: *"Merde!"*

The runway ended, and the Amphibus took off into the sky, or so it seemed.

An instant later, it belly flopped into the Caribbean. And began sinking. Seawater rose above the windows, darkening the inside of the cabin save for a few faint white circles on the instrument panel.

Charlie groped for the button that turned the thing into a boat, found it—he hoped—and hammered down.

The wheels ground inward, and the inboard engines roared to life, bringing the water around it to a boil.

The craft popped back to the surface.

And, incredibly enough, floated.

As far as Charlie could tell, just one problem remained: "How do we make it go?"

"Just keep doing that." Drummond indicated the accelerator, which Charlie still had pressed all the way to the floor.

Indeed the Amphibus continued to function, distancing them from the runway. But at a turtle's pace.

"You sure about the 'jet propulsion' part?" Charlie asked, watching the cops spring out of their cars, all with sidearms drawn except for the last man, who had a shotgun.

"An interesting piece of information is that it took ten million man hours to develop amphibious vehicle technology," Drummond said.

The shotgun roared and a round barreled into the cargo hold, creating a fist-sized hole in the wall behind them and boring into the dashboard. The radio spat out sparks.

More bullets rained against the vehicle, with such frequency that the dings and chimes formed one continuous peal. Too many bullets to count entered the cabin, kicking up a confetti of vinyl bits from the dashboard along with a geyser of sparks, and turning any remaining glass into gravel. The air filled with a salty mist.

Crouched as far down as possible, Charlie kept his hands on the accelerator. He tried to steel himself by remembering that he and Drummond had escaped worse.

That reduced the odds of their succeeding again, come to think of it. Better not to think, he decided.

The Amphibus reached thirty kilometers per hour, according to the speedometer, slashing through the waves.

The hail of bullets dwindled to a sprinkle, then nothing. The ruckus of gunfire and sirens receded and was soon drowned out by the inboard engines' hums. Charlie felt safe enough to emulate Drummond and climb back onto the bench.

Through what remained of his window, he glanced aft at the policemen standing at the water's edge, their heads lowered.

"Now what?" Charlie asked.

Drummond didn't reply, fully attuned to the French chatter from the walkie-talkie pressed to his ear. After a moment, he said, "They're dispatching two Coast Guard cutters."

Charlie looked to shore. The airport now appeared the size of a dollhouse. Other than the engines, he heard only the patter of waves against the hull and a faint cry of a seabird. The moonlit seascape could have been used by the Martinique Travel Bureau.

"How about we get out and let this thing keep on chugging to sea, so that when the cops get to it, there's nobody aboard?" Charlie said. "We can use one of the life rafts to get back to the island." He thought back to what Bream had said: Anybody who wants to sneak onto Martinique can pull up in a million places by boat.

"They're also sending a helicopter." Drummond indicated the walkie-talkie.

"Super. With a searchlight?"

As he sometimes did, Drummond massaged his temples, as if trying to trip the button that activated his memory. "Sorry," he said in conclusion.

"Okay, how about a more basic survival question?" In this respect, Charlie thought, Drummond's tradecraft was practically ingrained. "If you were now, hypothetically, a fugitive, what would you do?"

"Swim to shore."

"But they'd still see you."

"Not if I swam underwater."

"It's got to be a couple of miles at least."

"Well, that would be my best course of action, if I were a fugitive."

The distant cry, which Charlie had thought of as a seabird's, grew louder, into a whine. He recognized it. Helicopter rotor.

He gripped his door handle. "Well, either way, we need to get out of here now."

"This way," Drummond said, unlatching the door to the cargo hold.

"What difference does it make?" Charlie asked.

Pushing open the door, Drummond pointed into the dark hold. The glow from the console outlined walls blooming with vests, masks, fins, and cylindrical tanks like the one that had flown out the rear door and onto the runway.

"I guess you've scuba dived off an amphibious rescue vehicle before too," said Charlie, who had never even snorkeled.

Drummond pulled on a wet suit. "Maybe so."

A minute later the whine of the rotor turned into a series of raucous thumps. The moonlight delineated the approaching helicopter from the night sky. Dressed like frogmen, Charlie and Drummond sat on the edge of the open cargo doorway.

"Some handicapper I am, thinking coming here would be simple," Charlie said, effectively to himself.

With a splash, Drummond fell backward into the sea.

Charlie followed suit, sinking into water that was warm and, better, ink black.

14

In a preposterously small rented Peugeot, Stanley and Hadley raced to Les Trois-Îlets, a seaside village off the coast where the Amphibus had just been found.

Undercover as the well-heeled Atchisons, they checked into the five-star Hôtel L'Impératrice, a remnant of the 1960s' embrace of garish opulence. The lobby was dominated by a lush rain forest replete with a three-story coral cliff enshrouded by luminescent mist, the result of a booming waterfall and as many filtered spotlights as a Broadway stage. At the frothy base of the fall was an emerald lagoon, populated by fish representing every shade of neon.

Stanley thought of the hotel as the perfect venue for the espionage fantasies of his youth, in which the Ritzes of the world constituted the everyday operational locale. In reality such accommodations had been far from the norm. Even in Paris, the job took him to the sorts of hotels that offered hourly rates. His agents weren't just people willing to sell out their own countrymen; they were willing to do it for a pittance. Not quite habitués of the posh spots.

With a Serge Gainsbourg melody in his head, he walked onto the bamboo terrace that extended from the open-air lobby and overlooked the purple-black Baie de Fort-de-France.

"Hoping to spot our rabbits swimming ashore?" asked Hadley, joining him at the rail.

The inability to do anything frustrated him. "At least we're close to the action in the event there is some."

She checked her BlackBerry. "The local officials have come to the conclusion that Drummond Clark is an international money launderer and arms dealer named Marvin Lesser. Old cover, mistaken identity, or whatever, it's working better as a pretext for a manhunt than anything we could have come up with."

"So what can we do now?" Anything seemed preferable to sitting idly.

Hadley hesitated, then asked, "How about we get a bite?"

"I guess we can keep an eye on the bay."

The hotel's outdoor restaurant, Les Étoiles, was lit for the most part by candles and tiki torches, but also, as advertised, by the stars, beneath which the Baie de Fort-de-France was a mosaic, flickering from black to white. Along with a smattering of other late diners, Stanley and Hadley were serenaded by a calypso band in tuxedos the same turquoise as the pool. They both ate Colombo, Martinique's national dish, a coconut milk curry of fish, served with spicy fried plantains, at a price probably close to the per capita income. Stanley would have happily quit after the salad course. Primed for a hunt, his body wanted no part of food.

Hadley set her BlackBerry on the table. "You ready for the latest?"

"I can make the time." He ate a forkful of fish for appearance's sake.

"Our pilot friend went straight home to his apartment in Anse Mitan, about five miles from here. He microwaved a burrito for dinner, and had"—she glanced at the BlackBerry's display—"five *red stripes*: I'm going to have to check my codebook."

"You'll do better with this." Stanley tapped the leather-bound drinks menu propped between a candleholder and the pepper mill. "Red Stripe is a beer brewed in Jamaica. If our boy's had five, he's probably not planning to drive. Under any other circumstances, I'd say: 'I hope not.' "

"Currently he's surfing the Web. No calls, no new e-mails, two text messages, one sent to a local woman asking her if she'd be at Le Squash for happy hour tomorrow, one from a Dutch woman who tends bar at a nightclub in Fort-de-France inquiring about his plans later tonight."

"She looking to book a 'flight' with him?"

"It would seem so. He didn't reply."

"Maybe he's waiting to hear from two men."

With a groan, Hadley kicked Stanley's shin, as she would have if she knew him well. "Those men would know that contacting him by telephone or text would effectively be contacting us."

"Unless it's encrypted text."

"Good point." Hadley began typing a cable.

"How about this?" Stanley asked. "Do we know where on the Web he's surfing?"

"As a matter of fact, yes. EBay—auto parts."

"We're capturing it?"

"Are you in the market for auto parts too?" Hadley resumed eating.

"When I was in Algiers, an MI6 tech intercepted bad guys' messages embedded in online classified ads for used bathroom fixtures. They were using an encryption algorithm to mix the secret text into the pixels of the photos in a way that didn't distort the pictures."

She paused, fork midway to her mouth. "*Used bathroom fixtures?*"

"Would you ever look at classified ads for used bathroom fixtures, let alone buy a used bathroom fixture over the Internet?"

She smiled. He sat back and admired her. No acting required.

Throughout the rest of their meal, thoughts of covert operations receded.

15

The black water lightened to violet. Landfall. Charlie wasn't sure whether he was happier about that or the fact that he hadn't needed to use his speargun en route.

He and Drummond surfaced about fifty yards short of a secluded beach that shone silver in the moonlight. On the dark and densely wooded hills, thousands of lights glowed like embers. A gentle breeze whistled through palm fronds. Charlie thought of his surroundings in terms of obstacles to circumventing the local authorities—who were undoubtedly scouring the island—and getting to the Laundromat. Contacting Bream was out. The BirdBook had been left in the overnight bag last seen in the customs office. They had fled the airport with only what they had on them, wallets and the pill bottle Drummond always kept close at hand.

Charlie spat out his clammy mouthpiece. "It's been over an hour since you hot-wired a vehicle. What do you say we find another one?"

Drummond held his mouthpiece close to his lips, as if ready to resubmerge. "Okay."

A hundred yards up the beach stood a mass of stacked wooden lounge chairs. "Looks like a hotel there," Charlie said. "What do you think?"

"It does."

"What do you think we should do? Head toward it? Or away?"

"I don't know."

"How about this? Say you were a fugitive looking to shed your scuba gear and steal a car in order to get to a Laundromat in Fort-de-France. Would you be wary of a big hotel, where the security might be watching out for us, or would you be psyched about a crowded place where there are probably a lot of other people with our skin color, many of them on their fourth or fifth umbrella drink by now?"

"Ah. In that case, the relative ease of obtaining clothing and a vehicle would outweigh the cons, which would largely consist of a faxed alert that the graveyard-shift guards and receptionists may not even have seen."

Unbelievable, Charlie thought.

They swam closer to the beach, then walked along the sandy sea bottom in their flippers. Gas-fed torches showed the way to landscaped gardens fronting a large resort hotel. As they drew closer still, the dark forms of guests came into view.

Drummond slowed a few yards from shore, body low in the surf, apparently casing the surroundings. When no one was in sight, he ambled onto the beach, his flippers and speargun bunched under one arm.

Charlie followed. The sand ended at a wall of bamboo stalks twenty to thirty feet high, red at their bases before morphing into a brilliant green. Drummond deposited all of his gear but his wet suit into their midst. Which made sense to Charlie. The lightweight neoprene suits had short sleeves and pant legs, not entirely out of place on guests strolling along the beach.

Without the wigs they'd worn at the airport, they looked less like the two men sought by local authorities. On the other hand, they looked more like the two men sought by the rest of the world's authorities. But Drummond's intuition seemed to be firing. So Charlie didn't hesitate to replicate his father's every move while trailing him up the beach and toward the hotel.

They crossed paths with a handsome middle-aged couple, apparently walking off dinner, arm in arm, their wedding rings and her diamond aglow. Flush from a bottle of wine or just the warm air, they both smiled, the wife offering a warm "Good evening." Awaiting a reaction to the dripping scuba suits, Charlie could only muster a nod in greeting, but Drummond said, "How're you doing?" as if he hadn't a care in the world.

The man and woman appeared to care just as little, intoxicated with each other. As they passed, a wave sizzled up the sand, lapping their shins. "God, why didn't we change into our swimsuits?" she said. "I'm dying for a dip."

Charlie spotted a bamboo hut fifty yards ahead, between the beach and the hotel's swimming pool. Nailed to the hut's grass roof, at a slant, was a sign that read SANDY'S, hand-painted, intentionally slapdash. Probably a shop that sold suntan oils and lotions at three times the price guests would pay in town. Pointing it out to Drummond, Charlie said, "That place ought to have shirts and stuff."

"It's closed," Drummond said.

"I know, but I was thinking that someone who can hot-wire an amphibious vehicle might be able to open a hut."

The hut proved to be nearly as secure as a vault, an industrial version of the prefabricated metal storage sheds sold at home improvement stores—the bamboo façade was hot-glued to the exterior walls, synthetic grass was stapled to the roof. Its door and window were fastened by combination locks.

"An interesting piece of information about combination locks is that many have small keyholes on the back," Drummond said.

Charlie eagerly flipped the lock over and spotted a tiny round keyhole in the upper right corner. "Excellent piece, Dad!"

"Did you know that many people use the same combination lock for years without ever noticing the keyhole, until a thief defeats it."

"How does the thief defeat it?"

Drummond gazed down the beach, as if regarding a beautiful painting. "How would I know?"

"Say you were a onetime CIA operations officer, who took a five-day course in lock-picking when you were at the Farm…"

16

The shock of actually finding the Clarks might have bowled Stanley over if Hadley hadn't seized his hand and steered him behind a grassy rise in the sand, out of the fugitives' sight.

"Good choice of hotel," he said under his breath.

"Next time we decide to take a 'romantic stroll along the beach,' remind me to request permission to bring a sidearm."

Stanley had an AK-47 and three handguns in his apartment in Paris, but rarely took them to work, although, like now, they often would have come in handy. As opposed to FBI agents, CIA officers didn't carry firearms—the bureaucrats usually withheld permission for fear of their operatives being exposed as CIA officers and of the resulting flaps.

Antibureaucratic vitriol sharpened Stanley's senses. He regarded the stretch of beach where the Clarks had disappeared. "We ought to go after them."

Hadley opened her purse and drew out her Black-Berry. "And take them ourselves, with no weapons?"

"Just tail them. In a minute or two, they'll have a whole new wardrobe from that beach supply shack or the shops in the lobby. Another ninety seconds and they'll have helped themselves to a car in the guest parking lot that no one will realize is gone until morning at the soonest. By the time our backup mobilizes, the rabbits will have blended into the half a million people on this four-hundred-square-mile jungle."

"They'll know we're tailing them, though."

"I can live with that. If we can stall them for as little as two minutes, we'll have half a dozen police cars and a helicopter in play."

By way of agreement, she started back to the hotel, scrolling down her phone menu. "I'll call the dry cleaners." She meant their backup unit.

Stanley looked past her, toward an odd rustling in the bamboo.

Drummond and Charlie emerged from the stalks just a few feet away, crisp new Hôtel L'Impératrice T-shirts over their wet suits. They brandished pistols of sorts with four-foot barrels and spearheads protruding from the muzzles.

Stanley was hit with a one-two punch of surprise, then fury. Why hadn't he heeded his instincts and rushed the criminals the first moment he saw them?

"Fort-de-France Dry Cleaning," came the Yankee-accented voice of the backup unit's chief over the BlackBerry.

Holding a finger to his lips, Charlie held forth a thick sheet of hotel stationery. With the point of his speargun, Drummond directed Stanley and Hadley to the big block letters on the stationery, although Charlie's intent had been obvious.

By the light of Hadley's BlackBerry, Stanley read:

FOLLOW THESE INSTRUCTIONS IMMEDIATELY OR WE WILL SHOOT YOU:

1. RAISE YOUR HANDS.
2. ONE OF YOU, SAY, ENTHUSIASTICALLY: "LET'S GO FOR A DIP ANYWAY!"
3. SAY NOTHING ELSE.

Raising his hands, Stanley glanced at Hadley in hope that she had a better plan. Her hands were already in the air, and though the night made it hard to tell, she was pale.

"Let's go for a dip anyway," she said with enthusiasm so convincing that Stanley wondered if she weren't in fact happy to enter the water.

As Drummond frisked him, Stanley waited for an opportunity to launch a knee into the old spy's groin. The spear pressed into his own inner thigh made him think better of it.

Drummond snatched away Stanley's phone and flung it into the sea. The satellite device splashed down and sank, followed by Hadley's.

Now that they were at liberty to speak, Charlie looked to Drummond, who just shrugged.

"It's okay, I got this," Charlie told him, before turning to Hadley. "Ma'am, gently toss your purse onto the sand in front of you."

Trembling—or probably pretending to be trembling—Hadley needed both hands to do it.

Charlie scooped up the bag and sifted through

its contents. "I hope it won't inconvenience you too much, but I'm going to keep all of this stuff. After seeing your fellow civil servant Nick Fielding shoot Burt Hattemer with a keyless remote from a Lincoln Town Car, I'm not taking any chances with lipsticks and eyeliners."

According to a brief Stanley had read, the national security adviser was killed with a single .22 caliber round. Although Stanley had never seen such a device, a keyless remote could be rigged to fire a bullet; the museum at headquarters had an entire exhibit of pens, lighters, and even a roll of Tums that fired small-caliber bullets, most of the weapons dating from World War II. However, since forensics had conclusively determined that Drummond Clark had fired the .22 caliber bullet that killed Hattemer, either Charlie hadn't seen the shooting or he was simply a good liar, in which case he'd likely inherited the trait. Back in the day, another CIA brief had noted, Drummond Clark could have convinced a polygraph that it was a toaster.

Hadley's chattering teeth seized their attention.

Stanley gleaned her intent. "It's going to be okay, sweetie," he said, adding a tremor to his own voice.

Charlie tightened his grip on his speargun. "Please cut the act. You're way too teenagers-on-a-date for a married couple your age."

Ironically, the affection was authentic, Stanley thought. At least on his part.

"I wouldn't have given you a second thought,"

Charlie added, "but while we were trying to get into the supply shack, my father kept looking back down the beach. You weren't there. And you weren't in the water. Which meant you'd ducked behind this grassy rise just after we passed you. Now why would you do that?"

Hadley blushed. "My husband was a bit frisky, that's all."

Charlie shook his head. "By your stage of the game, everyone knows it's just not worth getting sand in those parts. Also you were calling the dry cleaners... Come on!"

Continuing to play dumb was futile, Stanley thought. Better to just stall. The backup unit commander probably had people on the way.

"All right, Charlie, you've made us, except we're on the same team as you." Stanley turned to Drummond, who peered back as if through a thick fog.

"In that case," Charlie said, "before more of our 'teammates' show up, you two need to turn and head to the hut, holding hands, like you were before. And if you try anything, you will get speargunned in the leg—wait, I should qualify that: We'll *try* for the leg. My dad could probably split a jelly bean from fifty yards away. But I've never shot one of these things before, so I can't make any promises."

Stanley turned toward the hut and took Hadley's hand, which was cold and clammy. Not part of the act, unfortunately.

17

A few minutes later the couple sat on the hut's linoleum floor, Charlie aiming his speargun at them while Drummond bound their wrists and ankles with kite string.

They looked like Superman and Lois Lane fifteen years after their first meeting, Charlie thought, out on a date night now while their kids were home with a sitter. According to their driver's licenses, their names were Colin and Eleanor Atchison. Odds were high that their real names were something else. And it was even money that they were now plotting to turn the tables.

For fear of drawing the attention of hotel security staff, Charlie kept the lights in the hut off. Drummond worked by the pink beam of a children's flashlight, a miniature of Mount Pelée—squeezing the green mountain activated a tiny bulb within the red peak, theoretically simulating a volcanic eruption. His technique was to thoroughly tie captives' legs together at the ankles, knees, and thighs, then practically mummify them from the waist up. Although the process was complex, Charlie had previously seen him execute it with the same dexterity that party magicians display when turning balloons into dachshunds. But now, lids heavy, head lolling, Drummond faltered.

The conditions weren't helping. With the doors and windows shut, a small grate provided the only ventilation in the hut, which was stifling and thick with the scent of suntan lotion to begin with. Perspiration streamed down Charlie's face, soaking his shirt. Like being slow-cooked in coconut oil, he thought.

The woman broke the heavy silence. "So... have you been in Europe?"

"I don't believe so," Drummond said before pausing to reconsider.

"Didn't you just fly in from there?"

Almost certainly, Charlie thought, the spooks had gotten hold of Bream's flight plan listing Warsaw as his point of origin, a ruse capitalizing on Poland's lax documentation requirements. A minimal amount of detective work on their part and Gstaad would be blown.

Unwilling to assist them, Charlie looked away, which, he realized, probably served as an admission—in his experience, people like these two were human lie detectors.

"Please try to understand that we're on your side," the man said.

"Interesting," said Drummond, as he often did to avoid creating an awkward gap in conversation. He fastened the knot behind the man's neck and moved on to the woman.

"We can help you," she said.

Charlie considered that the sole aim of their conversation was diversion.

The man craned his neck to look Charlie in the eye. "We all want resolution to your case, right?"

There was a certain affability etched across his broad face, and his eyes were full of a forthrightness that didn't seem like artifice. Langley must have invented a new sort of contact lens, Charlie thought. But on the off-chance this really was one of the good guys, he said, "The problem is that your company's idea of resolution is diametrically opposed to ours."

"I'm not so sure. What's yours?"

"Life, liberty, pursuit of happiness, stuff like that."

"Those perks come with responsibilities," the man said. "In your case, answering to charges of a capital crime."

Charlie sighed. "Have you asked yourself why you don't have spears running through you already? The only times we've ever hurt anyone have been in self-defense."

"What about Hattemer?"

"I'm sure the Cavalry did a great job of littering the scene with our fingerprints and nose hairs and whatever, but anybody who thinks the Cavalry are good guys has to have been drugged by them."

The man shrugged. "What motive would they have had to kill Hattemer?"

"Not *Burt* Hattemer?" Drummond said.

Drummond had fled the scene of the killing just

two weeks ago, yet his friend's murder seemed to be news to him.

"We'll talk about it later," Charlie said. They could ill afford the distraction now. He turned to the man. "Their motive was to keep him quiet."

"Interesting," the man said, with a bit too much enthusiasm.

"We'd better gag them now," Charlie said to Drummond.

"Check." Drummond pressed a rolled-up T-shirt over the man's mouth, stretched it around his ears, and knotted it behind his head. If Hattemer's murder remained on Drummond's mind, he gave no sign of it.

"I wish you could trust us," the woman said.

"Same," said Charlie.

She smiled. "In the interim, my only request is that you don't leave my arms so high behind my back. One of my fellow officers in Farafra developed blood clots in both shoulders after just one hour with his arms tied behind a tree."

Grunting acquiescence, Drummond loosened the kite string, allowing her wrists to fall even with her waist.

Charlie thought of Farafra, or at least the silver screen version, with its centuries-old sandstone spires and backdrop of date palms on sparkling Egyptian sands. What he wouldn't give to go there someday with Alice. As much as any city on earth, Farafra conjured romance and adventure and...

It was an extraneous detail.

"Dad!" he screamed.

Drummond looked up from refastening the woman's ankles in time to dodge the glistening barb she swung like a dagger.

Charlie didn't dare fire the speargun for fear of spearing his father. Instead he flung a family-sized bottle of sunscreen, striking her in the jaw. The container bounced harmlessly to the floor, but the diversion allowed Drummond to swat the weapon away from her.

It landed in a tall wicker basket full of flip-flops. Retrieving it, Charlie nearly sliced his fingertips on the razor-sharp edge of what had passed for the woman's engagement ring. Pressure on the spring-loaded diamond must have caused the metal band to uncoil into a blade. She had probably cut through the twine around her wrists a while ago, then waited for the opportunity to strike.

As Drummond refastened her wrists and gagged her, Charlie heard footsteps outside. Kneeling, he peered out the ventilation grate to see two young men, but only from the neck down. He didn't recognize the bodies, but there was no mistaking the muscular, boxy builds—ex-military contract agents were the darlings of black ops personnel directors. Both men wore polo shirts, crisp Bermuda shorts, and, probably in a nod to pragmatism over tourist cover, cross trainers rather than sandals. They strode purposefully toward the beach. In a moment, even if they found nothing suspicious, they would rush back to the lobby and lock down the resort.

"The fun never stops," Charlie said to no one in particular.

"Finished," Drummond said, looking up from a pile of spent kite string spools.

"Good. Unless there's anything in here that they can use to draw attention to themselves or to escape—flashlight circuitry that could turn a tube of aloe vera into high explosive, anything like that?"

Drummond shrugged.

"What if you were them?" Charlie waved at their captives.

"I'd try to get my hands on *that*."

Charlie followed Drummond's eyes to the telephone by the register. Seeing no need to chance it, Charlie rendered the phone inoperable by slicing the outside wire with the woman's ring. At the same time, he thought of a way to stymie the two searchers. Unfortunately, his plan required using a phone.

18

During the crash course in espionage that had been his past two weeks, Charlie had learned that intelligence agencies of the United States and her allies maintained house-sized computers that continuously intercepted and analyzed billions of phone calls, e-mails, and text messages. In one instance, a captured conversation between two terrorists over a pair of children's walkie-talkies enabled the Mossad to corral a major weapons shipment from Cyprus.

Even on the hotel's intercom, Charlie's intended lifeline, his voiceprint would raise the digital equivalent of a red flag, simultaneously spitting his whereabouts—to within a five-foot radius—to those agencies seeking him. Paramilitary assault teams would storm Hôtel L'Impératrice in a matter of minutes.

If things went according to plan, however, in a matter of minutes Charlie and Drummond would already be driving away from the hotel. But first Charlie needed to get to an intercom. Followed by Drummond, he slipped through the bushes behind the relocked beach supply hut. He stopped short of the paved pool deck, within reach of a fiberglass coconut mounted on a pole resembling a palm tree. Inside the coconut was a house phone.

Reaching for the handset, he glimpsed the two young men in polo shirts and Bermuda shorts, no more than thirty yards away, prowling the beach like bloodhounds. He froze. And immediately regretted it—he knew his pursuers were trained to detect unnatural motions on their peripheries. In contrast, Drummond hid behind a thick tree, never breaking stride.

Neither young man appeared to notice.

Charlie couldn't reach far enough into the fiberglass coconut to grasp the handset without exposing his position.

As he waited for the men to continue down the beach, a cool gust off the bay made the tree limbs and bushes sway noisily. A variation on opportunity knocking, he thought. He reached slowly until his fingertips knocked the handset from its cradle and into his other hand.

The men on the beach didn't turn to look.

Charlie extended the handset back toward the coconut until the rounded earpiece pressed the CONCIERGE button on the telephone's keypad. As the line rang, Charlie took the handset and withdrew, in synch with a windblown palm frond, into the shadows between the bushes and the shack.

"*Concierge*," came a chipper male voice.

"Hi, this is Mr. Glargin," Charlie whispered. "We're staying here at L'Impératrice and, well, my young daughters and I were just walking on the beach where I'm afraid we saw two young men engaged in—I don't really know how to put it—lewd behavior."

Within seconds, hotel security guards appeared from the main lodge and discreetly headed down to the beach. Much as Charlie would have enjoyed staying to hear the contract agents' protests, he knew that each second could make the difference between escaping or not.

19

The N5 to Fort-de-France wasn't the crudely paved, single-lane road alongside sugarcane fields that Charlie expected, but a sleek and ultramodern highway with elevated ramps that wound around, across, and, occasionally, directly through mountainsides. Fortunately, Drummond had relieved the CIA man of his car keys while tying him up, because Charlie found driving the Peugeot challenge enough, particularly keeping up with the local traffic, blazing vehicles whose proportions, unlike the Peugeot's, were suited to the snaking curves and narrow passageways between rock walls. To allow past a flaming orange Micra—an amalgam of a go-kart and a flying saucer—he swerved right, nearly shearing off Drummond's door against a cliff that doubled as a retaining wall.

Finding Fort-de-France was also a problem. Although the highway wrapped around the western border of Fort-de-France, because of the dark night, the blinding LED billboards, and the giant outcroppings of rock that blocked the view, the precise location of the city wasn't clear. Not until signs began popping up indicating that Charlie had already driven past it.

"Do you have any idea where we're going?" he asked Drummond.

No response.

Drummond was balled up in the cramped front footwell, his usual countersurveillance position. Somehow he'd managed to fall asleep.

Probably a good idea, Charlie thought. Although there was no correlation between rest and episodes of lucidity, rest generally sharpened Drummond's faculties.

Anyway, how hard could it be to find a large city?

Hoping to make his way to the opposite side of the N5 and head back toward Fort-de-France, Charlie shot onto what had to be an exit ramp. It spiraled into the empty parking lot of a dark six-story supermarket. He navigated a dozen rows of parking meters before reaching a ramp he felt sure would bring him back onto the opposite side of the highway. It dead-ended inexplicably behind an unlit warehouse.

A few moments later, after he had backtracked and found the right way onto the N5, a gap in the retaining wall finally yielded a view of a tight grid of well-lit, three- and four-story Belle Époque buildings. It was so stunning, Charlie nearly missed the exit.

Descending the ramp, he spotted a road sign for Pointe Simon, the area to which Drummond had instructed him to go when they were still in Switzerland. During a series of left turns to check for surveillance, Charlie noted the street signs mounted on the walls of corner buildings. Dark blue plaques with white letters, exactly as in Paris. The streets themselves were packed with bustling boutiques, cafés, and bars. He cracked a window. The balmy air, wonderfully redolent of fresh pineapple, resonated with French banter and jazz.

More wonderful, no one was following them. At least not by car.

At rue Joseph Compère, the supposed location of the Laundromat, the city grew darker and quieter, the chic boutiques yielding to simple fish stores and produce markets with hand-painted signs. The urban thrum dwindled to a lone sax playing the blues, with traffic declining to one or two cars per block. Pedestrians included a handful of adventurous tourists and, mostly, locals returning home.

The odd television screen shimmered through lace curtains as well as holes in regular curtains. The dwellings themselves, almost all three-story apartment buildings, were either old and dilapidated or new constructions done on the cheap, with views not of the sparkling Baie des Flamands, a block away, but of a four-story, graffiti-covered municipal parking garage. In short, they were apartments where residents would depend on a self-serve Laundromat. The closest thing to a Laundromat Charlie saw, however, was a hairdresser.

He reached down and nudged his father awake. "Sorry, I need you to take a look."

Drummond tried to shake away his sleepiness.

"Does this look familiar?" Charlie asked.

Drummond rose the fraction of an inch necessary to peer out his window. He smiled, as if in reminiscence.

"Familiar?" Charlie asked, meaning the question to be rhetorical.

"No. Should it be?"

"If for no other reason than we flew four thousand miles to go to a Laundromat here."

"What Laundromat?"

"That's a good question."

"Thank you."

"How about this, Dad? What if you were, say, a CIA operations officer working under nonofficial cover and you had a fake ten-kiloton atomic demolition munition concealed within a washing machine and you needed to hide it in an urban residential area. Where would you put it?"

"Plain sight." Drummond's mouth tightened, as if he were annoyed that Charlie would ask such a stupid question.

"Like where?"

"Is that why you were asking about a Laundromat?"

"Right."

"For an operation of that magnitude, I might buy an existing Laundromat to use as a front, or open my own."

"Where, ideally, would you locate it?"

"Easy. A place with access for a delivery truck."

"Close to a parking garage?"

"Exactly."

Charlie sped to the end of the one-way street, turned left on Boulevard Alfassa, took another left onto rue François Arago, then doubled back to the top of rue Joseph Compère, bringing the car to a stop at the municipal garage he'd noticed earlier.

Still no Laundromats in sight. Just a quartet of three-story apartment buildings painted in repeating pastel squares and adorned with enough architectural flourishes to prevent the residents from realizing that they lived in concrete boxes. The buildings were new, evidenced by the freshness of the paint and the clean stretch of cement fronting them—without any of the stains or ruts on the sidewalks that were everywhere else on rue Joseph Compère.

Charlie indicated the apartments with a sweeping gesture. "How much do you want to bet that the Laundromat used to be there?"

Drummond reacted as if he'd just swallowed vinegar.

Charlie spun in his seat. "What's wrong?"

"Always with the betting," Drummond grumbled, taking Charlie back to the years when the two of them still got together on major holidays, always at restaurants where they could eat in less than an hour, ideally with televised bowl games to minimize the time Drummond lectured on squandering one's life on the horses.

A truck shaped like a baby's shoe—and not much larger—whizzed past, snapping Charlie back to rue Joseph Compère.

"Well, you'll be happy to know that I now wish I'd become an engineer at the Skunk Works," he told Drummond. "If only because I'd be in Palmdale,

California, instead of on this wild Laundromat chase, unsure if I'm going to live through the night."

Drummond regarded him as if through a fog.

The bluesy saxophone drifting down the block offered a fitting sound track. The music emanated from a slender two-story hole-in-the-wall. Hand-painted on one of the smoky windows, in a feathery silver cursive, was "Chez Odelette."

The hair rose on the back of Charlie's neck. "Your cutout, wasn't she named Odelette?"

"Nice girl," Drummond said.

20

Charlie drove the Peugeot into the parking garage, where the vehicle was less likely to be spotted than at the curb outside Chez Odelette's. He found a space hidden from the street by a delivery van. Keeping himself and Drummond from detection posed a greater challenge.

"We need to blend in with the other tourists around here," Charlie said, slipping on the fake-tortoiseshell reading glasses he'd taken from the counter at Sandy's beach supply shack.

Eyeing Charlie's image in the rearview mirror, Drummond said, "Since when do you wear glasses?"

"Since they make me look less like the guy on the wanted posters."

Drummond nodded. "Interesting."

Charlie had learned almost all he knew about impromptu disguise from Drummond. Foremost among the old man's dictates was that bulky clothing veiled stature. Second was that individuals attempting to avoid notice should wear different styles and colors than when they were last seen. Accordingly, from his new Sandy's tote bag, Charlie drew two cotton polo shirts, two baggy floral-print board shorts, two pairs of rubber flip-flops, and two baseball caps.

Hats draped faces in shadows and compressed hair, altering the shape of the head, but Drummond avoided them as a rule because they aroused surveillants' suspicions. In the Caribbean, however, young men wore baseball caps as often as not, and Charlie believed that the old man could pass for a young man. Drummond was in better shape than most men half his age, present company included. Charlie hoped the two of them would appear to the occupants of a passing patrol car as just another couple of young guys in a neighborhood catering to that demographic, as opposed to the young guy/senior citizen duo for whom the authorities had their eyes peeled.

Wandering from the parking lot onto the sidewalk, Drummond indeed appeared much younger. His slight hunch vanished, his shoulders squared, and his chest appeared to inflate. His stride went from sluggish to a strut.

Finding himself standing and marveling, Charlie had to jog to catch up.

Chez Odelette's front windows afforded a view of the saxophonist, a spindly native with a white beard. He stood on a pillbox platform, spotlit in a sultry blue whose wash illuminated the face of the bartender, a brown-skinned woman of about thirty with attractive, strong features.

"Is that her?" Charlie asked.

"Who?" said Drummond.

"Odelette."

"How would I know?"

Jesus, Charlie thought. "She's the only person working there, other than the sax player."

"Probably it's her."

"That's what I was thinking. What do you say we go find out?"

Hearing no reply from Drummond, Charlie turned to him. Drummond was no longer beside him. Or anywhere in sight.

How the—?

A pair of big brown hands fastened around Charlie's collar and yanked him backward into a pitch-black alley.

21

The alley wasn't much wider than Charlie. Halfway down it, the unseen man propelling him whistled like a parakeet. As if in response, hinges groaned and a diagonal shaft of white light illuminated the crumbling bricks. It came from the bottom of a flight of stairs, where a doorway led to the basement of an automotive shop.

The man prodded Charlie down the stairway with such strength that resisting was pointless, at best.

A woman inside whispered: "You can come in."

As if Charlie had a choice.

He was practically carried into a hot and stagnant basement that smelled of motor oil. The dim light from a pair of sputtering fluorescent tubes revealed a grimy cinder block room full of salvaged parts—shock absorbers, belts, hoses, steering wheels, hubcaps, entire bumpers—either in the cityscape of piles or jammed into the floor-to-ceiling rusty shelves lining the walls. In a minimal clearing at the room's center, Drummond sat slumped in a wooden office chair. He nodded hello to Charlie, exhibiting no awareness that anything out of the ordinary had transpired. Across a small desk from him sat the pretty bartender. She stared at Charlie with steely hazel eyes.

"You're Ramirez, yes?" she asked him.

At check-in to a motel on the New Jersey Turnpike while on the run a couple of weeks ago, he had given the name Ramirez. Seeking to keep a lid on the story that the Clarks were in Martinique, the CIA might have fed that name to the local authorities.

"McDonough, actually." He had a passport, driver's license, and a walletful of other cards to back him up. "Brad McDonough."

The woman waved at Drummond. "That's what he said." She spoke with a blend of Parisian French, strong Creole patois, and an even stronger skepticism.

The muscular handler dropped Charlie onto the chair beside Drummond, then returned to the door, blocking the only escape route. Not that Charlie would think of escaping now that he'd gotten a glimpse of the brute, particularly after he drew a black revolver from his ankle holster. A water pistol would have been no less redundant, thought Charlie.

The woman tilted her head at Drummond. "He told me his name is Larsen."

Charlie shrugged. "John Larsen, that's right."

The man at the door said, "If you *mecs* wanna play games, my sister may as well go and claim the ten-thousand-euros reward the cops are offering now."

"We've known Monsieur Clark since we were kids," she told Charlie.

At *Clark* Charlie froze, then struggled not to show it. He eyed Drummond, who raised his shoulders slightly.

The woman groaned in indignation. "Monsieur Clark, you can't really expect us to believe that you don't remember us."

Drummond swiveled in his chair, plucking a steering wheel from the nearest mound of auto parts as if fascinated by it. "An interesting piece of information is that most American car horns beep in the key of F," he said.

The bartender turned to her brother. "Ernet, you keep an eye on them, I'll go upstairs and call Officer DuFour." She placed her palms on the tabletop, preparing to rise.

"Wait, Odelette, please," Charlie begged.

"You think I'm Odelette?"

Charlie again looked to Drummond, who was now fiddling with a fan belt. Again he shrugged.

"I'm now going to guess you're not Odelette," Charlie told the woman.

"I'm Mathilde. Odelette was our mother."

Out of the corner of his eye, Charlie noticed the pistol pivot his way.

"*Maman* died in October," said the man, biting back emotion.

Charlie said, "I'm sorry." For their suffering and, at the moment, his own.

The woman spun toward Drummond. "*Maman* revered you, Monsieur Clark. I don't know what you're trying to pull here—"

"He has Alzheimer's," Charlie said.

"Yes, I'd heard that," said Drummond.

Mathilde's eyes narrowed with skepticism. "A man so young, comparably. That's difficult to believe." She looked to Ernet, who nodded in strong agreement.

Charlie wanted to ask him where he'd studied neurology.

"Alzheimer's at his age is rare," Charlie said. "And it's tough to prove without an autopsy. It's no wonder those old Mafia guys keep using the Alzheimer's defense in court."

"What we need you to prove to us is that these charges are false." Mathilde snapped open a Martinique Police flyer with photographs of Charlie and Drummond, followed by details of the transgressions for which they were wanted. Stabbing a finger at the picture labeled MARVIN LESSER, she said to Charlie, "You prove that our old friend Monsieur Drummond Clark is not this thief, and that the club we named as a tribute to our mother wasn't paid for with blood money."

"Let me ask you something first?" Charlie said. "He paid for the club?"

"Yes, after the Laundromat was closed."

"So there actually was a Laundromat?"

"Our mother worked there for twenty-seven years," Mathilde said. "Monsieur F knocked it down and put in tenements."

Charlie saw a shining ray of hope. *"Monsieur F?"*

"Fielding. Cheap *salopard* didn't give *Maman* a centime in severance."

"Shame what happened to him," Ernet said, not meaning it.

"By any chance, do you know what happened to the old washers and dryers that were in the Laundromat's storeroom?" Charlie asked.

Mathilde rolled her eyes. "Yet another example of Fielding's cheapness: a man who spends three million dollars for a swimming pool at his home but does he spring for a new washing machine for his pool house? Hell no. Comes here himself and hauls a dusty old Perriman off to his island."

Mindful of the pistol pointed at him, Charlie fought the impulse to pump a fist.

"I am left to ask God, 'What is it with all these thieves?' " Mathilde said. "First our father, then our uncle, and then Monsieur F. Now the club has to pay so much for 'protection' that Ernet's forced to take off the semester from college." She gazed at Drummond, who hastily set aside a shiny, curved chrome band, apparently the trim that ran along the front edge of a car's hood. "After Monsieur Fielding let *Maman* go like that, you were extremely kind, helping her start the new business. But if it is true, if you are just another thief, we want nothing from you."

"Except the reward," Ernet said.

Mathilde pushed her chair away from the desk, apparently preparing to leave.

"I can explain," Charlie said. "Or try to."

Mathilde remained in her seat, eyes fastened on him.

With a tilt of his head at Drummond, Charlie said to Mathilde and Ernet, "Believe it or not, he's a spy."

Mathilde smiled without mirth. "Not."

"*Jésus Christ.*" Ernet sighed. To Mathilde, he added, "*On appelle la police?*"

She nodded.

"I wish we could show you a CIA badge, or had some way we could demonstrate it," Charlie said. "Actually, here's one thing: He speaks French."

"That's news?" Mathilde said. "Perriman would never send the island a salesman who couldn't speak French. Monsieur Clark and my mother never spoke English—she couldn't."

Charlie tried, "He can hot-wire a car—"

Ernet spat. "So he's a car thief too?"

Mathilde looked down, her head seemingly weighted by dismay. "Embezzler and money launderer: These things I *might* believe our Monsieur Clark capable of. But Monsieur Clark, the doddering appliance salesman, a spy? I can't think of a less likely spy in the world."

As Charlie scrambled to find another way of convincing Mathilde, some sort of projectile buzzed past his head. He turned toward the door, where, with a clang, Ernet's pistol fell from his hand and clattered to the floor, along with a metal tailpipe extension. Ernet's eyes bulged with astonishment. Mathilde's too.

Drummond loaded another length of tailpipe—or makeshift arrow—onto the curved piece of chrome and rubber fan belt he'd fashioned into a bow.

"And you should see what he can do with an actual weapon," Charlie said.

"Hibbett can help," Ernet said after Charlie had filled in the remaining blanks.

Mathilde explained that Alston Hibbett III's trust fund enabled the young Californian to vacation permanently in the tropics and pursue his passion, tropical drinks. At some point every night, their cumulative effect sent him sliding off his accustomed bar stool at Chez Odelette. The utility room in back, with its battered couch, had become his second home. Most of the time, he didn't stir until Mathilde or Ernet unbolted the club's door the following afternoon.

Tonight, with the help of four shots of Jägermeister, on the house—Mathilde's idea—Hibbett plunged off his bar stool earlier than usual.

After laying him down on the couch, Ernet exited the utility room with the keys to Hibbett's lesser-used first home on Boulevard Alfassa, a few blocks away, where Charlie and Drummond could stay the night.

Ernet also took Hibbett's distinctive green and gold Oakland A's cap, with which Charlie might pass in a blink for the similarly built Californian.

"It would also help if you stumble a lot," Ernet told Charlie.

...

Charlie staggered every now and then, as Drummond played Good Samaritan helping him home. They used Alice's technique of stair-stepping through the Pointe Simon grid. It turned the two-block walk into six blocks, but allowed Charlie to check the reflections in car and storefront windows to see if anyone was following.

Rounding the corner to Boulevard Alfassa, Charlie spotted Hibbett's building, an only-in-the-tropics Creamsicle orange, four stories trimmed in spearmint green and overlooking the Baie de Fort-de-France. Up and down the block, a light crowd bopped into and out of lively clubs. Across the street, a similar number meandered along the bayside promenade and ferry docks.

At Hibbett's well-lit entrance, Drummond stopped and gazed at the starlight at play on the wave tops. Eager to limit their exposure, Charlie hurriedly produced the keys and opened the door. "Come on, the view's even better from upstairs."

Drummond remained planted on the sidewalk, turning his focus to the sky.

Had he detected something? A surveillance drone? Charlie's stomach clenched. "What is it?"

"An interesting piece of information is that Mozart was just five years old when he wrote the music for 'Twinkle, Twinkle Little Star.' "

"Interesting really isn't the best term." With a tug at his elbow, Charlie led his father into a small foyer furnished with contemporary flair. Best of all, it was unpopulated. "I'm in 3-A, kind sir," he said with a Dean Martin slur, in case anyone was listening.

As they reached the stairs, the door to 1-C, a few feet to their left, swung inward. Out darted a heavily made up young blonde in a low-cut satin dress. Her cherry perfume devoured much of the oxygen in the lobby.

"Hey," she said, eyeing Charlie with recognition and, he hoped, mistaking him for Hibbett.

He grabbed onto Drummond as if to prop himself up, but really to hide his face. "Hey," he replied into Drummond's sleeve.

The blonde turned to say thank you to the man in 1-C, but found herself facing a hastily shut door. The man, evidently her customer, seemed disinclined to encounter any of his fellow residents at this juncture. With a self-conscious air, the young woman fled the building.

Helping Charlie up the stairs, Drummond said, "That was lucky, wasn't it?"

"I guess," said Charlie, thinking of the old horse-player expression: *Luck never gives; she only lends.*

Apartment 3A was a spacious loft with a collection of curvy Plexiglas furniture that, from the standpoint of functionality, might be more aptly considered art. Charlie imagined Hibbett buying the whole lot in an effort to win over a modern furniture store saleswoman.

The living room bolstered the theory. This room probably reflected the real Hibbett: just a single piece of furniture, a soft, black sofa made to look like a baseball mitt from Ty Cobb's day. It faced an enormous plasma television mounted on the wall. Littered on the hardwood floor were two laptop computers, three game systems, and too many game cartridges to count. And in the corner was an antique Coke bottle vending machine retrofitted to dispense cans of Red Bull.

"Think we're safe here?" Charlie asked Drummond.

Drummond sank into the baseball mitt. "From what?"

"The usual: getting killed. Or getting arrested, then getting killed."

Drummond luxuriated in the cool leather. "Why did we come here again?"

"We decided it would be too conspicuous to row out to Fielding's island in the middle of the night."

"Right, right." Drummond sat up with an air of determination. "So we can find the device."

"First we need a better way to get there than rowing."

"Well..." Drummond thought. The exertion seemed to have sapped him. His head fell back onto an Oakland Raiders throw pillow. His eyes burned with frustration. "I'm so sorry, Charles..."

"Did you remember to take your medicine?"

"Of course," Drummond said, indignant.

"That explains it."

Drummond was supposed to take a pill before bedtime, and he did so with the reliability of a Swiss train. Drowsiness invariably followed.

Drummond yawned. "What was it you needed to know again?"

"How to get to Fielding's island."

"Oh, right. You know who might know?"

"No. Who?"

"Odelette's children."

"Mathilde and Ernet?"

"How many children does she have?"

"I don't know," Charlie said. Nor did his father, he realized, at least not now. "I figured it would be best not to tell them what we were up to."

"That sounds about right."

"So any idea how to get out there?"

"Where?"

"The island where Fielding lives. Or lived, I should say."

"Oh, right, right. I don't know." Drummond stretched out on the sofa.

Charlie rushed to capitalize on his father's last moments of consciousness. "What if some other organization figured out what Fielding was doing with washing machines, then tried to storm the island?"

"They'd be in trouble. Police patrol boats would open fire on them once they got within a mile. And there are armed guards there as well. Everyone is scared to go out there, by design."

"Let me guess? The chief of police got a boxful of money?"

"Rings." Drummond studied the blank plasma TV as if it were playing a thriller.

"A boxful of rings?"

"Rings a bell." Drummond said, his lids lowering. "It's a figure of speech."

"Dad, what rings a bell? Please, we have to get out there somehow."

Drummond opened his eyes. "We donated thirty-caliber machine guns to the police department. Whatever you do, do not try to go to that island."

"But—" Charlie stopped short.

Drummond was out.

Maybe for the best. Rest was his Red Bull. Charlie could try again in a few hours.

Now, careful not to make too much noise, Charlie sat on the floor and hit the space bar on one of the laptops, bringing the computer to life and flashing its display image on the plasma screen. The system was already open to the Web, a site selling coin-operated air hockey tables.

Charlie debated entering as little as FIELDING into a search engine, let alone HOW TO COVERTLY REACH NICK FIELDING'S PRIVATE ISLAND. What if the CIA had programmed its house-sized computers to set off alarms if anyone did? Wouldn't that person's location flash at once onto the agency's computer screens or cell phones or tricked-out wristwatches?

Charlie was willing to bet against that happening. Fielding's cover as a dashing and colorful hunter of pirate gold had made him a worldwide celebrity. Teams of his divers were still combing the Caribbean in search of the sunken ship containing the legendary treasure of San Isidro. Charlie's horseplayer cronies, who regarded treasure hunting as gambling's highest form, kept track of the San Isidro expedition team with the same dedication with which other people followed athletic teams. In reality, according to Alice, the treasure of San Isidro was the maritime equivalent of an urban legend.

Thinking of her, Charlie considered for the first time that the expression "missing someone like crazy" wasn't entirely hyperbole.

Clicking to a search engine, he entered what he considered a relatively innocuous FIELDING ISLAND MARTINIQUE. The screen filled with 10 of the 871,222 results, the first being a computer-generated map of Fielding's private island, Îlet Céron, located a few miles northwest of Fort-de-France.

Charlie opted for the satellite picture of the island. He gaped at the pentagonal swimming pool, so big that it was probably visible from outer space without satellite assistance. He also made out the slate roof of the sprawling château and what appeared to be a wall around the entire island, topped by bushels of barbed wire.

His eye fell to the search engine's automatically generated advertisements, all but one from online stores selling replica gold doubloons and pirate swag. The exception was a real estate listing of a thirty-room château on Îlet Céron. The ad had been placed by the Pointe du Bout, Martinique, office of Caribbean Realty Solutions.

Charlie hoped that the company would have a solution for him.

Located on the ground floor of a three-story tangerine French Colonial building on Pointe du Bout's ritzy yet quaint main street, Caribbean Realty Solutions filled its broad front window with striking color photographs of the best listings. "Bait," the Realtors called these pictures. "Fish" often stopped and lingered, openmouthed. Frank DeSoto, an eleven-year veteran of the realty game, sat at the reception desk, watching two such prospective catches, men wearing expensive polo shirts and Bermuda shorts, crossing the street. Without a glance at the bait, they entered the agency.

Fabulous, DeSoto thought. They know what they want.

Filled with the exhilaration a fisherman feels at a tug on his line, DeSoto did a five-second check of his hairpiece and breath.

The men approached the desk. Striking the proper balance between deference and social equality, DeSoto asked, "What can I do for you?"

The younger of the two men, who looked moneyed enough, said, "We're interested in seeing the Céron Island property."

DeSoto's exhilaration evaporated, although he

continued smiling. Chances were these men were GCs—gate-crashers, a minor-league brand of thrill-seeker whose idea of a thrill was wandering around a property they couldn't afford.

GCs were normally couples, however, and tended to dress as if they'd just stepped off a yacht. Like the authentic rich, this duo placed comfort ahead of appearance. The key was their footwear. The younger man wore the distinctive boat-shaped Bettanin & Venturi loafers, handmade in Italy. And he wore them without socks, as if he didn't care whether they fell victim to sweat, sand, or saltwater. The other man, although at least twenty years DeSoto's senior, wore a pair of Day-Glo orange Crocs, the overpriced neoprene beach clogs that were cute on little kids. Anyone over the age of eight wearing a pair of kiddie clogs didn't give a hoot what others thought. He was loaded, DeSoto suspected.

He decided to find out for sure. "I would love to share Îlet Céron with you," he said, extending his hand, rattling his eighteen-karat gold Rolex. "I am Franklin DeSoto."

The young man's grip was firm and his eyes never wavered. "Brad McDonough," he said. Then he cocked his head at the older man, who hovered by the entry. "And this is Mr. Larsen."

Larsen stepped forward, bumping his young companion without apology. He placed his hand in DeSoto's and let the Realtor do the work. "*John* Larsen," he said as though it were some sort of secret.

"Great to meet you," DeSoto said. "This happens to be the first slow day I've had since Thanksgiving." *If only.* "I could take you to the island this morning if you'd like."

McDonough looked to old Larsen, who nodded his consent, though grudgingly. Maybe he would have preferred a nap first. Or a Bloody Mary.

"The agency just has a minor security requirement," said DeSoto. "I need to have my assistant photocopy either your passports or your driver's licenses. Then I can call down to the dock and have Marcel ready the motor launch."

Licenses in hand, DeSoto proceeded to the copier in the back room, glancing at his BlackBerry en route. Just the usual boasts from colleagues. Bettina Ludington was showing the old Delacorte estate to a Goldman Sachs senior partner. DeSoto replied with an insincere wish of good luck and *btw, i'm showing ceron to a couple of whales.*

But were they really whales?

Taking a few moments longer than necessary at the photocopier, DeSoto used an array of Internet tools to search for his prospective clients' occupations, real estate holdings, and credit histories; Realtors were as adept as private investigators at getting the lowdown, and, by necessity, they were faster. If DeSoto's digging indicated that his men were in fact whales, he would immediately plunk down fifty euros to rent a Riva

Aquarama, a vintage mahogany runabout known alternately as the maritime version of a Ferrari and the Stradivarius of the sea. Should he discover that they were plankton, getting rid of them would be a simple matter of requesting a fax from a bank stating that they had the financial wherewithal to close on such an expensive property. Plankton usually claimed that they had to return to their hotels to get their bank information. Invariably they were never seen again.

It turned out that Larsen was CEO of New England Capital Management, LLC, about which DeSoto could find no useful information. He hoped that it was one of those ultradiscreet hedge funds. Larsen's address was 259 Cherry Valley Lane in Greenwich, Connecticut. DeSoto knew Greenwich was a Manhattan suburb where two million got you a house in the part of town that formerly quartered the servants. Cherry Valley Lane was located in Greenwich's lushly forested "Back Country." According to a Web site that generated instant appraisals, the eight-acre property was worth $10.5 million.

McDonough lived on the other side of Greenwich's proverbial tracks in a $3.2 million converted barn. He popped up on DeSoto's computer as the proprietor of the nearby McDonough Thoroughbred Farm, whose Web site offered only the most rudimentary information. Like good restaurants and colleges, successful horse breeders had no need to advertise.

It was enough to go on, DeSoto decided.

If worse came to worst, he always had his Beretta.

24

It was a bright morning with a colorful array of spinnakers in bloom on the Baie de Fort-de-France. The Riva Aquarama runabout skipped across the waves at an exhilarating forty knots, its chrome trim sparkling. Just stepping aboard the iconic craft had made Charlie feel like a movie star.

In the next seat, adding to the illusion, DeSoto steered the boat with one hand and held a thermos of espresso in the other. Sure his tan was too orange, his teeth were too white, and his hair was too fake, but when Charlie squinted against the sun's glare off the water, the real estate agent passed for Cary Grant.

Charlie might have enjoyed the experience except for the police cutter bobbing ahead, a monstrous black thirty-caliber machine gun mounted on its foredeck. If the policemen glanced at the Riva through binoculars and recognized the fugitive Marvin Lesser—or if the forest of instruments sprouting from the cutter's wheelhouse included a camera with facial recognition software—Charlie would wind up in a cell. Then things would get bad.

Drummond lay behind Charlie and DeSoto on the sundeck, his recently Clairol-ed black hair flapping aft; Charlie had gone "Golden Sunshine" himself.

Drummond's lethargy was genuine, the side effect of his medication. Charlie thought the attendant crankiness added a bit of plausibility to his role as a man reluctant to part with twenty-eight million of his hard-earned greenbacks.

"So what do you think of the Empress Joséphine?" DeSoto asked.

Preoccupied by the policemen, Charlie struggled to find a response. "Terrific golf course, underrated empress."

DeSoto laughed as only someone hoping to sell a $28 million property could.

Charlie watched the policeman at the machine gun crane his neck to speak to the pilot. Eyes glued to the Riva, the pilot reached for the controls. Water began lathering around the cutter's stern and, sure enough, the craft launched onto a course to intercept the runabout.

Intolerant of gaps in conversation, DeSoto said, "I always say that golf is the only game where you strive for a subpar performance."

Charlie faked a laugh. And asked himself why he and Drummond hadn't simply chartered a dive boat, taken it to within a mile of Fielding's island, then swum the rest of the way underwater. Anyone who'd seen a Saturday morning cartoon knew that was the way to go.

He reached back and nudged Drummond from his slumber. "Hey look, Mr. Larsen, a police boat with a thirty-caliber machine gun." He hoped the reminder of the gift to the police, if not the imminent danger it posed, would spur his father's mind.

Drummond looked up. "Oh," he said. Getting comfortable again, he closed his eyes.

The police cutter chugged to within a hundred yards.

DeSoto cut his engines, bringing the runabout to a skidding stop. His only concern seemed to be his appearance, which he checked in the control panel. "As opposed to a lot of the other Caribbean islands, one thing you won't have to worry about here in Martinique is crime," he said. "The police don't miss a trick."

"Glad to hear it," said Charlie. If he could grab hold of DeSoto's thermos, he might heave its steaming contents at the policeman on deck and gain control of the machine gun.

The cutter pulled to a halt, paralleling the Riva. Both the machine gunner and the pilot were young Martinicans with muscles that swelled their dark blue uniforms.

"Ça va, Monsieur DeSoto?" asked the pilot.

"Ça va, Sergent François," DeSoto said, a little New Jersey evident in his French. He dug an envelope from his breast pocket and handed it across the three-foot-wide lane to the pilot. *"Ça va?"*

"Ça va." Stuffing the envelope into his own breast pocket, the cop offered a crisp salute and returned to the controls.

DeSoto then threw the throttle and the Riva was off. "The toll," he explained to Charlie.

Charlie felt no relief. If experience was any teacher, that wasn't the last they'd see of the police cutter.

"So what's your first impression?" DeSoto asked.

"It depends on how much the toll is."

Laughing, the real estate agent pointed at the mass of land looming before them like a low-lying thunderhead. As they drew closer, it turned greener and sharpened into picturesque, sprawling meadows.

"Originally Îlet Céron was home to a rum distillery." DeSoto waved at the ruins of a long warehouse coated in moss. "That was the factory."

"Oh, good, I was worried that was the château," Charlie said.

With a belly laugh, DeSoto drove the boat around a stretch of coast, bringing them into a small cove. A long, weather-grayed pier terminated at a gorgeous beach.

To tie up, the Riva had to gain admission. DeSoto slowed alongside a guard post resembling a prison watchtower. Atop it, in a small roundhouse, a man stood, shadows obscuring his features but not his machine-gun barrel.

"Why are there guards here?" Charlie asked DeSoto under his breath.

"The seller's concerned about looters."

Certainly it was a better answer than *The security staff has been retained in hope of preventing anyone from retrieving the bomb disguised as a washing machine*. Charlie suspected that the latter was the case, however.

"Who's the seller?" he asked.

"I ought to have mentioned that before," DeSoto said. "Mr. Fielding had no marital partner or descendants. His closest living relative is an uncle in the States who's motivated to unload everything and collect the proceeds ASAP." He nodded at Drummond, now sleeping on his stomach. "From his point of view, the ideal seller."

The uncle in the States was in fact none other than Uncle Sam, Charlie speculated. Without Fielding, the CIA was probably eager to roll up its operation here. Charlie hoped that the island included no new personnel who would recognize him and Drummond. According to Alice, Fielding's staff had had no idea that he was a spy. In fact, to add to his criminal cover, the Cavalry hired heavies from the Colombian Bucaga drug cartel.

The guard stepped onto the square platform surrounding the roundhouse. He was a tall Hispanic with the build of a Greek statue. He peered down through binoculars. Thankfully Drummond's face was pressed against the cushioned sundeck.

Flashing a toothy smile, the guard waved the Riva ahead.

"It would seem we had one margarita too many, and three or four after that," Hadley said as soon as Kyle loosed her gag. "As for our friend who left us tied up here like this, I don't think there is any earthly explanation for her behavior."

"It happens," said Kyle, the amiable aquatics director.

Stanley hoped that Kyle was sincere, or, at least, that any curiosity the hardy Australian harbored would go no further than war stories the staff shared at happy hour. Although young—twenty-seven or twenty-eight—he had probably seen his share of oddities on the resorts circuit. Certainly he'd never opened up shop to find a couple bound and gagged. Yet he exhibited no surprise beyond the natural shock of discovery, nor any misgivings after hearing Hadley's yarn. He asked only, "You folks want a Powerade—get some electrolyte action going?"

"That would be wonderful," Hadley said. "Anything would be, except a margarita."

"A margarita might not be such a bad idea, actually." Kyle regarded Stanley. "You look like you could stand some hair of the dog, mate."

Stanley decided to leave Kyle's recommendation out of the report he would write Eskridge, who had never been in the field and would have enough trouble digesting the rest of the events at Hôtel L'Impératrice.

On return to their hotel room, Stanley took a seat at the rolltop desk. Blocking out the postcard view of the Caribbean through the balcony window, he clicked a featureless area of his computer screen four times in rapid succession, opening a fresh cable form. He filled it with a blow-by-blow account of the past fifteen hours. If adversaries were to intercept the transmission, they would view only an e-mail from Colin Atchison to his secretary asking her to call some other fictitious person and reschedule the morning's round of golf.

Then Stanley launched into putative next steps:

PERMISSION FOR OVERT ACTION.
OBJECTIVE: DEBRIEF CARTHAGE

He heard Hadley turn off the shower. He did not hear her approach. The pile carpet was so thick, she might have long-jumped into the bedroom and he would have been none the wiser if it were not for the pleasing perfume of honey and lavender. He didn't turn around, largely to avoid gawking, not until he felt her standing just inches from his back.

"*Overt action?*" she said. "In other words, we call up Carthage and say, 'Actually, Mr. Bream, we're professional spies from the CIA.' "

"Breaking cover is the most expedient way I can think of," said Stanley.

"Why would a couple of spooks—spooks with a track record of deceiving him—be the people best able to get the truth from him?"

"Because we'll best be able to convince him that he'll be in deep kimchi otherwise."

She took a seat on the nearest corner of the bed, crossing one glowing dancer's thigh over the other. "I know a really good way that won't leave any marks," she said with an enthusiasm that transformed her in Stanley's perception from a sensuous woman into something darker and colder.

He was troubled already by her rush to slash Drummond's jugular last night with her switchblade ring—which would have certainly come in handy *after* they were tied up. Their track record notwithstanding, the Clarks very obviously were not bent on murder. It would have been more expedient for Drummond to snuff them than to tie them up. Also Charlie's assertion that they had acted in self-defense seemed free of artifice.

Stanley wondered if Hadley had her own agenda.

26

DeSoto had been to Îlet Céron twice before, first to view the property himself, then to show it to a couple from Dubai who ended up buying a Bettina Ludington listing, an Italianate mansion with no business on a French island. Both times here, on ascending the crushed clamshell pathway from the pier he had halted abruptly when the château came into view. The structure was breathtaking.

As its limestone façade appeared now, the crotchety Larsen didn't even pause. If DeSoto didn't know better, he would have thought the old man had already seen the place.

McDonough slowed, but only to allow DeSoto to catch up.

"Wow," McDonough exclaimed.

After eleven years hustling houses, DeSoto knew *wows* the way a jeweler knows diamonds. The kid's was pure zirconium. Possibly he lacked education. New money often didn't aspire beyond a McMansion with superfluous turrets, their sensibilities shaped by Donald Trump.

Thankfully, such clients could still be educated. "Le Château d'Îlet Céron is celebrated for perfectly capturing the period of architectural transition from the rococo of the mid-eighteenth century to the more refined neoclassical style," DeSoto said. "As *Architectural Digest* put it, 'The palatial limestone façade dazzles new arrivals with its towering Corinthian pilasters and detached pillars while at the same time heeding simplicity in order to capitalize on sunlight bouncing from passing waves.' "

McDonough slowed at the marble staircase leading to the entry. "Dazzling," he agreed. Larsen took in the façade and was no more dazzled than if it were a split-level in Sheboygan.

A young chambermaid heaved open one of the monolithic copper-faced French doors. In lieu of a greeting, the old man nodded. He shot inside before she had a chance to open the other door. McDonough hurried after him.

The grand reception hall was like a skating rink made of marble. Elephantine columns supported a gilded and improbably high ceiling, the painted sun and clouds realistic enough to be mistaken for a skylight view.

"DuVal, one of the greatest living realists," DeSoto began, pointing up at the work.

But his clients were on their way into the den.

A Realtor is supposed to precede his clients, but these two were bloody racewalkers. DeSoto hurried in pursuit. Greenwich, he reminded himself, was a bedroom community of New York City. New Yorkers rushed even through cheesecake.

If the den was a den, then the White House was

just a house. The giant room was still furnished, including sofas and chaises and divans dating back to Louis XIV, restored and reupholstered well beyond Versailles standards. The best part was the far wall, which opened onto a golden beach.

"Mr. Fielding had the sand imported from Venezuela's Paria Peninsula," DeSoto said.

Too late. The clients were out the far door.

He labored to keep pace, calling after them, "The lower level includes an old-fashioned billiards room as well as a tavern with an authentic mahogany Victorian bar. There's also a squash court, a gym, a marble steam room resembling an ancient Roman bathhouse, and a game room with enough arcade games to keep grandchildren occupied for a whole weekend."

Larsen and McDonough gave the lower level maybe a minute before going out to the pool deck. Mopping his forehead with his ascot, DeSoto resumed the chase.

McDonough stopped and waited for him. Although the waves and wind made such discretion superfluous, the young man said, sotto voce, "The house is lovely, but old Mrs. Larsen's going to redo everything regardless of what Mr. Larsen thinks."

"I'm sure she has wonderful taste," DeSoto said, dabbing his brow again.

"Hey, how about we give you a breather while the boss checks out the pool house?" McDonough waved at the building. "*That* will be his; Mrs. L. doesn't go into water—hairdo-related reasons."

"I look forward to recommending decorators," DeSoto said, thinking of his $1,120,000 commission.

The dutiful McDonough hurried after Larsen, who was rounding the enormous pool. Plopping onto a chaise lounge, DeSoto checked his BlackBerry. There was a text message from Bettina Ludington: "CHECK UR EMAIL!!! URGENT!!!"

The cellular reception was poor. While waiting for the e-mail message to appear, DeSoto chewed away a good part of a thumbnail.

Finally:

Frank: if ur 2 whales r these 2,
u can get a 10K bonus…

Attached were photographs of two men wanted by the Martinique Police for multiple counts of fraud and racketeering.

27

Charlie slid open a door leading to the enormous pool house. The living room looked like a nightclub, not only because of its size, but also because of the mirrored walls, expensive erotic art, and enough low-slung, Euro-posh furniture to accommodate half the jet set. The giant bar was stocked with, it seemed, every spirit known to man, in every possible configuration of decanter. The pale morning light set the crystal and fluids aglow.

"Been here before?" Charlie asked Drummond.

"I don't remember."

"My guess would be that a lot of the people who've been here don't remember it."

"Oh." Drummond blinked at his reflection on the mirrored back wall, as if expecting something altogether different. He pressed his palms against the mirror.

A door sprung inward.

Charlie felt a charge of excitement. "Well, that's something, isn't it?"

"A door," Drummond explained.

Charlie followed him into a plush-carpeted hallway opening into two guest rooms. Like those in the main house, the rooms would have suited guests accustomed to Buckingham Palace. Not the sort of area where laundry was done.

Drummond started down the hall with an air of determination.

Charlie trailed him. "Going anywhere in particular?"

"We're trying to find the washing machine, right?"

Rounding a corner, Drummond opened another door, revealing a stairway with relatively plain carpeting. He tromped down the steps. Charlie's hope was rekindled.

At the base of the stairs, luxury gave way to dark, featureless walls and a hint of mildew. Drummond threw the light switch as if he'd known exactly where the wall panel was, illuminating a large basement of bare concrete.

At one end, a central air-conditioning unit heaved air into a labyrinth of foil-coated ducts. At the other end of the room stood a hot water tank sufficient in size to service an apartment building. The center of the basement included a laundry area, with an industrial-style sink and an ironing board that folded out from a wall compartment. Both devices appeared to have never been used. Ditto the gleaming stainless steel washing machine and dryer.

Charlie recognized the models from the display window of the ultrachic kitchen and bathroom store in the West Village that carried the French brand name. "They're gorgeous," he said. "The thing is, the washer we want is a three-hundred-buck Perriman piece of crap."

Fielding might have upgraded to a pricier nuclear bomb container, but it was unlikely: The Cavalry's Perriman Pristina models had specially modified linings to thwart radiation detectors.

Charlie snapped open the round door on the machine's face, knelt, and looked in. "This is only good for doing laundry."

As Drummond bent over to take a turn inspecting the machine, a Hispanic baritone resounded from the stairwell. "You looking for a bomb?"

Startled, Charlie spun around.

The watchtower guard took the last three steps in a leap. He was armed with a smaller machine gun than before. More than ample to shred two intruders, though.

"I was just wondering what in the world this washing machine does that makes it so expensive," Charlie said.

The guard rubbed his chin, as if trying to make sense of Charlie's words. Meanwhile Drummond unfolded himself from the washer.

"I knowed that was you, Señor Lesser," the guard exclaimed.

Fear, like molten metal, filled Charlie's intestines.

"How are you?" Drummond asked.

"Real, real good, *gracias*." The guard smiled, seemingly flattered by Señor Lesser's interest. "Except that real estate fucker called the cops on you."

"Didn't see that coming," Charlie said.

"I have an idea," the guard said, waving for them

to follow him up the staircase. "Also, the washer you want's not on the island no more."

Charlie looked to Drummond for a sign of assurance.

Drummond started up the stairs.

Good enough.

At the top of the staircase the guard hurried to the kitchen and opened a screen door, taking them out the back of the pool house.

Drummond looked the guard over. "You're Henrique, right? Or Hector..."

"*Sí*, Hector. Hector Manzanillo." He led the way across a cricket field as lush and well tended as a golf course.

A smile creased Drummond's face. "With the brother who pitches in the Milwaukee Brewers farm system? Rico, yes?"

Charlie could almost see lucidity surging into his father: As Drummond walked, he appeared to grow taller, his stride becoming more resolute, and the old glow returning to his eyes. Had Hector Manzanillo sparked him whereas du Frongipanier or Odelette's children had not? Possibly. Sticking his head inside a washing machine might also have sparked him. Whichever, Charlie was elated. They needed an exit strategy, and when Drummond Clark was on, he was an escape artist.

"Rico blew out his shoulder last season," Hector said.

"I'm sorry to hear it," said Drummond.

"Don't be. He's doing way better now selling 'bananas' for the Bucagas."

"First-class operation," said Drummond of the drug dealers.

The trio reached a staircase whose eight flights zigzagged down a cliff face speckled with patches of grass and scrawny trees. From this far up, the choppy sea looked like tinfoil.

Hector pointed down to the beach that wrapped around the rock wall. "Follow the shore 'round to the pier, shouldn't take you no more than a minute, then blast off in that fancy-ass speedboat you came in. I'll go the other way, gunning one of the launches from the private dock, do what I can to draw away the cops."

Drummond nodded his approval. "I owe you one, Hector."

"I still owe you way more than that, señor." The guard clambered down the stairs, unconcerned by the creaks and groans that suggested loose moorings.

Right behind him, Drummond said, "Hector, do you have any idea what Fielding did with the other washing machine?"

"The Perriman Pristina? Wish I did. Woulda saved me two broken ribs and fuck-near getting drowned."

Drummond reddened. "Who did that to you?"

"They said they was Interpol."

"That means we can rule out Interpol."

Struggling to keep pace, Charlie surmised that whoever Bream was working for had interrogated Hector. They would have exhausted every means of locating the bomb before mounting their Gstaad operation.

Continuing down the stairs, Hector said, "I told those fuckers what Señor Fielding told me, which was pretty much *nada*."

"Tell me anyway," Drummond said.

"When we loaded the Pristina onto his boat, he said he was gonna run it over to some new hiding place he got on Bernadette Islet or Antoinina Islet—you know, there's tons of them little isles around here, no people on 'em, no nothing. The boss, he liked to cruise around, find new ones and draw 'em onto his map. He'd name 'em after the ladies he took there..." Embarrassment tinted the guard's beefy face. "On dates."

"I imagine your 'Interpol officers' searched all these islands?"

"Bernadette's just a giant-ass sandbar, maybe three kilometers north of here. High tide, thing's underwater. So you couldn't really hide nothing there. So of course they didn't find nothing."

"What about Antoinina?"

"That's the thing. There's no Antoinina on any of Señor Fielding's maps. Or on any map. Closest thing's Arianne Islet, which is far, forty clicks easy. They tore that rock apart too. Found shit."

"Could there be some meaning to 'Antoinina' that they missed?" Charlie asked Drummond.

"Damned if I know," he said.

Which was reason to hope otherwise. Drummond opposed even mild profanity.

28

Charlie had difficulty keeping up with Drummond on the slender beach, which was piled with round, sea-smoothed stones that could broadcast their whereabouts.

"While it's on my mind, I should say that I might know what Fielding meant by those islets," Drummond said.

"That could come in handy," Charlie said. He'd presumed Drummond had chosen to keep mum in the presence of Hector. Nice guy and all, but probably a hardcore criminal who would have been less concerned for their well-being once he knew the whereabouts of a weapons system that could net him enough of a fortune to buy this island several times over.

"Do you remember the false subtraction cipher?" Drummond asked.

"Yeah. You're thinking alphanumeric values of 'Bernadette' and 'Antoinina'?"

"Ought to yield the latitude and longitude of Fielding's hiding spot. I'd need to do the math on paper. But perhaps you can do it in your head."

With each letter assigned a number based on its alphabetical order, BERNADETTE minus ANTOININA translated to:

25181414520205
−11420159149141

As the cipher's name implies, false subtraction isn't true subtraction. Charlie worked left to right, subtracting numbers on the bottom line from those directly above. 2 − 1 = 1, 5 − 1 = 4—if this were true subtraction, 5 − 1 would yield 3 because the 1 that comes next borrows from the 5 in order to subtract 4. As for the rest...

25181414520205
−11420159149141
14761365481164

"One-four-seven-six-one-three-six-five-four-eight-one-one-six-four," said Charlie.

"Good." Drummond nodded. "That gives us latitude and longitude, using decimal values. Latitude of 14.7, longitude 61.3. Or about fifteen nautical miles off the coast of Martinique."

Bream's people surely used potent decryption software to parse every permutation of Bernadette and Antoinina, but without the simple cipher Drummond had taught Fielding years ago, they might as well have searched for the mythical treasure of San Isidro. The single-degree latitudinal difference between the 14 and the 13 yielded by actual subtraction equaled 69 miles, a margin of error of some 15,000 square miles.

Charlie was suddenly distracted by the sound of

an approaching police boat's siren—what had been a distant drone became a shriek.

Drummond broke into a jog, continuing to stay close to the seawall, depriving DeSoto or anyone else atop the cliff a glimpse of him. Over the resulting ruckus of stones and clamshells, he shouted, "Now all we have to do is get there."

Charlie joined Drummond in peering around the edge of the rock wall to see DeSoto on the pier, pacing alongside the bobbing Riva. The real estate agent's back was to them. They could easily overpower him, if it came to that.

As Charlie followed Drummond onto the pier, DeSoto spun around, the pistol in his hand ignited by the sunlight.

Instinct sent Charlie sprawling onto the hot, splintery slats.

Drummond remained on his feet. Without flinching, he stepped toward DeSoto.

"You best stop right there." DeSoto's salesman façade was history.

Drummond continued walking toward him.

"They'll be here in less than a minute." DeSoto gestured to sea. The police cutter was now visible, its siren growing louder.

"Give me the gun, please," Drummond said.

Taking a measure of the older man, in his beach garb and Crocs, DeSoto scoffed. "I suppose you want my ten-thousand-euro reward too?"

Drummond advanced until only the length of the

runabout separated them. "I want to avoid hurting you."

DeSoto aligned the muzzle with Drummond's chest. "Stop now," he said evenly.

Drummond took two quick steps, wound back and threw something, some sort of shimmering white disk, too fast for Charlie to track.

The object struck the real estate man in the hip, then dropped to the deck with a clink.

A clamshell.

Glancing down, DeSoto smirked. "That's all you got?"

His smirk faded when, with one more step, Drummond launched himself into the air. He effectively flew, feetfirst, at DeSoto.

The real estate agent pulled the trigger. The ear-splitting shot scattered birds from unseen perches all over the island. The bullet struck the shore, several small stones leaping upward.

Drummond's sole smacked into DeSoto's elbow, causing him to lose his grip on the gun.

Drummond landed on his side, rolled, and sprang back toward the weapon.

The real estate man rallied, snatching it off the slats. He wheeled around and pressed the nose of the gun against Drummond's neck.

Drummond balled his left hand into a fist and drilled it into DeSoto's gut. Staggering backward, the real estate agent fired again.

The bullet sent up a water spout fifty feet away.

Drummond heaved a roundhouse into DeSoto's jaw. The real estate agent sank to the pier. Grabbing the gun on its way down, Drummond regarded him with remorse.

From her hiding spot behind a bush at the top of the clamshell pathway, the young chambermaid shrieked, distracting Drummond. He didn't notice DeSoto draw a keychain from his trouser pocket and fling it at the darkest blue patch of bay.

Having anticipated this action, Charlie jumped to his feet, sprinted down the pier, and sprang off a rickety slat in what he meant to be a dive. Cold water slapped his face and chest. His momentum carried him down, to about fifteen feet below the surface, where the pressure made his head feel as if it was about to burst.

The key ring was a veritable strobe light in the colorless depths. He snatched it and launched himself upward, breaking the surface to find DeSoto flat on his back, out cold now, and Drummond ensconced at the runabout's wheel.

Hauling himself over the opposite gunwale, Charlie tossed Drummond the key.

Turning it in the ignition and adding throttle, Drummond glanced at the police cutter, now close enough that Charlie could make out the two men aboard, until, with a boom, the entire craft was obscured by whitish smoke streaming from its thirty-caliber cannon.

A shell screamed toward the Riva.

29

The shell—or small-caliber rocket—zoomed wide of the bow, sending up a twenty-foot-high spout of seawater. A second shell hammered the Riva's stern. Everything not tied or bolted in place slid or tumbled to starboard. Drummond fell from the portside captain's seat, slamming onto Charlie. It felt as if the runabout would flip over.

In apparent defiance of gravity, Drummond heaved himself against the elevated portside gunwale, righting the boat and catapulting hundreds of gallons of seawater out.

Now maybe he could contend with the islet directly in their path, a mound of sand and rocks not much larger than a porch, but enough to turn the runabout to splinters.

He clocked the wheel. The Riva sashayed past the landmass, slicing through the waves as if they were air. But the corner of her stern was a mass of splinters, and the big police cutter appeared to be gaining on them.

"I thought the Riva Aquarama was the fastest boat made," Charlie shouted.

"At the time it was made, fifty years ago, that was true." Drummond turned the wheel a degree or two, allowing the runabout to slalom past another tiny islet.

A third blast shook the air.

With an eardrum-piercing clank, the starboard half of the Riva's windshield disappeared. A column of seawater rose over the bow, lashing Charlie, the salt lodging in and burning each cut and scrape in his now-extensive collection.

His father was also struck by the water but remained steady at the helm. And, oddly, at peace. Charlie recalled one of Drummond's favorite adages: *There's nothing so enjoyable as to be shot at by one's enemy without result.*

"We need to keep them close," Drummond said through the onrushing air, more forceful with no windshield to deflect it.

Before he could ask what his father was thinking, Charlie glimpsed sparkling sand ahead, capping a diminutive islet that was long and winding, like a sea serpent. He shot a hand forward. "Do you see that?"

"By my reckoning, that's Bernadette," Drummond said.

Even within a hundred yards, it would have been easy not to notice the large sandbar, then sail smack into it.

Drummond ought to begin to steer clear of it about now, Charlie thought.

Another mammoth round walloped the Riva, cleaving the sundeck and sending slivers of mahogany flying like darts. Like Drummond, Charlie ducked.

One shard whistled past him, carving a groove alongside his left cheek before knifing into the black plastic radio at the base of the control panel.

The searing pain barely registered, as Drummond continued straight for the islet, focused on it, as if he were trying to hit it.

"Dad?"

"Hold on!"

Charlie grabbed the sides of his seat and braced himself.

The Riva's prow hit Bernadette Islet with a deafening crack. If the police cutter hadn't already blasted away his side of the Riva's windshield, Charlie's face would have pancaked against glass. His joints felt like they'd been struck individually by a mallet.

Mostly intact, the entire craft took to the air.

The stern came down onto the sand first, like a giant's gavel. Every one of Charlie's cells seemed to throb. Then, with a boom, the prow landed too.

The runabout sleighed forward through wet sand and puddles, the irregularities in the surface having a bumper-car effect. Sand grated away the caramel varnish, rocks abraded the hull. The inboard engines gasped, the propellers spitting a gritty brown haze in place of a wake.

Still the craft's momentum carried it forward, fast.

Charlie hung on, white-knuckled. Drummond retained a firm grip on the wheel, his head lowered against the rush of sand and water and other bits of Bernadette Islet.

The far shore came into sight, a dune in miniature. The Riva slid off the land, going airborne again, entering a stomach-wrenching plummet, then thumping into the Caribbean, walls of water erupting all around.

Surely the battered craft would now collapse into flotsam, Charlie thought, but the engines purred and the Riva shot forward through the waves.

Charlie was shocked just by the fact that she remained in one piece.

"Now for the real test," Drummond said, looking at the rearview mirror until he discovered that the glass there had been broken away.

With a shrug, he throttled the runabout ahead, accelerating to an even faster speed than they'd gone before.

Charlie turned to see the police cutter within a hundred feet of Bernadette Islet. He read the horror on the machine gunner's face as the man scrambled off the foredeck and leaped toward the wheelhouse while the pilot threw his full weight into turning the steering wheel.

Bernadette was too wide. The cutter smashed into the shoreline. Charlie momentarily lost sight of the craft behind a cloud of kicked-up bits of earth. The propellers on the giant engines hacked away like saw blades before being smothered by sand. The behemoth lurched to a stop twenty feet inland. Beached.

30

Although one of the inboard engines sputtered, the Riva was in the clear, save for the sea. Water sprayed onto the deck through the bullet holes and fissures—too many to count. Parts of the craft, or parts of parts, intermittently fell off. Yet Drummond managed to maintain thirty knots.

The seascape soon became cluttered with uninhabited landmasses, none of them larger than a football field. With the sun nearing its peak, the blue of the sea matched that of the horizon so that the two appeared to be one and the Riva seemed to be floating through the heavens.

Charlie might have appreciated it if he hadn't been on the lookout for police boats. Even the colorful birds flitting about the islands gave him pause. In the Middle East, Alice's NSA unit had deployed remotely piloted attack aircraft that could pass for barn swallows. A macaw was nothing.

Drummond slowed the engines.

"Are we there yet?" Charlie asked.

"This particular GPS is only accurate to within a latitudinal minute, or 1.15 miles. So all I can tell you is we're within 1.15 miles." With a sweeping gesture, Drummond indicated the eight small islets surrounding them, distinguishable only by the placement of the trees. "It could be any of these."

Hardly simplifying matters, each islet lacked an obvious hiding place. If Fielding had buried the washer, which made sense, he wouldn't have left the ground looking like someone had dug an enormous hole. The odds of finding the washer before the police made the scene were best not to calculate.

"Other than whipping up an astrolabe, what can we do?" Charlie asked.

Drummond brightened. "Actually, all we would need to make an astrolabe is a thick piece of paper, something to cut notches along its end, a straw or reed, some string, and a small weight, like a ring."

Charlie wondered if his father was fading—a fade was well overdue. "Then what? Wait for the stars to come out so we can calculate latitude?"

"Planets work too." Drummond accelerated the runabout toward the furthest of the eight islands. "But I have a feeling that that's it."

"Washer Island?"

"I recognize the tree on the southern shore." He pointed to a huge oak atop a high ridge that sloped at almost a right angle to the sea.

"You've been here?"

"It's where I found the treasure of San Isidro—you don't forget a thing like that."

Charlie felt the cold draft that usually accompanied the opening of Drummond's chest of broken memories. "Just like you don't forget seeing your first unicorn?"

Nosing the Riva onto a shelf of golden sand, Drummond cut the engines. "You'll see." He hopped over the gunwale and secured the bowline to a giant root.

Charlie slid off the bow and waded after his father. The oak's myriad roots and tendrils fanned down the ridge like a bridal train, several disappearing into the high tide. Between the roots, where Charlie would have expected sand or soil, he saw dark apertures nearly his height. Waves tumbled into these gaps, breaking with a rich echo, indicative of an enormous subterranean cavern.

"Go on in," Drummond said.

Charlie hesitated. "How do I know this isn't a giant squid's lair?"

With a laugh Drummond reached into the mouth of the cavern and patted the roof until, with a rip of Velcro, he extracted a moss-green nylon sack the size of a hardcover book. He unzipped it, drew out a pair of slender black Maglites, and tossed one over his shoulder. Charlie set aside his incredulity to make the catch.

Drummond fired his Maglite's laserlike white beam through the roots, casting spidery shadows onto mossy rock walls, then sauntered into the cavern. Charlie stuck close behind, hunching every few steps to avoid a stalactite. The air was cold and clammy. Goose flesh rose on his arms, not attributable to the temperature alone: Although he saw no movement, he had a tingling sense that the place was teeming with slithery life forms.

"Dad, you know how I used to get on you for never taking me camping?"

"Yes. What about it?"

"I take it back."

The cavern floor rose out of the water to a platform of red clay. Within the far wall of the platform was a tunnel large enough to allow a man to wheel in a washing machine.

31

Charlie aimed his Maglite into the tunnel, revealing an opening fifty or sixty feet down, maybe the entry to another cavern. Shifting the beam to the right, he saw a wall coated in silt and dirt. Unlike the ceiling and floor, the wall was flat, undoubtedly man-made.

"That's the gold," Drummond said with no more enthusiasm than if he were showing Charlie the contents of his sock drawer.

"What's the gold?"

"That wall."

"What are you talking about?"

"The other wall too."

Charlie swung his beam across the tunnel. Amidst the grime, streaks of yellow metal flashed. "Walls made of gold. How would that even be possible?"

"Fielding and I used to putter around this area, using sonar to find places like this that couldn't be picked up by eyes in the sky. The idea was, if you're a prospective client and you're taken to a subterranean weapons cache on a tiny deserted island fifty miles from anywhere, you more readily believe that you're seeing an actual nuclear device."

"I'll buy that. What about the fifty-foot-long slabs of gold?"

Drummond ambled into the tunnel. "Oh, that, right. Long story."

Charlie followed him. "So you didn't just order them from Sears and Roebuck?"

"In 1797, the Venezuelans organized a conspiracy against the Spanish regime. The Spanish colonial governor in San Isidro worried that the rebels would seize the gold that the Spanish colonists had previously seized from the natives, chiefly the golden roof of the church, which was worth two million dollars."

"In 1797," Charlie repeated, brushing a stripe of the metal and pondering its current value.

"So the Spaniards found a sea captain whom they thought they could trust to take the roof panels to Spain. But they were wrong about him: He and his crew turned pirate. The loot's infamy made it impossible to traffic, though. So the pirates secured it here, intending to return when things cooled down. But they died in a cannon fight with a Spanish man-o'-war before they had the chance. And although there have been hundreds of attempts, no one found the treasure."

At the tunnel's end, half thinking he'd imagined the gold, Charlie turned, taking it in again. "Until you did?"

"Right."

"So why was Fielding hunting for it for the last couple of years?"

"He had his dive teams search in the wrong places, which allowed him to go about his real work. Eventually, he would have 'happened on' this cavern, I suppose."

Charlie bounced his beam off the floor to better see his father's face. "I don't get it. Why didn't you sell the gold off yourselves? You'd still have your secret cavern."

"For one thing, we would have had the same problem the pirates did."

"You and Fielding? Come on. You guys trafficked nuclear weapons."

Drummond shrugged. "I suppose we could have sold the treasure, if we had wanted to."

Charlie, whose upbringing had been modest bordering on Spartan, couldn't fathom his father's indifference. "You ever even consider it?"

"We were occupied with the job that brought us here in the first place."

"That gold is easily worth a hundred million—"

"We thwarted an actual nuclear incident in 2005," Drummond said with finality.

"You would at least have bolstered your Marvin Lesser cover. We could have lived in a villa on the Baie de Fort-de-France, driven Lotuses..."

"Living the Lesser cover would have been too time-consuming. I needed to be either in the field or at the office."

Drummond's base of operations was Perriman's musty, overheated, low-rent office in Manhattan.

"If memory serves, the washing machine is in here," he said, rounding a corner into another, darker cave, not much larger than a van.

And, other than dirt and a spiderweb the size of a volleyball net, empty.

If memory serves resounded harshly in Charlie's mind.

"Latex," Drummond said, batting aside the spiderweb. "Otherwise we'd get bugs."

He leaned into the damp, rocky wall and a door opened inward, revealing a small room. Charlie shot his Maglite beam inside, illuminating a white, top-loading Perriman Pristina, bound to a wooden pallet that rested on a dolly. The washer's housing had dings, spots of rust, and a light coating of muck. A good deal of the spongy orange insulation around the power cord appeared to have been chewed away, as if rats had mistaken it for cheese.

"Probably in all of history, this is the happiest a man has been at seeing a washing machine," Charlie said. "Unless it is just a washing machine."

Wrestling with the plastic strips binding the machine to the pallet, Drummond pried open the lid and peered in. He grunted his confirmation that the Pristina indeed contained a nuclear device.

Charlie felt a jubilation well up in him, like bubbles in champagne.

"Better check that the serial number's still there," Drummond called, interrupting Charlie's reverie of life with Alice enhanced by the proceeds from the treasure of San Isidro.

Charlie shone his light, revealing a metal band glued to the top of the control panel. He recognized the sequence of fifteen one- and two-digit numbers as the detonation code made to look like the manufacturer's serial number.

He waited for the reality of their accomplishment to sink in. Then he would leap up or shout or—

"Well, are you going to lend a hand?" asked Drummond, setting about getting the washer out.

"Okay." Charlie helped push the dolly into the tunnel. He guessed his father was averse to celebration prior to the completion of a mission.

"I was a big fan of our Pristina line even before we increased the cubic footage of the wash basket," Drummond said, batting aside a tree root. "No one's going to argue that we have the vibration control or that we're designed as well as some of the highfalutin brands, but you won't find as many wash cycle options at twice the money."

The spy had reverted to the old appliance salesman suffering from Alzheimer's. Charlie felt shortchanged; the transformation had robbed them of the shared exultation their discovery warranted. At least the timing wasn't terrible for once, he thought, until, displacing a vine, he saw a tall policeman standing near the beached runabout.

Drummond came to a halt.

Charlie had DeSoto's Beretta wedged into the back of his waistband. The policeman's gun was holstered on his right hip. His right hand was occupied with a flashlight.

Spinning toward them, the cop called out, "They're here!"

Five other officers came galloping from the parts of the tiny island that they had evidently been searching.

Returning his attention to Drummond and Charlie, the cop said, "Luckily the owner of the Riva installed LoJack."

32

Bream's condominium complex consisted of about fifty luxury duplexes, amalgams of classic colonial and modern beach houses with weather-browned clapboard walls and doors trimmed in a sandy cream. A suntanned blonde out of the pages of a swimsuit issue dozed, gently swaying in an oversized rope hammock by the pool. Lying on a floating chaise lounge was a second woman, possibly the blonde's younger and bronzer sister. She glanced up from her paperback and smiled as Stanley and Hadley got out of their new rental car.

Stanley gave a tight smile in response.

"*Bonjour,*" Hadley said to the women. Nudging Stanley, she said under her breath, "Don't you want to give them a thorough once-over, make sure they're not sentinels?"

He looked down at her and saw her grin. He liked that she never missed a beat.

He hoped like hell that the switchblade ring business was just an aberration.

She rang Bream's buzzer. A moment later the pilot appeared in the doorway, pulling an old sweatshirt over a pair of gym shorts. He might have put on the sweatshirt *before* opening the door, Stanley thought, but then he wouldn't have been able to show off his Muscle Beach abs. The pilot's eyes were rimmed red with sleeplessness, pleasing Stanley, who didn't like it when scumbags with that much free time for the gym slept well in their cushy island pads.

"Mr. and Mrs. Atchison, hey." The pilot acted pleasantly surprised. "Nice of you to drop by."

"We're here on United States government business," said Stanley, glad to be spared the song and dance of why the golf-obsessed CFO and his self-absorbed wife were on the pilot's front stoop.

Bream leaned closer, as if he hadn't heard right. *"Government business?"*

"We should go inside and talk about it," Hadley said.

The pilot shrugged. "So long as you don't mind a little mess. The maid hasn't been here, well, to be honest, ever."

Stanley stumbled, intentionally, as he followed Hadley across the threshold. He fell against Bream, who reflexively caught him by the shoulders.

"Excuse me," Stanley said, clinging to the pilot's waist to remain upright while he felt for a gun hidden in the small of the man's back.

Bream released him. "First thing on the maid's list will be that doorstep."

"Much obliged." Stanley added a pat of gratitude, feeling no holster in the vicinity of Bream's underarm, bolstering his confidence that the pilot had no weapon on him.

Still Stanley knew he needed to keep an eye out for a knife or gun produced from a hiding spot and against which his only defense would be the surveillance team in a hotel room fifty yards away. In such situations, the old joke went, the best your backup team can do is avenge you.

The condo itself wasn't as bad as advertised. Empty Red Stripe bottles, randomly flicked bottle caps and clothing abounded, but were lost in the grandeur of the space—ten-foot ceilings with gleaming ceramic tile crown molding, lustrous hardwood floors, and slabs of granite atop every counter.

Whisking a weight-lifting belt off the back of one of the dining room chairs, Bream ushered Stanley and Hadley into two of the other three seats at the table. "I can offer you water, or water with a tea bag in it," he said, indicating a stout Victorian teakettle on the burner.

"How about you just join us, Mr. Bream?" Hadley tapped the glass tabletop.

"Okay, then." Bream spun around a chair and sat so that his chest was pressed against the backrest, providing himself an extra layer of protection whether or not he consciously intended it. "So are you folks CIA or FBI or I don't need to know?"

"You were right the first time." Stanley leaned over the table to minimize the distance between them. "I take it you're aware that you've been ferrying some fairly sought after individuals."

"I heard about the dustup at the airport last night.

You've gotta understand, though, I'm just a glorified courier. Those guys came to me through an American company that does lots of business here."

"We know all about them," Stanley said of Alice Rutherford's NSA unit, which had operated under the cover of a Maryland-based insurance agency and obviously hadn't placed background checks for charter pilots high on their priority list. "I want to let you in on something that the CIA has learned: John Townsend Bream is a thirty-nine-year-old resident patient at the Four Oaks mental institution in Tunica, Mississippi. Has been for nine years."

Bream stared across the table in openmouthed wonder. "So you're saying I'm a mental patient in Mississippi and, what, that I'm just imagining that I'm in Martinique?"

"That's possible. It's also possible that you assumed the identity of someone who wouldn't be going anywhere..."

Bream scowled. "Maybe the mental patient assumed *my* identity—"

"If I were you, I'd deny everything too," Stanley said.

"Don't worry, we're not here about that," Hadley added.

"Not necessarily." Stanley let a beat of silence underline the threat. "If you'll help us locate your two passengers, J. T., your only involvement in this case will be collecting the ten-thousand-euro reward for their arrest." In fact, Stanley expected Bream, or whoever he was, to wind up penniless in a federal penitentiary.

"Do you have any idea where they are?" Hadley asked.

Bream sighed wistfully. "I wish I did."

Stanley didn't believe him. "How about your best guess?"

"The only unusual part of the deal is they're planning on bringing back some supersize cargo. I'm supposed to find a bird with an extra-large cargo door. But that's okay. I once had a client who bought a statue in Athens and flew it back to Palm Be—"

Hadley cut in. "Do you have a rendezvous time or place?"

"They're gonna call me as soon as they find whatever it is they're looking for. They've got me booked for the whole week." Bream broke free of Stanley's stare, shifting his focus to the copper teakettle.

Hadley set her BlackBerry on the table and cupped her right knee, signaling to Stanley her belief that the pilot was dissembling. Stanley twisted his wedding ring, indicating his agreement.

The BlackBerry vibrated, rattling against the table. Hadley snatched it up.

"Well, how about that?" She relayed the text message. "Lesser and Ramirez have been captured at sea by the Royal St. Lucia Police Force and are on the way to a detention center."

Bream grinned. "Well, it's a good thing you came to see me, isn't it?"

33

The forty-foot Royal St. Lucia Police cutter chugged toward a remote island known as Detention III, a dismal, rocky place, apparently immune to vegetation, and so tiny that the architects had had no choice but to build up: The four-story brick prison stood at a slight incline. Painted battleship gray, it was part tenement house, part lighthouse, surrounded by two rings of twenty-foot-high electrified wire fencing and, in the event of a power outage perhaps, an outer fence topped with coils of old-school razor wire.

Drummond was handcuffed to a long bench in the police cutter's stern. If he had a plan, he had to have dreamed it up, literally, while napping during the hour or so since their capture. Escape seemed impossible to Charlie, who was handcuffed to the other end of the bench.

"Lesser" and his young accomplice "Ramirez" might be able to buy their way out, though. Charlie had gleaned that Detention III was administered by a private maritime security firm called Starfish, contracted by Saint Lucia, Dominica, Martinique, and other islands in the area.

In the rest of Charlie's scenarios, Detention III

would effectively be a CIA detention center for him and Drummond. And the grave for Alice.

The washer sat on the prow, still strapped to its pallet. If the Saint Lucia policemen didn't already know what the Pristina held, they would soon, when one of them peered under the lid—which someone would do eventually, out of boredom if not simple curiosity. They would then place urgent calls to the bomb squad. Enter the Cavalry.

While tidier than the exterior had led Charlie to expect, Detention III's plain tile interior smelled like it was hosed down with seawater in lieu of proper cleaning. At the intake desk, three of the Saint Lucia cops uncuffed Charlie and Drummond and handed them over to two Starfish jailers, men who wore generic navy-blue fatigues with badges identifying them as Guard L. Miñana and Guard E. Bulcão. Both West Indians, Miñana and Bulcão spoke English with the sharp Hispanic accent familiar to Charlie from Brooklyn.

Miñana, with his slight build, quiet demeanor, and round spectacles, could have passed for an actuary if it weren't for the worn wooden cudgel, which he gripped as if it were a cutlass. As the trio of Saint Lucia policemen prepared to depart, he slipped them a small stack of greenbacks. On the way out, one of the cops drummed the lid of the washing machine. Miñana smiled, seemingly pleased with his new purchase.

The heavyset Guard Bulcão meanwhile frog-marched Charlie to the wall next to the intake desk. "Face the wall, arms and hands apart," the guard barked, then proceeded to pat Charlie down.

Miñana gave the same treatment to Drummond, who, although awake, didn't seem that much more alert than when he was asleep.

"Now the both of you turn around real slow and take off all your clothing, drop it to the floor, then say 'Ah.' " Miñana demonstrated by sticking out his own birdlike tongue.

The guards probed Charlie and Drummond's mouths as well as every other body part where a weapon might be hidden.

Bulcão scooped their clothing and possessions from the floor, stuffing the lot of it into a large brown paper bag. "You guys can get this stuff back when the Martinique Police take you into custody in the morning," he said, sitting down at the desk and filling out the intake form on the computer, at four words per minute.

L...E...S...S...E...R...

To Charlie, anything other than C-L-A-R-K spelled hope.

The rough orange prison jumpsuit chafed Charlie's underarms and inner thighs as he mounted the three flights of stairs to the cellblock. Drummond followed close behind, trailed by Bulcão, who prodded them now and again for no apparent reason. Their footsteps in the cramped stairwell were amplified by the moisture on the moss-spotted walls, making it sound like a racquetball game was taking place.

"I heard about another innocent guy in a fix like this," Charlie said, as if trying to make small talk. "A war hero. Happened to be very wealthy too."

"From selling weapons?" Bulcão glanced sidelong at Drummond.

"I'm in appliances, actually," Drummond said in earnest. "Perriman."

"The guy I'm talking about made his fortune in the stock market," Charlie said. "One of the jailers believed that he was innocent and let him 'pick the lock.' To show his gratitude, the guy gave the jailer five thousand dollars." Charlie and Drummond had about half that much in their wallets, last seen at intake being dumped into the brown paper bag.

Bulcão spat an invisible seed out of the side of his mouth. "I know you're not trying to bribe a law enforcement official, my friend."

Charlie widened his eyes. "Huh?"

"You guys are Public Enemies number one and number two in Martinique. If you somehow escaped, even without any help from me, and without Guard Miñana and Alejandro the maintenance guy looking the other way, we all would be let go, probably do some time too. Just speaking for me, say you gave me a million bucks. After I got out of the can—if I ever made it out—the cops would be watching for years to see how I'm paying my bills. Best job I could get probably'd be hacking pineapples, and if I spent more than a field hand's pay, the Inspector General'd throw me right back in jail. If my wife goes to some fancy store in town and gets herself a dress, back to jail. If my son gets a bicycle that isn't secondhand..."

In other words, Charlie thought, no.

34

Carlo Pagliarulo thought little of the Servizio per le Informazioni e la Sicurezza Militare, Italy's military intelligence agency. He got the message that SISMI felt similarly about him. In 2005, after twelve years as an operative, he was demoted to deputy operations coordinator, a glorified term for gofer, hardly the job he'd hoped for when first signing on out of college. The salary was decent, though, the benefits even better, and he felt secure in his job since terminations were rare in the intelligence community—agencies were usually reluctant to have an ex-operative out and about with a grudge, and, of course, secrets to sell. Yet within a year, due to chronic lateness to work, drunkenness, and allegations of sexual harassment, Pagliarulo was let go.

It was his big break.

Foreign intelligence services scoured associations of former soldiers and law enforcement officers in the hope of securing assets with half of Pagliarulo's skill set. Two weeks after his termination, he was making more per week than he had at SISMI just to run a pair of Geneva safe houses for MI6, a job that took no more than a couple of hours a day, leaving him plenty of time for other gigs, like the rendition in Gstaad and subsequent work as one of the captive's babysitters. And this evening alone, while shopping for groceries, he stood to pick up enough additional cash to buy a villa in San Remo.

At an under-heated but still crowded supermarket in Moudon, an unremarkable town about an hour northwest of Geneva, he resisted a fresh Parmigiano-Reggiano, instead dumping a cardboard cylinder of factory-grated Romano into his cart. The American woman was supposed to get as few clues as possible about where she was being held.

"Excuse me, do you know if the pesto's any good here?" asked a man pushing a cart half full of TV dinners.

His Italian was good, but he sounded American, and despite an Alpine parka over a French suit, he looked it. Like Gary Cooper, Pagliarulo thought.

"You want good pesto, you gotta go to Corrençon," Pagliarulo said, which may or may not have been true, but it was their recognition code.

The man was Blaine Belmont, the U.S. embassy's legal attaché—official terminology for spook. Belmont pushed his shopping cart to the end of the line five deep at the butchers' counter, where a pair of bleary-eyed meat cutters worked in slow motion. Pulling his own cart up behind Belmont's, Pagliarulo checked for surveillance. Belmont nodded his own assessment that they were clean.

Pagliarulo wasted no time. "I'm doing grunt work for a guy who I've figured out is planning to flip an ADM to the United Liberation Front of the Punjab."

Belmont turned to face him, with no more excitement than if Pagliarulo had said it was going to snow tonight. "Yeah?"

"He's somehow getting it from another American. I've only caught a glimpse of that guy, over satphone, but I could ID him from photos. The deal is, he delivers the bomb, he gets back the package we're storing. I'm pretty sure you know her, Alice Rutherford."

Belmont shrugged.

"I could give you enough information to get the bomb and the bad guys," Pagliarulo added.

"If?"

Afraid the American would laugh at the price, Pagliarulo steeled himself. "One million."

Belmont studied a tower of sausage links behind the smudgy glass. "That's probably fair for a tip that bags a rogue WMD. Which means HQS'll have me counter six hundred and settle at seven-fifty—if they determine it's worth a dime. Seven-fifty about what you really figured on?"

Pagliarulo's confidence rose. "The price is one million dollars."

"Look, I don't give a crap, it's not my money. I'll tell you what, I'll talk to my chief of station when I get back to campus. If things go like they should, we'll have a dollar amount tomorrow morning at the latest. Then somebody will send a text message to your cell addressed to a Hans, asking Hans if he wants to down a few at the Hofbräuhaus, something like that. Delete the message, then hightail it to the *hypermarché* in Corrençon and we'll see if the pesto lives up to its reputation. Fallback, meet right here tomorrow, same time. How's that for a game plan?"

Pagliarulo's answer was forestalled by a butcher's summons to the counter. Presumably to maintain his cover, Belmont bought a chicken.

35

Sure, Alice would have preferred traipsing across an Alpine snowscape with the man she loved. But most of her life had been spent either dodging bullets or the metaphoric equivalent. Once, in fact, she'd been hit—just a flesh wound. At times, she would happily have paid for the peace and quiet now inflicted on her.

Especially because the Shaolin liked to practice meditation before a fight.

As Alice had learned in nearly a lifetime of devotion to Shaolin kung fu, channeling her inner energy allowed her to do things that her corporeal body alone could not. But it wasn't easy. Shaolin monks had to spend years mastering meditation before they were allowed to think about fighting, or as little as throwing a playing card. Prior to writing the book of Shaolin kung fu, the Buddhist monk Bodhidharma faced a wall for nine years without uttering a word.

Alice began by clearing her mind of all destructive energy. Combat, whether in self-defense or on the attack, demands pure intent, with all emotions under complete control, which is to say turned off.

After several hours, a plan came to her. It depended on a light switch plate the size of an index card that was fastened to the wall behind the sofa, two and a half feet from where she sat. If it were slung like a throwing star—the flat, star-shaped projectile that was the Shaolin weapon of choice—the light switch plate's speed might exceed fifty miles per hour, making its sharp corners as lethal as a dagger.

The plate was held to the wall behind the sofa by two ordinary slot-headed screws, one above the light switch, one below, the latter a bit loose already. It would be a simple matter to undo the screws.

Well, not exactly simple.

First, Alice needed to position herself on the sofa so that the light switch was directly behind her, concealed from her captors' view. Following each bathroom trip—they permitted her one every four hours—she inched closer. The fifth trip gained her position sufficient to execute sleight of hand, which time and again had proven the most useful component of her operations training. Sleight of hand is widely believed to work when the hand is quicker than the eye. In fact, it depends on psychology, primarily misdirection, larger actions distracting from smaller.

That her boots and socks had been confiscated presented an opportunity. When she stretched, which was only natural after so many hours on a sofa, the men's attention went to the action of her legs and her feet. Initially, the goons appeared to pay little if any attention to "itches" she simultaneously scratched on her face or behind her ears. Soon they seemed to pay none at all. Moreover, Frank spent a lot of time surfing the Web on his phone. Walt, though he never let go of his Walther PPK, spent hours picking his cuticles. And the third man in the rotation—the Teutonic-looking helicopter pilot Alice nicknamed the Baron—as in Red—sometimes nodded off for a few minutes.

After about thirty hours, the light switch plate was ready for deployment.

And when Frank came on duty in place of Walt, Alice was primed.

The Baron took over the armchair as well as the Walther while Frank disappeared into the kitchen with a bag of groceries. Alice heard him bring a pot of water to a boil, then add a bag of pasta. Warm air, laden with buckwheat and garlic, seeped into the living room.

A few minutes later, Frank brought her a Styrofoam bowl full of steaming macaroni. He'd topped it with grated Romano cheese, very likely an act of kindness. She put his gesture out of mind.

With the Baron's gun fixed on her, Frank undid the cords around her wrists, enabling her to take the bowl from the floor and use the plastic spoon in it to eat.

When she finished, she set the bowl on the carpet, and Frank kicked it away. The Baron gestured for her to extend her hands. Frank started to reapply the cords to her wrists, staying as far from her as he could, wary of a head butt or a bite. Which was exactly what

Alice had been counting on. When he attempted to tie the first knot, she surreptitiously rotated her left forearm in such a way that the cord merely formed a loop. This was the key step in Houdini's famous rope-escape trick.

Finished, Frank retreated to a chair. Pretending to settle back onto the sofa, Alice worked her left hand free of the loop. It took her about thirty seconds, or about twenty-seven more than Houdini.

When Frank dug his phone from his pants, she swiped at the light switch plate with her freed left hand, dislodging the fixture from the wall. She caught it with her right.

Frank dropped the phone and drew a switchblade, snapping it open, as the Baron leaped up, aiming his gun.

Alice bent her arm ninety degrees at the elbow, drawing the makeshift weapon toward her abdomen. With a motion similar to that of a Frisbee toss, she sent the plate slicing through the air, so fast that it gave off a metallic whip-crack.

As the Baron leveled the gun at her, a corner of the plate sank into his neck as if his muscles were butter.

He plucked it free, but blood poured from his jugular. Eyes white, he collapsed over the armchair. His Walther dropped to the carpet, the powder blue fibers rapidly turning purple from the vital fluid streaming from his sleeve.

Alice needed to get to the Walther before Frank, who no doubt had a few combat tricks of his own.

Plus he had a knife. She expected to sustain injuries, but never contemplated any outcome other than success. *To doubt is to be defeated before the enemy has thrown a single punch.*

She dove headlong for the Walther. Frank slipped on his phone and lost balance.

If not for the cords still restricting her legs, Alice would have fielded the gun, rolled into a kneeling position, and shot him. As it was, she landed on the carpet, her fingers within inches of the gun, as the Baron snatched the weapon off the sticky floor. With what seemed his last gasp, he tossed it over her head, to Frank.

The Baron thumped down from the chair, dead, momentarily pinning Alice to the floor and enabling Frank to get a firm grip on the gun.

"You are lucky we are not allowed to kill you," he said in a thick Italian accent.

"You have no such luck," Alice said.

But that was just adrenaline talking. She knew she would be in chains from here on in. At best.

36

Mountain peaks speared the feathery clouds above Saint Lucia. Through the window by his seat in the DC-3, Stanley could see the entire island, which was about half the size of Martinique. He watched the plane's shadow pass over verdant mountains and meadows with galaxies of vibrant tropical flowers. He'd thought all Caribbean islands looked alike, but this was Eden with typing-paper-white beaches.

Leaving Hadley to finish questioning Bream, he had initially procured a de Havilland Twin Otter seaplane to fly directly from Martinique to Detention III. He made the mistake of cabling the plan to headquarters. Saint Lucia's CIA base chief, a man named Corbitt, requested—demanded, really—that Stanley first come to Castries, the tiny capital city of Saint Lucia, to be debriefed. This was the base chief's right, to an extent. Headquarters needed Corbitt to exert his influence so that the Starfish people would hand the Clarks to the CIA rather than to their primary employer, Martinique's police department.

Stanley deliberated cabling Eskridge to request that the Europe division chief tell the Latin America division chief to order Corbitt to stand the hell down. Jesus Christ, a base chief on an island with the population of New Haven? His job was to make life *easier* for operations officers. Ultimately, Stanley decided that he could chat with Corbitt in less time than he would spend waiting for the succession of cables.

At George F. L. Charles Airport, before Stanley was halfway down the plane's stairs, someone thrust out a right hand. It was connected to a short and doughy fifty-year-old in a just-pressed suit, starched shirt, and gleaming golden 1990s power tie. "Clyde Corbitt," the man said, the words accompanied by a gust of wintergreen-minty breath.

Although Stanley had read nothing about Corbitt, not even his first name, he suspected he knew everything pertinent. Low rank, to begin with. GS-12, maybe. The "base" of which he was chief consisted of a nothing-special office. Either he was a one-man shop or he was aided only by an operations support assistant—government-speak for "secretary"—almost certainly a local, whose most dramatic clandestine operation would be using the special telephone with the encryption device. And, as sure as the sky was up, this was Corbitt's first command, bestowed upon the career desk jockey either as a reward for twenty-something years of service or because Langley simply needed a body in Castries. Probably when he received the cable—C/O IN MARTINIQUE ON COVERT OP. GIVE HIM ALL ASSISTANCE HE DESIRES—Corbitt had an inkling that he was about to embark on the most exciting chapter of his tour.

Shaking the base chief's moist hand, Stanley said, "Great to meet you."

Corbitt had arranged for a driver and a stretch Town Car with tinted bulletproof windows. He helped Stanley into a cavernous backseat. The air was set to Arctic. Clad only in a polo shirt and chinos, like every other white-collar type in the islands except Corbitt, Stanley labored not to shiver. At least there was no need to worry that the ice in the minibar would melt during the trip to the American consulate, which the driver speculated would be half an hour on unusually congested roads.

Corbitt sat on the opposite leather bench, his back to the Plexiglas divider separating them from the driver. "I took the liberty of scheduling us a lunch."

"Very thoughtful of you," Stanley said. "It's a shame I already ate lunch." In fact, that had been yesterday.

He just wanted to get to the damned detention facility.

As the limo rolled away from the airport, he asked, "How about saving some time and going straight to the dock?"

"Maybe just a drink then. We're meeting the CEO of Gotcha-dot-com." Corbitt's smile faded when Stanley failed to register recognition. "They're the world's largest private manufacturer of electronic surveillance devices."

"It sounds really interesting, but—"

"Trust me, bud, you do *not* want to miss this." With the air of a magician, Corbitt reached for the bar and unscrewed the top from the crystal scotch decanter. The round bottletop was sculpted with so many facets that it sparkled like a disco ball. "Would you believe this contains a camcorder that can hold sixteen hours of video and sound?"

"Only from context," Stanley said, to be polite. At least five years ago at headquarters, one of the Toy Makers showed him a collar stay containing far superior micro-camcorder technology. Probably Saint Lucia wasn't a Toy Maker priority. "The problem is time, or the lack of it. The men we're chasing—"

Putting a finger to his lips, Corbitt turned and glanced nervously at the driver. "We'll discuss it in the SCIF," he said as if any other course of action would be utterly reckless.

An hour later, Stanley was still in the sensitive compartmented information facility within the American consulate, a small suite of low-end offices on the ground floor of a white building resembling a sheet cake.

"One more time, for the record," said a flushed Corbitt, pushing the strands of hair back into place over his bald spot. "You expect me to tell Claude Beslon, the Saint Lucia chief of police, to just release the criminals into your custody, no questions asked?"

"Alleged criminals, for the record," said Stanley, even though the point of a secure conference room was that there would be no record.

"Can you even tell me whether or not these guys have actually done any of the stuff they're charged with?"

Stanley leaned forward over the conference table. "Listen, Chief Corbitt, if you—"

"What? 'Need to know'?"

"I was going for a less trite way of phrasing it."

Corbitt jerked off his trifocals, which were misted by perspiration. "I *do* need to know. I don't want to be a prick, but, come on, bud, this is my turf."

"The chief of the Latin America division was told less."

"I've built relationships here based on trust. A flap and it all blows up. I mean, what in the world am I supposed to tell my friends here?"

"Make up whatever you think will impress them the most."

"How about a pinch of truth to fortify the deception?"

"What I can tell you is that Lesser and Ramirez pose a threat to national security with what's in their heads alone," Stanley said. It was certainly more than Corbitt needed to know, and, Stanley hoped, enough to placate him.

37

The three holding cells constituting the fourth floor were vacant, giving the stocky Starfish guard, Bulcão, his choice for Charlie and Drummond. He chose the smallest, an eight-by-ten-foot cement box fronted by a sliding wall of thick, rusty bars.

Inside the cell, two cots hung from a moldy wall by chains, one on top of the other. A metal sink sprouted from the adjacent wall. On the floor lay a filthy porcelain platform the size of a notebook, with slip-resistant shoe-shaped pads on either side and a hole in the center: the bathroom.

“Same interior designer who did Leavenworth, am I right?” Charlie asked Drummond.

Drummond put a hand to his chin and regarded the cell, as if giving the question serious consideration, until Bulcão propelled him and Charlie inside. Disappearing into the corridor, the guard heaved a breaker switch, sending the barred front wall shut with the force of a locomotive.

“Supper is at nineteen hundred,” he called over the ringing echo as he disappeared down the stairwell.

Taking a seat on the lower cot, Drummond remarked, “Surprisingly comfortable.” He looked underneath for the label, as though contemplating a future purchase. Finding nothing, he shrugged, then lay down.

"Don't go to sleep just yet," Charlie said.

"It's nighttime, isn't it? Speaking of which, I need my medicine."

"Actually, it's only about two in the afternoon," Charlie said, but he understood why his father would think it was nighttime. The perpetual fluorescent twilight of the cellblock offered no clue to the actual hour. Outside light didn't reach the floor, and for that matter, neither did fresh air. "Also we need you to come up with one of your exit strategies."

"You want to break out of here?" Drummond asked, more vociferously than discretion dictated. Or maybe it was just the relative silence. Only the buzz of the fluorescent tubes could muffle their conversation.

Charlie whispered, "Of course."

"Impossible."

"Why? This isn't exactly a state-of-the-art maximum-security penitentiary."

"Well, I have no idea how to do it."

"Listen, if any of your good old ex-colleagues gets wind of us being here—I should say *when* they get wind of us being here—we'll be lucky to get life imprisonment. We'll be lucky to get life anything."

Charlie paused to listen to a low-pitched whine, like that of a small plane, flying low.

Had a Cavalry hit team arrived on cue?

The noise died away.

He turned to his father. “You get the deal here, right?”

“Yes, yes, they’ll neutralize us immediately. Alice will be in big trouble too. Where’s our attorney?”

Charlie’s hope shattered.

He gripped one of the rusty bars, expecting it to give a little.

Not a millimeter.

The rust wasn’t even skin-deep. Drive a truck into these bars at full speed: The truck would be accordioned.

How about the breaker switch that opened the wall of bars?

Not just out of reach. Out of sight.

Studying the rest of the cell and coming up empty, Charlie remembered what should have been Step One.

Taking a seat beside Drummond, he asked, “What might a professional covert operations officer do to get out of a place like this—say, a guy who took the two-month Escape and Evasion course at the Farm?”

Drummond sat straighter, only an inch or two, but enough for Charlie to feel a spark of hope. “Spies are only human, and as such can’t pass through solid walls.”

“What about through bars?”

“There’s a gap of, what, three inches between each?”

“But it’s been done, right, and not just by people who went on extreme diets first?”

Drummond nodded. "You do hear those Wild West stories of horses tied to the bars and yanking them free."

"There's a start..."

"Taking into account the laws of physics, even with a team of especially strong draft horses, I'd say those stories are apocryphal."

"Well, we probably won't have the chance to put it to the test, given that we're three floors up from the ground and don't have a window. But, come on, jail-breaks are in the papers all the time."

"Because they're news. Are you thinking about breaking out of here?"

Charlie sighed. "It crossed my mind."

"Would you like to hear an interesting piece of information?"

"Does it have anything to do with getting out of a jail cell?"

"Yes."

"Then, yes, I'd love to hear an interesting piece of information," Charlie said, undoubtedly a lifetime first.

"In 1962 three prisoners at Alcatraz used spoons and a vacuum cleaner part to chisel away at the concrete around a fan vent leading from their cell to a utility corridor. They worked during the cellblock's music hour, so the guards wouldn't hear, and they concealed their progress with bits of false wall, good enough that the cell passed its inspections. When their escape route was finally ready, they left papier-mâché dummies in the beds, then they climbed through the fan vent—they'd removed the fan blades and the motor ahead of time. That got them into an air shaft. On the way out, they stole some raincoats, which they used to make a rubber raft to get across San Francisco Bay."

"I thought that no one ever escaped Alcatraz."

"Correct. They either drowned, or they were shot to death, I forget which."

"Whatever, you lost me at *spoons*."

"They used the spoons to chisel away—"

Drummond was cut short by a gunshotlike crack that reverberated throughout the detention facility.

Charlie froze. "I don't think that's supper being prepared."

"Sounded like a three-fifty-seven," Drummond said. Lying down, he pulled the pillow over his head, presumably to prevent additional .357 reports from disrupting his sleep.

He was kept awake by the two men racing up the stairs, amplified by the damp concrete so as to sound like two bulls. The first to appear was Hector Manzanillo, the toothy Îlet Céron security man. The long barrel of his steel revolver shone in the wash of the overhead fluorescents. Miñana accompanied him.

Drummond rose from the bed. Recognizing Hector, he smiled.

"Hola, Señor Lesser," Hector said with warmth that seemed genuine.

Misgiving still flooded Charlie. A physiological

malfunction, he hoped, a by-product of fatigue in combination with two weeks during which everyone he'd met had tried to deceive or kill him. The thing was, if Hector had known that the Riva was fitted with a LoJack, he might have bribed someone in the Saint Lucia police force so that he could sit back and wait for the elusive $100 million washing machine to be delivered to his confederate, Starfish Guard L. Miñana.

"You're not here to liberate us, are you?" Charlie said to Hector.

Hector flashed a car salesman's smile. "I am."

"If?"

"If you tell me the detonation code for the bomb hidden in the washing machine. Alejandro's wheeling it down to my brother's boss's cigarette boat right now. I can go down and test it. If it works, you're outta here."

"Detonation code?" Drummond shouted, prompting Miñana to blanch.

"There's something wrong with his head," Hector reassured the guard. "But the other one, he'll tell us."

Miñana, Hector, and Drummond all looked to Charlie, who did not know the code but could learn it with a quick glance at the Perriman Pristina's serial number. Were he to share that information, Hector would liberate them. From the cell. He wouldn't permit them to live much longer than that, though.

Charlie's only other idea was to stall until Drummond blinked on. "The code's on my cell phone," he said. "It's listed in my phone book under 'Dry Cleaners.' "

Hector looked to Miñana.

"They didn't have no phones on them," the guard said.

"Yeah, I figured it was a lie." Hector's big mouth twisted in disgust. "The college boys Lesser used to bring down from the States, they were all fucking math geniuses. Memorizing a thirty-number code for those dudes is like memorizing a name for me or you." He spun at Charlie. "I'll tell you something, man. There was some pretty slick spooks on Céron last week, packing state-of-the-motherfucking-art code-breaking software. Not one of them made sense outta that Bernadette and Antoinina thing, though. But you turned it into latitude and longitude in, like, five seconds. In your fucking head, too, am I right?" Without giving Charlie a chance to respond, he asked Miñana, "How does your piano piece go?"

The guard indicated the wall of bars fronting the cell. "He lays his fingers flat on the crossbar. Then I play them"—he raised the cudgel as if it were a hammer—"until he sings."

"Go for it, maestro," Hector said.

Miñana advanced to the crossbar. Hector pointed his revolver at Charlie, directing him to come forward.

Drummond looked on with anguish that Charlie judged, unfortunately, legitimate. And warranted.

"Stick your fingers through the bars," Miñana told Charlie.

The guard tightened his grip on the cudgel.

Charlie placed his fingertips on the cold and grimy crossbar and slid them forward, a hairbreadth at a time, scrambling meanwhile to come up with an alternative.

All he came up with was nausea.

"Wait," Drummond said—ordered, actually, in that Patton style he employed when he was at the top of his game and things got hot.

Electrified, Charlie withdrew his hands and looked to his father.

There was no fire in Drummond's eyes. "What if we work out some sort of arrangement, Hector?" he asked. As if he believed it was a truly novel idea.

"Like when the bomb gets sold, I get half of the money?"

"Something like that, yes! How about it?"

"I'd rather get all the money." Hector flicked his gun, directing Charlie to return his fingers to the crossbar to be broken.

Just then an explosion shook the entire building, slamming both Hector and Miñana against the floor.

Grabbing the bars kept Charlie upright.

Drummond plucked him away, flinging them both toward the corner of the cell near the cots. They landed on their knees. Drummond pressed a pillow over the back of Charlie's head, guided him into a crouch, then reached up, snaring the other pillow and placing it behind his own head—all of this was done in about a second and as naturally as if Drummond had been zipping his fly.

"Grenade?" Hector shouted to Miñana.

The guard gave no indication of having heard Hector, likely due to a near-deafening onslaught of machine-gun fire. Hurrying to his feet and waving for Hector to follow, he ran for the stairwell.

The barrage continued, darkening the air with dust and loosened mold. Individual bullets ricocheted, shattering glass or ringing against metal fixtures and furnishings. After about a minute, the gunfire dwindled to sporadic pops. Finally the building's familiar silence returned, followed by the sound of somebody running up the stairs—somebody new, judging by the squeal of rubber-soled shoes.

38

The smog parted, revealing Bream standing outside Charlie and Drummond's cell. Dust whitened the pilot's hair and coated his face, except where blood dripped down. He carried an assault rifle, his pants pockets bulged with fresh mags, additional guns protruded from his waistband, and grenades dangled from his belt along with a sheathed knife almost as big as a machete.

"I had to whack an attractive lady from the CIA in the head with a teakettle to get out here, but otherwise you fellas did well in getting thrown in this clink," he said. "I had no damned idea how we were going to get you off Martinique after we took care of the bomb business."

Could this be Bream to the rescue? Charlie was at a loss.

The pilot stepped out of sight. The cell's front wall slid open with a resounding clank. Reappearing, Bream grumbled, "Course, now we gotta get off *this* island."

"Thank you, J. T.," said Drummond, exiting the cell.

"My pleasure." Bream drew one of the pistols from his waistband.

Charlie was too far away to do anything more than watch in horror: Had Bream decided that Drummond was now expendable? Drummond, for his part, barely registered the pistol.

"Either of you got a preference for the Ruger?" Bream asked.

"I do." Drummond claimed the stout black pistol as if slipping on a glove. He racked the slide, inspected the chamber, hit a button ejecting the clip, and studied its contents. Satisfied, he rammed it home, checked the safety, and found a comfortable grip. "Nice."

"Fly me, you do get some frills," Bream said.

He offered Charlie a rugged gray pistol, a Sig Sauer. Charlie happily accepted, though in his estimation his skill as a marksman was limited to hitting a target directly in front of him. If the target was large and stationary.

He followed Bream and Drummond to the stairs, imitating the way they led with their guns, as if lighting the way.

At the lower landing, Bream sidestepped the crimson pool surrounding Miñana. "I got this guy and Ricky-Ricardo-on-Steroids on their way down from the cellblock. The other guard was dead on my arrival. Who else have y'all seen since you've been here?"

"We heard there was a maintenance man." Charlie tried to avoid looking at the dead man.

"Yeah. Overalls. Him and a ponytailed version of

Ricky Ricardo and another thug were loading the washing machine onto a cig boat when I puttered up. They dropped what they were doing and started shooting at me. I had to fire blind." Bream pantomimed ducking beneath his boat's gunwale and firing without looking. "I got lucky," he concluded with false modesty.

Sticking his gun out ahead of him, he hugged the doorframe, then darted out of the stairwell.

"We're good for now," he called back.

Drummond exited with catlike movements similar to Bream's. Charlie brought up the rear, clumsily, slipping off the short step down from the landing to the intake desk, almost falling onto the bribe-proof Bulcão. The guard sat at his computer terminal as if still typing, except his neck was at an impossible angle and there was a dark cavity where his left eye had been.

"Don't forget your personal items," Bream said with a wave at the brown paper bag now labeled lesser/ramirez. "Also it might be slightly less conspicuous if you two changed out of those fire-colored jumpsuits."

Charlie snatched the paper bag. Nauseated by Bulcão's body, he raced to check the contents of the bag—everything was there—then rejoined Bream and Drummond.

Like them, he flattened himself against the front wall and peered out a window. The Hector look-alike and two other men lay outside, on the stretch of dirt between the building and the water. The late-afternoon sun cast long shadows of their bodies, making it all the more apparent that the men were not moving and never would again. If there were more of their gang, the barren, rocky ground offered nowhere for them to hide.

"Exactly what I was hoping to see," Bream said. "The only bad news is this rock's now too hot for us to do the bomb-for-Alice swap. We gotta go somewhere else."

"Where?" Charlie asked.

"There's an uninhabited spit of land a few clicks off Saint Lucia. An associate of mine is standing by with a scientist who'll do the nuclear physics version of kicking the ADM's tires." Bream started toward the giant speedboat bobbing at the dock, the washing machine visible in silhouette in the stern. "Here's hoping the dead guys won't mind if we take their boat."

39

Stanley peered through binoculars. Even before he could see the cigarette boat's javelin-like bow, he recognized the craft's characteristic contrail wake.

"It's them," he said, passing the binoculars to Corbitt, who was stretched out on a lounge chair on the second highest of three decks of what was listed in the House Intelligence budget as an Escape and Evasion Craft. In fact it was a svelte, seventy-foot-long pleasure yacht, or, as Corbitt put it, "a perk."

Setting down his scotch, Corbitt pointed the twin lenses at the tall building on the little detention island.

"Three o'clock," Stanley said.

Corbitt panned. "The cigarette boat?"

"Aye." There were no other boats in view for miles. There was nothing but water. "We need to get on commo and send a flash to headquarters."

"A flash cable? What for?"

"An eye in the sky."

"You're not kidding, are you?"

"Cigarette boats can go ninety miles an hour, and even faster if the folks on board don't mind burning out the engines. The DEA in Miami finds 'cigarette butts' all the time."

"But a *satellite*? What's wrong with radar?"

"Practically useless against craft that fast."

"Okay, high-speed helicopters?"

"They're fine, but to chase anyone, they'd have to get out here, by which time..."

Corbitt sat up, still looking through the binoculars. "I can't make out anyone on the boat," he said. "I mean, I'm sure there is someone, but—"

Frustration cooked Stanley. "It's. Them."

"A gut thing, eh?" Corbitt said, no doubt itching to recite the line emblazoned on posters in Langley's corridors since the sixties: *The Agency has hundreds of brilliant analysts so that operators won't have to rely on hunches.*

"This isn't some kind of sixth sense," Stanley said. "Just two hours ago, after learning that the targets were at Detention Three, Carthage KO'd one of our officers and gave her backup team the slip. In any case, why would a cigarette boat be at a detention facility?"

Corbitt hoisted himself from the chaise and walked aft, struggling to maintain his balance, a landlubber if there ever was one. "Javier," he called up to the bridge. "Radio Detention Three and see if anyone's escaped or anything like that."

He returned to his chair and his drink while the man at the helm punched a number into the radio set.

Stanley stared down at his own ordinary cell phone, a temporary replacement for the satphone that Drummond Clark had thrown into the Baie de

Fort-de-France last night. Nothing close to a signal now, damnably.

Corbitt patted him on the shoulder. "You know the playbook, bud," the base chief said. "I need confirmation. If it just turns out to be a drug dealer visiting an inmate, my division chief would come down on my ass like you wouldn't believe."

"If it is the men we're after, and you lose them, what will your division chief do?"

"It certainly wouldn't be my fault for going by the book. Do you have any idea what it costs to redirect a satellite? More per hour than flying a 747."

This was why Stanley admired the Cavalry. Their operations incurred collateral damage—put bluntly, innocents fell victim to cross fire—but at least there was action.

"Nobody's answering," Javier called down from the bridge, mystified.

Corbitt relented, cabling the chief of the Latin America division, who flashed the satellite request to headquarters.

Twenty-one minutes later, headquarters approved a redirect. Thirty-four minutes after that, the Latin America desk had a picture. Given the analysts' subsequent assessment that the cigarette boat had landed at one of fourteen small islands within a fifty-eight-minute radius of the detention center, that imagery came approximately three minutes too late.

40

It was hard to believe, but the nuclear weapon inspection site was idyllic, a sparkling white beach ringing a secluded clear blue lagoon. A canopy of palm fronds provided both shade and protection from eyes in the sky. While Drummond lay against a coconut palm, watching the gentle waves curl and whiten, Charlie stood on the beach alongside a slight, bespectacled man of about forty who had introduced himself as Dr. Gulmas Jinnah, nuclear physicist. They watched Bream and his brawny "associate"—whom he called Corky—haul the washing machine off the beached cigarette boat.

Jinnah certainly looked the part of a scientist—he was thin enough that Charlie would have believed he absentmindedly forgot to eat. In spite of the high temperature, the man wore a starched white long-sleeved dress shirt and a tie.

"So you are from where?" he asked.

"Brooklyn." Charlie hadn't anticipated that the serious man, about to inspect a nuclear weapon, would shoot the breeze.

"I so would love to go to New York City someday."

Charlie took that to mean that New York City wasn't the bomb's destination.

"How about you?" he ventured. "Where are you from?"

"Lahore. Underrated city. Definitely worth a visit if it were not for the strife in the Punjab. I hope we shall see a resolution to it soon."

According to Alice, a Muslim separatist group from the Punjab had dispatched representatives to Martinique to purchase the ADM the same day that Fielding died. Charlie now speculated that, having left Martinique empty-handed, the same group had devised the rendition plan.

Taking into account Bream's tight timetable for the delivery of the bomb, Charlie asked, "So you figure the strife will end with the 'special occasion'?"

"What special occasion?"

"Isn't there a special event in India a few days from now?"

"Vasant Panchami?"

"What's Vasant Panchami again?"

"It's a Hindu festival celebrating Saraswati, who many believe is a goddess of music and art."

"So the ADM will be part of the Vasant Panchami fireworks?"

Jinnah stared at Charlie as if he were speaking an alien tongue.

"I take it Vasant Panchami's not the day you're planning to detonate the bomb?" Charlie said.

"*Detonate* the bomb?"

"What else would you do with it?"

The Indian drew away. "I am here on behalf of the

Bhabha Atomic Research Center in Trombay. Our aim is to prevent illegal arms dealers like your father from selling such weapons to parties who would not hesitate to detonate them—for instance, the terrorists in the Punjab."

Jinnah was an excellent liar, Charlie thought, or an even better cutout.

What mattered was that Jinnah was not an excellent physicist, or at least that his arsenal of electronic gauges would fail to detect that the ADM's uranium pit contained the enriched uranium version of fool's gold.

After a careful examination, the Indian deemed the weapon "the real deal," to the satisfaction of everyone but himself.

Bream placed the satellite phone call, commencing Alice's liberation, and video of her face flickered onto his satphone display, terribly out of focus. Still, Charlie drank it in.

The picture sharpened, revealing her to be standing outdoors, in a rural location, at nighttime. She was pale and, despite a parka and a thick woolen cap, shivering, exhaling streams of vapor that were illuminated by a streetlamp.

"Chuckles," she exclaimed. Another of her safety codes. "How's it going?"

"It's a laugh a minute here," he said, signifying all was well on his end. Relatively.

"And my other friend?"

Bream pushed a button near his mouthpiece, possibly initiating voice alteration. “Hang on,” he said. He angled the lens at Drummond, who had fallen asleep. “Captain, you have a call.”

Drummond rose wearily. He eyed the satphone’s display without recognition. “How are you?”

“Very excited about the prospect of using a ladies’ room without people watching me.”

“Oh.”

“Okay, enough chitchat.” Stuffing the satphone into a pocket, Bream waved at the washing machine. “Time for you fellas to step up to the plate.”

Charlie suddenly thought of all the things that might have gone wrong with the bomb’s delicate inner workings after sitting in a damp cave for weeks and then bouncing around the Caribbean. “Dad, do you remember how to use this?” he asked.

“Of course,” Drummond said. “I helped write the Perriman manual.”

“This is the souped-up model.”

“Oh, right. It isn’t an ordinary washing machine, is it?”

“Right.” Charlie felt the weight of his responsibility triple.

With a yawn, Drummond stepped to the water’s edge, then smiled as the bubbly surf trickled through his Crocs’ ventilation holes. Corky traced Drummond’s movements with an Uzi. In his late twenties with long tangles of sun-bleached hair, Bream’s associate could have passed for a surfer if it weren’t for the especially grim Grim Reaper tattooed over much of his back, its outsized bloody sickle curling around his neck.

Charlie carefully opened the washing machine's lid. Even the fool's gold of uranium was highly volatile, and it was hot enough inside the machine to broil a chicken. Hoping to sidestep the demonstration altogether, he pointed out the steel strip on the control panel. "The code is this sequence of fifteen numbers," he said. "Five for each of the PAL knobs inside."

"Ah." Jinnah squinted. "Show us, if you please."

"Yes, if you please," Bream repeated, without any of the cordiality.

Charlie bent into the machine. He cleared a path through the jungle of wires to the permissive action links, three big numeric dials, like those on floor safes. If he were to misdial the fifteen numbers more than twice, an anti-hacker device would render the system unable to detonate. Or worthless for today's purposes.

He carefully clicked to the first number, 37. Sweat stung his eyes. Millimeters at a time, so as not to dial past a number, he input the remaining two-digit numbers on the first dial, then began on the second.

In a bit under five minutes, though it seemed like well over an hour, he finished. Now, even if he had correctly entered the code, who was to say that the sensitive detonation mechanism still functioned?

The readout panel duct taped to the inside of the lid was lifeless. Then it began to glow a pale green. Black characters formed against the backdrop... *20:00*. And a second later, *19:59*.

Charlie pumped a fist. "Your turn," he said to Bream.

His eyes on the readout and his face a shade whiter than before, Bream snapped open the satphone. "Okay," he said into it. "Give her her bus fare and her parting gift."

Alice's captors had agreed to hand over ten 100-euro notes and a loaded gun before releasing her in proximity to public transportation, presumably somewhere in Europe. She would then tell Charlie that she was safe.

Bream showed his satphone to Charlie. On the display, Alice stuffed a sheaf of bills into her parka, checked the mag in a pistol, then walked backward, keeping the barrel leveled at whoever held the satphone on her end.

"We're good, Chuckles," she said. "See you in St. Louis."

By St. Louis she meant Paris. Dr. Arnaud Petitpierre, the neurologist who ran the Alzheimer's clinic in Geneva, had a daughter studying art history at the Sorbonne. Without drawing undue attention, Petitpierre could minister to Drummond at a safe house with a view of the Île Saint-Louis—hence the code name.

Charlie watched Alice recede down a deserted, snow-lined country road. The odds of seeing her again seemed awfully long.

His thoughts were interrupted by Bream. "Chuckles, how about you do everyone here a favor and turn off the nuclear bomb?"

...

Once Charlie did, Bream let out a whoop, quickly adding, "Now let's get the hell off this rock."

Corky dollied over a black plastic case big enough to hold a man. The ZODIAC logo gave Charlie a clue to both its contents and Bream's plans. He knew Zodiac boats as the wobbly rubber rafts on *The Undersea World of Jacques Cousteau.*

Watching Jinnah help Corky lower the case to the sand, Charlie asked Bream, "Is that our ride home?"

Bream laughed. "No, that's transport to the mother ship for Doc Jinnah and Corky and their passenger." He cocked his head at the washing machine. "The Culinary Institute of America won't think to look for a rubber raft. You, me, and Pop can take the rent-a-plane Corky and the doc came in." He pointed to a clearing on the far side of the woods. The tail of a small airplane glistened in one of the few rays of light that pierced the ceiling of branches and leaves.

"To where?"

"You want to go back to Europe, right?"

"You'll take us there?"

"Would if I could. That plane is from Saint Lucia and it's not good for much more than a dime tour of the area. But if we fly it back to Castries, you won't need to go through customs—there's no need for you to even leave the tarmac. Just play rich tourists and buy your way onto a general aviation flight. Go to some little airfield in Europe."

It sounded like a fine plan to Charlie except for one

large blemish: Bream's clear incentive for him and Drummond to be dead. Then again, the pilot knew that if he let them live, they wouldn't dare go to law enforcement. So, from his standpoint, giving them a lift ensured their silence as well as bullets would. Allowing them to leave safely also meant two less bodies left on his trail, and no risk of reprisal from Alice or Drummond's former colleagues.

Charlie looked to Drummond for reassurance. His father just stood watching the Zodiac assembly like a kid at the circus. From the big case, Corky had produced bright red fiberglass boards that snap-locked together, forming a plastic deck big enough to support a Clydesdale. Jinnah meanwhile unrolled a giant rubber bladder and plugged an electric pump into a portable generator. In seconds the bladder took the shape of a hull and the men transformed metal pipes into a cargo hold and a base for seats and a control panel.

Turning back to Bream, Charlie asked, "Wouldn't two tourists suddenly chartering a flight to Europe set off alarm bells?"

"Yeah. That's why your pilot files a local flight plan. Once you're out of Saint Lucia, he'll call in a revised or emergency flight plan—he'll know how to play it. When you land, you may have to answer a few questions..."

"But at least we'll be out of Dodge," Charlie said. He was generally satisfied with the plan, in no small part because it gave him one more chance to draw Bream out. And this time, he knew just how to do it.

41

The twin-engine plane climbed into clouds.

"You have to tip your hat to those Indians," Charlie said to Drummond, across the aisle in the first of three rows. "I mean, all the intelligence and law enforcement agencies in the world couldn't find us, but somehow they did. And now they've managed to score themselves the terrorists' equivalent of the Holy Grail."

Despite the conversation, following the bumpiest takeoff since Kitty Hawk, Drummond nodded off.

As Charlie had hoped, Bream turned around in the cockpit. "The thing you've got to ask about your so-called intelligence agencies is just how bright their best and brightest really are," the pilot said. "For one thing, why are they making less money than plumbers?"

"Or even charter pilots?"

"Some charter pilots do better than others."

Charlie sensed Bream could be persuaded to talk. He had first noted the pilot's surplus of pride during their flight from Switzerland, when Bream gloated over fooling Charlie with his Skunk Works story. While clothing that made a man more difficult to identify was de rigueur in Spook City, Bream dressed to accentuate his physique. When fleeing the cellblock, he'd taken precious time to detail his "lucky" marksmanship on arrival at Detention III. And he was burning now to claim his share of credit for this operation. Charlie could practically feel the heat.

"So how do you think the Indians found us?" Charlie asked.

"You know I can't tell you that."

"So they did tell *you*?"

"Gimme a molecule of respect here, Chuckles."

Bull's-eye. "I thought you're just a glorified courier."

Bream sat back, shifting his focus to the instruments.

Charlie feigned interest in a cloud.

Bream cleared his throat. "After Fielding bit the dust, I heard from one of his goons, a guy named Alberto."

Drummond stirred. "Gutierrez?"

"Know him?" Bream asked.

"Alberto Gutierrez and Hector Manzanillo were practically joined at the hip," Drummond said.

Had the mention of the criminals sparked another episode of lucidity?

"Yeah, he was working for Fielding in Martinique," Bream said. "He offered me a piece of intel so he could raise bail and have flight money. A hundred grand. It was the best investment I ever made. The Injuns are gonna pay me so much, even you couldn't calculate the rate of return, Charlie."

"So this guy, Alberto, knew about the bomb?" Charlie asked Bream.

"The bomb wasn't exactly a secret at that point. The Culinary Institute of America had sent an interrogation unit to Îlet Céron. NSA and Defense Intelligence Agency, pretty much the same deal. But Alberto told me one thing that he hadn't told anyone else: Korean Singles Online-dot-com."

Charlie looked to his father for an explanation, but Drummond was drifting back to sleep.

With the satphone, Bream beckoned from the copilot's seat. Charlie braced himself against the bulkhead and entered the cockpit in time to see the pilot open the Internet to a Korean Singles Online page dominated by a photograph of "Suki835," a chubby teenage girl with warm eyes and a pretty smile.

Bream moused to her left earring, then zoomed in by a factor of a hundred or so, revealing eleven rows, each with ten columns of six seemingly random alphanumeric sequences. "If you figure out how to decipher this shit—which, thanks to some very expensive software and ten espressos, I managed to do—you get, *Hounds lost Rabbit and Rabbit Junior at Utica and Fillmore in Brooklyn at half-past midnight.* That mean anything to you?"

It had been two weeks, but Charlie would never forget the middle-of-the-night car chase through Brooklyn. A pair of Cavalry gunmen just missed him and Drummond. About fifty times.

"No idea," he said.

Dropping the satphone back onto the copilot's seat, Bream said, "That's how Fielding communicated with his henchmen while they were hunting for you, Rabbit Junior. Reading through the rest of Suki's private messages, I got the gist of the story. In one entry, Fielding warns that you boys might make a run to an experimental Alzheimer's clinic in Tokyo, Jerusalem, or Geneva. And I already knew you'd gone to Europe—remember, I recommended the charter pilot who flew y'all to Innsbruck. So I thought, How many Alzheimer's clinics could there be in Geneva? I put tails on a few Swiss docs. A day later, Arnaud Petitpierre drives to Gstaad and voilà..."

"I'm amazed," Charlie said, which was an understatement. Not only had he just been handed proof of his and Drummond's innocence; he now saw Bream's laconic cowboy act as exactly that, an act. Clearly the pilot had managed every facet of the operation. The odds were irresistible that he would transfer the ADM personally.

The multimillion-dollar question was: Where?

"So have you got your mansion picked out?" Charlie asked.

"Haven't been mansion-hunting yet. I'll be sure and send you a postcard, though."

Charlie played wistful. "I'm sure you've at least thought of how you'll celebrate your successful delivery of the ADM."

"Not really. I play 'em one at a time, and this ballgame ain't over."

"If it were me, as soon as I got paid I'd head straight to the best restaurant in town, order a bottle of 1954 Louis Latour and a lobster the size of a tricycle."

Bream scoffed. "It'll be 2010 Budweiser, thank you, and, if you must know, a rack of ribs."

"The collateral won't affect your appetite?"

Bream reddened. "*Collateral?* You've been hanging out with too many 'governmentals.' You mean 'innocent folks turned to red mist'?"

"I suppose so."

"If I told you it keeps me up just about every night, would that make me less of a villain in your eyes?"

"Should it?"

"Yeah. It's not an easy decision to make. But our country needs the wake-up call. If the best and brightest were really on this case, it wouldn't be so easy to pull off."

That was the last thing Charlie heard.

Until the air, rushing like a freight train into the cabin, woke him.

The cabin door dangled out of the plane.

Bream was gone.

Maybe he was beneath the chute that bloomed behind the plane, framed by a violet sunset.

Charlie was back in his seat, buckled in. The sky was really beautiful, he thought.

For some reason, he wasn't worried. Plus Drummond was still asleep. If this were any big deal, he'd be up, right?

If not, there was a long way to go before they splashed into a sea so mild that it probably wouldn't hurt. Warm probably. Beautiful too. Molten bronze in the waning light.

"Hypoxia," Drummond shouted over the gale. He rubbed sleep from his eyes.

"Is that what this is? That's not good, is it?"

"Correct."

The incoming air chilled the cabin. Charlie's thoughts began to clear. "Why not?"

"It affects people differently, but in all cases it's brought about by a reduction in oxygen." Drummond unfastened his seat belt. "Either the cabin needs to be properly pressurized or we need supplemental oxygen."

Charlie looked out a porthole. No longer any sign of Bream.

Wobbly, Drummond started into the cockpit, reaching for the W-shaped yoke in front of the empty pilot's seat. He toppled, his forehead cracking into the yoke. He fell sideways, landing on the other seat, and lay motionless.

The plane started to dive.

"Dad!"

No response.

"Come on!"

Nothing, not even as the buzz of sky rushing past built to a holler. Charlie wanted to get up and rouse Drummond, but he remained seated. His limbs wouldn't respond to his will.

Adrenaline rocketed through him.

Still, he couldn't move.

42

Bullets bit into Alice's parka, creating a cloud of ice, fabric, and goose feathers. When the cloud dissipated, it appeared as if she'd been replaced on the dimly lit bus shelter bench by a rag doll, her head hanging grotesquely in one direction while her body slumped the other way, flattening against the sidewall housing a Christmas movie poster.

Having pretended to let her go, Walt and Frank emerged from behind the snowy woods across the otherwise deserted rural road, intent on confirming the kill and reclaiming the Glock, as well as the cash.

Halfway across the street, they realized they had not shot Alice but a mannequin made of packed snow, and adorned with her parka, jeans, and hat.

"I'll let you live," she called out to them from the thick woods behind the bus shelter. "You're just going to have to put down your weapons and then slide them to me along the pavement."

Walt flipped the selector on his silenced gun to an automatic setting and sent a torrent of bullets in the direction of her voice. Brass casings shimmered in the scant light as they arched over his shoulder and tapped onto the icy asphalt.

For this reason, when Alice had called to them,

she'd pressed her tongue flat against the base of her mouth and pushed the sound from her abdomen through her larynx in the direction of her palate. This manner of throwing one's voice tricks listeners into believing the voice is emanating from a greater height than it actually is.

She fired back, once.

Walt lay dead on the street long before the report had finished resounding through the bare woods.

The muzzle flash having revealed her position, Frank whirled, firing.

She dove headlong toward the bus shelter. The metal sidewall offered a measure of protection. One of Frank's bullets sparked against it, cracking the glass over the movie poster so that it appeared to be a jigsaw puzzle of Santa Claus.

Alice returned fire. Her bullet struck Frank's right wrist. His gun clattered against the ice, bouncing toward her.

"Good job, Frank," she said, springing to her feet. She stepped out from behind the bus shelter. "Now, what I really want is your coat." She had only her T-shirt and underwear to counter the well-below-freezing night. "Unbutton it, shake off one sleeve at a time, then toss it to me."

Gritting his teeth against the pain of his wound, the hulking Italian complied.

Before daring to pluck the overcoat off the road, she wedged her gun against Frank's kidney. With her free hand, she patted him down, turning up his switchblade as well as a satphone and, an unexpected bonus, Mercedes keys. She pocketed the lot, saying, "As if the bus driver was going to have change for a hundred-euro bill."

The big man gripped his injured wrist and moaned.

"That's what you get for trying to kill me."

She prodded him into the woods until they were out of sight of any passing motorists. About twenty yards in, she kicked his knees out from under him. Toppling forward, he attempted to break his fall with his bad arm. He came to rest on his side in a pile of snow, sticks, and dry leaves.

Squatting beside him, Alice pressed the muzzle of her gun against the base of his skull. "I don't want to shoot you again," she said. "And I won't if you tell me who hired you—"

He rolled to his left, at the same time launching his steel-toed boot at her face.

She ducked, slashing his ankle with the side of her hand, breaking bone.

With a scream, he leaped to his good foot and threw a roundhouse that eluded her parry, hitting her jaw like a truck.

The world flickered. She dropped against frozen ground.

He sat astride her stomach, trying to wrest the gun free of her grip, leaving her no choice but to pull the trigger.

The shot snapped his head backward. Hot blood lashed her. He thumped into the snow and lay still, the angle of his head oddly similar to that of the mannequin in the bus shelter.

Admittedly not one of the six billion most patient people in the world, CIA case officer Blaine Belmont had paced perhaps five miles in his office at the American embassy in Geneva until, finally, a cable from a deputy director of operations authorized payment of $1,000,000 to Carlo Pagliarulo. As soon as the Italian gave up the goods, the funds would be wired to him.

But now Belmont was unable to reach him. Fighting to keep the exasperation out of his voice, he instructed the techs to triangulate Pagliarulo's cell phone.

Two hours later, the CIA officer stood over the Italian's corpse about fifty feet into a wooded area on the road to La Vernaz, an hour east of Geneva.

"Not the end of the proverbial road," Belmont told his team, if only to boost his own spirits. The snow mannequin in the bus shelter and the pair of bodies were almost as good as videotape of what had taken place there. Unfortunately, Rutherford could be anywhere by now.

Within twenty minutes, things were looking up. Belmont flipped open his phone to watch two-day-old National Geospatial-Intelligence Agency KH-13 satellite overpass footage of Pagliarulo hauling an unconscious young woman from a black SUV to the small La Vernaz farmhouse that had been rented a week beforehand by a man named Hans Baehler.

The landlord, whom Belmont's people woke as they raced by car to the farmhouse, said that Baehler had paid cash and seemed like a nice person in his e-mails, which turned out to be untraceable. Belmont would have been surprised to hear anything different.

At the isolated farmhouse, the CIA team found ample traces of both Rutherford and Pagliarulo, along with the body of helicopter pilot and all-around German thug Lothar von Gentz, apparently stabbed to death with a light switch wall plate.

There were no signs of current life in the farmhouse, though. Nor would there be, in all probability, until the landlord found a new tenant.

This was the end of the proverbial road.

"Shit," Belmont said.

He spent much of the night back at his office putting all but the expletive into his report.

43

The cold air screaming into the cabin helped Charlie regain control of his muscles. His panic abated, or at least moved aside, allowing him to wonder how his father was doing and hope that, if he was okay, he would know what the hell to do now.

Drummond was crumpled on the copilot's seat, breathing, but not much more.

Charlie jumped up from his seat in the cabin, but the rush of air swept him off his feet, sucking him like a dust ball toward the aperture where the cabin door used to be.

He grabbed for the bulkhead. Gritting his teeth, he pulled himself around it and into the cockpit. As he noticed the Caribbean leaping toward him, his stomach jumped into his throat.

He glanced at the instrument panels. There were a hundred times as many dials, knobs, buttons, gauges, and other glass bubbles as there were controls in the PlayStation aerial dogfight game that constituted his aviation experience. Save the pair of yokes, one in front of each seat. A yoke acted like a steering wheel. It also moved the nose of the plane up and down. At least on PlayStation.

He grasped the yoke in front of the vacated pilot's seat and pulled it toward him.

The nose of the plane turned up. Too much—the sensation was just like that on a roller coaster when the car transitions from plummet to climb. Gravity thrust Charlie backward. He grabbed the seat in time to avoid being thrown back into the cabin.

PlayStation didn't do this.

He reached forward and ever so gently nudged the yoke forward.

The plane fell into a nosedive.

Stomach imploding, Charlie gripped the seat so tightly that he tore the leather at a seam. He tried the yoke again.

The nose turned up, and—incredible—the plane settled. But for how long?

Out of tricks, he knelt by Drummond, shaking him. Drummond rolled the other way.

"Dad, please?"

Drummond struggled to open his eyes. "Where are we?"

"Airplane. Sky. Caribbean somewhere. You with me by any chance?"

"Check." Sitting up, Drummond glanced out the cockpit windows. He exhibited no alarm. Possibly a good sign. "Are you okay?"

"I am if you know how to fly," Charlie said.

"You mean a plane?"

Charlie battled terror to think of a way to communicate the exigency in a way that might spark his father's memory. "Bream's trying to make it look like we died in a plane crash."

"What kind of plane?" Drummond asked.

"This kind."

Struggling to sit up, Drummond took inventory of the cockpit. "Use the autopilot," he said. His speech was sluggish. He tried to reach forward, toward the instrument panel. His arm seemed leaden. He teetered.

Charlie propped him up. "Hang in there, Dad," he said.

As Drummond tried to recompose himself, Charlie searched for the autopilot. The search could take half an hour. If there even was an autopilot.

He looked back at Drummond, who appeared transfixed by the passing clouds.

"Where is the autopilot?"

"Oh, that, yes, right." Drummond seemed grateful for the reminder. "Sorry, we need to find someone to help."

"Say you were the only person on the plane?"

"I'd radio for help."

Charlie dropped into the pilot's seat, snatched up the headset, and brought the microphone to his lips. "Mayday! Mayday!"

No response.

Drummond pointed at the talk switch located on the top of the yoke.

Charlie hit it. Then tried more distress calls.

Still nothing. Not even a crackle.

He wiggled the headset jack at the base of the instrument and tapped the radio. The channel selector read 118.0 MHz.

He looked to his father. "Is there an airplane equivalent of nine-one-one?"

"I believe so."

Charlie waited.

"Any idea what it is, Dad?"

"Maybe one-two-one-point-five?"

Charlie clicked the knob to 121.5. "Mayday! Mayday! Mayday!"

Only static back.

"Mayday!"

Drummond said, "It's often out in places like—" He fell backward, out cold before the back of his skull struck the headrest.

"Dad?"

44

Something beneath Drummond began buzzing. An egg timer, it sounded like.

Wedging his hand between his father's left leg and the seat cushion, Charlie plucked out Bream's satphone. Forgotten in haste. Or had the twisted fuck left it behind so he could call and deliver a parting shot?

Charlie thrust the phone to his ear. "Cockpit."

"Listen, J. T. Bream," came a voice through the earpiece, "I know where you are, and I'm going to come and kill you if—"

Charlie couldn't believe his ears. "Alice?"

"Chuckles?" She remained the pro, avoiding using a real name, and, at the same time, employing her safety code.

"Yeah," he said, adding a safety code of his own: "It's a laugh a minute here."

"Did you get away from Bream?"

"We're away from him, put it that way."

"Your dad?"

"He got knocked out when Bream bailed, but I think he'll be okay, if, to make a long story short, you can help me land a plane."

"Maybe," she said. Charlie assumed she hadn't blinked. "Do you know what kind of plane it is?"

"Propeller..."

"Start reading off the labels on the instruments."

"There are labels on most of them—"

"Read whatever you see." She was as cool as a call center operator, which had the effect of dissipating enough of Charlie's panic so that he could focus. "Maybe a model name?"

He found one on the yoke. "Beechcraft."

"Good. How many propellers are there?"

He checked the side windows. "One on each wing."

"Okay. How about this? When you got going, did the engines make a noise like a car starting, or did they whine?"

"A whine, I think."

"Turboprop, then. What seat are you in?"

"The one on the left."

"Pilot's seat, excellent. Directly in front of you there should be a glass-covered dial that indicates what's known as 'attitude.' "

Finally, something PlayStation had. "Yeah. Tells you which way's up, right?"

"Exactly. Blue's the sky, brown's the dirt, and the little white bars in the middle are our wings."

"Well, if it's working, we're flying level now."

"Good. Now, just to the right you should see an instrument that looks like an old-fashioned clock."

"Uh-huh."

"Our altimeter. I know you know what that is. Should be a window across the top half with numbers. Can you read them?"

Charlie's stomach settled, somewhat. Alice knew what she was doing; she wasn't just trying to calm him down. "About fifty-two hundred feet."

"Stable?"

"I think so."

"Great. To the left is a speed indicator. Read it to me."

"One-ninety." According to the gauge, it was 190 KIAS. Knots? Knots Incorporating Air Speed? No time for Q & A.

"We have to find out how much flying time we have. On the wall to your left, there should be two gauges on a separate panel."

"Okay."

"Those are the fuel gauges."

"There's one-twenty-five on both gauges." Not a bad total, he thought, if this was anything like a car.

Alice was silent.

A sticky foreboding spread over Charlie.

He glanced at Drummond. Still out.

Finally, Alice spoke. "What do you see outside?"

"Not much," Charlie said. "Just tranquil Caribbean, a couple of clouds."

"No land?"

"No."

"I was hoping—sometimes there are islets there that don't make the GPS maps."

"We've run into a couple. Just not lately."

"Listen, Charlie, I'm afraid there's no way you're going to make land."

"Not with two hundred and fifty gallons of fuel?"

"That's not gallons, that's *pounds.* Two hundred fifty pounds of fuel is around thirty-five gallons. We'll be stretching it to fly another fifteen minutes."

Charlie turned to ice. "Don't tell me we're going to do a water landing?"

"Fine, I won't tell you. But I'll bet that, afterward, you'll say it was no big deal."

"A bet I'd be happy to lose."

She laughed. Briefly. "Between the two yokes, lower down, you'll see some levers. Grab the pair on the left, the biggest ones. They're the throttles. Pull them back halfway."

Easy enough, he thought. The throttles gave more than he expected, though. "Shit, the nose is dropping!"

"Hold it up."

He pulled the yoke toward him, inducing a blast of g-forces strong enough, it felt, to push him through the floor. Finally the nose evened out.

He tried to keep his voice from shaking. "Piece of cake."

Alice added a rapid series of instructions involving altitude adjustment and controls for the tail. He tried to follow, head still aching from hypoxia. Worse was the nagging certainty that he'd forgotten at least one crucial step. In spite of a few bumps, however, the plane began a smooth descent.

"Now, take the two levers for the props and push them all the way up," she said.

Setting the phone on his lap, Charlie scrambled, groping for the levers. When was his damned adrenaline going to kick in?

He snatched up the phone. "Done," he said. And hoped.

"Are you all right?"

"Yeah, except my stomach is so knotted up, I'll only be eating soup from now on."

"I know a good New England clam chowder recipe."

He forgot about his stomach. He wanted to say he loved her.

"Now, push the nose down, not a lot," she said. "Remember our attitude indicator: Push it down just under the line."

"Got it."

"What's the airspeed now?"

"One-eighty."

"Dandy. Pull the throttles back another quarter. We want to be going slow close to the water."

"Airspeed's slowing."

"Tell me when that needle gets into the white arc; should be around one-fifty. Also you need to head into the wind, which is coming from the east, according to my phone. So where's the sun?"

"Behind us."

"Perfect."

"And speed's now one-fifty."

"Altitude?"

"Thirty-one hundred."

She gave him instructions for the flaps and throttles.

Easy to follow, for a change. "Flaps, check. Throttles, check. Twenty-four hundred feet."

"Good. Where's your dad?"

"Copilot seat."

"Belted in?"

"No." Drummond's safety belt had fallen by the wayside because of Charlie's concern over how long a person was unconscious before it was considered something worse, like a coma.

"Do it up. Yourself too. When you hit the water, you're probably going to get thrown around a bit."

Reaching over and pulling the straps across Drummond, Charlie considered that a cage match with a professional wrestler equated to "thrown around a bit" by Alice's standards.

Drummond didn't stir, not even with the loud metallic pop of the seat-belt buckle.

Even Alice heard it. "Okay, Charlie, now bring the throttles back an inch or so and keep the plane coming down. Try and settle the speed at around a hundred, otherwise the airplane will stall. You know what happens then, right?"

"No. Do I want to?"

"Probably not. Just don't go less than ninety knots or raise the nose higher than ten degrees. I'm telling you, that chowder will make this worthwhile."

The plane continued to descend. Easy enough, though Charlie knew full well that actually setting the thing down would be the most difficult thing that he had ever done and ever would do. If a wingtip touched the water first, the plane could turn into a skipping stone. Set the plane down in proper sequence but at the wrong angle, and the impact forces would obliterate everything.

"Eight hundred feet now, speed one-ten," he said.

"Bring the throttles back about an inch and keep coming down."

"Speed's around a hundred."

"Keep the nose down. Altitude?"

"Three hundred." Although the sea was a placid blue green, he had the sensation of entering a dark alley.

"When you hit, get out, as soon as you can. Among other things, the plane might flip, it might fill with water, or it might get too dark for you to see. So just go for the cabin door. There should be a life raft and vests there. Can you see the raft?"

There was an orange pile of rubber next to the door. "Needs to be inflated."

"On the way out of the plane, put on the vests as soon as you can. Inflate the raft after you get out or you won't get *it* out."

"And then what?"

"Category of desirable problems."

Charlie was sorry he'd asked. "At a hundred feet now," he said.

The looming sea made him feel minuscule.

Alice maintained her calm. "Pull the throttle back just a hair, then leave it alone."

He set it, glad to have one less item to worry about. “Seventy feet.”

“Both hands on the yoke.”

The moment that he’d continued to hope would not come: It had come. “Forty feet.”

“Slowly now, pull the yoke back. Keep the wings in the center of the circle.”

He did. His stomach contracted to the size of a Ping-Pong ball. The water flew up at him. “Fuck. Twenty feet.”

“Bring the nose slowly up ’til you hit the water.”

The water was so close that Charlie could taste the salt. He fought an impulse to close his eyes.

A perfect shadow of the plane floated on the waves ahead, slowing, as if trying to meet him. The water was serene. He made out individual, sparkling droplets in a gauzy mist lofted by the waves, when—WHACK—the tail hit water, pulverizing his muscles, joints, and tendons. His face smashed into the yoke, forcing him to release his grip. With a whine, the left propeller dug into the water, throwing a mass of spray that battered the fuselage. The nose of the plane slammed down onto a swell, sending his body in different directions at once. Water rose over the front windows.

Finally, the plane settled afloat in a gentle drift, but not for long. Seawater rushed into the cabin.

“We should get out, don’t you think?” said Drummond, unbuckling his safety belt. He appeared rested, and unperturbed by the events of the past few minutes.

Charlie popped free of his harness. "Sure, why not?"

Drummond led the way out of the cockpit, fighting the influx of water to reach the cabin door.

Tugging the life raft free of its Velcro mooring and grabbing the vests, Charlie said, "Now we just need to reach land, which was too far to fly to, using two rubber paddles."

Drummond pointed outside at the svelte yacht heading their way. "Actually, I think that boat is going to rescue us."

45

Stanley sat below deck of Corbitt's USS *Perk* in a startlingly spacious living room with taxpayer-funded, rich mahogany paneling and a copper-plated bar containing a transatlantic crossing's worth of single-malt whiskey. Every fixture or component involved either precious metal or crystal—even the Kleenex, dispensed from a crystal cube within silver latticework. There was a fireplace, too, with antique brass andirons piled with logs that required a third look before Stanley was sure they were fake. The only reminder that he was at sea rather than in an English gentlemen's club was the set of pedestals, in place of legs, to fasten the seats to the floor—a floor swathed in antique Persian carpet.

The captives sat in a pair of red leather wing chairs. Wet and bedraggled, they seemed far less menacing this time around. Drummond was struggling to stay awake. Charlie was so frenetic in his narration of their adventure that he could barely stay seated. "Your capturing us is the best thing that possibly could have happened," he was saying. "I know that sounds crazy now, but let me tell you what we've learned."

"The best possible thing would have been if we'd gotten to you before you sold the bomb," Stanley said.

"Who was the buyer?" asked Hadley. She sat to Stanley's left on the camelback sofa, facing the fugitives—her thousand-euro heli-taxi ride from Martinique would probably be overlooked by headquarters in light of their having corralled the Clarks.

She aimed a Glock at them. After her experience with Bream, Eskridge had finally granted her permission to carry. The teakettle's purple imprint was visible on her forehead. The gun was unnecessary, though. Shortly after Charlie's Mayday calls had enabled Echelon to pinpoint his whereabouts, a second helicopter had landed on Corbitt's yacht, depositing four marines with enough weaponry to stage a coup on some of the area islands. The yacht resounded now with the dull thuds of their combat boots. The opportunity to stay on deck and "command them"—Corbitt's words—ended his protest over his exclusion from the debriefing.

"When we last saw the device, Bream's men were loading the washer into a Zodiac," Charlie said. "We have reason to believe they're planning to ship the bomb to India. So you ought to have plenty of time to intercept them."

Hadley looked to Stanley. "What do you think?"

"Nothing to lose by checking it out."

She dropped the Glock into her shoulder bag and withdrew her new BlackBerry. She began tapping out a cable to Eskridge, at the same time saying to Charlie, "The thing that puzzles me now is how you could sell a weapon of mass destruction in the first place."

"I was thinking the same thing," Stanley said. His concerns actually ran much deeper.

"It wasn't a sale," Charlie said. "It was ransom."

He was polite, Stanley reflected, not petulant, or acting in any way that pointed to dissembling. "Why didn't you go to the authorities?"

"The bad guys would have killed Alice. And the authorities would have tried to kill us. Like last night." Charlie indicated Hadley with a tilt of his head. "But things are different now. Now we have proof of everything I told you. The Cavalry's plot is all right there on the Web. A few minutes online and you'll be able to see exactly how we were set up, plus how Bream was able to learn about the existence of the bomb."

Her cable dispatched, Hadley placed the BlackBerry back into her shoulder bag. "This story sounds familiar," she said to Charlie. "Don't tell me: Bream revealed the whole plot to you as he was leaving you to die in a plummeting airplane instead of simply shooting you?"

"I wondered about that too," Charlie said. "Whoever he really is, he's got more than his share of ego. He was proud of his plan and wanted to brag about having outsmarted the best and the brightest. But he's nobody's fool. Maybe he wanted our deaths to look accidental. Why add the murder of a CIA Trailblazer to the list of reasons you have to hunt him? In any case, to verify my story, all you have to do is flip on the Internet, go to Korean Singles Online-dot-com, and throw some decryption software at Fielding's hidden text. His mistake was not living long enough to delete it."

"Well, I'd be shocked if Corbitt doesn't have this brig equipped with high-speed satellite Internet access." Hadley started to rise, presumably to go up on deck and ask the base chief.

"Hold on just a second," said Stanley, turning to Charlie. "If what you're saying is true, why wouldn't Alice Rutherford or her NSA colleagues have taken action?"

"I was too busy landing the plane to mention Korean Singles Online-dot-com to her. And once we hit the water, I lost the phone—not that she'd have been able to stay on long. Odds are the same people who wanted us have sent a hit team after her too, right?"

"Probably so," Stanley said. "We need to ensure that no one ever sees that Web content."

"But it could exonerate these men, Bill." Hadley searched his eyes for a clue to his thinking.

"It would be the death knell for the Cavalry." Stanley lifted the Glock and its silencer from her shoulder bag.

Charlie froze. "You're one of them, aren't you?"

Even Drummond sat up.

Hadley looked to Stanley, eyes wide.

"I'm sorry, Hilary." Twisting on the silencer, he aimed the gun at her.

The other night in the Haut-de-Cagnes safe house, Ali Abdullah—aka Austin Bellinger—had tried to make the case that his Cavalry was made up of bright and gallant patriots who gave no thought to flaps and didn't waste time on the chains of cables seeking permission for action. They just went ahead and acted. Their actions often brought them into legal gray areas. Sometimes they simply broke laws. But always for the greater good.

Stanley left the safe house convinced that the Cavalry was the clandestine service he had dreamed of joining as a young man. He believed that exposure of the unit's efforts to stop the Clarks, particularly the truth about the unfortunate Hattemer episode, would force soft and cowardly bureaucrats like Eskridge to roll up the operation. Stanley wanted to help prevent that. So when he was assigned to the Clark case the next day by Eskridge—it turned out that Bellinger had planted the seed in the head of his onetime groomsman—Stanley felt that he had found his calling, at long last.

Now he found himself hesitant to extinguish the lives of Hadley and the Clarks.

Unfortunate but vital to national security, he concluded.

Frozen in astonishment on the sofa, Hadley was an easy target. With the space between her eyes centered in the Glock's sight, Stanley pulled the trigger.

46

As Stanley pressed the trigger, there was a bright orange blur on the edge of Charlie's peripheral vision.

Drummond's Croc bounced off Stanley's gun barrel.

The report was muted, probably sounding like an ordinary cough to someone on deck, assuming it was heard at all over the big yacht's engines. Hadley's head snapped sideways. A red circle appeared in her hair just above her right ear. She collapsed, falling to her left, with enough force that the massive camelback sofa toppled with her, the pedestal snapping free of its moorings. The sofa landed directly over her, shielding her from another round, or at least from Stanley's sight.

Stanley knelt, shifting his gun to the armchair in which Drummond had been sitting. Drummond was in midair now, diving headlong at Stanley.

With both hands around the gun grip, Stanley tracked his flight. With a click of the trigger and another muted blast, a bullet sliced a channel along the right side of Drummond's collar, cleaving the air by Charlie's left shoulder before particling a glass porthole.

Slamming into Stanley's abdomen, Drummond

tried to wrap his arms around the spook's waist. Stanley twisted free, dropping his elbow onto the base of Drummond's skull.

On his hands and knees, Drummond sought the cover of the copper-faced bar. As he pulled himself around the corner, Stanley fired. The bullet clanged into the copper plating as Drummond disappeared from sight, save one Croc.

Stanley fired instead at the face of the bar, repeatedly, the bullet holes tracing Drummond's probable path behind it. Glass exploded and scotch jetted into the air, spraying Stanley and raining onto the fancy carpet.

Charlie noted that the pilot light in the fireplace was on. The handle to turn on the gas was open as well. So he flung himself at the button for the burner, pounding it as hard as he could. Gas hissed through the pipe and created an instant blaze. He redirected the pipe at the spilled liquor, which burst into flames that streamed along the carpet toward Stanley.

The spook sidestepped the fire. Still one of his pant cuffs ignited, and, in a blink, flames coated the liquor-soaked front of his khakis. In obvious pain, he tried to beat the fire out. He was nearly successful, when Drummond popped up from behind the bar and hurled a stout highball glass.

Stanley ducked and the glass disintegrated the crystal sconce on the far wall.

Drummond threw another, this time striking Stanley's gun hand, forcing him to drop the Glock.

Charlie lunged for it. Stanley kicked at Charlie's head. Charlie rolled, averting the spook's toe, but the heel caught his ear—slashing it so sharply he was surprised it remained attached. Stanley wound back again, like a field goal kicker. Charlie sat up, getting a solid grip on the gun and leveling it at the spook, freezing him.

Suddenly the door to the cabin was smashed inward. A crowd of marines in gray-green body armor, guns drawn, filled the small aperture.

Stanley waved at Charlie. "He shot Hadley." The marines appeared to believe him. "I think she's dead."

"*He* shot her," Charlie said. "Look at the way she fell over. To his left. We were sitting *across* from him. Plus we didn't have a gun at the time."

The marines exchanged looks.

Charlie realized he'd offered nothing, really, in the way of evidence.

Two marines rushed down, swept Hadley off the floor, and carried her up the stairs, leaving a trail of crimson drops.

Stanley followed.

Charlie heard the whine of the engine and the tingling of the rotor blades as the marine helicopter prepared to take off.

"Sir, we need you to surrender your weapon," said one of the two marines remaining below deck, a stone-faced bruiser who towered over Charlie.

The other locked his rifle on Drummond.

"It's *his* weapon!" Charlie said, regarding the door

through which Stanley had exited. As soon as the words left his lips, he felt foolish because they didn't prove a thing.

"Slowly set it on the floor and tap it to me."

Charlie lowered the Glock an inch at a time. "Listen, we have proof that we're being framed."

He looked at Drummond, now being frisked by the other marine, probably the unit's superior officer given his graying hair.

"Yes, that young man wanted to kill us!" Drummond said of Stanley, with so much indignation that it rang false.

The marines exchanged a dismissive glance.

"Let me just tell you guys one thing, while we have the chance," Charlie pleaded.

The superior said, "Sir, it would help if you would refrain from speaking now. When we return to the American consulate, you'll have a full debrief by the CIA."

Charlie set the gun down. "You've got to understand, 'debrief,' in this case, is a euphemism for 'execution.' "

The younger marine knelt and snatched the gun. "Please stand, slowly, and face the bar with your arms and legs outstretched."

Charlie complied. "Just listen, for posterity if nothing else: The proof of everything I've been saying is on Korean Singles Online-dot-com." He received a shove in the small of the back. "Go to Suki-eight-three-five's page, magnify the left earring—"

The older marine sighed, seemingly in frustration. "Sir, we'd prefer not to have to sedate you."

A short, chubby man in a suit and tie barreled down the stairs.

"Chief Corbitt," both marines said by way of greeting.

Charlie looked up at him with a glimmer of hope.

Corbitt looked past them at the lower deck and gaped at the smoldering wreckage. "Holy *merde*," he said.

47

Pointe Simon pulsated with a variety of music and chatter, a good deal of which was pickup lines, Stanley supposed. He stepped into the relative quiet and cool of the sort of bar no one bothered to name—it went by 107, its number on one of the little streets in the maze near the ferry docks. Neon distillery promotions cast red and purple on the frayed bar island and the establishment's two dozen patrons, a mix of locals and travelers on a budget. Although 107 served no food, it smelled vaguely of hamburger.

He spotted an attractive brunette sipping a drink. She wore a slinky floral-printed cocktail dress, the sort sold at the tourist bazaar at the ferry docks, revealing a lithe figure. Most anyone would guess she was a young American or Euro tourist bent on a night on the edge.

Settling onto the barstool beside hers, Stanley asked, "What do you think the chances are that I'll meet my wife here?"

"A sure thing," she said, leaning over a salt-rimmed margarita and kissing him on the lips. Recognition code, safety code.

This was Lanier. First name or last, Stanley didn't know. Probably pseudo anyway. Rumint had it that she'd authored the Ayacucho hit, notable not because she trekked a hundred miles alone through Peruvian jungle and snuck past two hundred Shining Path Senderistas, but because she'd put the whole op together during a half-hour taxi ride from the Lima airport.

"So how was your day, honey?" she asked.

"I've had better."

She regarded the mirrored rear wall, which offered a view of the whole place. Turning back to him, she asked, "So what the fuck went down on the boat?"

"The old man kicked a Croc while I was firing and wrecked my shot. I mean, a *Croc*!"

"How about that?" She spread a cool, comforting hand over his. "Just another one for the list of You Never Damned Know."

The bartender slid Stanley a tall glass of something redolent of rum.

"What would you have done?" he asked.

"Don't know. Spilled the milk. Maybe not spilled the milk. Either way, what we have is Hadley in brain surgery. Doesn't look like she'll make it, but even if she does, we'll see to it that she doesn't. So all is far from lost."

"What about the other two?"

"The night, as they say, is young."

Stanley had been trying to devise a way to get at the Clarks. "FBI's flying down an excessive number of agents to extradite them first thing in the morning. Meanwhile they'll be at the consulate guarded by an excessive number of marines."

Lanier licked salt from her margarita glass. "The good news is, father and son are bound for impromptu detention rooms, in the true sense of impromptu." All embassy and consulate holding rooms were technically improvised because neither the State Department nor the CIA had the authority to arrest or detain anyone. Nevertheless their architectural plans tended to include oversized "storage vaults" and "fallout shelters" that afforded confinement at least as secure as police holding cells. "The only reason there are bars on the windows there is to keep people from getting in."

Stanley didn't see where she was headed. "But we're people."

She flashed a smile. "People with sniper training."

48

After a three-minute drive from the Pointe Simon docks, two giant, beige Chevy Suburbans entered a quiet pocket of the city, sliding to a stop in a pitch-black cul-de-sac service alley beneath the American consulate, which occupied the lowest two levels of a nine-story contemporary glass hotel. The monolithic tower, bisected by a block of terraces lit sapphire-gray, reminded Charlie of a stainless steel refrigerator.

Two marines propelled him from the lead Suburban and toward the consulate's service entrance. Foreboding filled him, so heavy that he strained to put one foot in front of the other. What were the odds, he thought, that the Cavalry would *not* drop by here tonight?

Before he could see if his father was in the second Suburban, he was prodded down a short flight of cement stairs. Punk rock, from a club in the hotel lobby overhead, shook the clammy air. The men whisked him into a back office hallway. Fluorescent tubes caused the white tile walls to shimmer a pale blue.

Halfway down Charlie spotted another marine, whose uniform said he was Private First Class Arnold. The man's baby face clashed with his 270-pound weight-room physique. He pushed open a wooden door, revealing an empty room suitable for a copier and some office supplies. "Mr. Clark, sir, you are being placed here for the time being for your own protection," the marine said.

Two to one the exact words lawyers had fed him.

Charlie's eyes fell on perhaps the smallest toilet seat in the world. Standing on spindly foldout legs, it fed a disposable plastic bag. Beside the toilet lay a ham sandwich in a vending machine's triangular container.

Hefting his massive shoulders into an apologetic shrug, Arnold said, "I'll get you a Coke if the guys outside have got the right change." He pulled the door shut.

Charlie heard a jangle of keys, then the raspy slide of a bolt, possibly the only detainment measure other than Arnold himself. The window was covered with a cage of bars, but so were all the others along the lower two floors of the building. Probably just to keep the locals out.

Charlie supposed he could stab the windowpane using one of the plastic toilet legs, in which case fragments of glass would rain onto the sidewalk, snaring the attention of someone in the apartment buildings across the street. Maybe the residents would call the local cops, who in turn would call the consulate and then the marines would—what? Deny Charlie his Coca-Cola?

He leaned his full weight against the door. The

wooden slab, although not thick, didn't budge. Who exactly were the men who broke down doors, he wondered, and how did they do it? If he were to kick at this one, he suspected, he would break his foot. And still fail to budge the door.

The ceiling was an ordinary office-style ceiling, eight soundproof tiles suspended by a tic-tac-toe board of thin metal strips. At one side the strips tripled into a vent from which cool air trickled, suggesting that there was an air duct above. Charlie thought of Drummond's tale of the prisoners who had escaped Alcatraz via the fan vent.

Standing directly beneath the vent, he could see the air shaft. It was about ten inches high and fifteen inches wide. Even if he could somehow gain access to it—springing from the windowsill or climbing from atop the spindly legged toilet, for instance—a freak-show-caliber act of contortion would be required to enter it, let alone crawl through it. If he were to crawl atop the ceiling grid, like they always do in the movies, the whole works would almost certainly collapse.

He had no better ideas. Not even any other ideas.

But his father might. Hearing the three sets of approaching footsteps in the hallway, Charlie's hope rose.

On the other side of the door, Private First Class Arnold grunted, "Hey." He received similar salutations from two other men.

As the new arrivals continued past the detention room, Charlie heard Drummond say: "I'm going to have to take my medicine before bedtime."

49

They looked like the three-story flophouse's typical guests. Ideally, that's what they hoped the prematurely hunched woman at the reception desk would remember about the too-loud American couple who, while checking in for an estimated stay of two hours, debated which was the best of the daiquiris they'd just had at various Pointe Simon bars.

Stanley's other reason for debating tropical drinks with Lanier was to divert the attention of the woman behind the desk from Lanier's duffel bag. It was a good Louis Vuitton knockoff, decent camo. But the woman might think it odd that someone checking into a seedy hotel for a couple of hours would pack a bag, let alone such a big bag.

It contained a forty-four-inch-long Remington bolt-action M40A1, the M40 variant with the relatively lightweight McMillan HTG fiberglass stock. Lanier would have preferred to use a Mark 14 Mod 0 rifle with a collapsible stock, but the M40 wasn't bad given that she'd had just over an hour to devise this op. M40s were common enough; she'd rented this one from a hunting and fishing supply store in nearby Lamentin for "target practice."

She initially set the bag on the floor of the lobby, so

that the woman would miss it from her elevated seat in the Plexiglas-encased front desk. The bag would come into view, however, as Lanier climbed the spiral stairs to the rooms.

So after Stanley got the room key, he lingered at the reception desk and smiled his appraisal of the warbled drinking song cascading down the stairwell from one of the upper floors. The woman smiled along with him.

Then he asked, *"Avez-vous des cartes de Pointe-Simon?"*

While she rifled through a drawer behind her for a map—the staff here probably didn't get this request often—Lanier and her bag disappeared up the stairs.

The third-floor room was shaped like a wedge of cheese and smelled a bit like one. The furnishing included a pipe-frame twin bed that looked as if it had survived a flood, a dresser missing one drawer and all its handles, and a nightstand that belonged in a child's room. Bolted to the top of the dresser, evidently in an effort to thwart theft, was a clock radio that emitted a mechanical grunt each time the digits flipped. It read 6:51. According to Stanley's watch, the time was 22:13.

"All in all, not bad for forty euros a night," he said.

Lanier flashed a smile and returned to assembling her bipod near the room's key feature, the mullioned dormer window overlooking the Forêt Communale de Montgérald parkland. She had a clear shot, save for a few palm fronds, at the American consulate.

Peering into her scope, Lanier said, "You're not going to believe this, but I think I can make out Charlie Clark standing right by his window."

•

Charlie turned away from the window when his door opened and Arnold entered with a plastic bottle of Coke. Charlie was about to say thank-you when something or someone crashed against a door down the corridor, followed by a heavy flop of a body against tile floor.

Charlie glanced beyond Arnold. Outside of the next room down the corridor stood the young stone-faced marine from the yacht—the name silk-screened onto his uniform was, fittingly, Flint.

Regarding the closed door, Flint asked, "Mr. Clark, are you all right?"

There was no response from Drummond's room.

"Mr. Clark?" Flint again asked.

Still no answer.

Did Drummond have an escape plan? Charlie should have felt his hope surge, but he sensed something was wrong.

Sergeant King, Flint's graying superior officer, came bounding around a corner, an assault rifle in hand. He slowed, leveling the weapon at Drummond's door.

"Go ahead," he told Flint.

Kneeling to the side of the door, the younger marine inserted a key, twisted the bolt free of the lock, and tried to push the door inward. When it barely moved, Flint peered through the crack between it and the jamb. "He's just lying there, sir. Doesn't look like he's breathing."

Charlie held his breath. A cold perspiration coated him. Protocol surely dictated that Private Arnold shut the door to his room, but deferring to basic humanity, perhaps, the marine allowed Charlie to remain in the doorway.

They both watched King move closer to Drummond's room and Flint throw a shoulder at the door, grab an edge with his free hand, and drive Drummond's body back. An orange Croc rolled from the room and into the corridor, coming to rest upside down.

With King covering him, Flint ducked into the room.

"I don't feel a pulse," he called out.

"Roger that," the sergeant said. He squatted, disappearing into the room. "Let's get him to the infirmary."

The two men picked up Drummond then backed into the corridor, King holding him by the shoulders, Flint by legs that were now white to the point of translucence.

Charlie launched himself toward his father until the barrel of Arnold's gun lowered like a gate arm.

"Sorry," the marine said, backing Charlie into the small room and jerking the door shut.

Charlie was pummeled by horror and sorrow, and, at a hundred times the intensity, anger that a hero like Drummond Clark could come to such an inglorious end with proof of his innocence just a few computer keystrokes away.

50

Alice reached Geneva by midnight. To get travel documents, she had to pay a visit to Russ Augenblick, the forger, who did a lot of his business out of a nightclub on the rue de la Rôtisserie, L'Alhambar, known for jazz.

She parked the Mercedes on a sleepy residential side street three blocks away, then walked. Her route, with the usual strategic left turns, added four blocks.

Tonight L'Alhambar featured a brass quartet with a predilection for volume. Among its throng of early-twentysomethings, she spotted the slight, fair-haired forger, in a Red Sox T-shirt. He stood by the curlicue bar, part of a small crowd vying to order drinks.

"I need one too," Alice said, sidling up to him. "Big-time."

At twenty-five, Russ Augenblick could pass for a choirboy, his wispy attempts at a mustache and beard, paradoxically, highlighting his youthfulness. He regarded Alice as if she were insane. "Dude, you're hotter than Satan."

"Oh, you like my new jacket?" Frank's gray overcoat gave her the form of a traffic cone. "Thanks."

"I mean, showing up here. This place has more

cameras than a camera store. What kind of super-crazy-desperate trouble are you in?"

"The usual kind. I need your 'full suite,' *tout de suite.*"

He looked down at his sneakers. "I can't. Not now. Sorry, man."

"By all means, go ahead and have your beer. My treat, in fact—if the bartender can break a hundred-euro bill..."

"I can't take you to the workshop while you're listed as shoot-on-sight. Not even you would take that risk."

"Yes you can, Stew."

Despite himself, he blanched. Russ Augenblick was an alias.

"I know about California," she continued. "But there's no reason to tell tales out of school, is there?"

While at the NSA, Alice had learned the truth about "Russ," but she allowed him to continue operating in case he might be of use at some point. Like now. She was prepared to tell what she knew of Stewart Fleishman's freshman year at Berkeley, where making the scene at off-campus bars was mandatory, the drinking age was twenty-one, and his Massachusetts driver's license showed his true age. The fake California license he'd bought proved useless because the bouncers ran licenses through magnetic strip scanners—a flashing red light resulted in a long and expensive night with Berkeley's finest. Fleishman chose to replicate a Delaware license because of its simplicity and relative obscurity. A quick trip to

San Francisco netted him a sheet of the same PVC the Delaware Department of Motor Vehicles used, plus a magnetic strip that he programmed so the scanners informed the bouncers that this fair-haired young man was a twenty-one-year-old from Wilmington. His classmates wanted Delaware driver's licenses of their own. He went into business, and business had boomed, enough that a college degree in economics was redundant. Because it was illegal in the United States to possess, produce, or distribute falsified government documents, he set up shop in Thailand, where counterfeiting was something of a national pastime. He now sold $500,000 worth of fake U.S. driver's licenses over the Internet per year. Passports, much easier to forge, netted him ten times as much money.

If Alice were to spend three minutes on the Homeland Security tips site now, Stewart Fleishman aka Russ Augenblick would face extradition, at the least.

"I need you to hack into the customs database," she told him. "I want you to make me a passport with the information of an American, Canadian, or Brit actually traveling in Switzerland right now." With such a passport she could waltz out of the country.

He grumbled. "Buy me a mescal shot too and I'll try. A double."

After their drinks, she followed him through the back exit and down a windy but otherwise quiet side street to his vintage VW love bus.

Demonstrating surprising courtliness, the forger

trudged through slush to open the front passenger door for her. The entire van, apparently restored without regard to cost, smelled new.

With a hint of fresh male perspiration.

Alice knew without looking, but turned anyway. Four men in black jumpsuits and matching body armor sat in the back of the van, each gripping a Sig, the silenced barrels pointed at her.

By way of greeting, the man closest to her said, "*Dienst für Analyse und Prävention*," German for "Service for Analysis and Prevention," the Swiss domestic intelligence agency, which, evidently, had a working relationship with a certain forger.

51

Despite the antiseptic scent unique to medical facilities, along with walls, cabinets, and a sparkling tile floor that matched the hospital white of a medic's lab coat, the lack of windows suggested that the infirmary originally had been a locker room or showers.

Sergeant King said, between gasps, "He's not breathing, Ginny." The medic's badge read GENEVIÈVE in big block letters.

"I don't think he's got a pulse either," said Corporal Flint, angling Drummond's feet toward the examination table.

"Set him down and we will see if we can fix that," Geneviève said.

Although barely into her twenties, she had the composure of a battle-hardened veteran. She whipped a fresh sheet from the roll of paper at the foot of the table, clamping it into place just as Drummond's head hit the headrest. Lifting his chin upward with one hand and pressing back on his forehead with the other, she tilted back his face. She opened his mouth and checked for obstructions, finding none. No breathing either.

Pinching his nostrils shut, she fit her mouth over and around his, then commenced breathing for him, inhaling and exhaling slowly into his mouth. His chest rose and fell, again signifying no obstruction. She provided two more breaths, each about a second long, then pressed two fingers to the side of his throat.

"No carotid pulse, as far as I can tell," she sighed, not so much a lament as a prognosis.

"What can we do?" asked King.

"Call for an ambulance. Say the casualty is having a cardiac arrest."

King said, "Corporal?"

Nodding, Flint ran out.

Pointing to a white blanket, Geneviève said to King, "Sergeant, if you could roll that up and use it to elevate his feet by about fifteen inches..."

He did, offering better blood flow to Drummond's heart, which Geneviève prepared to resuscitate by placing the heel of her right hand two or three inches above the tip of his sternum. She lay her left hand on top of her right and interlaced her fingers.

"It was probably his damned pills," King said.

"What pills?" Geneviève locked her elbows and moved herself directly above Drummond, so that she could use the weight of her body, rather than her muscles, to perform the compressions, minimizing fatigue.

"Some kind of Alzheimer meds. Could that have anything to do with this?"

She nodded. "Do you have them?"

The sergeant whisked his hands over Drummond's pockets without finding the bottle. "I'll be right back." He tore out of the infirmary.

Geneviève compressed Drummond's chest wall

by about three inches, or enough to break a rib, the desired amount. Compressions any weaker were ineffective. The point of squeezing the rib cage, after all, was to pump the heart.

She had repeated the process fifteen times, at a rate of approximately one hundred compressions per minute, when Drummond decided that it was time to end the cardiac arrest act he'd initiated by swallowing eight of his ten remaining pills. The experimental drug's beta-blocker components—atenolol and metoprolol—had weakened his pulse to the point that it was undetectable, at least by harried marine guards and a medic in an under-equipped infirmary. He'd augmented the effect with a ploy as old as predators and prey, holding his breath.

He may have done the job too well, he thought, as he tried to get up from the examination table: A chill crept over his body, leaving him cold, clammy, and feeling weighted down, as if he were at the bottom of a deep sea. His extremities stung and the pressure neared skull-crushing. Everything around him blurred. The hiss of the overhead lamps, Geneviève's breathing, and the rustling of her lab coat had the effect of trains blowing past. And both vomit and diarrhea burned within him.

Had he miscalculated the dosage?

Highly likely. His faculty for making calculations lately had been like an old television set that gets reception only at certain angles. Still, getting reception at all had been fortuitous. His son was locked in a detention room. And any moment might bring the return of the Cavalry agent who had tried to kill them—what was his name?

Steve?

Stanley?

Sandy?

Like the beach.

Saint Lucia's beaches were as white as sugar.

Until he'd seen them for himself, he'd thought "sugar sand" was just the hyperbolical concoction of an advertising copywriter.

Drummond felt his thinking careening off the rails.

What matters, he told himself, is that Steve or Stanley or whoever *will return*, almost certainly with backup from the misguided Cavalry. And the marine guards here would prove no more potent than scarecrows in defense.

The world seemed to revert to its normal pace.

Drummond exhaled, with a cough, for effect.

Geneviève jumped, pleasantly surprised.

He tried to raise himself on his elbows and fell flat.

"Easy," she said.

"I accidentally swallowed some..." he said just above a whisper before letting his voice trail off.

She leaned closer to hear. "Yes?"

He shot up his left arm, encircling her neck, clamping the crook of his elbow at her trachea.

She tried to cry out.

With his left hand he grasped his right bicep, placing his right hand behind her head, then brought his elbows together, applying as much pressure as he could generate to both sides of her neck, restricting the blood flow to her brain.

Unconscious, she sagged against him. He slid off the examination table, keeping a grip on her so that she wouldn't fall. His knees buckled, but by force of will he remained standing.

He hoisted her onto the table. She would regain consciousness in seconds. The marines who had brought him here would return sooner.

There was simply no time for infirmity.

He took the white blanket from the foot of the examination table and cast it over her. The marines would mistake her for him, at least for a few seconds.

He crouched behind the crash cart, the portable trolley with the dimensions of a floor safe. It contained all equipment and medication required for cardiopulmonary emergencies, and he would need one of the meds momentarily. In the shorter term, the cart would hide him. He rotated it so that its drawers faced him.

Sergeant King entered at a jog. On seeing the fully covered body on the examination table, he froze. "Damn it," he said to himself.

Hidden by the portion of the blanket hanging from the examination table, Drummond slowly opened the crash cart's drawers fractions of an inch at a time, searching for succinylcholine, the swift-acting neuromuscular blocker used to facilitate endotracheal intubation. Drummond intended to use a small dose of the drug to temporarily paralyze King.

The sergeant wandered toward the table. "Ginny?" he asked at a whisper, as if worried about disturbing the corpse. "Where'd you go?"

Drummond found three pencil-sized preloaded succinylcholine syringes, each packing an eighteen-gauge needle.

Warily, King peeled the blanket from the head of the examination table. He recoiled, drawing his gun and shouting, "Flint!"

Drummond reached beneath the table and slung the needle sidearm into King's calf. The sergeant looked down in mystification—he probably felt no more pain than if he'd been stung by an insect. Drummond sprang, hitting the floor on a roll, then reached and tapped the plunger, driving succinylcholine into King's muscle.

King twisted away with such force that the needle jerked free and flew across the infirmary. It struck a cabinet on the far wall, lodging there like a dart.

Flint ran in, gun drawn. King pointed, superfluously, to Drummond, then crumpled to the floor, where he lay, unmoving.

Glad of the diversion, Drummond dove back behind the crash cart.

Flint pivoted on his heels, firing. Strips of linoleum slapped Drummond. The air clouded with sawdust that had been a chunk of the examination table.

From his knees, Drummond shoved the red cart at Flint.

The marine spun, shooting and ringing the face of it.

The bullet exited through the uppermost drawer, whistling past Drummond's ear, followed by a spray of glass and a milky white substance that smelled of alcohol.

Pushing the cart ahead of himself, Drummond picked up the gun King had dropped.

Another bullet pounded into the cart.

Drummond said, "I have a clean shot at you, son. Neither of us wants me to take it. So, slowly, set your sidearm down on the floor and kick it toward me."

"Mr. Clark, sir, there is no chance whatsoever that you can get out of here, so—"

Drummond fired, aiming to Flint's right. The wall a few inches from Flint's right ear exploded into plaster dust. The man dropped to the floor.

Drummond tracked him through the gunsight. "We're making progress. Now, all you have to do is surrender your weapon."

Ashen, independent of the haze of plaster dust, the marine complied.

As Drummond reached for the weapon, something hard slammed into the back of his head. He fell against the crash cart, toppling it. As he hit the floor, he saw the metal bed rail swung like a cricket bat by Geneviève.

Meanwhile the crash cart's five metal drawers dropped open and pounded him, the sharp corner of one ripping through his shirt and slicing into his chest. All manner of medical supplies rained onto him.

He implored himself to maintain focus; he had one last play in mind.

White light devoured his consciousness.

52

Snipers aim for the "apricot," better known as the medulla oblongata, the part of the brainstem that controls the heart and lungs. To reach Charlie Clark's, Gretchen Lanier needed to fire from the barely opened window of the third-floor hotel room, across and through more than three hundred yards of parkland, and into the barred detention rooms.

If only every job were so simple, she thought. A year ago in Afghanistan, she'd recorded a kill from 2,267 yards away, or 1.29 miles, on icy and mountainous terrain.

She dropped to a kneeling position at the foot of the bed. In her year and a half of sniper school, her instructors had placed almost as much emphasis on proficiency in camouflage and concealment as on marksmanship. More often than not it involved wearing a ghillie suit in order to pass for a bush or clump of weeds. Tonight's camo involved surrounding the rifle with a well-placed pillow and the blankets bunched just so. Wrapping the comforter over the works simulated a person lying in the bed she and Stanley had rolled against the window.

She needed to accurately estimate and balance the many components in a bullet's trajectory and point of impact. Range was simplest. From this relative proximity, she would have zero difficulty placing the red laser dot smack on the base of Charlie's head. But if she made a mistake in calculating the effects of wind direction or velocity, among other factors, the round might fly several feet wide of Charlie and bore instead through the far wall of the detention room, possibly taking out the marine guard stationed on the other side.

Shooting at a downward angle also complicated matters. Gravity could wreak havoc on a shot traveling three thousand feet per second. Fortunately, the wind was almost nil, the conditions otherwise were practically ideal, and sniping technology had advanced at a head-spinning rate lately: The ballistic calculator in Lanier's telescopic sight—and this was an el cheapo telescopic sight available in a Caribbean version of a hick gun shop—all but offered a glimpse at the future in the form of an animated preview of the shot.

She leaned into the stock's cheek-piece and squinted against the cold scope to find not a view of an impromptu detention room, as she'd expected, but the profile of a young man with sandy blond hair. Charlie Clark, no doubt about it. The back of his head was centered almost exactly within the crosshairs.

She half expected him to turn around, feeling her eyes upon him.

He stood still, an ear pressed against the door, as if trying to hear through it.

She disengaged her conscience. The target became a piece of paper with concentric circles around a bull's-eye rather than a human being with loved ones who would suffer from his loss.

Rather than draw attention with the laser range finder, she used the mil dot reticle in the scope—a sort of electronic slide rule—to find the range. 194.8 meters, or, as she thought of it, nothing.

Anticipating the target's behavior was integral to a precise shot. With moving targets, the point of aim was ahead of the target, the distance depending on his speed and angular movement. A stationary target like this was the sniper's version of a three-inch putt.

Lanier zeroed the scope, then looked over her shoulder at Stanley, who sat in an executive-style simulated-leather desk chair with a gash in the back.

"How're things in the Sound Department?" she asked.

He tapped nine digits on his BlackBerry. "Just waiting on your cue now."

When she pulled the trigger, he would dial a tenth number, sending a radio signal to detonate a C-4 shaped charge not much larger than a Tic Tac. She'd stuck it to a transformer hanging within easy reach of the roof. The blast would obscure the thunderous report of the M40. The simpler solution, a suppressor, would skew her shot. When possible, she opted for loud sounds heard in the environment, exploding artillery shells in an Afghanistani combat zone, for example, or, in places like Martinique, fourth-rate transformers that blew as often as the wind.

She pressed her eye against the scope, locating Charlie where she'd last seen him.

The bullet would require .93 seconds to reach the point of impact. She would squeeze the trigger straight back with the ball of her finger to avoid jerking the gun sideways. She took a deep breath, then let the air out in small increments, the idea being to hold her lungs empty at the moment she took the shot. To further minimize barrel motion, she would fire between the beats of her heart.

As always, a calm enveloped her, removing Stanley and the room and the rest of Martinique from her consciousness—everything but herself, her weapon, and her target.

53

Drummond regained consciousness, but his vision remained cloudy. Flint knelt beside him, along with King, who seemed to have fully recovered from the succinylcholine.

"They said he was good, but who could've anticipated this?" King was saying.

The words came at Drummond as if through a bullhorn. He yielded to the need to vomit, letting it spill out of his lips and, purposefully, down his shirtfront.

The rest of the infirmary came back into focus as the marines each grabbed him by an armpit, hoisting him to his feet. Flint patted Drummond's shorts in search of a weapon. Geneviève stood by, still gripping the bed rail, at the ready.

"Cheee-rist," Flint said, turning his nose away from the vomit.

Drummond staggered. With intent.

Flint lost his grip on him.

Drummond shot his right hand into his shirt pocket, drawing out one of the succinylcholine syringes he'd gathered from the floor. In the same motion, he swung it into Flint's shoulder, then popped the plunger.

Flint whirled around, swinging.

Drummond ducked the fist.

As Flint reared back for another try, he dropped unconscious into Drummond's arms, providing a shield against King, whose gun was aimed at Drummond.

"That's enough, Mr. Clark," he said. "Set him down."

Drummond flung the sedated corporal toward King, who instinctively reached to catch the younger man. At the same time, Drummond dove at King, jabbing a second syringe into the sergeant's bicep.

King threw a heavyweight blow to Drummond's jaw.

Again, the room began to fade to white.

Drummond flailed, catching the edge of the examination table to keep from falling.

King plucked the needle free of his arm. He retrained his gun barrel. "Hands in the sky."

With effort, Drummond raised his arms.

"Now back against the wall and—" King teetered.

Drummond snatched the Glock away from him and whirled toward Geneviève.

Mouth open, she let the bed rail fall, ringing on the floor tile.

"I don't want to hurt you, believe it or not," Drummond said.

"Why should I believe you?" She had to shout over the wail of the arriving ambulance.

"I might be able to convince you if I had a minute."

He clapped the handcuff that had been intended for him onto her right wrist. "But I don't."

Charlie's thoughts were whirling like a roulette wheel, the ball popping from anguish to denial, when the detention room door swung inward. Stepping clear of it, he heard an odd pop behind him. Something buzzed past his head. A bullet hole appeared in the doorframe, venting smoke.

"Sniper." Drummond beckoned from the corridor. "Hurry."

Charlie set aside his joy at seeing his father to run from the room, just as a second bullet shattered the window, turning the door's upper hinge to shrapnel.

Drummond limped down the corridor, leading with a Glock. Charlie scrambled to follow. More glass broke and another bullet disintegrated a tile on the corridor wall.

Charlie caught up with Drummond, who winced with each step. "You okay?" Charlie asked. Nothing short of a garroting would cause Drummond Clark to wince ordinarily.

"I'm better off than him," said Drummond, pointing ahead to the giant Private First Class Arnold, splayed across the floor, unconscious. "The issue is, he ought to have answered the doorbell by now. We have to get up there before our getaway drivers start thinking it's fishy that nobody's come."

"*Our getaway drivers?*" Charlie followed Drummond up the short flight of stairs to the consulate's back entrance.

"You heard the ambulance, right?" Drummond said.

"I heard a siren."

"With a little convincing, they'll be our getaway drivers." Drummond reached into his waistband and passed Charlie a second Glock.

Taking hold of the heavy gun, Charlie felt an uneasiness that had nothing to do with hijacking an ambulance. These days, that was no more intimidating than hailing a taxi. "Won't an ambulance be kind of conspicuous?"

"We're going to need them because..." At the landing, Drummond's heavy coating of perspiration blinked between orange and yellow in the reflection of the ambulance parked outside. Still he appeared eerily pale. "Earlier, I tried to make it seem as if I was having a heart attack," he continued, his breathing labored. "I may have overplayed the—"

His gun dropped from his hand and bounced down the stairs. He teetered then fell along the same trajectory.

54

With his father flung over his shoulder, Charlie backed out the service door and onto the sidewalk, which was lit by the ambulance idling at the curb. Two paramedics, laden with cases and duffel bags, wheeled a gurney from the opened back of the ambulance. A glance at Drummond, now an alarming shade of blue, and they began to run.

In seconds, Drummond was lying on the thin mattress. One of the medics, a small young man whose name badge read GAILLARD, asked, "Sir, can you hear me?" He shook Drummond gently, trying to rouse him.

Nothing.

Gaillard looked up at his partner and said, "Still breathing. Pulse is faint."

In seconds, the paramedics transformed their bags into a temporary hospital room. They elevated Drummond's feet and fitted him with an oxygen mask fed by a cylindrical tank. A heart monitor and a cluster of other instruments whirred to life.

"BP is seventy over forty," Gaillard read, which meant nothing to Charlie, but the paramedic's tone made it clear that this wasn't good.

Gaillard's partner, a slender, middle-aged man

named Morneau, hoisted an IV pole and hung two bags of clear fluid on it. "Point four mils of atropine and a milligram of epinephrine," he said, adding, for Charlie's benefit, "To get his heart rate back up."

Gaillard launched into rapid chest compressions, counting to himself. "*Un... deux... trois...*" as Morneau scrutinized the readouts. "Dropping," he said, biting his lip.

Gaillard ripped open Drummond's shirt, sending buttons clicking onto the pavement. Next he snapped open a case that resembled a laptop computer. "Trying two hundred joules," he said, withdrawing a pair of defibrillator paddles. "Stand clear."

On the other side of the gurney, Charlie took a step back, at once hoping and bracing himself.

Gaillard aimed the paddles. Both paramedics' absorption was such that they seemed oblivious to the tire-screaming arrival of a sporty black Fiat, until a young brunette in a floral-print cocktail dress climbed out of the passenger seat, gun in hand. Stanley followed from the driver's seat, a sidearm drawn as well.

Charlie's jumbled emotions were slashed away by fear.

Stanley looked through him to the paramedics. "Gentlemen, I'm Special Agent Stanley and this is Special Agent Lanier, FBI." He waved an FBI badge. "These two men are wanted for capital crimes in the United States. We need to take them into our custody."

Gaillard, poised to use the paddles, looked down at Drummond. "He's in ventricular fibrillation. I need to shock him *now*."

Lanier pointed her gun at him and pulled the trigger. The muzzle flash spotlit Gaillard's shocked face. The paramedic dropped behind the gurney, apparently dead before reaching the sidewalk. The defibrillator clunked down beside him.

55

Shielded from Lanier and Stanley by the gurney, Charlie watched the surviving paramedic, Morneau, leap into the rear of his ambulance and disappear behind one of the van's double doors.

Dropping to a knee, Lanier leveled her gun at the section of door likely between her and the paramedic's heart.

The roar from the barrel, the metallic fracture, and Morneau's wail all resounded within the cul-de-sac.

Charlie looked at his father, hoping the din would rouse him. The only movement was Drummond's EKG, descending, accompanied by a lethargic blip that lasted for at least a minute.

Or so it seemed to Charlie, adrenaline surging into his veins, accelerating his mental acuity and, he sensed, slowing the pace of the rest of the world.

He reached through the undercarriage of the gurney for the defibrillator, on the pavement at the edge of a pool of Gaillard's blood. He drew it back, trying to weave through the gurney's elaborate network of springs and crisscrossing shafts. A sharp bolt ripped a red strip into his forearm. He felt nothing.

Gripping the handles on his side of the gurney, he propelled Drummond toward the ambulance.

Lanier rotated toward them, slow as a second hand in Charlie's heightened sense of things. She tweaked her aim.

Before she could fire, Charlie pulled the trigger of his Glock twice. The first bullet plowed into the Fiat's passenger-side mirror, sending the mirror's chrome housing bouncing end over end along the asphalt. Unfazed, Lanier dropped behind the passenger door to the street.

Charlie's second bullet sailed into the crack between the windshield and the open driver's door. Blood spouted from Stanley's shoulder. Writhing, he fell from view.

Charlie adjusted the Glock and snapped the trigger again. He was conscious not only of the thwack of the firing pin, but of the explosion of the primer, and the heat pushing on the base of the bullet—hotter and harder until there was enough force to overcome the frictional bond between the bullet and its casing. With a plume of flame, the projectile leaped from the barrel and seemed to wade into the Fiat's windshield, just in front of the steering wheel. Particles of glass wafted into the air like confetti. Blood spurted from Lanier's right arm. Her gun arm.

The front of the gurney banged into the ambulance's rear bumper. Charlie vaulted in, hauling Drummond after him. Drawing him really; Charlie wasn't experiencing weight or friction as he normally did.

The ambulance wasn't a van so much as a hospital on wheels, its multitude of cabinets, compartments, and pouches crammed with supplies. Charlie set Drummond on the floor, then fired the Glock over his shoulder, exploding more of the Fiat's windshield.

Lanier's barrel, propped on the dashboard, sashayed sideways as it discharged.

Charlie threw up his left arm, shielding Drummond's head. The bullet slashed into Charlie's shoulder, picking him up. Tearing out of him, it dragged him to the floor. He crashed face-first into the grainy metal.

He tried to use his newfound command of his senses to turn off the searing pain. It didn't work. He had been hit by a bullet once before—it had just grazed him, really, yet felt like certain death. *This* was death wielding a razor-sharp scythe. Still, Charlie pulled the second ambulance door shut, grabbed for the IV bar suspended from the ceiling, and hauled himself to his feet.

Drummond lay still, two shades bluer than before. Morneau was slumped beside him, trying to adhere an enormous bandage to his own belly, over a hole that oozed blood with each beat of his racing heart.

"Here," Charlie said, making his way to the front of the van. He handed the man the defibrillator. "Can you try and use this now?"

A bullet smashed a cavity in one of the rear doors. The glass casing of a wall clock shattered, raining shards.

"Now's not such a good time," Morneau stammered. "They're still shooting at us!"

"I noticed." Charlie jumped for the driver's seat and released the parking brake. "How about this? You take care of my father, I'll take care of them."

He mashed the clutch, shifted into first gear, and flattened the gas pedal. The van lurched forward. He watched in his side mirror as the lanky paramedic lowered himself to the floor.

Another bullet pounded through the back before digging into the radio, releasing an acrid stench of burning rubber.

"We'll never get away from them in this thing," Morneau cried.

"Best we can do is try." Charlie aimed the ambulance toward the street behind the consulate. "And if it works, we won't be dead."

With a relenting sigh, the paramedic turned to Drummond. "He probably needs more atropine." He drew a syringe from a drawer, too slowly, his rigidity suggesting he was bracing for the next bullet.

"I'll tell you a story my father once told me," Charlie said. "My grandfather—well, not my grandfather, actually, but a hit man in witness protection whose cover was my grandfather—he lived in Chicago during Al Capone's heyday. You know who Al Capone is?"

"Of course." Morneau sounded concerned for Charlie's sanity. But at least he was administering the atropine to Drummond.

"Every once in a while, Grandpa Tony would hear machine-gun fire. He would peek out his window and see these mobsters racing by in a Cadillac that had been shot up like Peg-Board, and chasing after them were the cops, in a police wagon, same condition. The point is, every single time, everyone was alive. The moral of the story: It's extremely difficult to fire from one moving vehicle at another with any degree of accuracy. They're just trying to fluster us."

Morneau pressed a button on the defibrillator and set the paddles on Drummond's chest. The charge wasn't as percussive or otherwise dramatic as on TV medical dramas—the jolt of electricity merely quivered Drummond, but a healthy pink returned to his face. He opened his eyes.

"Pulse is much better," Morneau exclaimed.

"Dad?" Charlie cried, his excitement tinged by disbelief.

"I'm fine," Drummond said, obviously as white a lie as had ever been told.

Still, the words were music to Charlie. He crushed the accelerator and, with a screeching slide that pushed the van to the brink of capsize, swung onto the street, remarkably with no more disturbance than a compartment door swinging open and a spool of gauze rolling out.

The sideview mirror showed the black Fiat rocketing after them, however.

56

The Fiat was catching up. Charlie saw Stanley at the wheel, face speckled with blood, but as determined as ever. In the passenger seat, Lanier squinted against the onrushing air, aimed a preposterously large assault rifle through the cavity in the windshield, and fired.

The bullet hammered through the back of the ambulance, struck the metal handle of the open compartment door, and ricocheted into a computer display, smashing it to pebbles. Morneau regarded the computer with heightened dread.

"It's okay," Charlie said. "The bullet didn't come close to us." He shifted into second and made for the well-lit cross street about half a mile ahead; it appeared to be bustling with pedestrians and other vehicles.

"I just thought of one problem," Morneau said. "In your Al Capone story, the vehicles were not carrying highly flammable oxygen tanks."

Charlie nodded. "That is a problem. Pass me the defibrillator?"

Although clearly puzzled, Morneau handed the device forward.

Charlie rolled down his window, causing an eruption of blood from the gunshot wound in his shoulder and pain to match. Alternating glances between the Fiat and the road ahead, he tried to aim the defibrillator at the large cavity that had formerly been the Fiat's windshield.

"The big red button puts this thing in zap mode, right?" he asked the paramedic.

"Yes, but it can't shock anyone unless both paddles are in contact with the body simultaneously, forming a circuit."

"Well, what are the odds he'll know all that?" Charlie let the defibrillator fall out of his window.

It wobbled backward through the air, its paddles flapping wildly, toward the Fiat.

Eyes wide, Stanley spun the wheel to avoid the device, sending the Fiat crunching into a parked delivery truck. The Fiat's hood crumpled, Stanley slumped in his seat, and the fender flopped onto the asphalt.

"That sounded good," said Morneau.

"Yeah..." Charlie hesitated at the sight of Lanier climbing out of the sports car, leveling her assault rifle.

A monster bullet punched through the rear of the ambulance, sounding as if it had exploded on impact. The entire vehicle jumped.

"The oxygen tank!" Morneau shouted. "We need to get out!"

Flames began to sprout throughout the ambulance. Charlie hit the brakes and punched open his door. He clocked the wheel so that the driver's side would face away from Lanier, allowing the ambulance to provide cover for their egress.

Morneau hauled Drummond to his feet and dragged him toward Charlie.

Before Charlie could help, a bigger explosion spat him out the open driver's door. The ambulance itself disappeared in a blob of fire. Scalded, Charlie fell backward, landing on the asphalt, on his spine, the pain unbearable, then even worse as Drummond and Morneau slammed into him. He was pleased, though, because neither appeared seriously injured. At the same time, shock tugged him toward unconsciousness.

He would have allowed himself to glide there if not for the click of Lanier's heels.

Scrambling out from the tangle of limbs, Charlie grabbed for the Glock beside him.

The Glock that had been beside him.

Now, nowhere in sight.

Stanley rounded one end of the van, leading with a gun. The massive barrel of Lanier's rifle preceded her around the other side.

Morneau fainted, probably a consequence of the blood pouring from his reopened wound.

Seven or eight vehicles, several with flashing lights and sirens, charged toward the remains of the ambulance. Leading the charge were the same two beige Suburbans in which Charlie and Drummond had been transferred from the docks to the consulate.

As if Stanley and Lanier needed reinforcements, Charlie thought.

Turning to his father, who lay on the street beside him, he said, "I'm sorry."

Drummond's response was lost under the shrieking halt of the Suburbans. A passenger door opened and Corbitt slid out. He wore a rumpled linen business suit over a pajama shirt.

Staggering out from behind the van, Stanley said, "Chief Corbitt, your timing is excellent once again." He waved at Charlie and Drummond. "The rabbits nearly gave us the slip."

"Really?" Clasping his hands behind his back, Corbitt started to pace. "Remember how this morning I was telling you that we now have miniaturized digital camcorders capable of recording up to sixteen hours of video?"

Stanley smiled. "Of course."

Corbitt stopped pacing, squaring himself with Stanley. "Tonight, after I reviewed today's footage from the decanter on the yacht, I decided I'd better get down here."

Charlie sensed the odds had taken a fortuitous if not incredible turn. He kept his cheer in check, however. In his experience, such a turn was unprecedented, and, with the Cavalry involved, impossible.

Stanley sighed. "Listen, Corbitt, there are factors you know nothing about, and that needs to remain the case."

"Maybe so. But until I hear otherwise from the State Department or from headquarters, you two are going into custody." Corbitt indicated the other members of his party. Six Martinique policemen, two paramedics, and three marine guards had emerged from the vehicles, all but the paramedics carrying sidearms or rifles.

"What authority do you have to take us into custody?" Stanley shouted.

"French law," Corbitt said. "On the way here, we received a report of a Martinican emergency medical technician who'd been gunned down in cold blood." Turning toward the local policemen and paramedics, the Saint Lucia base chief pointed at Stanley and Lanier. "I believe we'll find that they're the ones who did it."

57

"I owe you a pot of homemade chowder," said Alice over the phone from the American embassy in Geneva. "And whatever else you want."

In the Martinique consulate's secure conference room, Charlie should have leaped in elation and told Alice that he loved her.

But the ADM was stuck like a splinter in his thoughts.

She said she didn't recall Bream by name, only that the copilot who flew her to Newark three weeks ago had been handsome in a roguish way. "Not in the good way, like you," she added quickly.

Their catch-up otherwise was of the bullet-point variety, a function not only of his preoccupation but of a rush on her end—a battery of NSA debriefers awaited her. Hanging up, Charlie couldn't believe he'd neglected to mention that he'd found the treasure of San Isidro.

Eager to check on his father, he shot out of the secure conference room and into the hallway, hurrying down to the infirmary. Drummond had been under anesthesia for the better part of three hours, during which cardiac catheterization had enabled the surgeons to determine that the extent of the damage to his heart was minimal. As also was the case with the CIA's Hilary Hadley, Drummond had made it out of the medical equivalent of the woods.

Corbitt jogged out of an adjacent office, pulling even with Charlie. "Eager to see your dad?" the base chief asked.

"Yes. And to see if he knows where Bream took the bomb."

"It's only a matter of time until we find that son of a bitch." Reaching the elevator landing, Corbitt gazed into the gilded-frame mirror as if already seeing himself with the medal he would receive.

Charlie hit the down button. "I wish I were even half as sure."

"Look, our commo folks sent an encrypted cable—flash precedence—to the director, the chief of the Europe division, plus all the honchos in India, Pakistan, and pretty much everywhere else boats go. The U.S. Coast Guard and Homeland Security have cast the satellite and radar version of a tight net over the water between Saint Lucia and the coast of India. And as we speak, the agency's unleashing NEST teams."

"*What* teams?"

"Oh . . . uh . . . Nuclear Emergency Search . . . something?"

"Team?"

"Right. They have dedicated 707s decked out with radiation sniffers, the works. They've already taken off, on their way to swarm the Caribbean. It's only a matter of time until we get the news that they've disabled Bream's boat."

"What if the radiation is masked?" Charlie didn't want to give away the fact that the supposedly enriched part of the uranium was essentially pabulum, lest the operation's secret be cabled flash precedence pretty much everywhere boats went.

"We still have a squadron of UAVs plus a few tricks that you don't need to know about, but put it this way: Given the intel *you* provided us, we'll know about every object larger than a baseball that comes within five hundred miles of India. Either our people or our liaison counterparts will board any ship they can't swear by, and a good percentage of those that they can."

"Great, unless the bomb's not really headed to India."

"What would make you think that?"

"Half of everything Bream said was a lie." The groans and sputters of the cables within the elevator shaft seemed to echo Charlie's thought process.

"There's no reason to think he was lying about India, and every reason to think you snagged grade-A intel," Corbitt said. "You're probably just tired."

Tired? If only. Fifteen straight hours of sleep and Charlie might be upgraded to tired. "I just feel like we're overlooking something."

A chime announced the arrival of the elevator. Brass-plated doors slid open. Corbitt led the way into a car whose Victorian décor predated electric elevators. "I'm telling you, you've got nothing to worry about. It probably just needs to set in is all. Take a long bath and crack a cold bottle of beer. You've won, bud. The stuff on that Korean Singles site has completely exonerated you—you're a hundred percent free."

The doors closed with a hydraulic hiss. Charlie, who had never experienced claustrophobia before, felt as if the mahogany panels were about to close in on him.

Clapping a hand on Charlie's good shoulder, Corbitt said, "And it gets even better. Stanley and that Lanier woman are locked up someplace really dark, key thrown away, the works. And every U.S. agency this side of the Department of Agriculture is teaming to roll up the rest of the Cavalry—I saw onboard UAV footage of Ali Abdullah in his pajamas being tossed into a French paddy wagon. We also collared a couple of other guys you might know, Ben Mallory and John Pitman?"

Pitman had tried to kill Charlie on at least three occasions in New York. Mallory, another Cavalry man, just twice. "Where are they now?"

"Put it this way: They'd better like vermin."

The U.S. Embassy in Barbados had flown in so many physicians and so much medical equipment for Drummond and Hadley that the consulate infirmary now looked like the ICU at Mass General. And everywhere there wasn't a medical professional, there was a marine guard. Charlie figured that he and Drummond were safer here than anywhere they'd been in months, or anywhere they might ever go.

Charlie entered Drummond's room—a curtained-off section of the infirmary, really. Drummond sat up in bed with obvious pain. His generally wan appearance wasn't helped by the pale green light from the stack of machines or the intravenous tubes blooming from his arms.

"Good morning," he said.

It was a little past three a.m.

"How are you feeling, Dad?"

"Fine. Why does everyone keep asking me that?"

Charlie put him at a 4. He decided to try anyway. "Does anything seem strange to you about the Bream business?"

Drummond regarded one of the green curtains. "Pirate, right?"

"In a sense." Charlie hadn't expected much more.

"Plays first base, as I recall."

"That's Sid Bream." A Pittsburgh Pirate. Twenty years ago.

Weighted by frustration, Charlie took a seat at the edge of the bed, careful not to knock loose Drummond's IVs.

Drummond sat a bit straighter and smiled, restoring some color to his cheeks. "Right, Bream was the name of our pilot too," he said.

Charlie felt a trickle of optimism. "That's the one I meant."

Drummond paused to reflect. "Who was he, really?"

"That's probably the first question I should have asked." Charlie put it to Corbitt, chatting with a nurse outside the makeshift doorway.

Stepping into the room, the base chief shrugged. "Maybe you'll find out in the debrief."

"What debrief?"

"With Caldwell Eskridge, chief of the Europe division."

"When does he get here?"

Corbitt looked at Charlie as if he'd asked for the moon. "When do you fly to Langley, Virginia, you mean?" Corbitt said. "As soon as possible."

"Barring major medical advances in the next hour," said Charlie, "my father probably won't be able to get on a plane." Or out of bed.

"It's actually McLean, Virginia," Drummond said. "An interesting piece of information: Langley's not a city or town. It's just part of McLean, as Park Slope is part of Brooklyn. You need to go there, Charles."

"Do I?" Charlie wondered if his father's danger detector had been disabled. He turned to Corbitt. "Why can't Eskridge fly here?"

"The mountain doesn't come to Mohammed." Sensing Charlie's anxiety, the base chief added, "I'll be accompanying you."

Which did little to ease Charlie's anxiety. "Great," he said.

Drummond reached forward, clasped Charlie's arm, and drew him close. Although his father's skin was tepid, Charlie felt an infusion of warmth.

"Go to McLean, Charles." Drummond's focus appeared to sharpen. Or was it a trick of the fluorescents?

"But until about twenty minutes ago, the agency had us on their To-Kill list."

"You can handle it. I'm willing to bet on that."

Part Three
Lucidity

1

Eight days earlier, a man whose passport listed him as John Townsend Bream had flown from Puerto Rico to Paris to meet with an Algerian agitator he knew from his Air Force Intelligence days.

A three-hour drive from Charles de Gaulle and Bream was in Dijon, far enough off the security grid that countersurveillance didn't require too much effort. And because the city was the capital of the Burgundy wine region, the mustard center of Europe, and home to the most dazzling collection of medieval and Renaissance buildings in the world, there was always a large and diverse enough crowd that anyone could blend in.

Or so Bream thought until Cheb Qatada plopped down opposite him in an isolated booth in the back of an otherwise lively brasserie near the train station—a textbook clandestine meeting spot. The problem was, the bearlike Algerian had a tough time blending in anywhere. Although he shaved every morning while in Europe, he sported a five o'clock shadow by lunchtime, and it was now an hour past that—the best time for a meeting because the lunch crowd thins so that friend can more easily be distinguished from foe, or rather foe may be distinguished from genuine tourist. Qatada's choice to heavily pomade his thick black hair, giving prominence to a V-shaped hairline, made him stand out even more. Also his eyes were set close to an extraordinarily wide and flat nose. But his most remarkable feature was an almost constant toddler-like glee, odd given that the majority of his forty years had been spent on a serial rant—in the form of massacres of innocent civilians—directed at the French government.

"I'm looking to retire," Bream said.

"As opposed to living on a tropical island and flying once or twice a week?" Qatada spoke fluent British-accented English, at a higher pitch than the growl presaged by his appearance.

Bream gazed at the cricket game on the TV above the bar, without which the dark stone tavern wouldn't have appeared much different than it had a millennium ago. He used the mirror behind the bar to take an inventory of the crowd, inspecting for shifts in stance or positioning—that is, were they watching or listening to him? As new people came through the door, he assessed them: local businessmen, tourists, ladies lunching, etc. He would have preferred that one of his "associates" do the countersurveillance, but the mercenaries in his employ were all busy in Gstaad today, rehearsing a rendition for the new Counterterrorism Branch of the U.S. Diplomatic Security Service—as far as they knew.

"I was on the tropical island prospecting," Bream told Qatada. "Now I've got a prospect."

Qatada smiled, maybe at the cricket game, maybe at the play of light on his water glass—who knew? Bream had given him no reason to be happy.

He was about to, though.

"You know how for a party, you write a check and a party planner does everything?" Bream asked. "He gets you the band, the cake, the hall—all for the exact day you want?"

"What about it?"

"I'll run an op for you like that in two weeks, except instead of cake I'll serve up an ADM."

Qatada smiled again. "Sounds like quite a party."

"The venue I have in mind is the municipal marina three hundred and seventy-five meters north of the hotel hosting the G-20."

"The Grand Hotel near Mobile, Alabama?"

"Yeah, beautiful old resort."

"The French delegation is planning to stay there." Qatada spoke matter-of-factly. "I am guessing you knew that."

"Think of them as your guests of honor. All you'll be required to do is push a button, and you'll strike the biggest blow possible for an Islamic state." Qatada's al-Jama'ah al-Islamiyah al-Musallaha, known here in France as Groupe Islamique Armé, sought to oust the current Algerian government.

Qatada sat back, lips pursed with skepticism. "Does the Fountain of Youth come with this package too?"

Bream laughed politely. "You know Nick Fielding?"

"I hope for your sake that he is not your supplier."

"You mean 'cause he's dead? That's why I can get my hands on his ten-kiloton Russian ADM without any opposition from him." Bream paused while the waitress deposited their plates of steak fries, then waited until she was out of earshot. "You know you can practically throw a rock from my place on Martinique to Fielding's island, right?"

"No, I did not." Qatada was rapt.

"I watched his act for three years. Not only that, I watched No Such Agency watching him—I even got myself hired on as copilot for a couple of their charters. After giving an envelope full of money to one of Fielding's goons, I now know not only about Fielding's ADM, but that he took its hiding place to his grave. Since he died, legions of spooks have tried and failed to find it."

"But you can?"

"Yes. Then it's yours, plug and play. I just need five million down to cover my expenses and another seven hundred and forty-five mil on delivery."

The Groupe Islamique Armé's principal benefactor, Algerian oilman Djamel Hasni, could write a check for $750 million on any one of a dozen of his accounts around the world.

"If I told Djamel that you asked for a billion dollars, he'd think seven hundred fifty million was a steal," Qatada said. "His problem isn't going to be the sale price; it's going to be the salesman."

"He'll think I'm an American spook running a play for the United Satans of America?"

"Of course."

"That would mean that the Air Force faked my dishonorable discharge, that I flew clunkers for four years in exile, and that I damn near destroyed myself with the cheap local rum all to build up cover for an op whose objective is to bag a couple of members of an Algerian terrorist group that no one's heard of."

Qatada ceded the point with a nod, but remained circumspect. "How would you get the device into the States?"

"That's the easy part. I built myself an ironclad alias with access to a U.S.-flagged yacht that's a fixture at the Mobile Bay Marina. You ante up, I'll go get the yacht, cruise down to Martinique for a 'pleasure trip,' pick up a 'souvenir' along the way, then cruise on back to Bama."

Qatada winced. "Take it from an expert: Since 9/11, your Homeland Security can't install enough chem-bio-nuke detectors in your ports."

"You're part right. In Miami this scheme would never fly. Houston and New Orleans, ten miles before I even reached the coast, drones would shoot Hellfire missiles, turn my yacht into flotsam, and ask questions later."

"But not in Mobile?"

"Think of Mobile as the Groupe Islamique Armé of port cities: It's big, but no one knows much about it or really cares much about it. Cares enough, I ought to say."

Qatada shrugged. "Even in such places, the Americans can afford to give every other port employee a palm-sized gamma-ray spectrometer and litter the docks with sniffers and ICx rovers and probably many other new detection devices that we do not even know about."

"But there's almost nothing along the other hundred-something miles of coast."

"Except the Coast Guard and the Customs and Border Protection agency. You don't think al-Qaeda has spent thousands of hours trying to find holes there? Djamel has spent millions of dollars on computer simulations alone."

As a twelve-year-old, Bream had been undefeated in Tennessee Chess Association junior play, but he had dropped the sport in high school in deference to his image. Still he thought like a chess player. Now he saw checkmate in two moves. "The key is, I'll be cooperating with Coast Guard and CBP from start to finish," he said. "They'll have had me on transponder and satellite the whole time I'm in the Caribbean, plus five kinds of radar on top of that as soon as I get close to U.S. waters on the way home. A foreign national can expect a Custom and Border Protection 'welcome committee' on reaching Alabama waters. But most of the time, all a good ol' American boy's gotta do is check in with the CBP folks with a phone call, which I'll do during the night—they close at five every day. One in thirty times, they summon you across the bay to the commercial docks for an inspection the next morning, in which case I'll risk offloading the device before I go. One in ten times, they come to your marina for a look-see the next morning. But even if that happens, I'm still good because the ADM's concealed within a specially modified housing that does to spectrometers what fresh-grated bell pepper does to bloodhounds. And most of the time, all the CBP folks do is call you and say, 'Welcome home, sir.' "

And there it was, Qatada's smile, at full wattage. Although pleased, Bream looked down so that no one would remember his face, too.

2

The CIA's New Headquarters Building, a pair of six-story towers of sea-green glass, could have been mistaken for a modern museum. Hardly the dark fortress that Charlie, in the Hyundai's passenger seat, had been expecting. At the wheel of the rental Corbitt was whistling the tune of "We're Off to See the Wizard."

Although it was two in the afternoon, Charlie would have believed it was early evening, a consequence of the enervating trip from Martinique more than the overcast sky. A nagging sensation that he'd overlooked a clue to Bream's plans had kept him from sleeping.

As he extricated himself from the subcompact car, his eyes smarted from fatigue, and his reflection in the window shocked him: In the gray flannel business suit and dark overcoat the consulate had procured for him, he resembled his father in old photos.

He and Corbitt proceeded through a colossal arching entryway to the skylit lobby. Feelings of inadequacy buffeted Charlie, making the bitter wind an afterthought.

Leaving him with Eskridge and a young analyst at the door of a secure conference room, Corbitt said, not entirely in jest, "They only sent me along to make sure you didn't stop at a racetrack."

...

"But I have a hunch I'm missing something," Charlie said after detailing the events of the past few days. "What if India is a decoy? What if the real target is somewhere else, maybe even somewhere in the United States?"

Across the conference table, a giant surfboard rendered in aquamarine glass, Eskridge shared a look with the analyst, Harding Doxstader, a twentysomething version of his boss. Their look made Charlie think of parents who've just been informed by their child about the monsters in his closet.

"We've picked up a good deal of chatter that a Punjabi separatist group was in the market for an ADM," Eskridge assured Charlie. "If not for you, though, we wouldn't have any idea about Vasant Panchami, or even that the bomb was heading to India."

"What if Bream just wants you to think he tried to kill me and my father?" Charlie asked. "That way, our India revelation would carry more weight."

Eskridge shrugged. "If Bream had meant to use India as a decoy, eliminating you would have eliminated his means of decoying us."

Nodding, Doxstader scribbled a note on what appeared to be a sheet of white light hovering above the table.

"The thing is, he probably would have taken into account that my father could land a plane," Charlie said. "Also, if he really wanted to kill us, why not just shoot us beforehand on the beach?"

Doxstader said, "Sir, if I'm not mistaken, you said that, at that time, your father was suffering from extreme disorientation symptomatic of Alzheimer's disease." He checked his notes. " 'A four,' you said."

"Right, at the time, he couldn't have flown a kite. But Bream knew that my father had episodes of lucidity. And my father wasn't our only option. If Alice hadn't called, someone at one of the control towers in the area might have given us instructions over the radio."

Eskridge appeared to ponder this, pulling the knot of his tie to the point where it would take some effort to undo. "Mr. Clark, do you have any factual basis for your speculation that the target might be in the United States?"

"For one thing, I don't see Bream being on the level about his employers. The Injuns, he called them. Every bit of information he volunteered was tailored to a clever cover—it was only at the very end that I saw his redneck act for what it was."

"So he's more intelligent than he let on." Eskridge inspected his fingernails. "There's a fellow here at the agency. Summa cum laude from MIT, top of his class at the Farm, National Clandestine Service fast track. He had some home trouble. Now he works in Food Service."

Food Service gave Charlie a new line of thought. "You know, I asked Bream if he'd celebrate the sale of the ADM with a good bottle of wine—I was fishing for where he was taking the bomb. He pooh-poohed me. He'd be having Budweiser, he said, and a rack of ribs. Not exactly standard Mumbai fare."

"Probably just playing to his cover again," Eskridge said.

"What if it were one of the bits of truth mixed in to give foundation to the lies?"

"You'd be surprised what you can find in Mumbai," said Doxstader. "There are now two hundred and forty-four McDonald's in India."

Eskridge remained intent on a thumbnail. "Alternately, if you've just sold a nuclear weapon to folks who have no compunction about using one, you don't want to stick around. You want to get bloody well back on your plane. Later, you celebrate, sure. At a good ribs joint, if that's your thing. Or a sushi bar. I don't see how it pertains."

With a sudden sense that he was closing in on the clue that had been eluding him, Charlie rushed his words. "Right after that, I asked him how the collateral would affect his appetite. I was hoping to bring his ego into play. He asked if my knowing he was kept up nights by thoughts of the victims made him less of a villain in my eyes. Then he said that he'd made the decision to go ahead anyway because it's the wake-up call *our country* needs."

Eskridge shook his head. "It's more likely that, as you said earlier, he wants the mansion. Ultimately, the bad guys all want the mansion. The good guys too."

Charlie pulled his seat closer to the table. "But if we walk back the cat—"

Eskridge turned to Doxstader to explain. "Old counterintelligence expression."

The junior man nodded, as if impressed. Charlie suspected they were mocking him, but he forged on. "He made so many disparaging remarks about the 'Culinary Institute of America' and other 'so-called' intelligence agencies. If the best and brightest were on this case, he said, he wouldn't have had such an easy time of it. Maybe he was one of you once. It sure seemed like he'd had the same training as my father. Maybe the intelligence community didn't accept him, or, in his mind, judged him unfairly. And now he wants to prove he was right."

Eskridge almost sneered. "The way horseplayers do?"

"The thrill of being right drives a lot of people to do stupid things."

Doxstader looked up. "You know, the G-20 starts this weekend."

"The G-20?" Charlie said.

"The Group of Twenty. Argentina, Brazil, China—"

Eskridge cut in. "And seventeen other countries, including ours, who send deputies to chat about economic issues. The reason you don't know about it, Charlie, is the same reason terrorists wouldn't be interested: no sex appeal. I couldn't even tell you where they're holding the G-20."

"Mobile, Alabama." Doxstader set down his stylus for the first time. "Gem of a city, precisely the sort of secondary target al-Qaeda's been focusing on."

He waited for a response from Eskridge, who focused on a cuff link.

Doxstader wasn't deterred. "Sir, a number of the top French officials are attending the G-20, including the president—something having to do with Mobile's French heritage. Also Mobile has close to a hundred miles of coast without anything near the level of security in a Miami or a Long Beach."

"And wouldn't the element of surprise be a selling point?" Charlie asked.

Doxstader nodded emphatically. Eskridge cleared his throat in an obvious effort to suppress his young colleague. "You probably don't need to know this, but we have another source corroborating the India story," Eskridge said. "A former intelligence operative, one of Alice Rutherford's captors, tried to sell information to our people in Geneva. He said that Ms. Rutherford was to be traded for an ADM by the United Liberation Front of the Punjab. A couple of weeks ago, the very same United Liberation Front of the Punjab had sent men to Martinique to try to buy the ADM."

"But suppose they didn't buy it," Charlie said.

"They didn't." Eskridge grumbled. "Not until yesterday."

The implicit blame stung Charlie. "Why would Bream be foolish enough to let some hired thug in on his plans? Even I would have known to make up a cover story for Alice's rendition."

"This thug was a professional spy, or at least he had been," Eskridge said. "He assumed he'd been false-flagged by Bream. Then he did some digging."

"And found the fool's gold Bream had left for

him?" Charlie said. "Why would Bream have hired an untrustworthy ex-spy in the first place?"

Eskridge turned to Doxstader. "Share the company secret to catching bad guys."

Doxstader nodded. "They always make mistakes."

"The thing is, Bream knew enough to use the Indians as straw dogs," Charlie said. Eskridge's enthusiastic nod belied his growing impatience. "He could be trying to divert attention from Alabama, which, not incidentally, is to ribs what Switzerland is to cheese. Plus, I bet he really is a Southerner."

"You *bet*?" Eskridge turned to Doxstader. "What do we know?"

"Only that the actual John Townsend Bream has been institutionalized in Mississippi for nine years."

"That lends more credence to Southerner than if the institution were in New Hampshire," Charlie said, but to blank faces. "And he certainly had the dialect down, and the accent—a lot better than the cast of *Gone with the Wind*, anyway."

Eskridge rolled his eyes.

"You'd be amazed at the Russians' linguistic training," Doxstader said to Charlie.

Charlie wanted to hit something. "Why would Bream want us to think he's a Southerner?"

"It's an old spook trick." Eskridge pushed back from the table. "So you don't know who he really is."

3

Charlie planned to spend the next couple of days in Baltimore, enjoying some R & R at Pimlico Race Course. Or so he told Corbitt as they returned to the airport, alleviating the base chief's concern that Charlie would take his wild theory to the media.

In fact, Charlie drove a rented Ford Taurus 1,039 miles south. At Mobile's city limits the sporadic shacks and farmhouses alongside the country road mushroomed into a collection of genteel antebellum homes and buildings that met his conception of the old South. Until several taller buildings appeared, and from behind them, taller buildings still. The skyline rose, like flights of stairs, to futuristic skyscrapers. This was certainly not the quaint Southern city that his hasty Googling had led him to envision, a few square blocks of charismatic office buildings and a "downtown" swaying to the sultry saxophones from little jazz clubs, the air scented with smoke from ramshackle yet charming ribs joints.

The country road rose into an elevated modern highway, spiraling in apparent defiance of the laws of physics over what Charlie initially took to be the Gulf of Mexico. It was the sort of construction that caused people to stop and marvel. Charlie indeed marveled at it, and he marveled even more at the body of water, which extended to the horizon, like any ocean. Except *this*, unless the maps and signs were mistaken, was Mobile Bay.

He exited the highway at Water Street, a four-lane road paralleling the Alabama State Docks, check-in point for vessels from abroad. He drove alongside miles and miles of blackened iron piers, mammoth warehouses, and comparable container ships. Not only did the complex dwarf the city, an entire naval fleet could cruise into it without drawing notice from shore.

He had a feeling, like a cold coming on, that he'd greatly underestimated the amount of detective work that would be required to find Bream here.

He caught sight of a sign plastered onto the side of a warehouse—he'd seen one or two of them already, but only now did the significance register. It listed a Customs and Border Protection phone number for arriving noncommercial vessels to schedule in-harbor inspections. If Bream were checking in with Uncle Sam, he could do so from any number of harbors on the ocean-sized bay.

Charlie sat outside Mobile's tourist information office with a map of Mobile Bay spread over his steering wheel. In the passenger seat was a pile of brochures that the zealous staffers had forced on him, including those of a charter fishing service, a children's museum, various historical sites, and local real estate agencies—in the event that he really, really liked the contents of the other brochures.

Gusts off the bay spat bits of garbage around the parking lot. Dark sheets of rain belted the rented Ford. The horseshoe-shaped bay itself was 413 square miles, or twenty times the size of Manhattan. Its shoreline was eighty-four miles, and there were another hundred miles of beaches on either side of its mouth. He had a better chance of finding a needle hidden in New York than he did of finding Bream in Mobile.

And here was one for the annals of idiocy: He had actually thought he could row a boat across Mobile Bay, if needed, to look for Bream.

Bream had taken possession of the washing machine on Monday, three days ago. A fast yacht would take seventy hours to get here. The G-20 kicked off tomorrow evening. Presumably sometime before then, when security would be tightest, Bream would arrive with the ADM. Unless he'd taken a plane.

Charlie wondered what his father would do now.

He had no idea. That was the problem.

He called Alice, needing comfort as much as counsel. Five rings and her voice mail kicked in. She was probably in a conference room that didn't permit incoming calls.

Just as well. He didn't relish explaining to her how he'd charged down to Alabama on little more than a hunch.

He glimpsed a small ad on the back of a local pennysaver, placed by a private detective named Dave LeCroy, who specialized in marital infidelity. LeCroy's black-and-white photo might have passed for one of a young, beardless Abraham Lincoln if not for the cell phone pressed to his ear. A comic strip balloon from his mouth declared, "I'll get your man!"

4

Shafts of sunlight appeared to part the clouds when Charlie parallel parked on a low-rent stretch of Dauphin Street, Mobile's answer to Bourbon Street according to the tourist information. The elaborate four- and five-story buildings indeed conjured those of New Orleans, but at eleven-thirty in the morning, Dauphin—pronounced *Doffin* by everyone here—was quiet, the bars still asleep.

Charlie entered a squat building whose ground floor tenants included a "gentlemen's club" and a tattoo parlor. A grubby flight of stairs brought him to a door stenciled with big gold letters: OFFICES OF DAVID P. LECROY, LICENSED PRIVATE INVESTIGATOR.

Charlie had barely knocked when the door was flung open by a voluptuous young woman.

"Hi," she said, adding, "I'm the receptionist." She wore a white blouse and a modest plaid skirt. Her lofty heels, the absence of hose, and the tattoo of dice on her ankle suggested that she worked at the club downstairs, and that she threw on the blouse and skirt when the detective had a prospective client. "Mr. LeCroy is expecting you."

As Charlie followed her through the tiny anteroom, he realized that she hadn't asked him his name. She gestured him ahead into a faux-teak paneled office, where the man from the ad shot up from his vinyl chair.

"Great to meet you," he said, pumping Charlie's hand.

"Same." Charlie heard the outer door shut and heels clicking down the stairs.

In real life, the latter-day young Lincoln was pushing fifty and stood no higher than Charlie's nose. He'd used a good retoucher for his ad—much of his face showed remnants of teenage acne. His hair was not his. And he'd put money into his mouth. Perhaps too much. Flashing a game-show host's smile, he said, "Take a load off." His eyes never once met Charlie's.

Sitting down, Charlie asked, "So how'd you get into detective work?"

"I like to help people." Leaning forward, LeCroy nested his chin on his hands, a pointedly contemplative pose. Finally his eyes found Charlie's. "How can I help you?"

"I have a friend who arrived or will be arriving here from overseas this week in a private yacht, but I don't have a way of reaching him. He's not big on turning on his phone or checking e-mail on vacation. I was hoping that, as a licensed PI, you'd be able to access the port's entry database."

The screen saver on LeCroy's computer was a low-resolution photo of a naked blonde in the same chair Charlie occupied now. The detective clicked his mouse and she dissolved into a jumble of file icons. "Know the name of the boat?" he asked.

"No."

"What's your friend's name?"

All Charlie knew was that the name wouldn't be Bream. "Is there any way I could see a list of all the people who've arrived?"

LeCroy's eyes filled with understanding. "Let me guess: Your old lady took a cruise for two with a yacht owner you've never met and know nothing about, but would very much like to sock in the nose?"

"That sums it up well enough."

LeCroy smiled. "I have more cases like this than you'd believe."

"Then I have come to the right place." Charlie decided that the private eye was probably better suited to this job than the CIA was.

"I can execute this search now." LeCroy tapped his keyboard. "It usually runs ninety-nine ninety-five. How does that suit you?"

"How does cash suit you?"

"Goes well with my leather billfold."

It took Charlie a moment to figure out in which of his new cargo pants pockets he'd placed his wallet. He dug it out and produced a hundred-dollar bill. Directed by a bob of LeCroy's head, he dropped it into the in-box.

"Okay then." The private investigator interlaced and stretched his fingers, the way pianists limber up. "So where'd the bastard take her?"

"Saint Lucia or the vicinity." Bream would have covered his tracks, Charlie thought, though it made sense to start there.

LeCroy clicked away at the keys. "Bingo!"

Charlie felt a shiver of excitement.

"Ronald Feldman and Annabelle Kammeyer, ages sixty-one and thirty-one, of Fort Walton Beach, Florida. Arrived here in Mobile from Saint Lucia on Tuesday the twelfth, two days ago."

Charlie's excitement dissipated. "Couldn't be my 'friend.' He was still in the Caribbean Monday the eleventh. I don't think he could've gotten up here that fast."

LeCroy reapplied himself to the keyboard. "I'm gonna check a bunch of ports. It's possible the guy cleared customs in Florida or in Gulfport, Mississippi. Also a lot of folks get it out of the way in San Juan."

The Florida Panhandle and Mississippi were both thirty miles away. The residents of Mississippi would offer a strong argument that their barbecue beat Alabama's. Charlie could practically hear his prospects deflating.

The bulky dot-matrix printer behind LeCroy grunted out three sheets of paper. The detective snapped them up and perused. "Okeydoke, in the past forty-eight hours ending yesterday at four-fifty-eight P.M.—that's about as late as CBP stays open—we've got eighty-three private vessels that checked in one way or another and either passed inspection or were cleared without inspection."

"Can you tell me how many had a guy aboard between, say, thirty and forty?"

LeCroy ran his finger down the top page, counting to himself. "Thirteen so far. Plus a boat with a Jean aboard, age of thirty-one. Probably a broad, but could be a French guy, right?"

Charlie tried not to appear forlorn.

"Cheer up, kiddo. The game's just begun," LeCroy said. "Now's when I put the gum to the pavement."

"And do what?"

"Trade secret. Two twenty-five a day, plus expenses."

"How about two hundred, if you give me a for instance?"

"Fine. Between us: harbormasters. They make it their business to know which fish are in their harbors, let alone which boats."

"Aren't they supposed to be discreet?"

"Yeah, but they're also supposed to not accept donations for their kids' new video game console funds, if you get my drift."

"I think so," Charlie said. He liked the harbormaster strategy, but odds were LeCroy would offer bribes that Bream would smell a state away.

LeCroy flipped through his desk calendar. "I got spouse cases today and tomorrow, meaning I'm stuck in a car with a camera in a motel parking lot. After that, I'm yours. What do you say you call me then?"

"That fits my schedule perfectly," said Charlie, who intended to go visit the harbormasters now.

5

The posh Mobile Bay Marina sat a quarter of a mile up the beach from the Grand Hotel. The information Charlie needed was strictly proprietary. Finally, a task suited to a horseplayer.

At the track, a fortune could be made with the knowledge that a favorite was running just because "he needs a race," meaning he's not fit to win, so the jockey will "school" him—just let him experience competition. Much of Charlie's "job" had been wheedling such intel from grooms. The attendant in the Meadowlands owners and trainers parking lot often proved an oracle—just not often enough. At Aqueduct, the refreshment stand workers were Charlie's best sources. Amazing what an owner would let slip while waiting for his seventh Big-A Big-B—thirty-two-ounce beer—of the day.

In the waterside village catering to the Mobile Bay Marina, the Grand Hotel, and a cluster of golf and beach developments, Charlie posed as a tourist. He was interested in chartering a yacht, he told the eager-to-serve proprietors in three of the quaint art galleries and boutiques crammed onto the short main street. He learned that the marina's veteran harbormaster, known to all as Captain Glenny, viewed her job as part sheriff and part priest. Refueling a cabin cruiser took in excess of an hour, during which time returning yachtsmen regaled her with their adventures. In twenty years on the job, she had become their friend and confidante.

Charlie sensed such a woman would look upon any bribe with indignation. Were Bream among her charges, she would alert him within moments.

Charlie took a page from the *Post* and *Daily News* beat reporters at the track. Their jobs, consisting of little more than reporting the order of finish and adding a dash of commentary, placed them at journalism's lowest rung. Nevertheless, their status as members of the media induced complete strangers to speak with the sort of candor psychiatrists rarely attain from their patients. The limelight acted as a powerful stimulant, even the few particles of limelight emanating from a department whose existence newspapers didn't like to acknowledge.

Charlie's cover began with a stop at a nearby Sears. He bought a baggy pair of khakis, an oxford shirt, Hush Puppy knockoffs, and an extra-large synthetic wool parka. The idea was to look like a journalist as well as hide his identity from Bream.

In the same mall, Charlie hit Cheapo's, an office supply store. For $4.99 he printed himself business cards using the same name that appeared on his forged New York driver's license, John Parker, and billing him as Editor at Large for *South*, a new lifestyles magazine based in Tampa. He chose Tampa because it was far enough away from Mobile to preclude *Do you know?* questions. Also Tampa was the only place in the South where Charlie had actually spent time—albeit all of it at Tampa Bay Downs.

The Mobile Bay Marina stayed open twenty-four hours. It was probably never more inviting than when Charlie arrived, the bay a pastiche of blues and silver, the sun having brought the air to the precise temperature at which being outdoors felt most invigorating. Rustic docks and gleaming hulls and spars swayed with the mild current. From the parking lot, he saw no one about, though there might be yachtsmen below deck. He wasn't sure how to pass through the big entry gate without drawing their attention. Then he spotted the OPEN TO THE PUBLIC sign. It felt like a gift.

The instant he set foot on the pier, a middle-aged woman burst out of the harbormaster's office. She was stout and might have been pretty if she hadn't appeared poised to bark at him. Her spiky hair was cut short, exposing a sizable collection of gold earrings, worn only on her left ear.

"How can I help you?" she asked with a none-too-subtle undertone of "You are obviously not a wealthy yachtsman or someone a wealthy yachtsman would want to see, so what the heck are you doing here?"

"I'm a reporter," Charlie said.

She looked him over. "Doing something on the G-20?"

"Actually I write for *South Magazine*."

"Uh-huh. Don't know it."

So much for the Limelight Effect.

"Lead times what they are, my story won't run until the spring issue. We're doing a piece on the prettiest harbors in the South, and so far this one gets my vote. Could you by any chance direct me to the harbormaster, Glenny Gorgas?"

"I'm Glenny." She took in Charlie's mock surprise. "Short for Glendolyn."

"Pretty name."

She warmed, but only by a degree. "So how can I help you?"

He needed to find out which yachts had arrived in the last day or two. This time of year, the number wouldn't be high.

"Do you, by any chance, have time to give me the dime tour?"

They walked the docks for twenty minutes, Glenny paying no attention to the sprawling golf course or the tennis courts, or the resort hotel itself, a town's worth of pert three-story brown clapboard buildings, many of which loomed over the marina. Her focus was on the two hundred or so yachts, which she referred to as if they were their owners. Passing a sleek and towering catamaran, she said, with pride, "*He* made a hole in one last weekend."

This was the opening Charlie had been waiting for. "Here in Mobile?"

"Mr. Chandler has a condo on the course at the Grand." She smiled. "Sailing for him is an excuse to play golf."

"Do a lot of the boat owners have homes here?"

"A few have condos here, but most live close enough, up in Montgomery or Birmingham. A handful in Tennessee."

"How many people do you see during the winter?"

She sighed. "Winter's a lonely time to be a harbormaster."

He stopped, pointedly looking around. There was no sign of anyone, just the groans of ropes holding yachts to docks. "Is *anyone* here now?"

The harbormaster brightened. "Actually, I had two parties in yesterday, and one the night before that. January and February I get the occasional excursion to the Caribbean or Mexico."

With manufactured fascination, Charlie scribbled each in his notebook. "It must be fun, when the people come back, to hear about their adventures?"

Glenny's step added a skip. "Best part of the job."

"Heard any good stories lately?"

"I'm expecting a really good one any time now, actually." She pointed to an empty slip at the end of the far dock. "Anthony and Vera Campodonico, retired couple, spent their whole careers at Auburn—he used to be a dean. Now they go down to the Caribbean and South America looking for lost civilizations and stuff like that. He actually writes books about it."

Probably not Bream, Charlie thought, given the Campodonicos' ages.

Glenny strode ahead. "And of course there's Mr. Clemmensen—Clem Clemmensen. Great guy. He just got in from Martinique." She smiled at a relatively plain cabin cruiser. "Even when he goes on fishing trips 'just to do some thinkin',' as he says, he comes back with yarns that involve either a girl or a barroom brawl, or a barroom brawl over a girl. Lately he's been cruising around trying to figure out what to do with the rest of his life. He made a bundle in flight simulator software and basically retired last year at forty. Not bad, huh?"

"Sounds like a good story," Charlie said, struggling to keep a lid on the high-voltage conviction surging through him that flight simulator software was a chapter in a cover story: Clemmensen was Bream.

Motion on the pier behind them seized their attention. Heading their way were two men in dark suits and sunglasses, one white and the other black, both athletic, clean-cut, and in their late twenties. Their stride was all business.

Once within hailing distance, the black man asked, "Charles Clark?"

Charlie tried to appear relaxed.

The men shared a nod. He'd failed.

"We're Secret Service," the white man said. "We were hoping to talk to you privately, sir." For Glenny's benefit, he added, "We have to interview everyone in the vicinity with out-of-state tags. Standard operating procedure."

6

The Cavalry's not as dead as they're supposed to be, Charlie thought.

Because his hands were bound in front of him by plastic cuffs, each turn slammed him into the door or the window as the SUV sped away from the marina.

The black man drove. Washington, according to his ID. The Secret Service badge the white guy had flashed identified him as Madison. Either the names were flagrantly fake or a simple instance of truth being stranger than fiction.

As the sun fell into the woods lining the two-lane country road to the local police station, their purported destination, their SUV approached an identical black vehicle, which slowed as it drew near. Washington stopped so that he was even with the other driver. Both drivers' windows glided down. In the burgeoning darkness, Charlie could make out only a thickset man in the other car.

"How's it going, Wash?" the man asked.

"Can't complain—no one would listen. You?"

"Another day, another advance team packed off to Dauphin Street. You heavy?"

Washington glanced at Charlie in the rearview. "A Class Three."

The thickset man yawned. "You boys hitting happy hour?"

Leaning across the seat, Madison said, "We sure hope so."

"I'll be waiting. Wash here's been ducking me at Miss Pac Man."

With a round of *Later*'s, they were off.

Charlie was almost convinced that Washington and Madison were indeed who they said they were. The laptop computer, bracketed to the console between the front seats, had a Secret Service gold star as its screen saver. The muted chatter from the police radio continued to include "Grand Hotel" and "protectees." And if these guys were Cavalry, he would either have been dead by now or on a waterboard.

But why would the Secret Service want him? Aside from the fact that he'd been exonerated—although it wouldn't be the first time in government annals that paperwork was slow to be processed—how did they even know where to find him?

Bream might have told them. He could have seen Charlie through a porthole.

"So what are we supposed to talk about?" Charlie asked the agents.

Madison turned around in the passenger seat, no trace remaining of his happy-hour banter. "Mr. Clark, for a heads of state event prep, the Secret Service is required to conduct advance interviews of all Class Threes in a two-hundred-fifty-mile vicinity."

"I'm guessing Class Three doesn't mean VIP," said Charlie.

"It's an individual in our database who—"

Washington cut in. "Who, we hope, won't give cause for concern."

"How did you know I was here?"

"We received a tip from a civilian who has a working relationship with law enforcement."

"Not the private eye, LeCroy?"

Madison looked to Washington.

"We don't disclose the identities of paid informants," Washington told Charlie.

LeCroy must have snapped a photograph of Charlie with the Webcam he had used to produce his screen saver of the naked blonde, then sent the picture to his law enforcement "colleagues" in hope of collecting a reward for a tip leading to an arrest. Irksome, but better a betrayal by a two-bit PI than a setup by Bream.

"My record was cleared though," Charlie said. "It's supposed to be in the same classification now as driven snow."

Washington slowed the car, to better focus on Charlie in the rearview mirror. "Sir, then why your interest in private vessels arriving from overseas?"

"I'm glad you asked. I believe there's, like, a Class Ten at the Mobile Bay Marina, a guy bringing in high explosives."

The agents exchanged a glance.

"I get it, I sound like one of the people who tells you they've seen a flying saucer," Charlie added. "But just call Caldwell Eskridge, the director of the Europe division at the CIA. Or let me call him myself. I met with him at CIA headquarters yesterday about this matter. I'm almost certain the bad guy is passing himself off as a yachtsman named Clem Clemmensen."

The resort town's police station sat adjacent to a fire station and looked to be part of the same toy set. Sitting alone at the intake desk, Charlie waited for his claims to be verified and for the return of the personal items he'd been forced to surrender upon arrival—"just a technicality," the duty officer had said. The policeman had also promised that, afterward, either Washington and Madison or one of the four cops on duty would take Charlie back to the marina.

An hour crept past.

Finally the duty officer reappeared. "Sir, I'm afraid we've got some not so good news."

Charlie braced for the latest.

"We need to charge you for possession of a forged United States government document—your New York driver's license. It's a Class Two misdemeanor."

This was good news by Charlie's standards. Teenagers were caught with fake licenses all the time. "So is there a fine?" he asked.

The duty officer, a gangly, twentysomething Southerner, had warm blue eyes and the gentle manner of a kindergarten teacher. "A conviction carries a fine of up to a thousand dollars or confinement for up to six months, or both," he said apologetically. "We'll need to hold you here. Bail will be set tomorrow morning."

Charlie's initial thought, practical joke, was too much to hope for. Best case scenario, this was indeed his sort of luck. Worst case, Bream had somehow managed to keep him on ice here. No, that wasn't the worst. The worst was that Bream or one of his confederates would be visiting.

Charlie decided to use his allotted phone call to solicit Eskridge's help. Although arrogant, the division chief wasn't stupid, and Charlie had a solid lead to give him.

After wending his way through the CIA's telephonic maze, Charlie reached an agent on duty in the Europe division who promised, "I'll get this to the chief right away."

Then, once again, Charlie was behind bars. In this case, wire mesh. The police station's "holding cells" weren't cells so much as a single small room divided in two by a wire mesh sliding gate, with windowless walls painted cherry red, so bright as to be depressing. A stainless steel panel would provide him a modicum of privacy should he need the toilet in the corner. He was the only detainee, however.

He sat on the concrete bench running the length of the back wall and stared at the lone door, a slab of metal with a glass stripe at eye level. The door would not open again until breakfast-tray time, he thought.

If he was lucky.

A few hours later the door to the next cell opened, with a hydraulic hiss.

The duty officer ushered in another detainee, a handsome man of about forty with a deep tan and the physique of a former athlete. The man's demeanor remained pleasant in spite of his circumstance.

Closing the door, the policeman said, "Don't worry none, we ought to get this settled right quick, Mr. Clemmensen."

7

The new inmate plopped onto the bench on the other side of the dividing wall. With a wave and conviviality better suited to a cocktail party than a holding cell, he said, "Hey there. Name's Clem Clemmensen."

Charlie wondered if he was in the midst of an illogical dream. "John Parker," he said, sticking with the name on the forged license in case Clemmensen was in league with Bream.

"They got me in for an expired fishing license, even though I wasn't fishing," Clemmensen said. His indignation quickly gave way to a smile.

You'd be hard-pressed to make this guy unhappy, Charlie thought.

"Were you even on a boat when they picked you up?" he asked Clemmensen.

"Yeah, I just came in from Martinique. French island, you know it?"

"I've heard of it." Charlie raced to connect Clemmensen to Bream. Could Bream have tricked the flight simulator software millionaire into transporting the washing machine to the United States? Or put a gun to Clemmensen's head and forced him to ferry the bomb here? "So what happened? One of your friends was fishing?"

"It was just me on the boat." Clemmensen sighed. "The young lady I was trying to lure aboard was spending way too much time with her scuba instructor."

Charlie grunted sympathetically. "So you just motored on home?"

"Not until she went to the disco with him." Clemmensen sat straight up, seemingly spurred by epiphany. "Know what I think's going on?"

"What?"

"The dang G-20. There's all kinds of screening being done by various local law enforcement agencies. Now me, I never done much worse in my life than drive over the speed limit. But on election days, I pull the Democratic lever, which sometimes doesn't go over well in these parts. It's just my luck that I get hauled in by the cops while the Campodonico bastard in the next slip rolls in tonight from a tropical rum binge and heads right out on a pub crawl. Rule is, you're supposed to stay on your boat until Customs green-lights you."

Charlie recalled the name Campodonico. Captain Glenny had been anticipating the Campodonicos' return from their latest adventure in the Caribbean or South America. But they were elderly. Or was that cover?

"Campodonico, the university dean?" Charlie asked.

"That's Anthony Campodonico," Clemmensen said. "I'm talking about Tom, the nephew—in this case, the acorn fell awful far from that family tree."

Charlie smelled blood. "I might know Tom, come to think of it. About thirty-nine or forty?"

Clemmensen chuckled. " 'South of forty' is all he ever admits to."

Charlie recalled Bream using similar phrasing. "North of thirty," he'd said when telling of his hoped for transition from Lockheed's Skunk Works to corporate jets.

What were the odds?

The door hissed open.

Clemmensen leaped to his feet at the sight of the duty officer.

"Sorry, sir, not just yet, Mr. Clemmensen," the kindly cop said. He turned to Charlie. "Your lawyer's here to see you."

8

"Actually, I do have a law degree," Eskridge said. "Yale, 1986."

Charlie sat facing him at one of the three schoolteacher-style desks in the tiny and otherwise unoccupied detectives' bureau. Doxstader stood outside the door, in the lobby, feigning interest in the M&M's machine, but obviously eavesdropping.

"If I were acting as your attorney, I'd have had you out of here before my helicopter left the pad at Langley," Eskridge continued. "But as someone whose concern is national security, I have a reservation that needs to be addressed first."

Charlie confessed, "I realize I haven't exactly taken a textbook approach to things, but there's a chance some good has come out of it."

Eskridge stiffened. "Do you have another tip for us?"

"No, not a tip—"

"Good. The Secret Service, not knowing better, believed you. They trumped up a charge to yank Mr. Clemmensen away from the marina. Then they inspected his yacht stem to stern. The closest they found to contraband was a bottle of Aqua Velva. Clemmensen himself is a speeding ticket shy of being

Mother Teresa. And if he weren't such a good old good ol' boy, we'd have ourselves a flap now."

"I'm sorry about that."

"Good. Now—"

"There's one other yacht there that's just in from the Caribbean, registered to a family named Campodonico—"

Eskridge cut him short. "Listen, Charlie, you acted heroically in Fort-de-France. Everyone commends you; everyone is grateful. But if we were to go after anybody else without probable cause, we would be on a witch hunt, and we don't do witch hunts, despite what you may read on blogs. The people paid to do this sort of investigating are currently in India, based on good intelligence. To conduct an investigation based on anything less is begging for a flap." Eskridge paused to think. "Why is the name Campodonico so bloody familiar?"

From outside, Doxstader said, "The anthropologist."

"Ah, yes, right." Eskridge turned back to Charlie. "He writes coffee table books on indigenous tribal rock painting. My wife has given me several of them as Christmas gifts. So, yes, Campodonico is, in a way, a terrorist."

Charlie wanted to argue for an unofficial peek into the life of Tom Campodonico, but he recognized that he stood a better chance of convincing Eskridge to launch a new investigation into the Kennedy assassination. Tonight.

"So you have a choice to make, Charlie Clark. You

can stay here—the company has no power to detain you. On the other hand, Mobile's finest may find—*or be supplied with*—ample excuse to prolong your stay in the drunk tank. Alternatively, you can leave the G-20 security provisions in the hands of the Secret Service agents and the more than nine hundred other specialists here from the Coast Guard, Navy, Air Force, Department of Energy, and Homeland Security. If you do, you'll be released at once and I'll see to it that your fake driver's license issue will cease to be an issue. All I need is your word that you'll leave town tonight."

"I promise," said Charlie.

Eskridge nibbled at his lower lip, seemingly unconvinced. "Where will you go?"

"A few hours drive from here, in Mississippi, there's a casino where I have a good relationship with a couple of slot machines."

"Congratulations, you're a free man."

"Thank you," Charlie said.

He had every intention of going to Mississippi tonight.

And returning to Alabama first thing in the morning.

9

Earlier that same night, Bream sat at the helm of the Campodonicos' sixty-foot cabin cruiser, entering Mobile Bay, the sky so dark and the water so gentle that if it weren't for the salty air, he might have believed he was chugging through outer space.

He dreamed of sitting at a bar, his fingers wrapped around a cold bottle of Bud.

The yacht had plenty of beer, and the plush cabin was much more comfortable than any of the seedy dockside dives that would still be open when he reached the marina. He'd been at sea for the better part of four days, though. He could have covered the distance from Saint Lucia in two days and change, but so as not to raise any eyebrows in the Coast Guard radar stations, he'd dropped anchor for one night at Saint Kitts and stayed a second night in Anguilla. Now he felt as if sea salt clogged his pores. Not much of a seaman, he longed for the "firma" sensation of terra firma.

And he was close. But he still had to pass Customs and Border Protection. Along the 95,000 miles of American coastline and in 3.4 million square miles of ocean territory, CBP had to contend with 15 million registered small vessels and another 10 million unregistered. And the agency's primary job was commercial traffic. Consequently, CBP agents boarded only about 45,000 small vessels per year, or 1 in 500. Under ordinary circumstances, Bream stood a better chance of being boarded by pirates.

Of course, illegally ferrying a nuclear weapon hardly rated as ordinary circumstances. An added worry was that the cutout from Lahore, Dr. Jinnah, might have figured out that he'd been an unwitting part of a false trail meant to lead the CIA to the United Liberation Front of the Punjab's door. An even greater risk was defrocked Air Force intel operative Corky Morrison, Bream's surfer boy "associate"—a little meth money and the mercenary would spill all he knew. Accordingly, when Bream had rendezvoused with the Zodiac near Saint Lucia, he had shot both men. His only choice. Live men tell tales.

The unbelievably resourceful Alice Rutherford had killed the remaining mercenaries—Carlo Pagliarulo, Lothar von Gentz, and Klaus Wagner—saving Bream the trouble. And in helping Charlie land the plane, she had helped perpetuate the Punjab diversion. Otherwise Morrison, monitoring the flight, would have stepped in via radio.

And if Alice now reported what she'd learned about Bream, fine. He no longer existed, effectively.

Nosing the yacht into his slip at the sleeping Mobile Bay Marina, he telephoned the local CBP office. "Hey, y'all, Tom Efferman here, fresh back from the beautific island of Saint Lucia," he told the voice mail.

As he'd anticipated, the office had long since closed for the day.

Tom Efferman was a damned fine alias. In 1976, in rural Blue Ridge, Georgia, a horse bucked, throwing five-year-old Thomas Efferman to the ground. The animal's front hooves slammed onto the boy's head, permanently damaging his brain. He subsequently left his mother's trailer only on Christmas, if he was able.

Four years ago, Bream—born in 1971 in Nashville and given the name Maddox Mercer—learned of the boy when hacking the database of an organization that delivered holiday meals to the homebound. Thomas Efferman's social security number was all Bream needed for the state of Georgia to send a copy of the boy's birth certificate to an accommodation address he'd set up in Montgomery, Alabama. With the birth certificate in hand, obtaining an Alabama driver's license under the name Thomas Efferman was a relatively simple matter of passing the driver's test. The boating license was simpler still.

Prior to meeting with Qatada, Bream—as Efferman—had offered to rent the Campodonicos' yacht. The couple needed money, having underbudgeted their retirement and overestimated the sales of books about tribal rock paintings. In the Campodonicos' patrician yacht club social set, renting carried a stigma. Bream had figured that out in advance of contacting them. In person, he suggested, "How about we just tell folks I'm your nephew or cousin?"

Now he steered their yacht's starboard side even with the dock. Technically, he couldn't go get his Budweiser—or disembark at all—until he had either passed a CBP inspection or received the call from CBP releasing him. But the CBP folks were in bed, and the cops enforced the shipboard regulation with less frequency than they busted up penny-ante poker games.

As he bounded onto the quiet dock, two Mobile policemen materialized out of the darkness.

Standing unnaturally straight, Bream said, with a slight stammer, "Evening, officers, how y'all doing?" As an innocent man would.

" 'Evening, sir," both cops said as they hurried past on the way to Clem Clemmensen's boat.

Bream guessed ol' Clem had backed the wrong sheriff.

10

As the radiant Mobile skyline shrank in his rear-view mirror, Charlie thought of Arcangues, a French colt named after the village in Aquitaine. Arcangues had only raced on grass in Europe before being shipped to California in 1993 to compete in the Breeders' Cup on Santa Anita's dirt track. Sent off at odds of 133 to 1 and under a last-minute replacement jockey, Arcangues caught up to the powerful bay Bertrando in the homestretch, beat him to the wire, and became arguably the greatest in the history of long shots.

Charlie put the odds that he could securely communicate with Alice even higher. But even if he could tell her why he'd driven south and what he'd subsequently learned about Bream, neither she nor her NSA colleagues—who were busy grilling her in Geneva—could do anything about it.

When he called her on his cell as he drove out of Mobile, he recognized that he would have to tell her a cover story.

"Eskridge must have given you an awful lot of confidence in the agency's efforts if you're on a casino crawl," she said. She spat out "casino" the way she might have said "brothel."

"He made a very strong case for my going to a casino."

"Wasn't it you who said the best chance you have at a casino is to stay outside?"

Although he'd braced for it, her implicit disappointment stung him. In Gstaad, she'd once called his life at the track "tragic."

"Haven't I ever told you about Joseph Jaggers?" he said.

"You said that you wanted to name a dog Jaggers, when you get a dog."

He'd meant when *they* got a dog.

"He was a nineteenth-century British engineer who thought that even slight imbalances in a roulette wheel might result in certain outcomes. At the casino in Monte Carlo he discovered that the ball wound up more often in nine of the compartments. When he started playing, he broke the bank."

"Ah. So you're headed to Mississippi to make a study of certain outcomes."

"I don't know. Maybe I just need some R & R."

He wished he'd simply said that he was going to hit some golf balls, or that he just wanted to lie around a pool and read sports magazines. Either would have sufficed to confuse his true target audience, the CIA personnel he believed were eavesdropping. It wasn't Eskridge's style to leave things to chance.

"How about, once I'm done here, we rendezvous at Le Diamant?" Alice asked. She maintained that the beach resort at the southern tip of Martinique received five stars only because there were no six-star ratings.

"Sounds great."

"Super," she said, but with so little of her usual enthusiasm as to cast doubt on the plan.

He hoped she would be proud of him when she knew the truth. At least the eavesdroppers now had corroboration for his three-hour drive to Choctaw, Mississippi. He wanted to give them all the help he could in tracking him to the Golden Sun Hotel and Casino.

He and Alice talked over next steps, dependent on the completion of her meetings in Geneva. He signed off with a cheerful, "Call me when you have the green light." He did not say that he intended to leave his cell phone at the Golden Sun when he fled.

11

Lake Geneva ranked as the largest body of freshwater in continental Europe. And arguably the most spectacular. On this sunny morning, the water outshone most sapphires. Alice liked Lake Geneva best for its public transit system: classic ferries that chugged between docks all around the lake.

Having sped through her morning debrief, she hopped a ferry at the Quai du Mont-Blanc in front of the Grand Hotel Kempinski. Boats made it easy to detect surveillance, forcing tails to stay close for fear of losing their rabbit. Alice was willing to believe that Geneva's transit system alone explained the city's status as the world's espionage capital. As a city, especially by European standards, it had all the excitement of a post office.

Covertly scanning the sixty-seat single-decker, she reminded herself that she ought to be reveling in her liberty after two weeks that had been the surveillance detection equivalent of scaling Everest.

Just take a bloody cab and be done with it.

Then again, after nine years of deceiving and killing players on other teams, it wasn't a terrible idea to keep an eye peeled.

She detected only one possible tail, middle-aged

tourists with two toddlers. The purported family boarded the ferry at the last moment, right after she did.

Surveillants sometimes used children, and this mom and pop looked a bit too long in the tooth to be parents to such young kids. Then again, the couple could be young grandparents, or beneficiaries of the new wonders of reproductive endocrinology.

But what about the big pink teddy bear the girl dragged over the damp deck? Quite the cliché, a pink teddy bear. Regardless, if you love your teddy, you don't drag him around like a shot deer.

When Alice got off the ferry at the next pier, the family remained aboard, squabbling, suggesting they really were a family.

Leaving the pier, she took the train to Cointrin, Geneva's international airport, and bought a ticket for a direct flight to Atlanta.

The customs agent was a young American with a belly indicating a fondness for the local *bräuhaus*. He studied her documents for an excessive amount of time, before finally asking, "So what's taking you to Atlanta?"

"A reunion."

"With bowls of potato salad and long-lost uncles, or the happily-ever-after kind?"

"No potato salad or uncles. Maybe the other one, though, if things work out all right."

The young man looked her over. "I'm pretty sure things'll work out." He waved her through.

12

Charlie drove northwest through Alabama's dense woodlands, the few gaps between trees filled by kudzu. The darkness was such that, if not for his headlights, he might as well have shut his eyes. He frequently changed lanes and took exits at the last possible second, but no one seemed to be following him.

Unless his minders were disguised as Mississippi teenagers either patronizing a McDonald's at State Line, Mississippi, or working behind the counter, he ate his Big Mac and fries unminded as well. The only person over the age of eighteen was the lanky man in a custodian's uniform, twenty-two perhaps, wiping down the men's room door.

Returning to the highway, Charlie considered that he was instead being minded via aerial surveillance or simply being tracked by the signal strength of his phone between cell towers. Neither posed a problem. As long as *someone* was tracking him. It was integral to his plan.

After another hour's solitary drive, a massive structure rose from behind a hill. It looked as if the moon had slipped out of its orbit, settling on the road ahead. Drawing closer, Charlie saw that it was a freakishly large golden sphere perched in front of a proportionate building boldly wrought in tempered steel and bronze-tinted glass. He had imagined the casino in the middle of nowhere in Mississippi as a neoned-up, big box store with a motel and a few golf holes, but this glamorous and luxurious complex was the Golden Sun Hotel and Casino. Any doubt was dispelled by the letters lining each side of the road—G-O-L-D-E-N on one side, S-U-N on the other—big as buildings themselves. Charlie chided himself for having underestimated the might of gambling.

From the parking garage he heard the distinctive rain of coins into slot machine payout trays. The dozens of other people leaving their cars—and, mostly, pickups—seemed to brighten at the sound. He wandered onto the gaming floor, a galaxy of slot machines—5,465 of them according to a billboard with the digital numbers poised to change with each addition, a new take on the HAMBURGERS SOLD sign. Seemingly all of the ten million colors visible to the human eye were on display. The whirring reels, accompanied by bells and chimes, blended into one harmonious and mesmerizing chord. It wasn't just that the oxygen was purer in here, Charlie thought. It was like inhaling adrenaline.

In the chrome frame of a one-armed bandit, he caught the reflection of a curly-haired young man in a peacoat and fatigue pants. The thick-framed glasses would probably have thrown Charlie. But although the young man was playing a slot machine, he was looking at something other than the wheel, possibly a chrome band enabling him to view Charlie, and enabling Charlie to recognize him as the lanky custodian from the State Line, Mississippi, McDonald's.

Charlie felt as if he'd hit a jackpot.

Turning away, he searched for the VIP credit lounge. It would have been hard not to find. Its golden letters were almost as big as those outside.

But would they admit him? A VIP, in the gaming industry, was someone with assets. Does a person have a credit card, a debit card, even a library card that can advance cash now against overdue fees later? Then he's a VIP.

Charlie waltzed into the lounge, and with little effort obtained a $5,000 cash advance—it was nice to be able to draw on the family numbered account without fear that the transaction would incite an Interpol SWAT team. He also put $5,000 on the casino platinum card he'd been handed upon entry, bringing its balance to $5,020—all new arrivals began with a balance of $20. A taste.

He needed appropriate clothes, which were readily available a few steps off the casino floor. Among other tuxes for sale at a store called Golden Man was the "High Roller" line; Charlie bought a size 42R along with a matching dress shirt, shoes, and a bow tie. He also tossed onto the counter a Golden Sun baseball cap and a windbreaker, as if on impulse. The total was $2,111. He paid in cash, hoping the lack of a paper trail in this instance would obfuscate his planned exit.

He checked into a hotel room, opting for a Chief's Suite at an extra fifteen dollars per night. The lofty space was furnished in an Ancient Rome theme, the walls and marble floor flecked with silver and gold. The bed was almost as big as a swimming pool. He wished Alice were here, if only to share his grin.

He called room service and ordered the "executive" surf and turf. While waiting, he changed into his tux, which was almost identical to those worn by the staff he'd seen carrying drink trays and pushing the linen-draped room service trolleys.

A few minutes later, at the sound of a gong, he answered his door and admitted a waiter who not only wore a tux like his, but was close to his height and weight. Their principal differences were twenty years in age, a slight hunch, and an overbite. Lucky, Charlie thought. He could mimic those.

He asked, "Sir, how would you like to make a thousand dollars?"

The man, who probably heard an equally unusual question at least once a week, didn't hesitate. "Depends what for."

"For reasons I'm sure I won't need to explain to you, I need to get out of this building without being seen by my wife, who unexpectedly just showed up."

Stooping so as to resemble the waiter and to keep his face from the view of security cameras, Charlie heaved the trolley down a service corridor, his planned change of clothes hidden in a food compartment.

He came to an exit leading onto a dark dining patio, evidently used during warmer months. Abandoning the trolley, he crossed the patio, reaching an unlit spiral stairwell that took him down to a curb lined with six or seven buses rumbling at idle. Their exhaust created a fog laced with diesel fumes. His plan had been to make his way to the parking lot and find someone leaving the casino who would thank Jesus for the crazy Yankee who gave him three grand for a clunker pickup truck. But this was better.

Charlie fell into step with the grumbling and otherwise downtrodden crowd exiting the casino and boarding the buses. Throwing the windbreaker over his tuxedo coat and zipping it to the neck, he wove through shadows and climbed aboard the first bus in line, a sixty-foot-long Golden Sun coach destined for Hattiesburg, Mississippi's YMCA, according to the marquee.

He found a seat, the three dozen passengers scattered around the cabin paying him passing notice at most. The lone exception, a buzzard of around eighty lowering himself into the seat across the aisle. The old man locked eyes with Charlie and said, "Fun, but no money," then readied his blanket and tubular "snuggle pillow" for the trip home.

The bus driver, a fiftyish man with the look of

a commandant, took his place behind the wheel, snapped the door shut, and propelled the coach toward the highway—all without a glance at the passengers. The Golden Sun's management cared much more about gamblers on the way in than those who'd left.

13

The Brig reminded Bream of a utility shed. Decorated, barely, with a pair of model ships, a dartboard, and three beer company posters, it smelled of low tide even though the tide was now high—because the jukebox was out of order and the six solitary patrons weren't speaking to one another, Bream could hear the waves slapping the top of the pier.

Glad of the opportunity to be alone with his thoughts, he climbed onto a stool at the warped bar and ordered his Bud.

He found himself stealing glances at the young woman in a Princeton sweatshirt at the other end of the bar, as exquisite a specimen as he'd ever seen. Aphrodite with green eyes and a damned good attendance record at the gym.

What the hell, he wondered, was someone like her doing in a place like this?

Cliché be damned, he wandered over and asked.

"Waiting for you to come to this side of the bar." She flashed two fingers to the bartender. "But just because you're the only man here who wouldn't be a shoo-in for the cast of a zombie movie, don't think I'm going to be easy."

"That makes two of us," Bream said. "I've already got an old lady."

"But you want a young one, don't you?"

Bream didn't say no. Maybe what he really needed was to take his mind off work. Settling on the stool next to hers, he asked, "So you got a story?"

At twenty-three, she said, she was over the hill as a fashion model. Tonight she was drinking herself into grudging acceptance that she would start law school in the fall. She had eschewed the Ivies for the University of Alabama so that she could help take care of her grandma, who lived nearby.

He was charmed. Three beers later and it was probably clear to everyone in the bar, even the guy facedown at the table beneath the dartboard, where this was heading.

Everyone except Bream. He was haunted by the thought that, as a consequence of the washing machine aboard his cabin cruiser, this latter-day Aphrodite would be transformed into red mist tomorrow.

He thought back to the conference in Miami in March 2005. He was a round peg then, trying to act square enough to work for Air Force Intelligence. And he was succeeding. He'd received a spate of plum assignments, the latest of which was an appointment to an interagency force to protect America from weapons of mass destruction smuggled aboard small oceangoing vessels.

The October 2000 al-Qaeda small vessel assault on the USS *Cole* had made it clear that waterborne attacks were high on bad guys' to-do lists. Such an operation in the United States wouldn't even have to be "successful" insofar as taking out a target. If it just shut down a single port, anxiety would spread through the global financial marketplace. For starters.

The director of the interagency force was a pompous Pentagon bureaucrat in desperate need, in Bream's opinion, of a punch in the face. And that was before the ignoramus hypothesized that modern surveillance technology rendered human intelligence obsolete. His measures mollified a naive public and Congress, but utterly failed to safeguard American ports and waterways. The rest of the committee proved a bunch of bobbleheads. Or, viewed another way, proficient bureaucrats: All reaped career laurels. All except Bream, who, after one long and excruciating day of meetings in Miami, finally punched the boss in the face.

The washing machine would deliver an invaluable lesson—a costly one, but Mobile was not Manhattan. More lives had been lost in single battles in Vietnam than would be tomorrow. It didn't hurt that Bream would nearly become a billionaire in the process. The money was of little consequence compared to the vindication, though. Imagining the expression on the Pentagon man's face when he had to answer for what had happened, Bream worked himself into fine spirits.

"Another round?" Aphrodite offered.

"I'd love to, sugar." He slid off his bar stool. "Thing is, I've got a big day tomorrow."

14

The sun sliced through the vinyl curtains of room 12 at the Country Inn, just down the main drag from the Hattiesburg Y. The light woke the man who'd registered late last night as Miller, paying in cash. The clock radio read 9:01. Charlie, who as a boy had admired scrappy Mets infielder Keith Miller, thought the five hours of uninterrupted sleep well worth the thirty-nine dollars. Unless the CIA had used the time to locate him.

He peeled back one of the curtains, half expecting to look into the barrel of a howitzer. The day was blindingly white. Three vehicles were parked in the thirty or so spaces, a pair of big rigs and a rusted Buick Skylark that looked as if it would have a hard time cranking up, let alone following the casino bus on the interstate. On the four-lane road fronting the parking lot, a handful of cars and pickup trucks waited at a red light.

Charlie found the Country Inn lobby empty. The middle-aged Pakistani man behind the reception desk, embroiled in a phone conversation that could only be spousal, didn't look up as Charlie exited.

The Dollar Store was a treasure trove. The shaggy blond wig Charlie selected, though probably intended for a woman, appeared fake only on close scrutiny—a man could wear it and pass for a biker. The horn-rimmed sunglasses, likely sitting on the spinning rack since the Dollar Store was the Quarter Store, might be taken as retro-chic and would certainly alter the contours of his face. He also picked out several sweatshirts and a camouflage-print coat. If Eskridge's people were to ask young Mysti at the register what Charlie had purchased, they would net a dozen possible descriptions.

Getting into the spirit of obfuscation, Charlie bought three more wigs, a fisherman's hat, and a purple poncho.

"School play," he said with affected sheepishness as he set everything onto the conveyor belt.

Behind the counter, Mysti smiled reflexively. Her gaze was fixed on the round security mirror overhead. Charlie saw the reflection of an elderly woman sliding a Christmas ornament—three for a dollar—into her blouse.

Leaving the store, Charlie started back across the street to the Avis two buildings down. He noticed security cameras on three of the car rental agency's walls. Even with the big blond wig and sunglasses, he would thwart decent facial recognition software for only a few seconds, if that.

Farther up the block, Hattiesburg Rent-A-Car, a spruced-up shed with a hand-painted sign and three dusty Chryslers in its unpaved front lot, looked more promising.

Closer inspection revealed that it too had a security camera in a plastic dome the size of a salad bowl suspended from the ceiling.

Charlie cursed car thieves if only as an outlet for his frustration.

Then he considered joining them. He had watched his father hot-wire cars often enough. Of course, he'd also watched Darryl Strawberry hit 450-foot home runs.

Necessity won. He returned to the motel parking lot, stopping to tie his shoe between one of the big rigs and the old Buick, a two-toner with beige side panels.

The easiest way to gain access to a vehicle, his father had said, is by opening a door. People left them unlocked far too often. Charlie reached tentatively for the handle on the driver's door of the Buick, bracing for the car's owner to burst out of the motel.

The lobby door remained shut.

Odds were the Buick belonged to the man behind the reception desk. And odds also said a place like this didn't pay for security cameras in the parking lot.

Gingerly, Charlie pulled up the handle. The door opened, hinges croaking. The dome light flickered on.

Still no one seemed to notice.

He darted into the driver's footwell, pulling the door shut behind him. Careful to keep his head below the window line, he smashed his wounded shoulder into the radio. It stung, but he quickly stretched out across the floor, flipped onto his back, and studied the ignition barrel.

On its underside, he found a curved rectangular panel the size of a Pop-Tart and plucked it free. Now he needed to find the two reds from among the jungle of wires inside the ignition barrel. Nervous perspiration burned his eyes.

He spotted the reds. Without much hope that it would work, he touched their ends together.

The engine sputtered to life.

Charlie would marvel later. Now his eyes darted toward the lobby door.

The usual.

15

The scant sunlight had failed to burn the heavy fog off Mobile Bay by late morning. Although sixty degrees, the day remained too blustery and generally dismal for most pool or waterfront activities. A few joggers and bicyclists used the trails through the Grand Hotel's lush grounds. The G-20 security teams couldn't have been more conspicuous. Many of the agents wore shiny black coats emblazoned with SECRET SERVICE and HAZMAT and COUNTERSNIPERS. The conference wouldn't kick off until evening, but guard stations already formed a wall around the hotel's main lodge and surrounding buildings. Still more security types swarmed the grounds.

In hope of passing for one of the joggers, Charlie donned the running suit and Nikes he'd purchased at a strip mall on the way out of Hattiesburg. As he loped away from the hotel, he heard high-pitched squeals and giggles. A hedgerow parted, revealing children on a playground, well within the blast range of the plastic explosive in the ADM he suspected was at the Mobile Bay Marina.

He continued toward the marina. To someone on the lookout for him now, any of the wigs would be a giveaway. So he had also bought a battery-powered hair clipper and, standing at the mirror of the mall's deserted men's room, shaved back most of his hairline. The rest he trimmed into a buzz cut. Gel slathered over his newly bald areas made it appear that years had passed since he'd had any hair there. He added wraparound sunglasses whose "fire-iridium"—the manufacturer's term for "red"—lenses would divert attention from his features.

Unfortunately, he wasn't much of a jogger. And propelling himself forward now proved an even greater struggle than usual due to the bullet wound in his shoulder as well as the two layers of long underwear he wore beneath his running suit, intended to make him look stocky.

A few yards shy of the marina's side entrance, he dropped his hands onto his knees as if catching his breath. No pretense necessary. A shiny white power boat that looked like a miniature cruise ship now occupied the Campodonico slip by the end of the dock. Reclining in a canvas chair on the stern deck was a man of between thirty and forty, face buried in a magazine. He wore dark glasses, a Grand Hotel golf windbreaker, and a pair of Bermuda shorts. He had dark brown hair and a goatee. The Bermuda shorts alone—really, the bronzed, muscular legs the shorts revealed—were enough for Charlie to recognize the glasses, brown wig, and glue-on goatee for what they were. Ever the peacock: Bream should have worn long pants.

Instead of feeling the thrill of being right, Charlie

was stumped. He had no idea how to stop Bream. He could alert the Secret Service, but they'd probably just throw him back in the local drunk tank, and then, worse, alert Bream. The CIA might help, but not before cables for authorizations ate up the remainder of the day. Or Eskridge might have Charlie thrown back in the drunk tank.

Charlie weighed contending with Bream himself. The pilot had probably deemed it too great a risk to entrust his cargo to anyone but himself, meaning his plan was to charm Captain Glenny, then hang out on the yacht until he made the transaction. Or possibly he was waiting for all of the G-20 leaders to arrive, at which time he would switch to a car and drive beyond the blast radius. Thirty miles on the interstate ought to do it. There he would detonate the bomb by pressing a button on a remote control, or, if he had adapted the detonator, by dialing a cell phone.

Charlie wished he had a gun. He reeled from flashbacks of the pawn shops he'd blown past. With all of his damned preparation, how had he gotten to this point without even a penknife?

He considered luring Bream away from the yacht, then somehow getting aboard himself. Once he found the washer, he could permanently disable the detonator by dialing an incorrect code three times, activating its safeguard, a capacitor that would essentially fry the system. It would take him two minutes, tops.

But how could he get Bream out of the way, even for one minute?

Charlie looked around for a fire alarm to pull, then realized that Bream would just stay by his yacht. A boat surrounded by water wasn't a bad place to be during a fire. At best, the alarm would clear the marina, making Charlie's approach as conspicuous as if he'd set himself on fire.

What about a pizza delivery?

Less stupid, the more Charlie thought about it. As on several of the boats docked here, a few of the Campodonico yacht's windows were opened a crack to keep the cabin from getting stuffy. While Bream and the Domino's guy stood in the parking lot trying to get to the bottom of the delivery error, Charlie could squeeze through a window and into the cabin. Unless the Domino's guy brought the pie right to Bream's yacht. Either way, Bream might notice. As would Glenny—Charlie detected movement behind the frosted glass window of the harbormaster's office.

He was mulling a more discreet approach via the bay, capitalizing on the kayaks sitting on the beach at the hotel, when Bream stood up and locked the door to the cabin from outside.

Crouching behind a bush, Charlie watched the pilot straddle the starboard rail, thump onto the dock, and walk with purpose toward the parking lot. Possibly he was going to the little village to get lunch. Whatever he was doing, if it involved leaving the marina, he ought to be gone long enough for Charlie to gain access to the yacht. And it might be Charlie's only chance.

16

With a silent prayer to the nameless divine entities he called upon when one of his horses took the lead in a race, Charlie started jogging toward the marina. He tried to think of himself as a Grand Hotel guest, entitled to romp wherever he damned well pleased, and he hoped he projected this air. Particularly to Captain Glenny.

Bream had been gone for a couple of minutes when Charlie reached the pier. He exchanged a friendly smile with a man on a catamaran, then ran—although not too fast for a jogger—toward the Campodonicos' yacht.

There was no sign of anyone aboard. Charlie heard only the wind and the creaks of the yacht as it rose and fell in the water. Stepping onto the stern, he ought to have been nervous, but he felt something akin to exhilaration.

A few steps along the narrow side deck and he reached one of the slightly opened cabin windows. The glass slid all the way open with a gentle pull. He fit through, barely, tumbling onto a cream-colored carpet and into a corridor lined with enough framed maritime maps for a museum.

He followed it to a spacious dining room with a table for eight. The adjacent kitchen had all of the necessary appliances found in a luxury home. Except a washing machine.

Holding his breath, he tiptoed down a spiral staircase, with solid mahogany steps, to the lower deck. A television glowed in one of the staterooms, giving him a start, but no one was there. The two other staterooms contained only tall beds and built-in cabinets.

Still no washing machine or sign of one.

At the end of the corridor was a closet. Without expecting much, Charlie pulled open its bifold door to find a surprisingly compact laundry alcove with plenty of shelves, a foldout ironing board, and, alongside a modern dryer, a cheap, boxy Perriman Pristina, still spotted with muck from the cavern.

Eureka, he thought.

He reached to pull open the top-loading lid when he heard a bolt snap above-deck.

Fear hit him like a bullwhip.

The cabin door creaked open. He heard at least two sets of footsteps.

"How 'bout a cold beer, Steve?" Bream asked. "I got you the nonalcoholic stuff."

"Very kind, thank you." A low, raspy voice with a strong Middle Eastern accent. "But let us get on please with the business?"

"That'd be just fine," said Bream, letting the door bang shut and tramping in the direction of the staircase. "All due respect."

Charlie considered the staterooms, distinctly lacking in places to hide. Ducking beneath the ironing board, he stuffed himself into the ten-inch gap between the rear of the washing machine and the wall. He would have tripped over the washing machine's tattered orange power cord, stretched into a wall socket, but there was no room to fall.

He sank to one knee. The space was dark and otherwise like the back of a clothes closet.

"While I'm thinking of it, you should have these, just in case you need to move the boat for whatever reason," Bream said, jangling something. His leather sandals came into view at the base of the stairs.

Charlie held still, hoping the jackhammer that used to be his heart wouldn't draw Bream's attention.

Stepping into the lower deck's corridor, Bream handed a set of keys back to Steve, a swarthy boar of a man, probably twenty-five, with close-set, black eyes. His crisp Levi's and shiny new Florida Marlins jersey and Converse All Star high-tops ironically accentuated his foreignness.

"Thank you kindly," Steve said, pocketing the keys. He looked around until his eyes settled on the washing machine. He stared.

Charlie's heart nearly leaped out of his mouth as Steve advanced for a closer look. Charlie used muscles he hadn't realized he had in order to hold still.

Steve pointed to the washer's control panel. "So is this button actually the trigger?"

Bream stepped up, so close Charlie could have reached out through the gap between the washer and dryer and touched his knee.

"You mean the start button?" Bream leaned forward and clicked it.

The blood drained from Steve's face.

The machine belched and the length of hose running past Charlie swelled, filling with water from the copper piping on the wall. Water splattered into the washer.

Taking in Steve's disquiet, Bream chuckled. "The water trickles in for about five minutes, then drains out and the machine turns back off. It's a little special effect in case a customs inspector happens to turn the thing on, which they do sometimes."

Steve heaved a breath of relief. "I was not ready yet."

Steve is about to martyr himself, Charlie thought, and Bream is fucking with his head. Whatta guy.

"Check this out." Bream flipped open the lid.

Steve looked in, surprised. "No water."

"The water goes into a special compartment in the back of the machine."

"Ah."

"Of course, if the inspector opened the lid, it's game over. There's no way of disguising the bomb." Bream pointed into the washer. "See the three dials there?"

"Yes. The progressive action links. I received thorough training with them from Doctor Zakir."

"Good. You'll be glad to know that to save you the trouble, he dialed in the code to arm the device. Then he paused it, two seconds into a ten-minute countdown. Here..." Bream handed Steve a device that looked like a TV remote control. "The good doctor rigged this, too. At game time tonight, you simply click the big red button and the countdown resumes at nine minutes and fifty-eight seconds. If you need to pause for whatever reason, click the button again. It's basically a play and a pause button in one. The batteries are fresh, and you've got more up on the kitchen counter. If for whatever reason the remote malfunctions and you need to use the PALs, the code's here." Bream pointed to the area of the control panel where, Charlie recalled, the serial number had been engraved onto a strip of metal.

Steve nodded.

"So you ought to be all set." Lowering the lid, Bream turned to go. "The fridge is stocked with all your favorite stuff—don't worry, all halal."

"And you will be where?" Steve asked.

Bream turned toward the staircase. "Outside the blast radius."

"What if there's a malfunction?"

"If anything goes wrong, Cheb Qatada knows how to reach Zakir or me—I know you've got the boss on speed dial." Bream inched toward the stairs.

Charlie was eager for him to leave. It would mean contending with only Steve.

"Well, good, then, Mr. Bream," Steve said. "Thank you most kindly."

"The kind thanks are for you, Steve."

Bream bounded toward the stairs.

He stopped just shy of the first step and spun back around, eyes on the laundry door. "That folding door was open when we came down here, wasn't it?"

Steve nodded.

Charlie's blood froze. He needed an exit strategy. It was right up there with a weapon on the list of omissions in his planning.

Bream knelt, studying the floor.

Could he detect Charlie's footprints on the linoleum?

He sprang into the master bedroom, refreshing Charlie's hope. Because the laundry alcove looked prohibitively small, Bream and Steve might not think to look behind the appliances.

A moment later Bream returned from the bedroom with a Glock capped by a silencer. He faced the washing machine. He couldn't possibly see Charlie, but the barrel of his gun was on a direct line with Charlie's face.

"Please come out now and save me from putting a bullet hole in my nice dryer," he said.

17

Charlie rose, his legs burning with pins and needles. And fear. "I owe you a big thank you, J. T.," he said.

"This is who?" Steve demanded of Bream.

"Nobody." Bream was extraordinarily unflappable.

"Nobody in the grand scheme of things," Charlie said. "But for our purposes today, a CIA asset."

Steve muttered something in Arabic.

"He's lying," Bream said. "He's just a gambler." He beckoned Charlie with a wave of the gun.

Charlie held his ground. "A gambler who attended a debrief at Langley the other day, and recalled your saying that you were going to celebrate the consummation of your arms deal with a rack of ribs. It took an analyst about a second to figure out that you were targeting the G-20."

"Don't worry, he's not CIA," Bream said to Steve. "Even the lousiest gamblers get lucky now and then. This is just some sort of cash grab."

Steve's eyes widened with panic. "What if he is not alone?"

"He's alone."

"How do you know this?"

"He plays the horses for a living; CIA wouldn't let

him near an op. And if he did have someone with him, they would've tipped him off that we were on our way here, or at least tried to waylay us, to give him time to get out."

Steve paused for a moment. "Mr. Bream, the plan is to detonate ahead of schedule should anything go wrong. This was part of the deal, yes? Already very many people of consequence have arrived at the Grand Hotel, including almost all of the members of the French delegation—"

Bream extended his palms. "Whoa, we're getting way ahead of ourselves. Trust me, Chuckles here is a lone mutt."

"With all respect due, sir, it is not an issue of trust."

"Good point. Let me prove it to you."

"How?"

"If he had any backup, they would be here by now." Bream leveled his gun at Charlie and pulled the trigger.

Charlie dropped behind the washing machine. The bullet tore the air above his hair, clanking into the dryer. An odd hiss came from within the dark maze of ducts and hoses. Suddenly his shirtfront felt wet. Blood? A chill encased him. He noticed a spray of cold water from a rupture in the length of hose running into the washing machine.

He slid behind the washer, hoping Bream would be reluctant to shoot through the bomb.

Steve waved in horror at the water pooling in the alcove and slicking the corridor. "What about all this?"

"Water won't hurt anything." Bream advanced to the gap between the washer and dryer, sidestepping the pool of water forming on the floor. "This device is designed so it could sink to the bottom of Mobile Bay and still detonate."

His gun was close enough that Charlie smelled the spent cordite.

Times like this, his father usually came to the rescue. Or Alice.

But neither even knew he was here. No one did.

"I am still not confident," Steve said. "If I am with your CIA, I would let him die, so that we believe they do not know about us."

Bream sighed. "They don't know, okay. Sure, it makes strategic sense to sacrifice a man. They'd never do it, though, for fear of the Senate investigation alone."

"Maybe so." Steve aimed the remote at the washer. "But why take the chance?"

Bream bristled. "You really need to hold up there."

Steve held the remote at the washing machine like a fixed bayonet.

"Listen, there's a girl I want to get out of the red zone, not to mention myself," Bream went on. "Half an hour of lead time was part of the deal."

Steve slid a thumb onto the big red button. "Clearly and irrevocably, the will of Allah has changed." He clicked the remote. The conic bulb on the gadget's head glowed red.

The bomb mechanism whirred to life, the washing machine housing vibrating against Charlie's rib cage.

Bream fired the silenced Glock.

An image came to Charlie. A memory of the living room in the chalet. He and Alice on the comfortable sofa and Drummond in the armchair. The three were engrossed in one of their games of Scrabble. An interesting piece of information: Even Alzheimer's couldn't prevent Drummond from laying out seven-letter word after seven-letter word.

Now, feeling nothing save the spray of cold water, Charlie peeked around the washing machine.

Steve's forehead had a red hole at its center. He collapsed, revealing a splash of gore at head level on the wall behind him.

"He was planning to die here anyway," Bream said, as if seeking absolution.

"Let me convince you not to use the bomb," Charlie said.

"Among other reasons that you won't be able to convince me is I don't get a red cent if there's no explosion here."

"Suppose I told you that you won't get the explosion you have in mind. The penthrite and trinitrotoluene in the bomb are the genuine article, but the U-235 is fake." Charlie decided not to mention that the device, designed to trick customers into initially believing they had achieved a nuclear detonation, would still yield an explosion sufficient to kill the children in the playground, all of the security agents, and a high percentage of the hotel guests and staff.

"Not true. Just this morning, Vivek Zakir, a

Nobel-caliber nuclear physicist, confirmed the enriched uranium was grade-A."

"This device was designed to fool even Nobel Prize–winning nuclear physicists. This is what my old man did for the CIA. His team replicated the old Russian ADMs because the uranium pits are fixed so deep, you can't adequately test—"

"Good story." Bream advanced to the appliance alcove. "Even if it were true, a hundred pounds of plastic explosive still yields a big enough bang to suit my purposes."

"Fine. Sell me the bomb instead. I can pay you more than you'll ever need."

"Sounds like I'm about to hear another whopper."

"You know about the treasure of San Isidro?"

"Yeah."

"My father found it. It was on one of those little islets off Martinique."

Bream lowered his gun. "You've seen it?"

"Yeah. An entire roof made of gold, taken in panels off a Venezuelan church."

"If that were true, why the hell would you come here?"

Charlie tapped the washing machine.

"Then you're a fool. And even if you found El Dorado, I'd be a fool to trust you." Splashing into the alcove, Bream aimed his gun at Charlie. "In fact, I'm a fool to be talking to you at all."

"Thank you." Charlie plunged the washing machine's tattered power cord into the water.

With a bestial wail, Bream flew up in the air. As Charlie had hoped, Bream's sandals had made him vulnerable to the current; Charlie was protected by his rubber-soled running shoes.

Bream landed in a heap over the washer and lost his hold on the gun. Charlie caught the weapon, spun, and pointed it at him.

The pilot's muscles quivered. His breathing, however, appeared to have ceased, and the color drained from his skin.

Charlie turned sideways, slipping through the gap between the appliances. He knelt by Steve's body and pried the remote control from the terrorist's hand. He aimed the device at the washing machine and clicked. The conic bulb illuminated.

But the detonation mechanism within the washing machine continued to whir.

Gun still trained on Bream, Charlie stepped closer to the washer and tried again.

No change. Maybe the water had shorted the remote control? In any case, he could enter the code by hand. If enough time remained.

07:55, according to the LED adhered to the inside of the washing machine's lid.

Plenty of time.

Charlie looked at the serial number atop the control panel. The metal band he'd used in the Caribbean had been removed, replaced by a strip of tape with different numbers. He realized why with harrowing clarity: There was nothing wrong with the remote control. The Nobel-caliber scientist, Dr. Vivek Zakir, had been clever enough to build a remote control to be used to initiate detonation only. He had removed the real serial number for the same reason, as a fail-safe in case the martyr developed cold feet in the 9:58 between pressing the button and the hereafter.

Unable to recall the actual code, Charlie knew of no way to stop the detonation.

18

07:34.

Charlie could call 911, explain that he was aboard a yacht with two dead bodies and a nuclear bomb, although it wasn't really nuclear—part of a secret CIA program—yet it still packed enough high-grade plastic explosive to take out a good percentage of the people in the vicinity, and it had been triggered, so you really ought to hurry.

If he succeeded, the bomb squad would then have 00:04 to arrive and do its job.

Discarding that idea, he dug the boat keys from Steve's pocket and raced up the stairs. He intended to untie the yacht and drive it as far from shore as he could. A mile or two out, the device might detonate causing relatively little harm—the fog and general gloom had kept most boaters home.

Needing first to untie the heavy ropes tethering the yacht to the dock, he charged through the cabin door and onto the deck at the stern, where he found himself staring into the barrel of a shotgun.

Time seemed to slow, adrenaline again shifting his senses and thinking into higher gears. He had anticipated myriad obstacles and plotted countermaneuvers. Still the sight of Glenny made him jump.

"Stop right there, Mr. Pulitzer. Hands up where I can see them."

He raised both arms above his head. "Just listen for a second."

"No, sir." Squinting through the sights, she tightened her finger around the trigger.

"Just one second, please."

"One second." She eyed the pale sky. "Time's up."

"The man you know as Tom the Campodonicos' nephew is actually a very bad bad guy." Glenny's finger didn't move. "This boat currently has a bomb with a hundred pounds of plastic explosive, enough to take out the marina and everything within a quarter mile. It's going to detonate in seven minutes. I have no way to turn it off, so I need to get it out of harm's way."

Glenny paused to reflect. "Bullshit. You're a yacht thief."

Glancing at the parking lot, Charlie sighed in relief. "Here's the Secret Service. They'll straighten this out."

She turned to look and saw only a deserted marina. When she looked back, readying a curse, she found Bream's Glock leveled at her by Charlie. She blanched.

"If I were the bad guy, you'd be in some trouble now," he said.

She acknowledged this with a grunt. And fired the shotgun.

Having anticipated that she would, he dropped to

the deck. Through a scupper, he saw the thick bowline split in two, freeing the yacht's bow from the cleat on the dock.

Swinging the barrel toward the stern, Glenny said, "I saw Tom this morning passing my office two different times with Arab guys who kinda kept looking over their shoulders." She blasted the stern line free, destroying the bulky metal cleat in the process. "You'd best shove off, shipmate."

"Thanks," Charlie said, barging into the wheelhouse.

He glanced at the LED he'd ripped from the washer. 04:58.

He inserted Steve's key into the ignition, weighing the odds that this key, like the remote, was a dud. The engines roared, churning the surrounding water.

On the dock, Glenny shouted into her cell phone and waved Charlie on.

The yacht's controls were similar to the Riva Aquarama's, a good thing as Charlie would have thrust the throttle in the direction common sense dictated was reverse and accidentally sent the yacht into the parking lot. He managed to back away from the dock, clocking the wheel. Shifting into forward, he launched the yacht toward what he thought was the middle of the bay. The fog, essentially low-lying cloud banks, made it impossible to tell that he wasn't simply hugging the coast. Or about to crash into it.

The twin-tiered, state-of-the-art navigational equipment was of no more use to him than it would be to a caveman, with the exception of the hot-pink ball compass, a novelty item held by a rubber suction cup to the windshield. If the compass was working, the boat was headed due west. Toward the center of the bay.

He stood at the wheel, using all of his weight to absorb blows from oncoming waves.

When the clock flashed 3:00, he had put more than a mile between him and the marina. Or far enough.

Now to get overboard with the life raft.

Lest the yacht continue smack into a commercial freighter, he cut the engines, plummeting the dusky vicinity into graveyard silence broken only by the slapping of the water and his own heavy breathing as he ran out onto the bow.

He slid to a stop and tore away the Velcro straps binding the bright red Zodiac raft to the inside of the railing. About ten feet long, it had a stern-mounted outboard motor that looked like it had plenty of zip.

The raft wouldn't budge. A padlock at the end of a thick stern line fastened it to the yacht's uppermost rail. Charlie looked on the back of the lock. No miniature keyhole. He might be able to cut the line with a knife or saw, however. And a couple of minutes.

He had 1:43.

He considered diving overboard and swimming away. Hypothermia beat disintegration.

Instead he held the barrel of the Glock two feet from the padlock. He shielded his face, and pulled the trigger. Either the sound or the shrapnel stabbed his eardrums; he couldn't be sure which. Regardless, there was no longer any trace of the lock.

He heaved the Zodiac into the water. Trying not to think about the fifteen-foot drop, he straddled the rail. He glimpsed the LED blink from 1:00 to :59 as he leaped.

His weight and momentum torpedoed him into water that felt so cold it should have been ice.

He resurfaced to find the Zodiac drifting away, faster than he could swim. Ordinarily. Lungs shrieking for air, he reached the raft, perhaps seventy-five feet from the yacht, or a good thousand feet closer than he needed to be.

As he climbed aboard, he jerked the cord, starting the little outboard motor on the stern. Grabbing the tiller, he set a straight course. The raft shot ahead like a dragster just as a blinding flash cleaved the fog, followed by a boom so intense that his hearing quit, replaced by sticky blood and maddening pain.

A tower of water of biblical proportions rose from the disintegrating yacht. The force of the explosion swatted a helicopter out of the sky and tipped over sailboats as far away as the eastern shore.

The Zodiac shot into the air like a kite, Charlie clinging to it until he was no longer able to stay conscious.

19

He awoke at the center of a flock of tiny, sylphlike particles of light. He was seeing stars. Spectacular, but probably the result of a concussion, judging by the pain.

Shaking his vision clear, he found himself on the Zodiac, the motor still bubbling away, though icy water streamed through the holes in the hull, swamping most of the bow.

Chunks of the yacht had hacked into his running suit. The two layers of long underwear notwithstanding, blood coated him. Each wave that sprayed his wounds felt like a hundred fresh cuts. Still he was alive, and the knowledge that he'd succeeded in getting the bomb far enough away from shore relegated the pain to mere discomfort. He felt himself smiling, ear to bleeding ear.

A police boat sprinted from the eastern shore toward the shaft of smoke that had been the yacht, a quarter of a mile away. Through the scattered fog, he could see two more police boats charging from the opposite side of the bay.

As his hearing began to return, he discerned from the tumult of waves the whine of a motor, spotted the motorboat, and made out a figure at its helm. A woman. Hand held as a visor against the vapor, she was scanning the area where the yacht had been.

Alice!

Even in hazy silhouette, she was beautiful.

"Where are you?" she called out.

"Here," he croaked through a throat caked with salt and blood.

She didn't look his way.

He swallowed, then tried again. "Alice." It came out as a wheeze. Something was seriously wrong with one of his lungs.

She steered away from the Zodiac.

Fog was resettling over the bay, shrouding the police boats in the vicinity of the yacht's wreckage. Charlie doubted he would be able to get to them, meaning his survival would come down to a race between Alice and hypothermia.

He thought of firing the Glock to draw her attention. Before he could reach for it, the Zodiac's bow rose sharply. He turned and looked over his shoulder.

Bream clung to the stern.

Charlie considered that he was hallucinating.

"She's looking for me," Bream said weakly, but all too real. Somehow he'd made it off the yacht and then clung to the Zodiac's stern line.

"A lot of people are going to be looking for you." Charlie reached for the Glock.

It was gone.

"You don't get it, Charlie Brown. She's *with me*." Bream still hung on the stern to the right of the motor.

Evidently he lacked the strength to climb aboard. "I knew you and Daddy were in Switzerland because *she told me.*"

Charlie recalled Drummond wondering if Alice orchestrated the rendition herself.

"That would mean she had herself kidnapped and shot at," Charlie said.

"Exactly." Bream seemed to exult in the revelation. "The whole point of the rendition was to give her an alibi. For her 'captors' we handpicked mercenaries who had a track record of running to intelligence agencies to get cash for tips, so the CIA would establish that she'd been the victim of a rendition. That way, who the hell would ever think she was helping me?"

Charlie regarded Alice through the thickening fog. She was leaning over her motorboat's prow, still searching the waves and calling out. He made out a gun in her right hand.

"And she just happened to phone right when the plane was going down?" Charlie asked.

"We wanted you to give the spiel about Punjabi separatists," said Bream.

"Otherwise she would have let the plane crash?"

"Otherwise we wouldn't have set you up in a plummeting plane in the first place."

"So it was nothing personal? Just another day at the office in Spook City?"

Biting back a grin, Bream nodded slowly.

"You're just telling me this to distract me, aren't you?" Charlie said. And hoped.

"You're learning." Bream raised the Glock. "Just too late."

He had difficulty steadying the barrel, what with his lower half still submerged and lashed by waves and the rest of him swaying and lurching along with the Zodiac, but at a firing distance of six feet, even with gale force winds added to the mix, he would have excellent odds of hitting Charlie.

"You need me alive," Charlie said.

"Really? Why's that?"

"Cheb Qatada isn't going to pay a dime for your services. You'll want to know where the treasure of San Isidro is hidden."

"Why would you tell me?"

"To distract you." Charlie kicked the tiller as hard as he could. It swung the outboard motor toward Bream. The whirring propeller blades sawed into his pelvis. Hot blood pelted Charlie's face and stippled much of the raft.

Bream tried to scream but got a mouthful from a wave. Still he fired.

The bullet severed the handle from the rest of the tiller. Charlie rolled toward the stern, snatched the handle, and swung it, batting the Glock away from Bream. The gun took an odd bounce off the stern and splashed into the bay.

Propelling himself away from the raft despite obvious pain, Bream plunged into a dark wave and, somehow, fished out the weapon.

Charlie dove for the far end of the raft.

Bream wrestled the tide to put Charlie in his gunsights.

The tinny sputter of a motorboat grew louder, capturing their attention.

The bow sliced apart the fog, showing Charlie a washed-out image of Alice at the helm. She was squinting down the barrel of her pistol, pointed at him. The sight was more painful than the bullet would be. All he could do was brace himself as she refined her aim and fired.

The air shook with the report. The bullet drilled through the haze, missing him by a wide margin.

Bream gasped. A wave swept aside a large lock of his hair, revealing a purple cavity in the side of his head. Another wave clubbed him, driving him to the bottom of the bay.

Charlie wondered if, in reality, Alice had shot him—or if Bream had shot him—and he was now spending his last throes in reverie.

A moment later, the motorboat was close enough that he could clearly see Alice's face. She was smiling.

"Need a lift?" she asked.

He glanced at his raft, all but underwater. "Where are you going?"

Setting down her gun, she gathered up her bowline and tossed him the end. He caught the rope with both hands, then held on tight while she pulled the remains of the Zodiac toward her. When he stepped off, grabbing the motorboat's bow, the raft disappeared altogether beneath the waves.

"There's something I need to tell you," he said as she helped him aboard.

"What's that?"

"I love you."

"Same." She stood on her toes and kissed him.

20

Charlie liked to say that the best thing in life was to win money at the track. And the second best thing was to lose money at the track. In the three months after Mobile, he lost hundreds of thousands of dollars, not counting his bourbon tab, which wasn't far behind.

At least the losses came at Keeneland, the historic Kentucky racecourse famous for the Blue Grass Stakes as well as for its tonic effect on horseplayers. Sitting in the august grandstand, breathing in the horses and hay and fresh-mown bluegrass, Charlie often felt as if he were drifting back in time. He sometimes turned toward the thunder of hooves half expecting to find Seabiscuit in the lead.

During the final week of Spring Race Meet, Charlie was joined in the grandstand by his father. Drummond's heart had healed entirely in Martinique and, after nine weeks in Geneva, his mental condition had begun to show improvement. In Kentucky, he was happy just to be in his son's company.

On their third day together, a few minutes before the final race, Charlie said, "I'm going to make a run downstairs. Need another cup of burgoo?" The robust meat stew was a Keeneland specialty, and a favorite of Drummond's.

Drummond smiled. "That would be nice, thank you."

Charlie headed to the aisle, then turned back to Drummond. "This is your sixth cup of burgoo, and you've yet to impart an interesting piece of information about it."

Drummond lifted his shoulders. "I don't have one."

"With a name like burgoo, we ought to be able to find one."

Leaving him to soak in the sunshine, Charlie went to watch the post parade, in particular Queen of the Sands, a stocky dark brown mare with a white star between intelligent eyes. Her illustrious ancestry included two Derby winners. Her owner, Prince Mohammed bin Zayed, seemed to have a golden touch of late, although rumors swirled that his gold was in fact a new detection-defying anti-inflammatory drug that could mask pain, allowing horses to run faster.

Charlie was known to bin Zayed less as a horseplayer than as the son of Drummond Clark, the retired spy who had recently purchased a château in Switzerland with the proceeds from the illegal sale of a Russian atomic demolition munition. Rumor was, Drummond had another ADM.

Bin Zayed, the chief benefactor of an international terrorist network, suspected that Charlie had learned the location of the second bomb from his father and might be persuaded to give it up to pay off his gambling debts.

The CIA had fed this information to bin Zayed through cutouts in Saudi Arabia.

In truth, Charlie's betting and bourbon were just cover. Alice, waiting in Paris, understood. His real reason for being in Kentucky was to sell a washing machine.

Acknowledgments

Thank you to Phyllis Grann. Detailing her excellence as an editor would make this book too heavy to lift.

Richard Abate is the Albert Pujols of literary agents.

Novelist Chuck Hogan has been the Kevin Youkilis of writing advisers. Incidentally, Kevin Youkilis is the Chuck Hogan of hitters.

In the same league, on national security matters, are Elizabeth Bancroft, Fred Burton, and Fred Rustmann. I'm indebted to them as well as too many members of the Association of Former Intelligence Officers to mention (just as well as most would probably prefer going unmentioned).

Thank you to Roy Sekoff and the *Huffington Post* for allowing me to report on the intelligence community and learn, among other things, that the men and women of the clandestine services are our most underrated heroes.

I'm also grateful to the members of Doubleday's incomparable marketing, publicity, and sales teams—notably, Rachel Lapal, Adrienne Sparks, and John Pitts—and to Doubleday's Edward Kastenmeier, Sonny Mehta, Jackie Montalvo, Nora Reichard, Bill Thomas, Zack Wagman, and Michael Windsor.

Thank you also to friend and Internet guru John Felleman, who gives Web sites an added dimension.

Additional thanks to Rachel Adams, James Bamford, T. J. Beitelman, Tim Borella, Patrick Bownes, Glenny Brock, Cindy Calvert, Rachel Clevenger, Columbia Pictures, Jennifer Donegan, Peter Earnest, Linda Fairstein, David Flumenbaum, James Gregorio, Amy Hertz, Melissa Kahn, Joan Kretschmer, Olaf Kutsch, Robert Lazar, Kate Lee, Donna Levine, Ray Paulick, Michael Perrizo, Christopher Reich, Jake Reiss, Hilary Reyl, Raya Rzeszut, Keck Shepard, Malcolm Thomson, Barbara Traweek, John Waddy, and Lawrence Wharton.

There would be no acknowledgments section, nor pages preceding it for that matter, if not for my wife, Karen Shepard, a swell wife with a sixth sense for story structure.

Finally, thanks to anyone else who has read this book to this point.

Please send any questions or comments to kqthomson@gmail.com.